Thomas Ludewig

BERLIN

Geschichte
einer deutschen Metropole

Mit einem Essay von
Wolfgang Wippermann

C. Bertelsmann

Einband und Graphik
HTG Werbung Tegtmeier + Grube KG, Bielefeld

© C. Bertelsmann Verlag GmbH, München/
Bertelsmann Lexikothek Verlag GmbH, Gütersloh 1986
Alle Rechte vorbehalten
Gesamtherstellung Mohndruck Graphische Betriebe GmbH, Gütersloh
Printed in Germany
ISBN 3-570-07194-4

BERLIN

C.BERTELSMANN MONOGRAPHIEN

Vorwort

o7

Einen neuartigen Buchtyp mit einer einheitlichen Gliederung in die drei Hauptbestandteile Chronik, Lexikon und Essay bilden die C. Bertelsmann Monographien. Ihre Themen sind Gegenstände, die eine deutliche historische Basis haben, d. h., die sich in einer **Chronik** sinnvoll in zeitlicher Abfolge darstellen und in einem **Lexikon** in Einzelinformationen aufgliedern lassen. Dafür eignen sich z. B. Persönlichkeiten, Ereignisse, Epochen, Städte, Länder oder politische, kulturelle, religiöse und andere Gruppen.

Die Themen sind zugleich so gewählt, daß sie nicht nur eine interessante Vergangenheit spiegeln, sondern auch eine bis in die Gegenwart reichende Wirkungsgeschichte oder eine Zukunftsperspektive haben, die ihnen Aktualität sichern. Dieser Aktualität ist der **Essay** gewidmet.

Die **Chronik** bietet das Datengerüst zur Geschichte des 750jährigen Berlins. Gleichzeitig verweist sie durch *Kursivdruck* immer wieder auf die Stichwörter des **Lexikons**, das durch zahlreiche Literaturangaben außerdem Wege zum vertieften Studium des Themas öffnet.

Lexikonstichwörter sind Stadtteile und früher selbständige Städte, Bauwerke, Straßen und Plätze, aber auch diejenigen herausragenden Persönlichkeiten, die das Bild der Stadt und ihr geistiges Profil prägten, ferner ausgewählte Sachbegriffe zur kulturellen, wirtschaftlichen und gesellschaftlichen Geschichte der Stadt.

Der **Essay** stellt die Frage nach dem Metropolencharakter – politisch, geistig-kulturell, wirtschaftlich und sozial – und seiner Zwiespältigkeit, vor allem aber nach der Besonderheit der letzten Jahrzehnte mit Krieg und Zerstörung, Spaltung und Verlust der Metropolenfunktion und nach einer neuen Perspektive.

»Berlins Aufstieg zur deutschen Metropole war keineswegs nur durch seine Funktion und Stellung als Hauptstadt Preußens und dann Deutschlands bedingt. Vielleicht ebenso wichtig war in dieser Hinsicht Berlins Bedeutung als Industriemetropole. Hinzu kommt schließlich Berlins Aufstieg zur geistig-wissenschaftlichen Metropole Deutschlands . . . Berlin war im Guten wie im Bösen Schauplatz der deutschen Geschichte. Das Land und die Stadt sind geteilt, aber diese Geschichte ist unteilbar. Alle Deutschen, alte wie junge, Bewohner der DDR wie der Bundesrepublik, des östlichen wie des westlichen Teils Berlins sind in diese Geschichte hineingeboren. Gerade in Berlin muß man sich daran erinnern. Berlin-Geschichte muß zu einer begriffenen Geschichte werden.« (aus dem Essay von Wolfgang Wippermann)   Der Verlag

Chronik

50 000 v. Chr.–1299

ca. 50 000 v. Chr. Das heutige Gebiet Berlins, also der Raum, in dem die Hügelländer Teltow und Barnim und die Niederung des Havellandes zusammentreffen und der von *Havel, Spree,* Dahme und Panke durchflossen wird, war bereits in der Altsteinzeit locker besiedelt. In *Spandau* und Hohenschönhausen fand man Tierknochen mit Bearbeitungsspuren und Feuersteinabschläge, die aus dieser Zeit stammen.

ca. 8000 v. Chr. Zahlreiche Funde, insbesondere die Ausgrabungen am Tegeler Fließ von 1957, geben Aufschluß über die Lebensweise der Jäger und Sammler, die in der mittleren Steinzeit im Spree-Havel-Gebiet lebten. Die Lebensgrundlage dieser Menschen bildete die Rentierjagd, sie betrieben aber auch Fischfang und sammelten Früchte.

ca. 3000 v. Chr. Hackbaugeräte und Knochenfunde aus der Jungsteinzeit dokumentieren den Übergang zu frühen bäuerlichen Lebensformen mit Ackerbau und Viehzucht. Aus dieser Zeit stammen auch die ersten Keramikfunde (Trichterbecherkultur).

ca. 1700 v. Chr. Waffen, Geräte und Schmuckstücke der frühen Bronzezeit wurden unter anderem in Lichtenrade und Spandau bei Ausgrabungen entdeckt. Aus der mittleren und jüngeren Bronzezeit stammen zahlreiche Urnenfriedhöfe (hier ist besonders der auf dem Gottesberg in Wittenau zu nennen) und Reste von Siedlungen (z. B. in Buch und Lichterfelde), die der Lausitzer Kultur zugeordnet werden.

ca. 600 v. Chr. Germanische Stämme siedeln im Spree-Havel-Gebiet, und zwar zunächst die swebischen Semnonen. Sie werden später mehr und mehr von den ostgermanischen Burgunden verdrängt.

ca. 650 n. Chr. Slawische Stämme, die sich später Heveller und Sprewanen nennen, lassen sich im Berliner Raum nieder. Es gibt keine Anhaltspunkte für kriegerische Auseinandersetzungen mit den bereits hier ansässigen Germanen. Auf der Burgwallinsel im Gebiet des heutigen *Spandau* südlich der erhalten gebliebenen Altstadt späteren Ursprungs entsteht eine Siedlung der Heveller, die hier im

8. Jahrhundert eine Burg anlegen. Ihren Fürstensitz haben die Heveller in Brennaburg, dem heutigen Brandenburg. Auf der späteren Schloßinsel *Köpenick* errichten die Sprewanen um 825 eine Burg.

948. Nachdem der deutsche König Heinrich I. 928 Brandenburg erobert hatte, leitet sein Sohn und Nachfolger Otto der Große die Slawenmission ein. Er gründet 948 die Bistümer Brandenburg und Havelberg. Der Spreegau wird Missionsgebiet der brandenburgischen Diözese.

983. Der erste Versuch der Christianisierung scheitert durch einen Slawenaufstand und die Vertreibung der deutschen Siedler und Priester.

1134. Kaiser Lothar III. greift die Ostpolitik Ottos des Großen auf. In seine Regierungszeit fällt der Beginn der deutschen Ostsiedlung. Er setzt 1134 Albrecht den Bären aus dem Hause der Askanier als Markgrafen der Nordmark ein.

1150. Nach dem Tode des letzten Hevellerfürsten Pribislaw tritt Albrecht dessen Erbe an. Er wird jedoch kurz darauf vom Sprewanenfürst Jaxa (Jaczo) von Köpenick aus Brandenburg vertrieben.

1157. Mit Unterstützung des Erzbischofs von Magdeburg gewinnt Albrecht der Bär am 11. Juni 1157 Brandenburg zurück. Er und seine Nachfolger nennen sich künftig »Markgrafen von Brandenburg«. Die Slawen werden in der Folgezeit mehr und mehr zurückgedrängt und die Territorien der Askanier mit Einwanderern aus Gebieten westlich der Elbe besiedelt.

ca. 1170. Nach dem Tod Albrechts wird die Regentschaft von seinem Sohn Otto I. übernommen. Etwa zu dieser Zeit wird am späteren Standort der *Zitadelle Spandau* eine askanische Burg gegründet. Es entsteht eine neue Siedlung im Bereich der heutigen Altstadt. 1197 wird die Burg *Spandau* erstmals erwähnt.

ca. 1200. Etwa auf halbem Weg zwischen Spandau und Köpenick entstehen am Übergang einer Handelsstraße über die *Spree* die Kaufmannssiedlungen Berlin und Cölln. Während Cölln den südlichen Teil einer Spreeinsel einnimmt, liegt Berlin am nordöstlichen Ufer. Die Gründungsurkunden der Städte wurden wahrscheinlich 1380 bei einem Großbrand, von dem auch das Berliner *Rathaus* betroffen war, vernichtet.

ca. 1230. Die Markgrafen Johann I. und Otto III. von Brandenburg erwerben die Gebiete östlich der Havel bis zur Oder. Vermutlich werden Berlin und Cölln etwa zu dieser Zeit die Stadtrechte verliehen. Im Stadtzentrum von Berlin nahe dem Alten Markt, der später den Namen *Molkenmarkt* erhält, wurde wohl schon um 1220 an der Stelle der heutigen *Nikolaikirche* eine romanische Basilika errichtet. In Cölln entsteht um 1230 die *Petrikirche*.

1232. *Spandau* erhält von den Markgrafen von Brandenburg die Stadtrechte.

1237. Die erste urkundliche Erwähnung der Stadt Cölln findet sich in einem Dokument der Markgrafen vom 28. Oktober 1237, in dem ein »Pfarrer Symeon von

Cölln« genannt wird. Weil es an älteren schriftlichen Zeugnissen fehlt, werden Stadtjubiläen auf das Jahr 1237 bezogen.

1239. Vermutlich in diesem Jahr, eventuell aber auch schon früher, wird von den Markgrafen von Brandenburg das Spandauer *Benediktinerinnenkloster Sankt Marien* gegründet.

1240. Die *Nikolaikirche in Spandau,* die wohl schon Jahrzehnte zuvor erbaut wurde, wird in einer Urkunde vom 29. Juli 1240 als Marktkirche ausgewiesen.

1242. *Zehlendorf* wird erstmals urkundlich erwähnt. 1247 folgen *Tempelhof* und *Lübars* und 1251 *Wedding.*

1244. Der 1237 im Zusammenhang mit der Stadt Cölln genannte Symeon wird in einem Dokument vom 26. Januar 1244 als »Propst von Berlin« angegeben.

1247. Die erste Stadtmauer wird um die Schwesterstädte Berlin und Cölln errichtet. In einer am 29. April 1247 ausgestellten Urkunde wird erstmals ein Schultheiß von Berlin namens Marsilius genannt.

Ältestes überliefertes Siegel der Stadt Berlin von 1253. Das Siegel zeigt noch keinen Bären, sondern den brandenburgischen Adler und die Umschrift [SI]GILLUM DE BERLIN BURG[EN]S[IUM] – Siegel der Bürger Berlins.

1251. Eine Urkunde vom 12. Januar 1251, durch die der Stadt Prenzlau Zollfreiheit gewährt wird, belegt, daß Berlin die Stadtrechte und Zollfreiheit bereits zu einem früheren Zeitpunkt zuerkannt worden sind.

1261. In einem Dokument vom 21. November 1261 wird die »Aula Berlin« erwähnt. Sie ist der Wohnsitz der Markgrafen von Brandenburg während ihrer

Aufenthalte in Berlin. Die »Aula Berlin« befand sich an der nordöstlichen Stadtmauer, an der Stelle, an der um 1295 das *Hohe Haus* errichtet wurde.

1264. Anläßlich einer Landschenkung des Markgrafen Otto III. an das *Benediktinerinnenkloster Sankt Marien* wird *Schöneberg* in einer Urkunde vom 3. November 1264 erstmals genannt.

1270. Berlin erlebt in den Jahren um 1270 ein rasches Wachstum. Die Stadt wird erweitert und der Neue Markt angelegt. Die *Marienkirche*, am Neuen Markt gelegen, wird erst 1294 urkundlich erwähnt, dürfte aber ebenfalls um 1270 entstanden sein.

1271. Der Franziskanerorden, der etwa 1245 in Berlin ein Kloster gründete, erhält von den Markgrafen ein Grundstück nahe der »Aula Berlin«. Auf diesem Grundstück werden zwischen 1280 und 1300 die Klosterkirche und vermutlich auch das *Graue Kloster* errichtet.

Siegel der Stadt Berlin von 1280. Das Siegel zeigt erstmals zwei Bären als Schildhalter des Schildes mit dem märkischen Adler und die Umschrift SIGILLUM BURGENSIUM DE BERLIN SUM – Ich bin das Siegel der Bürger von Berlin.

1280. Auf einer Urkunde vom 22. März 1280 findet sich ein Siegel mit zwei Bären, die einen Adlerschild halten. Aus diesen zwei Bären entwickelt sich im Laufe der Jahrhunderte der Berliner Bär.
Im Jahre 1280 findet in Berlin der erste märkische Landtag statt, weitere folgen 1345, 1369 und 1400.

1288. *Lichtenberg* wird erstmals urkundlich erwähnt. 1293 folgt *Wilmersdorf* und 1313 *Weißensee.*

1295. Am Standort der »Aula Berlin«, dem Hof der Markgrafen in Berlin, wird um 1295 das *Hohe Haus* errichtet.

1300–1399

1307. Berlin und Cölln schließen sich zu einer Bundesstadt zusammen und bilden einen gemeinsamen Rat. Auf der Langen Brücke, nach dem Mühlendamm die zweite Verbindung zwischen den beiden Städten, entsteht ein neues *Rathaus* für die Sitzungen des gemeinsamen Rates, der sich aus 12 Berliner und 6 Cöllner Ratmannen zusammensetzt und in erster Linie für die Verteidigung und für Landesangelegenheiten zuständig ist. Bereits 1308 übernimmt die Doppelstadt die Führung im Märkischen Städtebund.

1313. Die *Heiliggeist-Kapelle,* die zum Hospital gleichen Namens gehört, wird erstmals urkundlich erwähnt.

1319. Markgraf Woldemar, der letzte askanische Markgraf von Brandenburg, stirbt am 14. August 1319. Er hinterläßt keine Erben, so daß seine Witwe, die Markgräfin Agnes, die Regentschaft übernimmt. Sie heiratet wenig später den Herzog von Braunschweig. Woldemars Neffe Heinrich das Kind stirbt 1320. Daraufhin erhebt Rudolf von Sachsen Anspruch auf das Erbe der Askanier. Diese Situation wird erst dadurch geklärt, daß Kaiser Ludwig IV. aus dem Hause Wittelsbach die Mark Brandenburg, die er als heimgefallenes Lehen betrachtet, im Jahre 1324 an seinen Sohn Ludwig den Älteren vergibt.

1325. Nach der Übernahme der Regentschaft durch die Wittelsbacher ist Berlin auch von den Auseinandersetzungen zwischen Kaiser Ludwig IV. auf der einen Seite und Papst Johannes XXII. sowie dem Habsburger Gegenkönig Friedrich dem Schönen auf der anderen Seite betroffen, in deren Verlauf der Kaiser vom Papst gebannt wird. 1321 hatten sich Berlin und Cölln zusammen mit anderen Städten der Mittelmark noch zu Herzog Rudolf von Sachsen bekannt, der der päpstlichen Seite angehörte. Nun setzen sich die Anhänger der Wittelsbacher durch. Im Jahre 1325 dokumentiert sich dieser Stimmungswandel in ungewöhnlich drastischer Form, als Propst Nikolaus von Bernau, der in Berlin zu Gast ist, von einer aufgebrachten Menge erschlagen und anschließend auf dem Scheiterhaufen verbrannt wird. Der Papst verhängt daraufhin über Berlin und Cölln den Bann.

1345. *Reinickendorf* wird erstmals urkundlich erwähnt.

1347. Am 18. August 1347 wird der 1325 über Berlin und Cölln verhängte päpstliche Bann aufgehoben, nachdem bereits 1335 auf Verlangen des Bischofs von Brandenburg für den erschlagenen Propst Nikolaus ein steinernes Kreuz vor der *Marienkirche* und ein Altar in der Kirche errichtet worden waren.

1348. In Berlin bricht die Pest aus. Das Gerücht, die *Juden* hätten die Brunnen vergiftet, führt zur ersten Judenverfolgung in Berlin und der Mark Brandenburg.
Im gleichen Jahr erscheint in Berlin der später als Hochstapler entlarvte »falsche Woldemar«, der von sich behauptet, er sei der letzte Askanier und komme von einer Pilgerfahrt aus dem Heiligen Land zurück. Rudolf von Sachsen, die Grafen von Anhalt und Erzbischof Otto von Magdeburg erklären, daß der Tod

*Siegel der Stadt Berlin von 1338. Über dem schreitenden Bären flattert am Halsband
der brandenburgische Adler als Zeichen loser landesherrlicher Oberhoheit. Die
Umschrift lautet: S[igillum] Secretum Civitatis Berlin – Geheimsiegel der Stadt Berlin.*

Woldemars im Jahre 1319 lediglich vorgetäuscht worden sei. Der »falsche Woldemar« kann sich in Berlin durchsetzen, da er durch Versprechungen rasch Anhänger gewinnt. Viele seiner Gegner, die dem Markgrafen Ludwig dem Älteren
die Treue halten, läßt er hinrichten. König Karl IV. von Böhmen begünstigt den
»falschen Woldemar«. Er erhofft sich von ihm Unterstützung im Kampf gegen
die Wittelsbacher Markgrafen.

1350. Karl IV. und Markgraf Ludwig der Ältere einigen sich. Ludwig erkennt
Karl IV. als deutschen König an. Durch eine gerichtliche Untersuchung wird
festgestellt, daß der angebliche Markgraf Woldemar ein Betrüger ist. Karl IV.
belehnt die Wittelsbacher mit der Mark Brandenburg.

1351. Die Doppelstadt Berlin-Cölln widersetzt sich der Herrschaft der Wittelsbacher. Ludwig der Ältere und sein Bruder Ludwig der Römer belagern mit däni-
scher Hilfe die Stadt, bis es im Juli 1351 zu einem Waffenstillstand und einer Einigung kommt. Im Dezember 1351 zieht sich Ludwig der Ältere aus der Mark
Brandenburg zurück und überläßt sie Ludwig dem Römer und seinem zweiten
Bruder Otto.

1356. Karl IV., der 1355 zum Kaiser gekrönt wurde, erläßt 1356 die Goldene
Bulle. Aufgrund dieses Gesetzeswerkes, das unter anderem das Königswahlrecht
regelt, wird Brandenburg als Kurfürstentum – eine Würde, die die Markgraf-
schaft schon seit der Herausbildung des Kurfürstenkollegs um 1250 hatte – bestätigt.

1359. Berlin-Cölln nimmt am Hansetag in Lübeck teil. Aufgrund seiner politischen Stellung wird es Sprecher der märkischen Städte bei der Hanse.

1360. Der Johanniterorden gründet 1360 Rixdorf, das spätere *Neukölln*. Dies ist die einzige mittelalterliche Dorfgründung im Berliner Raum, über die schriftliche Unterlagen erhalten geblieben sind.

1365. Kurfürst Ludwig stirbt am 17. Mai 1365. Sein Bruder Otto übernimmt die Regentschaft.

1369. Kurfürst Otto, der sich durch Vernachlässigung seiner Aufgaben in der Mark den Beinamen »der Faule« erworben hat, befindet sich – wie schon zuvor seine Brüder – in finanziellen Nöten. Er verkauft das Münzrecht an die Ratsherren des Berliner Münzbezirks. Berlin entwickelt sich zum finanzwirtschaftlichen Mittelpunkt der Mark Brandenburg.

1370. *Pankow* wird erstmals urkundlich erwähnt.

1373. Nachdem sich Kurfürst Otto gegen Kaiser Karl IV. aufgelehnt hatte, muß er im Friedensvertrag von Fürstenwalde die Mark Brandenburg an den Kaiser zurückgeben. Karl IV. setzt seinen zwölfjährigen Sohn Wenzel als Markgrafen ein, übernimmt aber selber die Regentschaft.

1375. Karl IV. läßt ein Landbuch anlegen, in dem die Besitzverhältnisse in der Mark eindeutig festgelegt werden. Zahlreiche Dörfer in der Umgebung Berlins werden in diesem Landbuch erstmals urkundlich erwähnt, unter anderem auch *Steglitz*.

1378. Karl IV. vergibt die Mark Brandenburg an seinen Sohn Sigismund.

1380. Nachdem bereits 1376 ein Großbrand vor allem in Cölln zahlreiche Häuser zerstört hatte, trifft im Jahre 1380 eine Brandkatastrophe hauptsächlich Berlin. Sämtliche Kirchen, bis auf die Klosterkirche und die *Heiliggeist-Kapelle*, fast alle Bürgerhäuser und auch das *Rathaus* fallen den Flammen zum Opfer. Vermutlich wurde durch diesen Brand auch das Stadtarchiv vernichtet, denn aus der Zeit vor 1380 liegt uns heute nur eine geringe Anzahl schriftlicher Dokumente vor.

1387. Berlin erwirbt die Burg und die Stadt *Köpenick* als Pfandbesitz. Keiner anderen Stadt in der Mark ist es je gelungen, eine landesherrliche Burg in ihren Besitz zu bringen.

1390. Um 1390 wird auf Veranlassung des Rates ein Berliner Stadtbuch angelegt. Es enthält neben Gesetzestexten und Gerichtsurteilen auch Abschriften von Urkunden der Stadt. Es ist somit nicht nur eine wichtige Quelle für historische Forschungen, sondern vermittelt auch einen Eindruck von der Härte mittelalterlicher Rechtsprechung.

1391. Berlin kauft das bis zu diesem Zeitpunkt landesherrliche Gericht. Neben der wirtschaftlichen Bedeutung, die dem Gericht aufgrund von Geldzahlungen Verurteilter zukommt, spielt für Berlin noch ein zweiter Aspekt eine Rolle: Die Stadt gewinnt an Unabhängigkeit gegenüber dem Landesherrn.

1393. Jobst von Mähren, dem Sigismund 1388 Brandenburg verpfändet hatte, nachdem er selbst zum König von Ungarn gekrönt worden war, sieht in der Mark lediglich eine lukrative Einnahmequelle. Er setzt Statthalter ein, die hauptsächlich als Steuereintreiber fungieren, jedoch die Aufrechterhaltung der öffentlichen Ordnung vernachlässigen. Angesichts immer häufiger werdender Übergriffe durch Räuber und Raubritter bilden 21 mittelmärkische Städte, unter ihnen Berlin, Brandenburg und Frankfurt, ein Sicherheitsbündnis und gründen eine Landwehr. Ihre Hauptgegner sind die Brüder Johann und Dietrich von Quitzow.

1400–1499

1402. Die mit den Pommern verbündeten Quitzows zerstören Strausberg, erobern Bötzow und rücken gegen Berlin vor. Berlin und die Landwehr sind nicht in der Lage, den Quitzows ausreichenden Widerstand entgegenzusetzen. Nur durch Verhandlungsgeschick und Zahlung erheblicher Geldsummen gelingt es, sich mit den Quitzows zu einigen. Dietrich von Quitzow wird Hauptmann der Mittelmark.

1404. Dietrich von Quitzow verdrängt an der Spitze des Landesheeres seine ehemaligen Verbündeten, die Pommern, aus Strausberg und Bötzow und kehrt als gefeierter Sieger nach Berlin zurück. Da seine Geldforderungen jedoch nicht erfüllt werden, wendet er sich wieder gegen Berlin und besetzt die Burgen Beuthen, Saarmund und *Köpenick*, um von dort aus erneut zu rauben und zu plündern.

1411. Nachdem Jobst von Mähren und Sigismund, der Sohn Karls IV., ein Jahr zuvor bei der Königswahl gegeneinander angetreten waren und keine Einigung erzielt werden konnte, stirbt Jobst von Mähren am 18. Januar 1411. Auch seine Wähler erkennen nun Sigismund als deutschen König an. Die Mark Brandenburg fällt nach dem Tode Jobsts von Mähren an Sigismund zurück, der am 8. Juli 1411 den Burggrafen Friedrich VI. aus dem Hause Hohenzollern als Statthalter einsetzt.

1412. Friedrich VI. bestätigt die Privilegien der Stadt Berlin, die ihm daraufhin am 7. Juli 1412 als erste Stadt der Mark Brandenburg huldigt. Ein Teil des Adels widersetzt sich dem neuen Markgrafen, darunter auch die Quitzows, die sich nun wieder mit den pommerschen Herzögen verbündet haben. Im Oktober 1412 schlagen Friedrichs fränkische Ritter gemeinsam mit einem Berliner Aufgebot die Pommern am Kremmer Damm. Zwei Jahre später erobert Friedrich VI. die Burgen der Quitzows und zwingt den Adel, sich ihm zu unterwerfen.

1415. Auf dem Konstanzer Konzil wird Friedrich VI. von König Sigismund am 30. April 1415 zum Kurfürsten erhoben und mit der Mark Brandenburg belehnt. Als Kurfürst Friedrich I. nimmt er Ende des Jahres die Huldigung der Städte der Mark entgegen.

1426. Friedrich I. hatte seinen Sohn Johann bereits 1417 als Statthalter der Mark

Brandenburg eingesetzt. Am 13. Januar 1426 überträgt Friedrich ihm die vollen Regierungsgeschäfte, um sich selbst endgültig aus der Mark zurückziehen zu können. In der unruhigen Zeit vor der Übernahme der Regentschaft durch die Hohenzollern hatten die Städte der Mark die Schwäche der Territorialgewalt genutzt, um ihre politische Selbständigkeit auszubauen. Die neuen Landesherren sind nun bemüht, die Territorialgewalt wieder zu stärken. Frankfurt an der Oder ist die erste Stadt, die auf einen Teil ihrer Privilegien verzichten muß, nachdem ihr Markgraf Johann vorwirft, in die landesherrliche Gerichtsbarkeit eingegriffen zu haben.

1430. Berlin, Cölln und Frankfurt nehmen am Hansetag in Lübeck teil, der öffentlichen Widerstand gegen die Machtansprüche der Landesherren beschließt. Im folgenden Jahr vereinbaren Berlin, Cölln, Frankfurt und Brandenburg ein Schutzbündnis, das sie zu gegenseitiger Hilfe verpflichtet, falls einer der beteiligten Städte die erworbenen Rechte streitig gemacht werden. Keine der Städte soll ohne Zustimmung der anderen Vertragsparteien auf eines ihrer Rechte verzichten.

1432. Angesichts der Gefährdung ihrer Privilegien durch landesherrliche Ansprüche erneuern und erweitern Berlin und Cölln ihr Bündnis von 1307. Es umfaßt nun auch ein gemeinsames Bürgerrecht, die gemeinsame Verwaltung der Finanzen und die Zusammenlegung der Kämmereigüter. Diese neuerliche Vereinigung der beiden Städte ist nicht nur gegen den Landesherrn gerichtet, sie soll auch die Machtposition der Patrizier gegenüber den Zünften und der Bürgerschaft stärken.

1435. Berlin und Cölln erwerben vom Johanniterorden die Dörfer *Tempelhof,* Mariendorf, Marienfelde *(Dorfkirchen)* und Rixdorf *(Neukölln).* Wie schon mehrfach zuvor bringen die Städte auch diese Lehnsbesitzungen ohne landesherrliche Zustimmung an sich. Markgraf Johann beantwortet diese Verletzung der Lehnshoheit mit der Beschlagnahme der Dörfer.

1437. Friedrich I. überträgt seinem zweitältesten Sohn Friedrich II. die Regierungsgeschäfte. Johann zieht sich in die fränkischen Stammlande der Hohenzollern zurück.

1440. Nach dem Tode des Kurfürsten Friedrich I. wird Friedrich II. Kurfürst von Brandenburg. Entgegen der traditionellen Form der Erbhuldigung läßt er sich zunächst von den Städten Berlin und Cölln den Treueeid leisten und bestätigt erst danach deren Privilegien.

1442. In der Auseinandersetzung der Bürgerschaft und der Zünfte, die eine Beteiligung am Rat der Städte fordern, mit den herrschenden Patriziern wenden sich die Bürger an den Kurfürsten mit der Bitte um einen Schiedsspruch. Die Ratmannen erkennen Friedrich II. als Schiedsrichter an und übergeben ihm die Schlüssel zu den Toren der Städte. Er nutzt diese Gelegenheit, in die Politik des Rates einzugreifen und die Selbständigkeit der Städte zu schwächen, indem er den Anspruch der Bürgerschaft unterstützt und die Auflösung des gemeinsamen Rates verfügt. Für sich beansprucht er das Recht, die neu zu wählenden Ratmannen der nun getrennten Räte in ihren Ämtern zu bestätigen. Die Teilnahme an Städtebündnissen und Hansetagen wird Berlin und Cölln untersagt. Im Tausch gegen die Rückgabe der 1435 beschlagnahmten Dörfer *Tempelhof,* Mariendorf, Marienfelde und Rixdorf nimmt Friedrich II. den Städten die Gerichtshoheit. Das *Rathaus* auf der Langen Brücke wird Sitz des kurfürstlichen Gerichts. Darüber hinaus zwingt Friedrich die Stadt Cölln, ihm ein Gelände innerhalb der Stadtmauern zum Bau eines Schlosses zu überlassen.

1443. Am 31. Juli 1443 legt Kurfürst Friedrich II. den Grundstein für den Bau des *Berliner Schlosses* auf dem ein Jahr zuvor von der Stadt Cölln abgetretenen Gelände. Beim Bau des Schlosses wird die Cöllner Stadtmauer mit einbezogen, wodurch dem Landesherrn ein freier Zugang zur Stadt gesichert wird. Die Bürger, für die das Schloß den Charakter einer Zwingburg hat, behindern in den nächsten Jahren immer wieder die Bauarbeiten.

1447. Die Unzufriedenheit der Bürger hatte in den Jahren zuvor ständig zugenommen, da der Kurfürst die Rechtmäßigkeit ihres Besitzes überprüfen ließ und Verstöße gegen das Lehnsrecht mit dem Einzug ihrer Güter ahndete. Die Lehnsbesitzungen, die die Städte teilweise ohne Zustimmung des Landesherrn erworben hatten, waren mittlerweile zu einem Großteil in die Hand der Bürger übergegangen. Nun wurde ihnen dieses Eigentum streitig gemacht. Die Auseinandersetzung gipfelt Ende 1447, Anfang 1448 in einem Aufstand. Dieser sogenannte »Berliner Unwille« beginnt mit der Gefangennahme des kurfürstlichen Richters und dem Einzug eines neuen gemeinsamen Rates in das Rathaus auf der Langen Brücke. Die landesherrlichen Beamten werden aus der Stadt verjagt. In der Kanzlei im *Hohen Haus* werden Schriftstücke, mit denen die Unrechtmäßigkeit von Lehnsbesitz bewiesen werden könnte, vernichtet. Die Cöllner Nordwestmauer, die zum Bau des Schlosses teilweise abgerissen worden war, wird durch einen Plankenzaun erneuert und das Baugelände durch Öffnen des Cöllner Stauwehrs überflutet. Berlin und Cölln bitten in ihrer Auseinandersetzung mit dem Kurfürsten andere märkische Städte und die Hanse um Hilfe, haben damit aber keinen Erfolg. Eine vom Kurfürsten nach Spandau einberufene Versammlung der Landstände erklärt am 25. Mai 1448 den Schiedsspruch von 1442 für verbindlich. Angesichts der Tatsache, daß sie keine Unterstützung bei anderen Städten finden, unterwerfen sich Berlin und Cölln dem Urteil der Ständeversammlung.

1451. Friedrich II. bezieht das *Berliner Schloß,* das aber er und sein Nachfolger Albrecht III. in den nächsten Jahren nur zeitweise bewohnen werden.

1454. Die Kapelle des Schlosses wird eigenständige Pfarrkirche und dem heiligen Erasmus geweiht. 1465 wird sie von Papst Paul II. zur Kollegiatkirche erhoben. Sie hat zunächst acht, später neun Domherren.

1470. Kurfürst Friedrich II. legt aus gesundheitlichen Gründen sein Amt nieder. Sein Bruder Albrecht III., genannt Albrecht Achilles, wird neuer Kurfürst von Brandenburg. Er wird sich während seiner Regentschaft nur selten in der Mark aufhalten und schon bald nach seinem Amtsantritt seinen Sohn Johann als Statthalter einsetzen.

1473. Albrecht Achilles regelt mit der Dispositio Achillae die Erbfolge der Hohenzollern. Danach soll Johann das Kurfürstentum Brandenburg erben. Die fränkischen Stammlande der Hohenzollern sollen nach Albrechts Tod an Johanns Brüder Friedrich V. und Siegmund fallen. Die brandenburgischen Besitzungen sollen nie geteilt, verkauft oder verpfändet werden. Erbe soll jeweils nur der erstgeborene Prinz des Hauses sein.

1477. Die Dominikaner verlegen ihr Generalstudium, bisher in Erfurt und Magdeburg ansässig, in ihr 1297 erstmals urkundlich erwähntes Cöllner Kloster. Berlin und Cölln erhalten auf diese Weise ihre erste Hochschule, die allerdings nur den Dominikanern zugänglich ist.

1484. Ein Großbrand in Berlin vernichtet zahlreiche Wohnhäuser. Auch das *Rathaus* wird zu einem erheblichen Teil zerstört. Im gleichen Jahr bricht in Berlin und Cölln die Pest aus.

1486. Nach dem Tod Albrechts am 11. März 1486 wird sein Sohn Johann (Cicero) Kurfürst von Brandenburg. Johann nimmt seinen ständigen Wohnsitz im »Schloß zu Cölln an der Spree«, wie das *Berliner Schloß* genannt wird. Berlin wird somit endgültig kurfürstliche Residenz.

1488. Kurfürst Johann setzt gegenüber dem Landtag die Einführung der Bierziese durch, indem er den Städten ein Drittel dieser Verbrauchssteuer zugesteht. Schon seine Vorgänger hatten versucht, eine solche Steuer einzuführen, waren aber am Widerstand der Städte gescheitert. Da zum jetzigen Zeitpunkt aufgrund der Dispositio Achillae nicht mehr die Gefahr besteht, daß die eingenommenen Gelder in die fränkischen Stammlande der Hohenzollern abfließen, ist die an sich unpopuläre Einführung der Bierziese für Berlin als Residenzstadt ein Gewinn, denn der Kurfürst verfügt nun über ein gesichertes eigenes Steueraufkommen.

1499. Am 9. Januar 1499 stirbt Kurfürst Johann. Sein Sohn Joachim I. (Nestor) wird sein Nachfolger. Da Joachim erst fünfzehn Jahre alt ist, wird sein Onkel zum Vormund bestellt. Joachim beugt sich jedoch nicht den Weisungen seines Vormunds, sondern übernimmt, von seinen Hofräten unterstützt, die Regierungsgeschäfte selbst. Eine seiner ersten Aufgaben ist es, das während der Amtszeit seines Vaters zu neuer Blüte gekommene Raubrittertum zu bekämpfen.

1500–1599

1501. Berlin und Cölln werden erneut von einer Pestepidemie heimgesucht, die bis zum Jahr 1504 andauert. Die Einwohnerzahl der Städte hatte sich in den letzten hundert Jahren von 6000 auf 12000 verdoppelt. In den nächsten 150 Jahren wird das Bevölkerungswachstum durch mehrere Pestepidemien gebremst *(Bevölkerungsentwicklung)*.

1510. Der Judenhaß findet einen erneuten Höhepunkt in einem Prozeß gegen mehr als hundert *Juden,* denen vorgeworfen wird, Hostienschändung und Ritualmord an Christenkindern begangen zu haben. Im Anschluß an den Prozeß werden alle Juden aus der Mark vertrieben.

1513. Die brandenburgischen Landstände verlegen ihren Sitz nach Berlin, wo seit diesem Jahr die allgemeinen Landtage stattfinden. Durch die zunehmende Ansiedlung von Behörden entwickelt sich die Stadt mehr und mehr zum Verwaltungsmittelpunkt. Die in den Behörden tätigen Beamten stammen zu einem Großteil aus dem fränkischen Raum. Nur langsam finden auch alteingesessene Bürger Zugang zu einflußreichen Stellungen. Nicht nur Beamte ziehen in diesen Jahren nach Berlin und Cölln, auch Kaufleute und Handwerker sowie Angehörige des Hofadels werden von der Residenz angezogen. Da die Städte dieses Wachstum nicht mehr bewältigen, entstehen die ersten vorstädtischen Siedlungen vor den Toren Cöllns und vor dem Berliner Georgentor.

1514. Auf Befehl des Kurfürsten Joachim I. wird das ehemalige gemeinsame *Rathaus* auf der Langen Brücke abgerissen.

1517. Johannes Tetzel hält sich in diesem Jahr mehrfach in Berlin und Cölln auf. Er predigt unter anderem in der *Nikolaikirche.* Für Erzbischof Albrecht von Magdeburg, den Bruder des Kurfürsten, ist der Ablaßhandel eine wichtige Geldquelle.

1521. Reformatorische Strömungen machen sich auch in Berlin und Cölln bemerkbar. Sie äußern sich nicht nur in rückläufigen Einnahmen der Kirche, sondern auch in der Zurückhaltung der Bürger bei kirchlichen Veranstaltungen. An der Fronleichnamsprozession des Jahres 1521 lassen viele Bürger ihre Töchter nicht teilnehmen, so daß der Kurfürst am 11. Juni des folgenden Jahres die Räte der Städte auffordert, für eine stärkere Beteiligung der Bürgerschaft als im Vorjahr zu sorgen.

1524. Am 27. Februar 1524 verbietet Kurfürst Joachim I. die Lutherbibel. 1526 folgt ein Erlaß, mit dem die Verbreitung von Lutherliedern unterbunden werden soll. Diese und andere Maßnahmen des Kurfürsten können jedoch nicht verhindern, daß die lutherische Bewegung weiter an Einfluß gewinnt.

1535. Kurfürst Joachim I., der sich in einer Erbregelung, die die Aufteilung der Mark Brandenburg unter seine beiden Söhne vorsieht, über die Dispositio Achillae hinwegsetzt, stirbt am 11. Juli 1535 im Cöllner Schloß. Sein jüngerer Sohn Johann erbt die Neumark, sein älterer Sohn Joachim II. (Hektor) die Kurmark mit Berlin und Cölln.

1536. Nach der Umsiedlung der Dominikaner nach Brandenburg verlegt Kurfürst Joachim II. das Domstift, das bisher seinen Sitz in der Erasmuskapelle des Schlosses hatte, in die Dominikanerkirche, die spätere Domkirche *(Dom).*

1538. Unter der Leitung des Architekten Caspar Theyß wird ein neues, erweitertes Schloß errichtet. Nach Abschluß der Bauarbeiten im Jahr 1540 werden in den folgenden Jahren die wichtigsten kurfürstlichen Behörden in das neue *Berliner Schloß* verlegt.

1539. Am 13. Februar 1539 findet eine Sitzung der Räte von Berlin und Cölln statt, in der beschlossen wird, den Kurfürsten um die Einführung des evangelischen Abendmahls zu bitten. Am 15. Februar 1539 wird dem Kurfürsten ein entsprechendes Schreiben übergeben. Angesichts der stärker werdenden lutherischen Bewegung hatten in den Jahren zuvor zahlreiche katholische Geistliche Berlin verlassen. Die Pfarren waren meist nicht neu besetzt worden, so daß kaum noch Gottesdienste stattfanden. Bereits 1537 war der evangelische Prädikant Johann Baderesch vom Cöllner Rat an die *Petrikirche* berufen worden. Der Kurfürst erkannte, daß er sich nicht auf Dauer der Forderung nach Einführung des evangelischen Abendmahls würde widersetzen können. Ostern 1539 beruft Joachim II. eine Theologiekommission ein. Sie hat die Aufgabe, eine neue Form des Gottesdienstes und die Organisation einer neuen Landeskirche auszuarbeiten. Im Sommer 1539 wird der evangelische Pfarrer von Arnswalde in der Neumark nach Berlin berufen. Er hält in Anwesenheit des Kurfürsten am 14. September 1539 in der Domkirche *(Dom)* die erste offizielle evangelische Predigt in Berlin. Ebenfalls in der Domkirche nimmt Joachim II. am 5. Oktober 1539 das Abendmahl in beiderlei Gestalt. Die Zeremonie findet in aller Stille statt und wird vom katholischen Bischof von Brandenburg zelebriert. Sie ist nicht als Übertritt zum Protestantismus zu werten, sondern als Demonstration des kurfürstlichen Wohlwollens. Am 1. November 1539 findet in der *Nikolaikirche in Spandau* die erste öffentliche Abendmahlsfeier nach evangelischem Ritus für den Adel des Teltow, des Barnim und des Havellandes statt. Am 2. November 1539 empfangen Rat und Bürgerschaft von Berlin und Cölln in der Berliner *Nikolaikirche* erstmals öffentlich das Abendmahl in der neuen Form. Die Zeremonie entspricht einem von der Theologiekommission erarbeiteten Kompromiß. Die Predigt hält der evangelische Pfarrer Georg Buchholzer, das Abendmahl spendet der katholische Bischof von Brandenburg. Zwar nimmt der Kurfürst weder am 1. November 1539 in Spandau noch am folgenden Tag in Berlin an der Abendmahlsfeier teil, er wird auch erst im Jahr 1563 formell zum Protestantismus übertreten, dennoch ist der 2. November 1539 für Berlin der Tag der Reformation. In den folgenden Jahren wird sie auch in den übrigen Städten der Mark vollzogen. Die von der Theologiekommission erarbeitete Kirchenordnung tritt 1540 in Kraft. 1543 wird die Geistlichkeit einer kurfürstlichen Behörde, dem evangelischen Konsistorium, unterstellt. Die umfangreichen kirchlichen Ländereien, hauptsächlich Schenkungen der Askanier und der Wittelsbacher, werden vom Kurfürsten eingezogen.

1540. In den letzten Jahrhunderten war es in Berlin und Cölln mehrfach zu Großbränden gekommen. Da bisher Holz- und Lehmfachwerkbau vorherrschten, fanden die Flammen reichlich Nahrung. Allmählich vollzieht sich ein Übergang zum Backsteinbau. Im Jahr 1540 wird die Maurerzunft in Berlin und Cölln bestätigt.
Am 22. März 1540 wird der Cöllner Kaufmann Hans Kohlhase vor dem Berliner Georgentor gerädert. Ihm waren 1532 während einer Reise zur Leipziger Messe von einem sächsischen Adligen, einem Herrn von Zaschwitz, zwei Pferde beschlagnahmt worden. Bei seiner Rückkehr aus Leipzig forderte er die Herausgabe seines Eigentums und Entschädigung. Zaschwitz war zwar bereit, die Pferde herauszugeben, verweigerte aber eine Entschädigung und forderte sogar noch die Erstattung seiner Kosten. Kohlhase konnte seine Klage weder beim

sächsischen Kurfürsten durchsetzen, noch fand er Unterstützung beim brandenburgischen Kurfürsten. Er bestand jedoch auf seinem Recht und sagte zunächst
Zaschwitz, später auch dem sächsischen Kurfürsten die Fehde an. Es entwickelte
sich ein regelrechter Privatkrieg. Als Kohlhase 1539 auch gegen den brandenburgischen Kurfürsten zu Felde zog und südlich von Berlin, in der Gegend des heutigen Kohlhasenbrück, einen Silbertransport überfiel, wurde er bald darauf gefangen und zum Tode verurteilt. Die Geschichte des Hans Kohlhase diente
Heinrich von *Kleist* als Vorlage für seine Novelle »Michael Kohlhaas«.

1541. Am 6. Januar 1541 wird das »Dreikönigsspiel« von Heinrich Knaus, dem
Rektor des Cöllnischen Gymnasiums, aufgeführt. Dies ist die erste belegbare
Theateraufführung in Berlin.

1542. Am 7. März 1542 wird der Grundstein für das *Jagdschloß Grunewald* gelegt. Der *Grunewald* wird in den nächsten Jahrzehnten neben dem *Tiergarten*
zum bevorzugten kurfürstlichen Jagdgebiet.

1557. Trotz erheblicher finanzieller Probleme beschließt Kurfürst Joachim II.
den Bau der *Zitadelle Spandau.* Zahlreiche Bauvorhaben, zunehmende Verwaltungsaufgaben und ein aufwendiger Lebensstil sind die Gründe für ständige
Geldforderungen des Kurfürsten an den brandenburgischen Landtag. Die für
die Anlage der Zitadelle erforderlichen Geldmittel werden erst im Jahre 1559
vom Landtag bewilligt. 1560 beginnen die Bauarbeiten.

1558. Unter der Leitung des Baumeisters Caspar Theyß wird an der Stelle der
früheren Burg der Bau des *Jagdschlosses Köpenick* begonnen.

1569. Kurfürst Joachim II. erreicht nach dem Tode Herzog Albrechts von Preußen die Mitbelehnung mit dem Herzogtum Preußen durch den König von Polen.

1571. Nach dem Tod des Kurfürsten Joachim II. und seines Bruders Johann, die
beide im Januar 1571 sterben, wird das Kurfürstentum Brandenburg mit der
Neumark wiedervereinigt. Joachims Sohn Johann Georg wird Kurfürst. Um die
von seinem Vater übernommenen Schulden zurückzahlen zu können, beschließt
er zunächst Steuererhöhungen.
Leonhard Thurneysser, den Johann Georg kurz nach Antritt seiner Regentschaft
nach Berlin ruft und zu seinem Leibarzt macht, erhält den Auftrag, zur Tilgung
der kurfürstlichen Schulden Gold herzustellen. Ihm werden Räume im *Grauen
Kloster* überlassen, in denen er nicht nur sein Laboratorium, sondern auch eine
Buchdruckerei und Schriftgießerei einrichtet, die weit über Berlin hinaus Geltung erlangt.
Johann Georg läßt gegen einige Berater seines Vaters, denen er vorwirft, für dessen Schuldenpolitik verantwortlich zu sein, Untersuchungen einleiten. Dabei erweist sich die Unschuld des Kanzlers Lampert Distelmeyer und des Rentmeisters
Thomas Matthias. Dennoch wird Matthias aus seinen kurfürstlichen Ämtern
entlassen. Die Darlehen, die er Joachim II. gewährt hatte, werden nicht getilgt.
Distelmeyer behält sein Amt als Kanzler, da Kurfürst Johann Georg auf ihn und
seine Erfahrungen nicht verzichten kann.

Dem Vertrauten seines Vaters in finanziellen Angelegenheiten, dem Juden Lippold, macht Johann Georg den Prozeß. 1572 werden die *Juden* aus Brandenburg erneut vertrieben, nachdem bereits ein Jahr zuvor ihre Häuser geplündert wurden. Am 28. Januar 1573 wird Lippold geviertelt.

1572. Auf Initiative des Bürgermeisters Johann Blankenfelde wird die erste Berliner Wasserleitung, die sogenannte Wasserkunst, gebaut. Die Benutzer dieser Anlage sind in der Gewerkschaft der Wasserkunst organisiert, die gemeinsam mit der Stadt den Bau und die Instandhaltung finanziert. Da die Anlage jedoch aus der Spree gespeist wird, die durch die Einleitung von Fäkalien verschmutzt ist, muß Trinkwasser nach wie vor von den Brunnen geholt werden. Deshalb läßt das Interesse der Bürger an der Wasserkunst in den nächsten Jahren nach, so daß sie verfällt.

1573. Der Gärtner Corbianus erhält den Auftrag, auf dem sumpfigen Nordteil der Cöllner Spreeinsel einen *Lustgarten* anzulegen.

1574. Die Schulen der *Nikolaikirche* und der *Marienkirche* werden in dem vom Kurfürsten am 13. Juli 1574 gestifteten Gymnasium zum *Grauen Kloster* vereinigt. Es ist eine allgemeine Landesschule.

1576. Erneut greift eine Pestepidemie auf Berlin und Cölln über. Sie fordert 4000 Todesopfer.

1581. Nach den Brandkatastrophen von 1380 und 1484 wird das Berliner *Rathaus* am 7. November 1581 zum dritten Mal ein Opfer der Flammen. Es wird wiederaufgebaut und 1584 fertiggestellt.

1598. Johann Georg, der testamentarisch die Aufteilung Brandenburgs unter seine Söhne verfügt hatte, stirbt am 8. Januar 1598. Sein Sohn Joachim Friedrich erhebt aufgrund der Dispositio Achillae Anspruch auf die Alleinherrschaft und läßt das Testament seines Vaters für ungültig erklären. 1599 schließt er mit Markgraf Georg Friedrich von Ansbach den Geraer Hausvertrag, der die Unteilbarkeit der Mark Brandenburg bestätigt und dem jeweils regierenden Kurfürsten die Anwartschaft auf das Herzogtum Preußen sichert. Ansbach und Kulmbach, die fränkischen Fürstentümer der Hohenzollern, bleiben als Sekundogenitur aufteilbar.

1600–1699

1604. Kurfürst Joachim Friedrich verfügt am 13. Dezember 1604 die Bildung eines Geheimen Rates nach habsburgischem und sächsischem Vorbild. Dem Geheimen Rat gehören neun Mitglieder an. Er hat die Aufgabe, den Kurfürsten zu beraten und Entscheidungen vorzubereiten.

1608. Joachim Friedrich stirbt am 18. Juli 1608. Nachfolger wird sein Sohn Johann Sigismund, der mit Anna von Preußen, der ältesten Tochter des Herzogs Albrecht Friedrich, verheiratet ist. Aufgrund dieser Verbindung hatte bereits

Kurfürst Joachim Friedrich 1605 die Vormundschaft über den geisteskranken Herzog Albrecht Friedrich erworben.

1613. Kurfürst Johann Sigismund und seine Brüder sowie seine Räte und Diener nehmen im Dezember 1613 die calvinistisch-reformierte Konfession an. Der Kurfürst zwingt jedoch die Bürgerschaft nicht, diesem Schritt zu folgen. In den nächsten Monaten entwickelt sich ein heftiger Kanzelstreit zwischen Lutherischen und Reformierten.

1614. In Abwesenheit des Kurfürsten erläßt sein Bruder, der zum Statthalter berufene Johann Georg, ein Edikt, mit dem er den lutherischen Bürgern und Geistlichen Berlins verbietet, gegen die Reformierten zu lästern. Der zu keinem Kompromiß bereite Dompropst muß aus Berlin fliehen. Die dem kurfürstlichen Patronat unterstehende Domkirche, die gleichzeitig Oberpfarrkirche Cöllns ist, wird für reformiert erklärt *(Dom)*. Kurfürst Johann Sigismund erwirbt in diesem Jahr aufgrund der Erbansprüche seiner Gattin Cleve, Mark und Ravensberg.

1615. Am 30. März 1615 läßt der Statthalter Johann Georg die Kunstschätze der Domkirche beseitigen. Ein großes Kruzifix wird vor den Augen der Bürger zerschlagen und in die Spree geworfen *(Dom)*. Als Reaktion auf diesen Bildersturm kommt es in der Nacht vom 3. auf den 4. April 1615 zu Tumulten mit Beschimpfungen des calvinistischen Kurfürsten und Steinwürfen gegen die Häuser der reformierten Geistlichen. Als der Statthalter mit bewaffneten Reitern erscheint, werden sie ebenfalls mit Steinen beworfen und mit Musketen beschossen. Einige Reiter werden verletzt. Dennoch gibt Johann Georg nicht den Befehl zur blutigen Niederschlagung des Aufruhrs, sondern zieht sich kampflos zurück. Daraufhin beruhigt sich die aufgebrachte Menge und zerstreut sich. Die Gegensätze zwischen Lutherischen und Reformierten bleiben in den nächsten Jahren bestehen. Es kommt jedoch vorerst nicht zu weiteren Konflikten.

1618. Nach dem Tod des Herzogs Albrecht Friedrich wird Kurfürst Johann Sigismund Herzog von Preußen.

1619. Johann Sigismund, der seit drei Jahren gelähmt ist und kaum noch den Regierungsgeschäften nachgehen kann, wird im Dezember 1619 von seinem Sohn Georg Wilhelm abgelöst. Johann Sigismund stirbt am 2. Januar 1620. Kurfürst Georg Wilhelm versucht, sein Land durch eine Politik der Neutralität vor den Auswirkungen des 1618 ausgebrochenen Dreißigjährigen Krieges zu schützen. Da es ihm jedoch an militärischer Stärke fehlt, wird Brandenburg bald zum Durchzugsgebiet der verfeindeten Parteien. Bereits Mitte des Jahres 1620 verwüstet ein englisches Landsknechtsheer auf seinem Weg nach Böhmen märkische Städte.

1621. Seit Ausbruch des Dreißigjährigen Krieges werden in den Nachbarländern aufgrund des hohen Finanzbedarfs zunehmend Münzen mit niedrigem Edelmetallgehalt geprägt. Diese Münzen überschwemmen auch Berlin und Cölln. Die Räte beschließen daraufhin ihrerseits im Frühjahr 1621 die Einführung kupferner Pfennige mit dünnem Silberüberzug. Für die inflationsartige Entwicklung der Preise machen die Bürger die Kaufleute verantwortlich, es kommt zu Ausschreitungen und Plünderungen. Am 1. Januar 1623 werden die Kupferpfennige auf ein Fünftel des Nennwertes abgewertet. Für Löhne und Preise werden Höchstgrenzen festgesetzt und die Kupferpfennige nach und nach aus dem Verkehr gezogen.

1624. Das teilweise bis heute erhaltene Ribbeckhaus in der Breiten Straße in Cölln wird erbaut. Es wird später in den *Marstall* einbezogen.

1627. Kurfürst Georg Wilhelm schließt im Sommer 1627 auf Drängen seines Beraters, des katholischen Grafen Schwarzenberg, ein Bündnis mit dem Kaiser. Wallenstein schlägt im November des gleichen Jahres in Bernau sein Hauptquartier auf. Berlin und Cölln werden zur Lieferung von Lebensmitteln und zur Zahlung von Kontributionen gezwungen, jedoch bleiben der Residenzstadt Plünderungen und ähnliche Kriegshandlungen erspart. Trotzdem wird sie in ihrer wirtschaftlichen Kraft empfindlich getroffen. Wallenstein zieht zweimal, im Juni 1628 und im Februar 1630, in Berlin und Cölln ein und wird vom Kurfürsten mit großem Aufwand empfangen.

1631. Im April 1631 ziehen schwedische Streitkräfte unter dem protestantischen König Gustav Adolf in die Neumark ein. Sie erreichen am 13. Mai die brandenburgische Residenz. Angesichts der auf die Stadt gerichteten Kanonen entschließt sich der Kurfürst zu einem Bündnis mit den Schweden. Berlin und Cölln müssen erneut Proviant liefern und Kontributionen zahlen. Zu der wirtschaftlichen Not kommt eine Pestepidemie, die seit 1630 in der Stadt grassiert und 3000 Menschen das Leben kostet.

1632. Am 16. November 1632 fällt Gustav Adolf in der Schlacht von Lützen. Wiederum rücken kaiserliche Truppen in die Mark ein. 1635 tritt Georg Wilhelm dem Prager Frieden zwischen dem Kaiser und dem Kurfürsten von Sachsen bei und schließt sich damit der kaiserlichen Seite an. In den nächsten Jahren ziehen mehrfach Truppen in die Residenzstadt ein – mal sind es schwedische, mal kaiserliche, die den Bürgern Kontributionszahlungen und Lebensmittellieferungen abverlangen. Ein Großteil der Bevölkerung verarmt.

1638. Um den Kriegswirren zu entgehen, setzt sich der Kurfürst mit seinem Hof nach Königsberg ab. Er ernennt den Grafen Schwarzenberg zu seinem Statthalter, der von der *Zitadelle Spandau* aus die Regierungsgeschäfte führt. Schwarzenberg ordnet für Berlin und Cölln eine Verstärkung der Befestigungsanlagen an.

1640. Im Februar 1640 läßt der Statthalter Graf Schwarzenberg die Berliner Vorstädte abbrennen. Er will verhindern, daß die auf die Residenz vorrückenden Schweden in den Häusern Deckung finden. Die Bürger protestieren gegen diese Maßnahme, die sie für unangemessen halten, zumal kein schwedischer Angriff erfolgt. Am 1. Dezember 1640 stirbt Kurfürst Georg Wilhelm in Königsberg. Nachfolger wird sein Sohn Friedrich Wilhelm.

1641. Der schwedische General Stalhans rückt im Januar 1641 mit seiner Truppe gegen Berlin vor. Schwarzenberg schickt acht Schwadronen nach Berlin und läßt

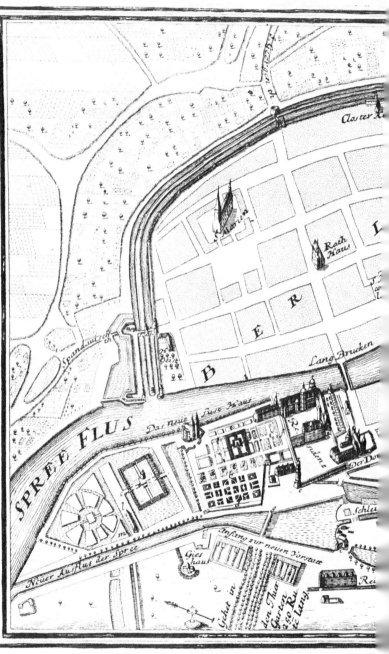

*Ältester zeitgenössischer Plan von Berlin, um 1650. Kupferstich nach einer
die Stadt vor dem unter Memhardts Leitung*

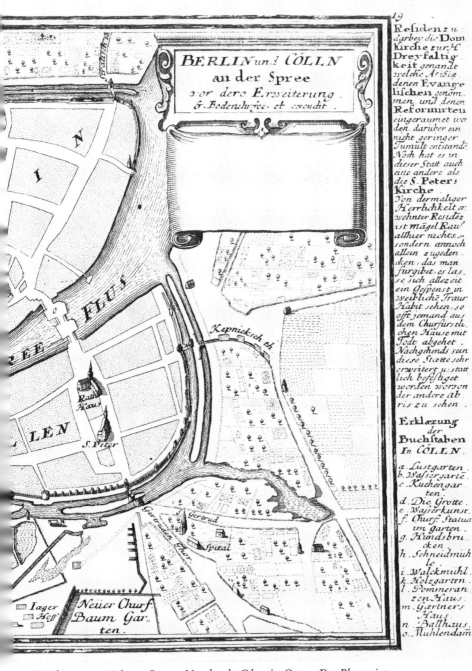

Zeichnung von Johann Gregor Memhardt. Oben ist Osten. Der Plan zeigt im Jahr 1658 begonnenen Festungsbau.

nun auch die Cöllner Vorstädte einäschern. Den kurfürstlichen Schwadronen gelingt es, die Schweden zurückzuschlagen. Die Bürger reagieren auf das offensichtlich unnötige Niederbrennen der Vorstädte mit Schadenersatzforderungen und finden die Unterstützung des Kurfürsten. Am 14. März 1641 stirbt jedoch Graf Schwarzenberg, so daß die Forderungen der Bürger nicht erfüllt werden. Für den Kurfürsten ergibt sich aus dem Tod Schwarzenbergs die Möglichkeit eines Kurswechsels. Er schließt am 14. Juli 1641 in Stockholm einen Waffenstillstand mit Schweden.

Die Einführung der Akzise, einer indirekten Verbrauchssteuer auf die wichtigsten Lebensmittel, die die bisherigen landesherrlichen Steuern in Berlin und Cölln ablöst, soll der wirtschaftlichen Lage der Städte Rechnung tragen. Sie trifft jedoch verarmte Bürger, deren Zahl in den Jahren des Krieges stark gestiegen ist, überdurchschnittlich hart. Ein weiterer Grund für den Widerstand der Bürgerschaft gegen die Akziseordnung ist die Tatsache, daß sie die städtischen Steuerbehörden einem landesherrlichen Beamten unterstellt.

1643. Nach dem Waffenstillstand mit Schweden erleben Berlin und Cölln ruhigere Zeiten. Kurfürst Friedrich Wilhelm, der bisher von Königsberg aus die Regierungsgeschäfte geführt hat, kehrt am 4. März 1643 in die Residenz zurück. Zu diesem Zeitpunkt ist die Bevölkerungszahl von etwa 12 000 Einwohnern vor dem Krieg auf rund 7500 abgesunken *(Bevölkerungsentwicklung).* Viele Häuser stehen leer und sind verfallen. Auch am *Berliner Schloß* sind während des Krieges keine Ausbesserungsarbeiten vorgenommen worden. Nach seiner Rückkehr leitet Friedrich Wilhelm umgehend die Instandsetzungsarbeiten am Schloß und den Wiederaufbau der Stadt ein, dessen Grundlage eine 1641 erlassene Bauordnung ist. Der Kurfürst, der in den Niederlanden aufgewachsen war und erzogen wurde, wird in den nächsten Jahren die Residenzstadt durch Gebäude, Parkanlagen und Wasserläufe nach holländischem Vorbild umgestalten. 1645 erhält der Gärtner Michael Hanff den Auftrag, den während des Krieges verwilderten *Lustgarten* neu anzulegen. Am Nordende des Lustgartens entsteht 1646 unter der Leitung von Johann Sigismund Elßholtz der erste *Botanische Garten* Berlins. 1647 läßt Friedrich Wilhelm zwischen dem Schloß und dem *Tiergarten* eine sechsreihige Linden- und Nußbaumallee anpflanzen, aus der sich die Straße *Unter den Linden* entwickeln wird.

1648. Am 24. Oktober 1648 wird der Dreißigjährige Krieg durch den Westfälischen Frieden von Münster und Osnabrück beendet. Brandenburg erhält Hinterpommern und Cammin, die Bistümer Halberstadt und Minden sowie die Anwartschaft auf das Bistum Magdeburg.

1650. Johann Gregor Memhardt zeichnet den ältesten bis heute erhaltenen Plan von Berlin und Cölln. Der Memhardt-Plan zeigt noch die mittelalterliche Stadtmauer mit ihren Toren.

1655. Bereits um 1600 gab der kurfürstliche Postmeister Christoph Frischmann, dem 1618 sein Bruder Veit folgte, die erste Zeitung in Berlin und Cölln heraus. Nachdem das Blatt vorübergehend eingestellt worden war, erwirbt 1655 Christoph Runge das Frischmannsche Privileg und läßt wieder eine Zeitung erscheinen *(Presse).*

1657. In Berlin und Cölln wird eine knapp 2000 Mann starke Garnison stationiert. Da es noch keine Kasernen gibt, werden die Soldaten und ihre Familien bei den Bürgern der Städte einquartiert.

1658. Kurfürst Friedrich Wilhelm läßt Berlin und Cölln zu einer Festung ausbauen. Den Festungsbau, der 1683 abgeschlossen wird, leitet Johann Gregor Memhardt. Die Pläne orientieren sich an niederländischen Vorbildern. Während sich die Festungsbauwerke auf der Berliner Seite dicht an die mittelalterliche Stadtmauer anschließen, verlaufen sie auf Cöllner Seite weiträumiger. Auf diese Weise entsteht westlich von Cölln der Werder, später *Friedrichswerder* genannt, und südlich der schmale Streifen Neu-Cölln am Wasser.

1661. Friedrich Wilhelm läßt die Kurfürstliche Bibliothek im Apothekenflügel des Schlosses anlegen. Sie ist allen Gelehrten des Landes zugänglich. Aus ihr entwickelt sich in späteren Jahren die *Preußische Staatsbibliothek.*

1662. Die durch den Dreißigjährigen Krieg unterbrochene Auseinandersetzung zwischen den reformierten Predigern des kurfürstlichen Hofes und den lutherischen Stadtpfarrern hatte in den letzten Jahren zu erneuten gegenseitigen Angriffen geführt. Um den religiösen Frieden in den Residenzstädten wiederherzustellen, initiiert Friedrich Wilhelm im August 1662 Religionsgespräche zwischen den Vertretern beider Parteien. Der lutherische Kirchenlieddichter Paul *Gerhardt,* seit 1657 Pfarrer an der *Nikolaikirche,* und der Hofprediger Bartholomäus Stosch stehen sich bei diesen Gesprächen als Hauptgegner gegenüber. Durch einen Schutz- und Freibrief des Kurfürsten vom 19. September 1662 wird *Friedrichswerder* in den Rang einer Burgfreiheit erhoben. In den nächsten Jahren entwickelt es sich zur dritten Residenzstadt neben Berlin und Cölln.

1664. Nachdem die Religionsgespräche im Mai 1663 ergebnislos abgebrochen wurden, erläßt der Kurfürst im September 1664 ein Toleranzedikt, durch das beiden Seiten das gegenseitige Schmähen und Lästern verboten wird. Die Geistlichen der Residenzstadt müssen durch einen Revers das Edikt anerkennen. In diesem Jahr entsteht an der Straße *Unter den Linden* ein Privathaus, das König Friedrich Wilhelm I. 1732 zum *Kronprinzenpalais* ausbauen lassen wird.

1665. Nach einem Brand des ursprünglichen *Marstalls* wird in den Jahren 1665 bis 1670 in der Breiten Straße unter der Leitung des Baumeisters Michael Matthias Smids ein Neubau errichtet, der als Alter Marstall bis heute erhalten ist.

1667. Aufgrund einer Änderung der Akziseordnung werden nicht mehr nur Lebensmittel, sondern auch andere Waren mit dieser Verbrauchssteuer belegt. Durch die steigenden Einnahmen wird es möglich, andere Steuern abzuschaffen. Da die Akzise nun alle Stände in gleicher Weise trifft, entsteht ein gerechteres System der Besteuerung.

1669. Paul *Gerhardt,* der sich geweigert hatte, das Toleranzedikt von 1664 anzuerkennen, wurde daraufhin 1666 vom Kurfürsten entlassen. Zwar wurde ihm sein Amt zurückgegeben, nachdem sich die Bürgerschaft nachdrücklich für ihn eingesetzt hatte, doch verläßt er Berlin im Frühjahr 1669.

Der 1662 begonnene Bau des Friedrich-Wilhelm-Kanals zwischen Oder und Spree wird 1669 abgeschlossen *(Binnenschiffahrt)*. Ein Jahr nach der Eröffnung des Kanals wird der Packhof mit dem Zoll- und Akziseamt eingerichtet. Der Handel erlebt in den nächsten Jahren eine Vervielfachung seines Volumens.

1671. Kurfürst Friedrich Wilhelm gestattet es den aus Wien vertriebenen *Juden*, sich in Berlin und der Mark niederzulassen.

1674. Der Kurfürst hatte bereits 1668 seiner zweiten Gattin Dorothea das Gebiet nördlich der Allee *Unter den Linden* geschenkt. Das Gelände war im Oktober 1673 zur Bebauung abgesteckt worden. Am 2. Januar 1674 erhält die neue Siedlung, die den Namen *Dorotheenstadt* trägt, vom Kurfürsten die gleichen Privilegien, wie sie Friedrichswerder mittlerweile hat, und wird somit zur vierten Residenzstadt.

1675. 1672 war zwischen Frankreich und den Niederlanden der zweite Reunionskrieg ausgebrochen. Friedrich Wilhelm stellte sich auf die niederländische Seite. 1675 marschieren die mit Frankreich verbündeten Schweden in Brandenburg ein und nähern sich Berlin. Nach mehreren Niederlagen der Schweden werden sie am 28. Juni 1675 in der Schlacht bei Fehrbellin durch einen vom Kurfürsten Friedrich Wilhelm geleiteten Reiterangriff endgültig zurückgeschlagen. Friedrich Wilhelm wird seither »der Große Kurfürst« genannt.

1677. Für den seit 1674 in Köpenick lebenden Sohn Friedrich Wilhelms, den Prinzen Friedrich, wird im Jahr 1677 mit dem Bau eines neuen Schlosses an der Stelle des *Jagdschlosses Köpenick* begonnen. Die Bauarbeiten dauern bis 1681.

1683. Der 1658 begonnene Festungsbau findet seinen Abschluß in der Fertigstellung des Leipziger Tors durch den Baumeister Johann Arnold *Nering*, der nach dem Tod Memhardts im Jahre 1678 die Leitung des Festungsbaus übernommen hatte.
Die Residenz wird in den nächsten Jahrzehnten rasch über ihre Mauern hinauswachsen. Neben der *Dorotheenstadt* und der 1688 planmäßig angelegten *Friedrichstadt* werden vor den Toren Cöllns die Leipziger und die Köpenicker Vorstadt entstehen. Um Berlin werden sich die Spandauer Vorstadt, die Georgen-Vorstadt oder Königstadt und die Stralauer Vorstadt lagern *(Stadtgebiet)*.

1685. Am 18. Oktober 1685 hebt Ludwig XIV. das Edikt von Nantes auf, das den Hugenotten in Frankreich Glaubensfreiheit gewährte. Bereits vorher hatten Repressionen zahlreiche Hugenotten zur Auswanderung bewogen. Auf die nun einsetzende Verfolgung seiner reformierten Glaubensgenossen reagiert der Große Kurfürst am 29. Oktober 1685 mit dem Edikt von Potsdam. Bis zur Jahrhundertwende kommen rund 6000 *Hugenotten* nach Berlin. Diese sogenannten Refugiés stellen damit etwa ein Fünftel der Gesamtbevölkerung *(Bevölkerungsentwicklung)*.

1688. Anfang des Jahres beruft der Große Kurfürst den Juristen und Historiker Samuel Freiherr von *Pufendorf* als ersten Hofhistoriographen nach Berlin. Er wird ein zweibändiges Werk über den Großen Kurfürsten verfassen.

Am 9. Mai 1688 stirbt Friedrich Wilhelm in Potsdam. Sein Sohn wird als Friedrich III. Kurfürst von Brandenburg. Er wird innen- und außenpolitisch den Weg seines Vaters kontinuierlich fortsetzen und den Ausbau der Residenz weiter vorantreiben. Bereits im Jahr seines Regierungsantritts beginnt südlich der Doro-

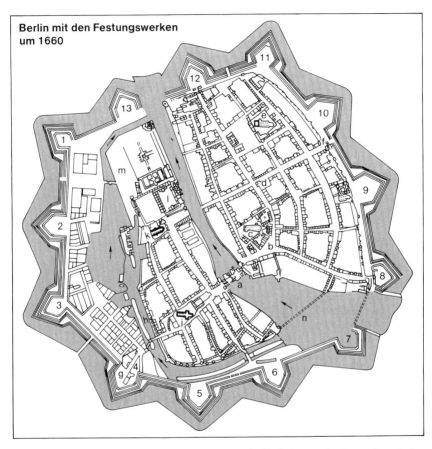

Berlin mit den Festungswerken um 1660

Der Lindholzsche Plan zeigt Berlin-Cölln einschließlich des Friedrichswerder mit den seit 1658 errichteten Festungswerken. Der im Original nach Süden ausgerichtete Plan enthält erstmals die Hausgrundstücke. Die Straßenführung entspricht weithin dem Memhardt-Plan. a Mühlendamm, b Molkenmarkt, c Nikolaikirche, d Berliner Rathaus, e Marienkirche, f Georgentor (später Königstor), g Spittelmarkt, h Gertraudenbrücke, i Petrikirche, k Domkirche, l Schloß, m Hundebrücke (Schloßbrücke), n Eintritt der Spree beim Oberbaum; Leipziger Tor zwischen Bastion 3 und 4, Neues Tor zwischen Bastion 1 und 2.
Die Bastionen: 1 Leibgarde-Bollwerk, 2 Wittgensteinsches Bollwerk, 3 Sparrisches Bollwerk, 4 Gertraudsches Bollwerk, 5 Goltzsches Bollwerk, 6 Ritterfortsches Bollwerk, 7 Bollwerk im Morast, 8 Stralausches Bollwerk, 9 Kloster-Bollwerk, 10 Sieburgisches Bollwerk, 11 Dragoner-Bollwerk, 12 Uffelsches Bollwerk, 13 Bollwerk im Lustgarten.

theenstadt die Anlage der *Friedrichstadt.* Zahlreiche französische Refugiés siedeln sich hier an.
Das 1607 gegründete *Joachimsthalsche Gymnasium* wird nach Berlin verlegt.

1695. Unter der Leitung des 1691 zum Oberbaudirektor ernannten Johann Arnold *Nering* beginnt der Bau des *Zeughauses* und des Schlosses Lietzenburg, das
als Lustschloß für die Kurfürstin Sophie Charlotte angelegt wird und nach ihrem
Tode im Jahr 1705 den Namen *Schloß Charlottenburg* erhält. Auch der Bau der
von Nering entworfenen *Parochialkirche* beginnt in diesem Jahr. Nering stirbt jedoch am 21. Oktober 1695. Die von ihm entworfenen Bauten werden von Martin
Grünberg weitergeführt und von anderen Baumeistern abgeschlossen.

1696. Auf Anregung des seit 1694 in Berlin lebenden Bildhauers und Architekten
Andreas *Schlüter* stiften Friedrich III. und seine Frau Sophie Charlotte die *Akademie der Künste.*

1698. 1698 beginnt der barocke Um- und Neubau des *Berliner Schlosses.*

1700–1749

1700. Auf Anregung von Gottfried Wilhelm *Leibniz* stiftet Friedrich III. am 11.
Juni 1700 die Kurfürstlich-Brandenburgische Societät der Wissenschaften, deren
erster Präsident Leibniz wird. Sie erhält 1711 den Namen *Akademie der Wissenschaften.*

1701. Kurfürst Friedrich III. krönt sich mit kaiserlicher Erlaubnis am 18. Januar
1701 in Königsberg zum »König in Preußen«. Am 6. Mai 1701 kehrt er als König
Friedrich I. nach Berlin zurück. Er wird mit mehrtägigen Feierlichkeiten empfangen.
In diesem Jahr beginnen die Bauarbeiten für den *Deutschen Dom* und den *Französischen Dom* auf dem zentralen Platz der *Friedrichstadt,* dem späteren *Gendarmenmarkt.* Der Deutsche Dom wird nach einem Entwurf von Martin Grünberg in
den Jahren bis 1708 errichtet. Der Entwurf für den Französischen Dom von
Louis Cayart und Abraham Quesnay orientiert sich an der Hauptkirche der *Hugenotten* in Charenton, die 1688 zerstört wurde. Der Französische Dom wird
1705 fertiggestellt.

1703. Johann Friedrich *Eosander* baut für den Minister Graf von Wartenberg ein
kleines Lustschloß, den Kern des späteren Schlosses Monbijou. Nach dem Sturz
Wartenbergs geht es 1710 in den Besitz der Kronprinzessin Sophie Dorothea
über. Es wird mehrfach umgebaut und erweitert.
Das von Andreas *Schlüter* entworfene Reiterdenkmal des Großen Kurfürsten
wird auf der Langen Brücke aufgestellt.

1705. Königin Sophie Charlotte stirbt am 1. Februar 1705. Ihr zu Ehren wird das
Lustschloß Lietzenburg in *Schloß Charlottenburg* umbenannt. Die südlich davon
entstandene Siedlung wird von König Friedrich I. am 5. April 1705 zur Stadt erhoben und erhält ebenfalls den Namen *Charlottenburg.*

1709. König Friedrich I. ordnet durch ein Rescript vom 17. Januar 1709 die Vereinigung der fünf Residenzstädte Berlin, Cölln, *Friedrichswerder, Dorotheenstadt* und *Friedrichstadt* zu einer Gesamtgemeinde an *(Stadtgebiet)*.

1710. Am 1. Januar 1710 tritt die neue Stadtverfassung für die Residenzstadt Berlin in Kraft. Der neu gebildete Magistrat besteht aus vier Bürgermeistern, zwei Syndici, drei Kämmerern und zehn Ratsherren. Er hat seinen Sitz im Cöllner *Rathaus,* dessen Umbau noch in diesem Jahr beginnt. Die Zuständigkeit des Magistrates liegt in den Bereichen Kämmereiverwaltung, Innungswesen, Gerichtspflege sowie Kirchen-, Schul- und Hospitalwesen. Die Eximierten, also die Beamten, die Angehörigen der freien Berufe und auf königlichem Grund und Boden Wohnende, unterstehen nicht dem Magistrat.
Die vom neuen Magistrat entworfene Gerichtsverfassung vom 21. Januar 1710 regelt die Zusammenlegung der bisherigen städtischen Gerichte. Das neue Stadtgericht, dessen Direktor ein Bürgermeister ist, besteht aus fünf Richtern. Die Aufgabe der Laienschöffen übernehmen Assessoren. Das Stadtgericht, das neben der Rechtsprechung auch die Fortführung des 1693 angelegten Grund- und Hypothekenbuches übernimmt, tagt im Berliner *Rathaus.*

1711. Antoine *Pesne,* der seit 1710 in Berlin lebt, wird von König Friedrich I. zum Hofmaler ernannt.

1712. In der Spandauer Vorstadt wird die von Königin Sophie Luise, der dritten Gattin Friedrichs I., gestiftete Sophienkirche erbaut.
Die Entwicklung der Firma Splitgerber und Daum, die in diesem Jahr gegründet wird, ist beispielhaft für den Aufschwung, den die Wirtschaft Berlins in den nächsten Jahren nimmt. David Splitgerber, Sohn des Bürgermeisters einer pommerschen Kleinstadt, verfügt ebensowenig über ein Vermögen wie Gottfried Adolf Daum, ein Advokatensohn aus Sachsen. Sie gründen ihre Waren- und Kommissionsfirma in zwei Zimmern, haben aber schon bald Verbindungen zu den bedeutendsten Handelszentren Europas. Die Firma entwickelt sich zu einem internationalen Großhandelsunternehmen mit eigener Seehandelsflotte und zum größten Unternehmen der Metallverarbeitung und Waffenproduktion in Preußen *(Industrie).*

1713. Nach dem Tode des Königs Friedrich I. am 25. Februar 1713 wird sein Sohn Friedrich Wilhelm I. König in Preußen. Die durch die verschwenderische Hofhaltung seines Vaters entstandenen Schulden versucht Friedrich Wilhelm I. durch drastische Einschränkung der Staatsausgaben abzubauen. Davon unberührt bleiben seine militärischen Pläne und die Aufstockung des stehenden Heeres auf 80 000 Mann. Friedrich Wilhelm I. wird durch die Militarisierung seines Landes, die ihm in der Geschichtsschreibung die Bezeichnung »Soldatenkönig« einträgt, und durch den Aufbau eines straffen Verwaltungsapparats den preußischen Staat entscheidend prägen.
Die Wirtschaftspolitik des neuen Königs trägt streng merkantilistische Züge. Wichtige Gewerbezweige werden staatlich gefördert und Arbeitskräfte im Ausland angeworben. Bereits im Jahr des Regierungsantritts Friedrich Wilhelms I. wird das ehemalige *Hohe Haus* unter dem Namen »Lagerhaus« Sitz einer Tuchmanufaktur *(Industrie).*

1714. König Friedrich Wilhelm I. läßt den *Lustgarten* zu einem Exerzierplatz umgestalten. Rigorose Rekrutierungsmaßnahmen führen in Berlin zu einer Abwanderungswelle. In den ersten beiden Regierungsjahren Friedrich Wilhelms I. verlassen 17 000 Menschen, darunter 7000 bis 8000 Handwerker, die Stadt, deren Wirtschaftsleben durch diese Entwicklung nachhaltig beeinträchtigt wird *(Bevölkerungsentwicklung)*.
In einem Edikt vom 13. Dezember 1714 verfügt der König, daß Folter und Todesstrafe in Hexenprozessen seiner Genehmigung bedürfen. Im Jahr 1728 wird in Berlin der letzte Hexenprozeß stattfinden. Die Angeklagte, die sich selbst des Bundes mit dem Teufel bezichtigt, wird in das Spandauer Spinnhaus, ein Zuchthaus für Frauen, geschickt.

1716. Das kulturelle Leben Berlins unterliegt in der Regierungszeit Friedrich Wilhelms I. erheblichen Einschränkungen. Er löst die Hofkapelle Friedrichs I. auf und verbietet im Jahr 1716 die Auftritte von Komödianten und Tänzern. Nur die Pflege der geistlichen Musik bleibt von Einschränkungen durch den König verschont.

1718. Nördlich des *Tiergartens* werden ab 1718 *Hugenotten* angesiedelt. Es entsteht die Gärtnerkolonie Moabit.
Friedrich Wilhelm I. erläßt ein Reglement zur Gründung der Berliner Feuersozietät. Diese älteste Versicherungsgesellschaft Berlins wurde im Laufe der Zeit den veränderten Bedingungen angepaßt und besteht bis heute.

1721. Am 25. Februar 1721 erscheint die erste Nummer der »Berlinischen Privilegierten Zeitung« des Verlegers Johann Andreas Rüdiger. Sie wird nach Rüdigers Tod im Jahr 1751 von dessen Schwiegersohn Christian Friedrich Voß weitergeführt und erhält im Volksmund bald den in die Pressegeschichte eingegangenen Namen »Vossische Zeitung« *(Presse)*.

1722. Als oberste Behörde für Wirtschafts-, Finanz- und Militärangelegenheiten gründet Friedrich Wilhelm I. das Generaldirektorium, dem in den Provinzen die Kriegs- und Domänenkammern nachgeordnet sind. Die Stadtverwaltung Berlins wird 1723 unter die Aufsicht der kurmärkischen Kriegs- und Domänenkammer gestellt.

1726. Im 1710 erbauten Pesthaus wird durch eine königliche Kabinettsorder vom 18. November 1726 die *Charité* als Krankenhaus mit angegliederter Lehr- und Forschungsstätte eingerichtet.

1730. Die in den letzten Jahren entstandenen Manufakturen leiden unter einem erheblichen Arbeitskräftemangel, der das Wirtschaftsleben Berlins behindert. Um einer weiteren Abwanderung von Arbeitskräften zu begegnen, erläßt Friedrich Wilhelm I. ein Edikt, durch das die Anwerbung von Soldaten in der Hauptstadt beendet wird. In den nächsten Jahrzehnten wächst die Bevölkerungszahl Berlins von etwa 72 000 auf 127 000 im Jahr 1755 *(Bevölkerungsentwicklung)*. Die ehrgeizige Baupolitik Friedrich Wilhelms I., durch die zeitweise ein Überangebot an Wohnungen bestand, erhält durch das nun einsetzende Wachstum der Stadt ihre Berechtigung.

Lucas Cranach d. J., Joachim II. Öl auf Holz, etwa 1551.
Berlin (West), Jagdschloß Grunewald.

Eduard Gaertner, Schlüterhof des Berliner Schlosses.
Öl auf Leinwand, 1830.
Potsdam, Schloß Sanssouci.

M. Roch, Kurfürstenbrücke mit Blick auf das Königliche Schloß.
Öl auf Leinwand, 1834.
Potsdam, Schloß Sanssouci.

J. G. Rosenberg, Unter den Linden mit Zeughaus und Prinz-Heinrich-Palais (rechts), Kronprinzenpalais und Opernhaus (links). Kolorierter Kupferstich, 1780. Berlin (West), Staatliche Museen Preußischer Kulturbesitz, Kupferstichkabinett.

Die Ostseite des Alexanderplatzes. Links das »Haus mit den 99 Schafsköpfen«, rechts das »Ochsenkopf« genannte Arbeitshaus. Anonymes Ölgemälde, 1806. Potsdam, Schloß Sanssouci.

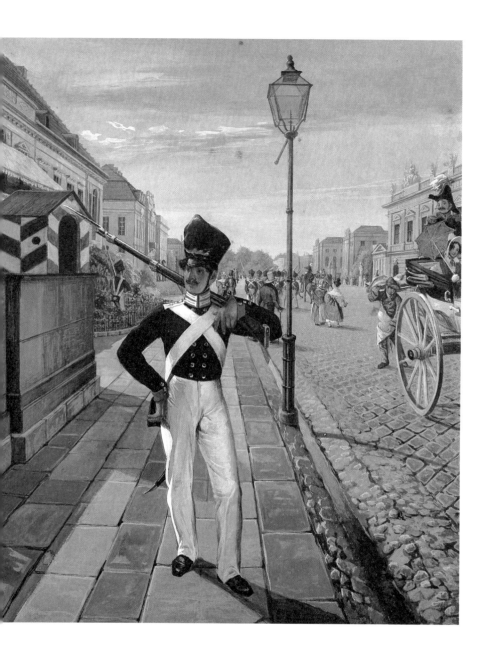

Gustav Schwarz, Wache an der Schloßbrücke. Farblithographie, 1834.
Berlin (West), Berlin-Museum.

1731. Die badenschen »Marionettenkomödianten« treten im Sommer 1731 vor dem König auf, der daraufhin sein Verbot von 1716 lockert.

1732. In den Jahren 1732 bis 1734 finden rund 2000 böhmische Glaubensflüchtlinge in Berlin Aufnahme. Sie lassen sich hauptsächlich in der unteren *Friedrichstadt* nieder.

1733. Friedrich Wilhelm Diterichs beginnt den Bau des *Prinzessinnenpalais*, der 1737 abgeschlossen wird.

1734. Am 28. Juni 1734 beginnen die Bauarbeiten für eine Zoll- und *Akzisemauer (Stadtgebiet)*.
Nach einem Entwurf von Philipp Gerlach entsteht in den Jahren 1734 und 1735 in der Lindenstraße das Kammergerichtsgebäude, in dem sich heute das *Berlin-Museum* befindet.

1738. Aufgrund einer Volksschulordnung des Magistrats muß seit 1738 jeder Schulmeister seine Fähigkeiten vom zuständigen Pfarrer prüfen lassen.

1739. Mit dem Anstieg der Bevölkerungszahl in den letzten Jahren war auch die Armut in der Stadt gewachsen. Stiftungen wohlhabender Bürger und die Arbeit der Berliner Armenkommission reichten zur Bewältigung dieses Problems nicht mehr aus. 1739 wird das Königlich-Preußische Armendirektorium gegründet und die Armenfürsorge damit zu einer staatlichen Aufgabe. Bettler, die das Straßenbild Berlins immer mehr beherrschen, werden in das neu eingerichtete Arbeitshaus eingewiesen.

1740. Friedrich Wilhelm I. stirbt am 31. Mai 1740. Sein Sohn Friedrich folgt ihm als Friedrich II. auf den Thron. Er wird sich den Beinamen »der Große« erwerben. Wirtschaftlich und militärisch setzt er die Politik seines Vaters fort. Auf dieser Grundlage wird er in den Schlesischen Kriegen das Staatsgebiet Preußens vergrößern und seine Machtstellung ausbauen.
Im Unterschied zu seinem Vater ist Friedrich II. ein musischer Mensch. Kultur und Geistesleben werden unter seiner Regentschaft einen neuen Aufschwung nehmen. Seine städtebaulichen Vorstellungen sind geprägt von dem Wunsch, Berlin zu einer Königsstadt umzugestalten. Der Plan, zwischen dem Schloßbezirk und der Straße *Unter den Linden* ein *Forum Fridericianum* anzulegen, kann jedoch aus Kostengründen nicht in seiner ursprünglichen Form verwirklicht werden.
Bereits in seiner Jugend beschäftigte sich Friedrich II. mit der französischen Aufklärungsphilosophie. 1739 legte er seine staatsphilosophischen Auffassungen in der Schrift »Antimachiavell« nieder. Als Vertreter eines aufgeklärten Absolutismus sieht er sich als »erster Diener des Staates«.
Am 30. Juni 1740 erscheint die erste Ausgabe der von Ambrosius Haude gegründeten Zeitung »Berlinische Nachrichten von Staats- und gelehrten Sachen«, der späteren »Spenerschen Zeitung« *(Presse).*

1741. Als erstes Gebäude des *Forum Fridericianum* wird 1741 bis 1743 das Opernhaus, die spätere *Deutsche Staatsoper*, errichtet.

Berlin um 1730. Kolorierter Kupferstich von Friedrich Bernhard

Werner nach einer Zeichnung von Johann Christian Leopold.

1742. Bürgermeister Karl David Kircheisen wird zum Polizeidirektor ernannt. Er ist direkt dem Generaldirektorium unterstellt. Seine Befugnisse werden auf die französische Kolonie und die Eximierten ausgedehnt. 1746 ernennt ihn Friedrich II. zusätzlich zum Stadtpräsidenten, dem die Leitung des Magistrats obliegt.

1743. Moses *Mendelssohn* kommt im Alter von vierzehn Jahren nach Berlin. Seine popularphilosophischen Schriften weisen ihn als Vorkämpfer der Judenemanzipation und als einen der Hauptvertreter der Aufklärung in Berlin aus *(Juden).*

1744. Am 24. Januar 1744 findet im Schloß die Eröffnungssitzung der von Friedrich II. erneuerten *Akademie der Wissenschaften* statt, die nun den Namen Académie Royale des Sciences et Belles Lettres trägt. Am 1. Februar 1746 wird der Physiker und Mathematiker Pierre-Louis de Maupertuis zum Präsidenten der Akademie berufen.

1745. Georg Wenzeslaus von *Knobelsdorff* erhält den Auftrag, den östlichen Teil des *Tiergartens* umzugestalten.

1747. Am 21. Februar 1747 erläßt Friedrich der Große das »Rathäusliche Reglement«. Durch die neue Stadtverfassung wird ein Zustand, der sich seit der Vereinigung der Residenzstädte entwickelt hat, festgeschrieben. Der Magistrat setzt sich aus vier Bürgermeistern, zwei Syndici, einem Ökonomiedirektor, einem Kämmerer und zwölf Ratsherren zusammen. Er untersteht dem Stadtpräsidenten, der zugleich Polizeidirektor ist.
Die baufällig gewordene Domkirche wird 1747 abgerissen. Johann *Boumann* erhält den Auftrag, am Lustgarten gegenüber dem Schloß einen *Dom* zu errichten. Er wird 1750 fertiggestellt.
Johann *Boumann* leitet auch die Bauarbeiten der Sankt-Hedwigs-Kirche (seit 1929 *Sankt-Hedwigs-Kathedrale*), die 1747 beginnen und 1773 beendet werden. Sie ist das zweite Gebäude des *Forum Fridericianum*.

1748. In den Jahren 1748 bis 1766 errichtet Johann *Boumann* das dritte Gebäude des *Forum Fridericianum*, das *Prinz-Heinrich-Palais*, in dem später die *Friedrich-Wilhelms-Universität* und heute die *Humboldt-Universität* ihren Sitz hat.
Ende 1748 kommt Gotthold Ephraim *Lessing* erstmals nach Berlin. Er wird unter anderem für die »Berlinische Privilegierte Zeitung«, die später sogenannte »Vossische Zeitung«, arbeiten.

1750–1799

1750. Friedrich der Große hatte sich schon in seiner Jugend mit den Schriften Voltaires beschäftigt, den er im Jahr 1750 an seinen Hof holt. Voltaire fällt jedoch 1753 in Ungnade und wird vom König entlassen.

1751. Der Fabrikant Wilhelm Caspar Wegely gründet die erste Porzellanmanufaktur in Berlin. 1761 übernimmt Johann Ernst Gotzkowsky, Kaufmann und Berater des Königs in wirtschaftlichen Angelegenheiten, die 1757 stillgelegte Manufaktur. Er verkauft sie 1763 an den König, der sie unter dem Namen Königliche Porzellan-Manufaktur (KPM) als staatlichen Monopolbetrieb weiterführt.

1752. Vor dem Rosenthaler Tor im Norden Berlins entsteht die Kolonie Neu-Vogtland, die von sächsischen Maurern und Zimmerleuten bewohnt wird. 1770 wird die Kolonie durch eine Gärtnersiedlung erweitert. Im östlichen *Wedding* wird 1752 bis 1760 eine angeblich 1701 von Friedrich I. entdeckte eisenhaltige Quelle unter der Leitung des königlichen Hofapothekers Doktor Wilhelm Behm zu einer Kur- und Badeanlage, dem Friedrichs-Gesundbrunnen, ausgebaut. Der Name Gesundbrunnen geht auf das Wohnviertel über, das im 19. Jahrhundert in der Umgebung dieser Anlage entsteht.

1754. Friedrich der Große hatte bereits zu Beginn seiner Regentschaft die Anwendung der Folter auf mutmaßliche Mörder und Landesverräter beschränkt. Nachdem ihm bekannt wurde, daß ein Unschuldiger unter der Folter einen Mord gestanden hatte, erläßt Friedrich in diesem Jahr eine geheime Kabinettsorder, durch die die Folter endgültig abgeschafft wird. Durch sorgfältige Geheimhaltung dieser Kabinettsorder ist es weiterhin möglich, Tatverdächtigen die Folter anzudrohen und sie zu Geständnissen zu bewegen. Falsche Geständnisse werden jedoch unwahrscheinlicher.

1756. Nach den Erfolgen der ersten beiden Schlesischen Kriege in den Jahren 1740 bis 1742 und 1744/45 war Preußen durch die Einigung Österreichs mit Frankreich, Rußland und Sachsen in die Isolation geraten. Um einem drohenden Angriff der nun weit überlegenen Gegner zuvorzukommen, marschiert Friedrich der Große am 29. August 1756 in Sachsen ein und löst damit den dritten Schlesischen Krieg aus, der als Siebenjähriger Krieg in die Geschichte eingeht. Zwar kann Friedrich einige bedeutende Erfolge erringen, doch gerät er aufgrund der Übermacht der Gegner in die Defensive.

1757. Berlin war zwar schon während des Zweiten Schlesischen Krieges im Herbst 1745 durch herannahende österreichische Truppen bedroht worden, doch hatte sich in der Schlacht bei Kesselsdorf das Blatt gewendet, und eine Besetzung der Stadt blieb aus. Im Siebenjährigen Krieg wird ihr dieses Schicksal nicht erspart. Österreichische Truppen marschieren am 16. Oktober 1757 in Berlin ein. Nach Zahlung von 200 000 Talern Kontribution verlassen sie die Stadt bereits einen Tag später.

1760. Am 9. Oktober 1760 wird Berlin erneut besetzt. Russische und österreichische Truppen ziehen gemeinsam in die Stadt ein und fordern 4 Millionen Taler Kontribution. In Verhandlungen gelingt es dem Stadtpräsidenten Kircheisen und dem Kaufmann Gotzkowsky, die Forderung auf 2 Millionen herunterzudrücken. Als die Botschaft, daß Friedrich der Große sich mit seinem Heer Berlin nähert, die Stadt erreicht, ziehen die Österreicher am 11. Oktober, die Russen am 12. und 13. Oktober 1760 aus Berlin ab. Die Kontributionszahlungen werden der Bürgerschaft später vom König ersetzt.
Der Sattler Friedrich Damm, der als Armeelieferant während des Krieges erhebliche Gewinne erwirtschaftet, erwirbt um 1760 in der Breiten Straße 11 ein Patrizierhaus, das er von Friedrich Wilhelm Diterichs umbauen läßt. Es wird nach sei-

nem späteren Besitzer Wilhelm Ferdinand Ermeler als *Ermeler-Haus* bezeichnet.

Ebenfalls unter der Leitung von Friedrich Wilhelm Diterichs entsteht 1761 das *Ephraim-Palais* durch Umbau und Erweiterung des Hauses Poststraße 16, das der jüdische Bankier und Münzpächter Friedrichs des Großen Veitel Heine Ephraim erworben hatte.

1762. Am 5. Januar 1762 stirbt die russische Zarin Elisabeth. Ihr Sohn, Zar Peter III., schließt ein Bündnis mit Friedrich dem Großen, der nun Schlesien, das er zwischenzeitlich verloren hatte, zurückerobern kann.

1763. Am 15. Februar 1763 kommt es zum Frieden von Hubertusburg zwischen Preußen, Österreich und Sachsen, der Preußen den Besitz Schlesiens bestätigt.

1764. In der Behrenstraße 55, dem heutigen Standort der *Komischen Oper*, wird das erste deutsche Theater Berlins eröffnet.
Während des Siebenjährigen Krieges wurden in Berlin kaum neue Häuser gebaut. Durch den Zuzug von Arbeitskräften entwickelt sich in den Jahren nach dem Krieg eine Wohnungsnot, die Spekulationen und Mietwucher nach sich zieht. In den Jahren 1764 bis 1767 läßt Friedrich der Große für seine Soldaten, die noch immer in Bürgerquartieren untergebracht sind, acht Kasernen bauen.

1765. Am 15. April 1765 erläßt Friedrich der Große ein Mietedikt, durch das der Grundsatz »Kauf bricht Miete« aufgehoben wird. Bisher wurden Mietverträge beim Verkauf des Hauses ungültig, und der Käufer konnte die Miete nach Belieben erhöhen. Durch den neuen Rechtsgrundsatz »Kauf bricht nicht Miete«, der sich später auch im preußischen Allgemeinen Landrecht und im deutschen Bürgerlichen Gesetzbuch wiederfindet, gelingt es, die Entwicklung der Mietpreise zu bremsen.
Auf Veranlassung Friedrichs des Großen wird in diesem Jahr die »Giro-Commerz- und Leihbank« gegründet, aus der sich später die Preußische Staatsbank entwickelt.
In der von Christoph Friedrich *Nicolai* geleiteten Verlagsbuchhandlung erscheint ab 1765 die »Allgemeine Deutsche Bibliothek«, die sich unter der Mitarbeit von Gotthold Ephraim *Lessing* und Moses *Mendelssohn* zu einer der bedeutendsten Zeitschriften der Aufklärung entwickelt.

1766. Friedrich der Große gründet die Generaltabakadministration, die das staatliche Tabakmonopol verwaltet, und die Generalakzise- und Zolladministration, die nach französischem Vorbild aufgebaut ist und deshalb »französische Regie« genannt wird. Sie erhebt die neugeregelte Akzise.

1772. Die Königliche Seehandlungs-Gesellschaft wird am 14. Oktober 1772 gegründet und erhält für zwanzig Jahre das Salzmonopol. Das staatliche Handelsunternehmen mit eigener Flotte übernimmt zunächst den Warenaustausch mit Polen, erweitert jedoch später seinen Tätigkeitsbereich auf Holz, Kolonialwaren und schlesische Leinwand.

1774. In den Jahren 1774 bis 1780 entsteht als viertes Bauwerk des *Forum Fridericianum* die Königliche Bibliothek. Das heute als Alte Bibliothek bezeichnete und

im Volksmund früher Kommode genannte Gebäude wird seit 1910 von der Universität genutzt *(Preußische Staatsbibliothek)*.
Auf dem *Gendarmenmarkt* errichtet Georg Christian Unger nach Plänen von Johann *Boumann* 1774 bis 1776 das Französische Komödien- bzw. *Schauspielhaus.*

1775. Aufgrund der Siedlungspolitik Friedrichs des Großen waren in den letzten Jahrzehnten bereits zahlreiche neue Dörfer in der Umgebung Berlins, insbesondere im Südosten im Bereich der Oberspree, gegründet worden. Ab 1775 erfolgt die Besiedlung des Vorwerks *Treptow*, das aus einer 1568 erstmals erwähnten Fischerei hervorgegangen war.

1776. Nach Entwürfen von Karl von *Gontard* werden ab 1776 am *Spittelmarkt* die Spittelkolonnaden und ab 1777 in der Königstraße die *Königskolonnaden* errichtet.

1783. Im Theater in der Behrenstraße findet am 14. April 1783 die Uraufführung von *Lessings* »Nathan der Weise« statt *(Komische Oper)*.

1785. Michael Philipp Daniel Boumann errichtet 1785/86 für Prinz August Ferdinand von Preußen im Tiergarten das *Schloß Bellevue.*

1786. Friedrich der Große stirbt am 17. August 1786 im Potsdamer Schloß Sanssouci. Sein Neffe folgt ihm als Friedrich Wilhelm II. auf den Thron.
Im Gegensatz zu Friedrich dem Großen, für den Französisch die Sprache des Theaters war, steht Friedrich Wilhelm II. dem deutschen Schauspiel aufgeschlossen gegenüber. Er erhebt am 5. Dezember 1786 das Theater in der Behrenstraße *(Komische Oper)* zum Deutschen Nationaltheater und weist ihm das Gebäude des seit 1778 nicht mehr bespielten Französischen Komödien- bzw. *Schauspielhauses* zu. 1796 übernimmt August Wilhelm *Iffland* die Leitung der Bühne.

1788. Friedrich Wilhelm II. ist aufgrund seiner mystischen Neigungen ein Gegner der Aufklärung, die er 1788 durch ein Religionsedikt und eine Verschärfung der Zensur zu bekämpfen versucht.
In diesem Jahr wird am Quarré, dem Abschluß der Straße *Unter den Linden* an der Zoll- und *Akzisemauer*, das ursprüngliche Brandenburger Tor abgerissen. An seiner Stelle baut Carl Gotthard *Langhans* in den Jahren bis 1791 das bis heute erhaltene Tor, das den Propyläen in Athen nachempfunden ist. 1793 wird die von Johann Gottfried *Schadow* entworfene Quadriga auf dem *Brandenburger Tor* aufgestellt.

1791. Erstmals wird einer jüdischen Familie, der des Bankiers Daniel Itzig, das Berliner Bürgerrecht verliehen *(Juden)*.

1793. Zwischen den Residenzstädten Potsdam und Berlin wird die Potsdamer Chaussee als gepflasterte Straße dem Verkehr übergeben. In den nächsten Jahrzehnten erfolgt ein Ausbau des preußischen Straßennetzes. Unter anderem wird 1799 die Charlottenburger Chaussee fertiggestellt.

1794. Der Hofzimmermeister Johann Gottlieb Brendel baut in den Jahren 1794

bis 1797 auf der *Pfaueninsel* ein Schloß für die Geliebte Friedrich Wilhelms II.,
die Gräfin Lichtenau.

1797. Friedrich Wilhelm II. stirbt am 16. November 1797 in Potsdam. Aufgrund
seiner verschwenderischen Lebensführung hinterläßt er einen zerrütteten Staats-
haushalt. Im Gegensatz zu seinem Vater ist Friedrich Wilhelm III. ein sparsamer
und nüchterner Regent. Allerdings wird seine unentschlossene Neutralitätspoli-
tik in den Koalitionskriegen mit Frankreich Preußen in die Isolation führen.
Wilhelm Heinrich *Wackenroders* »Herzensergießungen eines kunstliebenden
Klosterbruders«, in diesem Jahr in Berlin erschienen, markieren den Beginn der
Frühromantik, die von Berlin ausgeht und daher auch *Berliner Romantik* genannt
wird. Die Brüder Friedrich und August Wilhelm *Schlegel* geben in den Jahren
1798 bis 1800 die Zeitschrift »*Athenäum*« heraus, in der literaturkritische Arbeiten unter anderem von Friedrich Daniel Ernst *Schleiermacher* und Novalis veröffentlicht werden. Zum Mittelpunkt des Geisteslebens entwickeln sich die literarischen Salons, z. B. die von Henriette *Herz* und Rahel *Varnhagen von Ense (Literarische Salons und Gesellschaften)*.

1799. Die 1773 eingerichteten Lehrkurse des Oberbaudepartements und die architektonische Abteilung der *Akademie der Künste* werden auf Betreiben David
Gillys in der Bauakademie vereinigt.
Der Maschinenbau entwickelt sich in den nächsten Jahrzehnten zu einem bedeutenden Industriezweig. Als erste privatwirtschaftliche Firma dieser Branche wird
1799 die Hummelsche Maschinenbauanstalt gegründet *(Industrie)*.

1800–1839

1800. Der Komponist Carl Friedrich *Zelter* wird Leiter der 1791 von Karl Friedrich Fasch gegründeten Singakademie. Zelter gründet 1809 in Berlin den Män-
nerchor »Liedertafel«, der auch das gesellige Beisammensein pflegt. Die »Liedertafel« ist Vorbild für zahlreiche Männergesangvereine des 19. Jahrhunderts.

1802. Am 2. Januar 1802 wird das neue *Schauspielhaus* eröffnet. Es wurde nach
Entwürfen von Carl Gotthard *Langhans* an der Stelle des abgerissenen Französi-
schen Komödienhauses am *Gendarmenmarkt* errichtet.
In diesem Jahr wird die Köpenicker Vorstadt nach der Gattin Friedrich Wilhelms
III., der von den Berlinern verehrten Königin Luise, in Luisenstadt umbenannt.

1803. Das Zentralarchiv des Staates Preußen, zu diesem Zeitpunkt im Schloß untergebracht, erhält den Namen *Geheimes Staatsarchiv*.

1804. Der Kabinettsrat Karl Friedrich von Beyme läßt sich ab 1804 in *Steglitz* von
Heinrich *Gentz* auf der Grundlage von Plänen Friedrich *Gillys* ein Schloß bauen,
das nach seinem späteren Bewohner, dem Generalfeldmarschall Friedrich Graf
von Wrangel, als *Wrangelschlößchen* bezeichnet wird.

1805. Im November 1805 besucht der russische Zar Alexander I. Berlin. Ihm zu
Ehren erhält der *Alexanderplatz* seinen Namen.

1806. Preußen, das in den letzten Jahren durch die außenpolitische Unentschlossenheit Friedrich Wilhelms III. in die Isolation geraten war, steht im 4. Koalitionskrieg den kampfkräftigen französischen Truppen Napoleons allein gegenüber. Am 14. Oktober 1806 erleidet die preußische Armee in der Doppelschlacht von Jena und Auerstedt eine vernichtende Niederlage. Friedrich Wilhelm III. und seine Gattin Luise fliehen zunächst nach Königsberg, später nach Memel. Die Garnison sowie Teile des Hofes und der Behörden werden aus Berlin abgezogen. Zahlreiche Bürger verlassen die Stadt. Am 24. Oktober 1806 zieht Marschall Davout, der Sieger von Auerstedt, in Berlin ein. Napoleon folgt ihm am 27. Oktober 1806. Er durchreitet das Brandenburger Tor und läßt sich vom Magistrat auf dem Quarré die Schlüssel der Stadt aushändigen. Für die nächsten vier Wochen bezieht er das *Berliner Schloß.* Hier unterzeichnet er am 21. November 1806 das Dekret zur Kontinentalsperre gegen England. Die Quadriga läßt Napoleon vom *Brandenburger Tor* entfernen und als Siegestrophäe nach Paris bringen.
Den Magistrat läßt Napoleon durch ein Comité administratif ersetzen, das aus sieben Bürgern der Stadt besteht und unter französischer Aufsicht arbeitet. Da das Comité administratif jedoch die Verwaltungsaufgaben aufgrund mangelnder Erfahrung nicht bewältigen kann, veranlaßt es die Wiedereinsetzung der ehemaligen Magistratsmitglieder in ihre Ämter.

1807. Friedrich Wilhelm III. setzt, unterstützt von Zar Alexander I., den Kampf gegen Napoleon fort. Nach der Niederlage Rußlands bei Friedland schließt Alexander I. am 7. Juli 1807 mit Napoleon den Frieden von Tilsit, dem Friedrich Wilhelm III. am 9. Juli 1807 beitritt. Preußen muß auf alle Gebiete westlich der Elbe verzichten.
In der *Akademie der Wissenschaften,* die im *Marstall* Unter den Linden untergebracht ist, hält Johann Gottlieb Fichte im Winter 1807/08 an vierzehn Sonntagen seine »Reden an die deutsche Nation«, in denen er ein nationales Bewußtsein und eine nationale Erziehung fordert.

1808. Im Rahmen der preußischen Reformgesetzgebung wird am 19. November 1808 die von Karl Reichsfreiherr vom und zum Stein erarbeitete Städteordnung erlassen. Sie sieht eine weitgehende Selbstverwaltung der Städte und eine Trennung von Justiz und Verwaltung vor.
Nach langen Verhandlungen über die Höhe und Zahlungsweise der Kriegsentschädigung ziehen die französischen Truppen im Dezember 1808 aus Berlin ab. Marschall Davout übergibt die Schlüssel der Stadt am 2. Dezember 1808 an Prinz August Ferdinand von Preußen, den letzten Bruder Friedrichs des Großen, als Repräsentanten des königlichen Hauses. Am 3. Dezember 1808 räumen die letzten französischen Truppen Berlin. Zu diesem Zeitpunkt ist die Stadt mit 4,5 Millionen Talern verschuldet. Erst im Jahr 1861 werden diese Schulden endgültig getilgt sein. Große Teile der Bevölkerung sind verarmt und leiden Hunger. Von wohlhabenden Bürgern wird die erste Berliner Volksküche eingerichtet, die täglich 6000 Mittagessen austeilt.

1809. Gemäß der Steinschen Städteordnung finden in Berlin vom 12. bis 22. April 1809 die Wahlen zur Stadtverordnetenversammlung statt. Es werden 102 Bezirke gebildet, die je einen Stadtverordneten wählen. Zusätzlich werden für

die gesamte Stadt 33 Stellvertreter gewählt. Aktives und passives Wahlrecht haben nicht alle Einwohner der Stadt, sondern nur Bürger, die Hauseigentümer
sind oder über ein Jahreseinkommen von mehr als 200 Talern verfügen. Ex-
imierte, bei denen diese Voraussetzungen vorliegen, müssen auf Anordnung das
Bürgerrecht erwerben. Von dieser Anordnung sind vor allem die jüdische Gemeinde und die französische Kolonie betroffen *(Hugenotten, Juden)*. Von den
rund 145 000 Einwohnern Berlins sind im Jahre 1809 nur knapp 7% wahlberechtigt.
Am 25. April 1809 tritt die Stadtverordnetenversammlung im *Prinz-Heinrich-Palais* zu ihrer ersten Sitzung zusammen. Sie setzt den neuen Magistrat ein, der aus
10 besoldeten und 15 unbesoldeten Mitgliedern besteht. Am 8. Mai 1809 stimmt
der König der Wahl des ersten Oberbürgermeisters, die auf Leopold von Gerlach gefallen war, zu. Bei der Amtseinführung am 6. Juli 1809 im Berliner *Rathaus* wird gleichzeitig das Comité administratif aufgelöst. Anschließend wird der
neue Magistrat in der Nikolaikirche vereidigt.
Auf Anordnung Napoleons muß Friedrich Wilhelm III. seinen Regierungssitz
nach Berlin zurückverlegen. Er trifft dort mit seiner Gattin Luise am 20. Dezember 1809 ein. Die Begeisterung, mit der die Bevölkerung dieses Ereignis feiert,
gilt in erster Linie der Königin. Sie hatte sich in Tilsit für günstigere Friedensbe-
dingungen eingesetzt und durch ihr Vorbild zur Aufrechterhaltung des Selbstbe-
wußtseins der Bevölkerung beigetragen.

1810. Königin Luise stirbt am 19. Juli 1810. Friedrich Wilhelm III. läßt ihr im
Park von *Schloß Charlottenburg* ein *Mausoleum* nach einem Entwurf von Karl
Friedrich *Schinkel* errichten.
Auf Initiative Wilhelm von *Humboldts* wird die Berliner Universität gegründet.
Sie nimmt am 15. Oktober 1810 im *Prinz-Heinrich-Palais* den Vorlesungsbetrieb
auf. Am 28. Juni 1828 wird sie den Namen *Friedrich-Wilhelms-Universität* erhal-
ten.

1811. In der *Hasenheide* eröffnet Friedrich Ludwig *Jahn* den ersten Turnplatz.
Heinrich von *Kleist* erschießt sich gemeinsam mit seiner Geliebten Henriette Vogel am 21. November 1811 am Ufer des Kleinen *Wannsees*.

1812. Durch das Emanzipationsedikt vom 11. März 1812 werden die *Juden* in
Preußen, die größtenteils zur jüdischen Gemeinde Berlins gehören, zu grund-
sätzlich gleichberechtigten Staatsbürgern.
Nachdem Zar Alexander I. 1810 aus der Kontinentalsperre ausgetreten war,
plant Napoleon den Rußlandfeldzug. Trotz heftiger Proteste patriotischer
Kreise schließt Friedrich Wilhelm III. im Februar 1812 einen Vertrag mit Napoleon, aufgrund dessen Preußen zum Durchzugs- und Aufmarschgebiet für die
französischen Truppen wird. Außerdem gewährt Friedrich Wilhelm militärische
Unterstützung durch ein 20000 Mann starkes Hilfskorps unter Ludwig Graf
Yorck von Wartenburg.
Ende März 1812 werden französische Truppen in Berlin einquartiert. Wenig
später beginnt der Feldzug in Richtung Osten. Im Spätherbst des gleichen Jahres
kehren die geschlagenen Truppen nach Berlin zurück. Yorck von Wartenburg
schließt am 30. Dezember 1812 ohne Ermächtigung des Königs mit den Russen
die Konvention von Tauroggen.

1813. Friedrich Wilhelm III. folgt dem von Graf Yorck vorgezeichneten Kurs und schließt am 28. Februar 1813 in Kalisch ein Militärbündnis mit Rußland. Anfang März 1813 befreien russische Truppen Berlin von der französischen Besatzungsmacht. Am 17. März 1813 erreicht Graf Yorck Berlin. Versuche Napoleons, Berlin zurückzuerobern, scheitern. Von 10000 preußischen Freiwilligen, die sich für die Befreiungskriege melden, sind 6300 Berliner. Sie werden vorwiegend zu Schanzarbeiten im Südwesten der Stadt herangezogen. In der Völkerschlacht bei Leipzig vom 16. bis 18. Oktober 1813 erleidet Napoleon die entscheidende Niederlage.

1814. Am 30. März 1814 wird Paris besetzt. General Gebhard Leberecht von Blücher bringt die von Napoleon geraubte Quadriga nach Berlin zurück. Dem Stab der Viktoria wird als Zeichen des Sieges das Eiserne Kreuz und der preußische Adler hinzugefügt. Bei der Rückkehr des Königs am 7. August 1814 wird sie auf dem *Brandenburger Tor* feierlich enthüllt. Das Quarré wird in Pariser Platz umbenannt.

1815. Das Ergebnis des vom 18. September 1814 bis zum 9. Juni 1815 abgehaltenen Wiener Kongresses, durch den Preußen seine Machtstellung in Europa wiedererlangt, ist Anlaß zu zahlreichen Feierlichkeiten in Berlin. Die Gründung des Deutschen Bundes bleibt jedoch hinter den Erwartungen der national gesinnten Kreise, die sich die Bildung eines Nationalstaates erhofft hatten, weit zurück. Die nach dem Wiener Kongreß einsetzende Restauration beendet die preußische Reformpolitik. Die nächsten Jahrzehnte sind bestimmt vom Kampf fortschrittlicher Kräfte mit dem Obrigkeitsstaat. Das Bürgertum zieht sich, die sozialen und politischen Spannungen ignorierend, in die Beschaulichkeit des Biedermeiers zurück.

1817. Karl Friedrich *Schinkel* leitet 1817/18 die Bauarbeiten der *Neuen Wache.* Durch den Zusammenschluß von Lutheranern und Reformierten in der Altpreußischen Union werden die Gegensätze zwischen den beiden Konfessionen weitgehend überwunden.

1818. Am 26. April 1818 wird aufgrund eines Beschlusses der Stadtverordnetenversammlung die Berliner Sparkasse gegründet. Sie ist die erste öffentliche Sparkasse unter Gemeindebürgschaft in Preußen.
Georg Wilhelm Friedrich *Hegel* erhält als Nachfolger Johann Gottlieb Fichtes den Lehrstuhl für Philosophie an der Berliner Universität. Am 21. Oktober 1818 hält er seine Antrittsvorlesung.

1819. Am Havelufer, südlich der *Pfaueninsel*, läßt Friedrich Wilhelm III. für seine Tochter Charlotte, die Gattin des russischen Thronfolgers Nikolaus, das Blockhaus *Nikolskoe* errichten.
Aus Anlaß der Ermordung des Schriftstellers August von Kotzebue durch den Burschenschafter Karl Ludwig Sand findet in Karlsbad vom 6. bis 31. August 1819 eine Konferenz des Deutschen Bundes statt. Aufgrund der am 20. September 1819 vom Bundestag angenommenen Karlsbader Beschlüsse werden die erst ein Jahr zuvor gegründeten Berliner Burschenschaften und die preußische Turnerbewegung verboten, eine neue Zensurverordnung wird erlassen und die Uni-

versität unter verschärfte Aufsicht gestellt. Schon einen Monat vor der Karlsbader Konferenz begann in Berlin die »Demagogenverfolgung«. Zahlreiche Vertreter nationaler und liberaler Ideen wurden verhaftet.

1820. Die Aufhebung der Schutzzölle und die Einführung der Gewerbefreiheit führen in Berlin zu erheblichen wirtschaftlichen Problemen, unter anderem durch die Einfuhr billiger Konkurrenzprodukte aus England. Die Armenfürsorge, seit 1819 Aufgabe der kommunalen Verwaltung, beansprucht einen erheblichen Teil des Haushalts. Vor dem Oranienburger und dem Hamburger Tor werden um 1820 die ersten *Mietskasernen* Berlins gebaut.

1821. Auf dem Tempelhofer Berg *(Kreuzberg)* wird am 20. März 1821 das von Karl Friedrich *Schinkel* entworfene Nationaldenkmal zur Erinnerung an die Befreiungskriege eingeweiht.
Schinkel vollendet in diesem Jahr auch den Neubau des *Schauspielhauses* am *Gendarmenmarkt,* das im Jahr 1817 abgebrannt war.
Peter Christian Wilhelm Beuth gründet den Verein zur Förderung des Gewerbefleißes und eine technische Schule. Die technische Schule wird ab 1827 den Namen Königliches Gewerbeinstitut tragen und 1866 zur Gewerbeakademie erhoben. Der Verein zur Förderung des Gewerbefleißes veranstaltet im Jahr 1822 die erste Berliner Gewerbeausstellung.

1824. Am *Alexanderplatz* wird das Theater in der Königstadt eröffnet. In diesem Privattheater werden vorwiegend Lustspiele und Berliner Volksstücke aufgeführt.
Karl Friedrich *Schinkel* beendet die 1820 begonnenen Umbau- und Erweiterungsarbeiten am *Schloß Tegel.* Eigentümer des Schlosses ist Wilhelm von *Humboldt.*
Die *Schloßbrücke,* die *Schinkel* 1819 entworfen hatte, wird ebenfalls in diesem Jahr fertiggestellt.
Prinz Karl von Preußen erwirbt das Gut Klein-Glienicke. 1825 beginnt *Schinkel* den Umbau eines frühklassizistischen Landhauses zum *Schloß Glienicke.* Der Park wird von Peter Joseph *Lenné* gärtnerisch gestaltet.

1825. Der österreichische Zuckerbäcker Johann Georg Kranzler eröffnet *Unter den Linden,* Ecke Friedrichstraße, ein Caféhaus.

1826. Da der Berliner Stadtverwaltung die finanziellen Mittel für die Installierung einer angemessenen Straßenbeleuchtung fehlen, schließt das preußische Innenministerium einen Monopolvertrag mit der englischen Imperial Continental Gas Association, die das Privileg erhält, Gas herzustellen und damit die Stadt und private Abnehmer zu beliefern. Im September 1826 werden die ersten Gaslaternen in der Straße *Unter den Linden* in Betrieb genommen. Nach Ablauf des Vertrages mit der Imperial Continental Gas Association am 1. Januar 1847 wird die Versorgung der Haushalte und die Straßenbeleuchtung teilweise von einer städtischen Gasgesellschaft übernommen, weil die englische Firma aufgrund ihrer Monopolstellung überhöhte Preise fordert.

1827. Das Gebäude der Singakademie im Kastanienwäldchen hinter der *Neuen*

Wache wird von Carl Theodor Ottmer, einem Schüler Schinkels, fertiggestellt. Felix *Mendelssohn Bartholdy* wird hier am 11. März 1829 die Matthäus-Passion von Johann Sebastian Bach wiederaufführen. Moritz Gottlieb Saphir gründet den »Berliner Sonntagsverein«. Diese Künstler- und Literatenvereinigung wird 1828 in »Tunnel über der Spree« umbenannt. Sie wird sich ebenso wie die 1824 von Julius Eduard Hitzig gegründete Mittwochs-gesellschaft in den fünfziger Jahren des 19. Jahrhunderts zu einem der Mittel-punkte des Geisteslebens entwickeln *(Literarische Salons und Gesellschaften)*.

1830. Das von Karl Friedrich *Schinkel* in den Jahren 1823 bis 1829 nördlich des *Lustgartens* errichtete Museumsgebäude, heute als Altes Museum bezeichnet, wird am 2. August 1830 eröffnet. Durch den Bau von vier weiteren Museen wird der nördliche Teil der Cöllner Spreeinsel, der bis 1822 durch einen Festungsgra-ben abgetrennt war, in den nächsten hundert Jahren zur *Museumsinsel* umgestal-tet.
Ein weiteres Werk *Schinkels*, die 1824 begonnene *Friedrich-Werdersche Kirche*, wird in diesem Jahr fertiggestellt. Von ihrem Dach aus malt Eduard *Gaertner* 1834 das bekannteste Panorama Berlins.
Die sozialen Mißstände in Berlin führen im September 1830 zu einer Revolte der Schneidergesellen. Nach Straßenkämpfen zwischen der Polizei und den Auf-ständischen wird schließlich Militär zur Wiederherstellung der Ordnung einge-setzt.

1831. Die Einführung der revidierten Städteordnung bringt 1831 dem Magistrat eine Stärkung seiner Position zu Lasten der direkt gewählten Stadtverordneten-versammlung, die dieser Entwicklung in den nächsten Jahren Widerstand entge-gensetzt. Innerhalb des Magistrats versucht der 1831 zum Oberbürgermeister gewählte Friedrich von Baerensprung, seine Stellung auszubauen. Durch diese Auseinandersetzungen erhält das Innenministerium, das mehrfach zur Schlich-tung angerufen wird, die Möglichkeit, in die städtische Selbstverwaltung einzu-greifen.
Baerensprung legt 1834 sein Amt nieder und wird durch Heinrich Wilhelm Krausnick abgelöst. Im gleichen Jahr wird durch das »Regulativ über das Ge-schäftsverfahren für den Magistrat in Berlin« der Oberbürgermeister zum Dienstvorgesetzten des Magistrats erhoben. 1838 wird die Auseinandersetzung zwischen Stadtverordnetenversammlung und Magistrat durch eine Kabinettsor-der zugunsten des Magistrats beendet.

1832. Der Berliner Volksschriftsteller Adolf *Glaßbrenner* gibt 1832 bis 1850 seine humoristischen Hefte »Berlin, wie es ist und – trinkt« heraus.

1833. Peter Joseph *Lenné* gestaltet in den Jahren 1833 bis 1839 im *Tiergarten* ei-nen Landschaftspark mit künstlichen Wasserläufen und Seen.
Nach dem Frankfurter Wachensturm kommt es in Berlin zu einer erneuten Dem-agogenverfolgung. Auch der Burschenschafter und spätere Mundartdichter Fritz *Reuter* wird verhaftet.

1834. An der Freitreppe des Alten Museums wird die von Karl Friedrich *Schinkel* entworfene Granitschale aufgestellt *(Museumsinsel)*.

1835. Karl Friedrich *Schinkel* vollendet das Gebäude der Bauakademie, dessen Errichtung 1832 begonnen wurde.

1837. August Borsig gründet in der Chausseestraße eine Maschinenbauanstalt. Ab 1841 werden dort Lokomotiven hergestellt *(Industrie)*.
Östlich des Blockhauses *Nikolskoe* wird von Friedrich August *Stüler* und Albert Dietrich Schadow die Kirche *Sankt Peter und Paul* fertiggestellt.

1838. Am 29. Oktober 1838 wird die *Eisenbahn*strecke von Berlin nach Potsdam eröffnet.

1840–1869

1840. Friedrich Wilhelm III. stirbt am 7. Juni 1840. Die Erbhuldigung für seinen Sohn Friedrich Wilhelm IV. findet am 15. Oktober 1840 im Lustgarten statt. Der vielseitig begabte und hochgebildete Thronfolger wird in den nächsten Jahren zum Förderer von Kultur und Wissenschaft. Liberale Kreise der Bevölkerung erhoffen sich von ihm die Reformen, die die restaurative Politik seines Vaters nicht zuließ. Diese Hoffnungen werden zunächst durch eine Amnestie, die die »Demagogenverfolgung« beendet, und eine Lockerung der Zensur genährt. Schon bald zeigt sich jedoch, daß der neue König die Erfordernisse der Zeit verkennt und an einer ständischen Ordnung festhält.
Die Stadtverordnetenversammlung beschließt 1840 zur Jahrhundertfeier der Thronbesteigung Friedrichs des Großen die Anlage eines öffentlichen Parks im Osten der Stadt. Nach Plänen von Peter Joseph *Lenné* entsteht in den Jahren 1846 bis 1848 der *Friedrichshain*.

1841. Auf Initiative Martin Heinrich Lichtensteins, des Professors der Zoologie an der Friedrich-Wilhelms-Universität, wird der *Zoologische Garten* gegründet. Er wird 1844 eröffnet.
Aufgrund einer Neufestsetzung der Stadtgrenzen, durch die die nördlichen Vorstädte eingemeindet werden, vergrößert sich das *Stadtgebiet* Berlins auf 3511 Hektar.

1843. Bettina von *Arnim* prangert in ihrem Werk »Dies Buch gehört dem König« das Elend und die katastrophalen Wohnverhältnisse der Bevölkerung im Arbeiterviertel vor dem Hamburger Tor an. Der König nimmt das Buch zwar zur Kenntnis und dankt der Autorin für die Widmung, beschließt jedoch keine Maßnahmen zum Abbau der sozialen Spannungen.
Bereits 1841, elf Jahre nach Eröffnung des Alten Museums, hatte Friedrich Wilhelm IV. aufgrund des großen Besucherinteresses und der wachsenden Sammlungsbestände gemeinsam mit Friedrich August *Stüler* eine Konzeption der *Museumsinsel* entwickelt. Das Neue Museum wird 1843 bis 1855 nach Stülers Entwurf erbaut.

1844. Das auf Anregung Friedrich Wilhelms IV. eingerichtete Kroll-Etablissement am Königsplatz wird nach zweijährigen Bauarbeiten eröffnet. In den Festsälen des Gebäudes finden Konzerte und Bälle statt *(Kroll-Oper)*.

Friedrich August *Stüler* beginnt den Bau der *Matthäuskirche* südlich des Tiergartens. Sie wird 1846 vollendet.

1845. Nach Plänen von Peter Joseph *Lenné* wird in den Jahren 1845 bis 1850 der *Landwehrkanal* angelegt *(Binnenschiffahrt)*.

1846. Bereits 1740 hatte Friedrich Wilhelm I. 15 Fiakern die Konzession erteilt, an bestimmten Plätzen in Berlin auf Gäste zu warten, die nach einem festen Tarif befördert wurden. 1846 erhalten die Unternehmer Heckscher und Freyberg die Konzession für fünf Pferdeomnibuslinien *(Öffentlicher Nahverkehr)*.

1847. Die Zuwanderung aus den preußischen Provinzen hat die Einwohnerzahl Berlins auf über 400 000 anwachsen lassen *(Bevölkerungsentwicklung)*. Viele Berliner sind auf Unterstützung durch die Armenfürsorge angewiesen, die in diesem Jahr 40% des städtischen Haushalts beansprucht. Aufgrund von Preissteigerungen kommt es im April 1847 zu Tumulten und Plünderungen auf den Märkten und in Geschäften. Da die Polizei nicht mehr Herr der Lage ist, wird Militär gegen die aufgebrachte Menge eingesetzt. Im Verlauf dieser sogenannten Kartoffelrevolution werden über 300 Personen verhaftet. Todesopfer sind nicht zu beklagen.
Ebenfalls im April 1847 tagt der erste Vereinigte Preußische Landtag in Berlin. Er genehmigt jedoch nicht die vom König gewünschte Anleihe für den Bau einer Eisenbahnlinie nach Königsberg. Eines der Ergebnisse des Landtags ist die erste öffentliche Sitzung der Stadtverordnetenversammlung am 19. November 1847. Damit wird einem seit 1822 mehrfach vorgebrachten Wunsch der Wähler entsprochen.
Der Physiker Werner *Siemens* und der Mechaniker Johann Georg Halske eröffnen am 12. Oktober 1847 an der Schöneberger Straße mit zehn Arbeitern eine Telegraphenbauanstalt *(Industrie)*.
Das Diakonissenkrankenhaus Bethanien, 1843 von Friedrich Wilhelm IV. gestiftet und seit 1845 von Theodor Stein nach Entwürfen von Ludwig Persius errichtet, kann 1847 die ersten Patienten aufnehmen.

1848. Auslösend für die Ereignisse des Jahres 1848 wirkt die Februarrevolution in Frankreich mit dem Sturz des Königs Louis Philippe. In den Zelten im *Tiergarten* finden am 6., 7. und 9. März Kundgebungen statt, auf denen Forderungen nach Gleichberechtigung aller Bürger sowie nach Presse-, Rede- und Versammlungsfreiheit formuliert werden. Am 13. März beschließt eine Versammlung in den Zelten, darüber hinaus die Einrichtung eines Ministeriums für Arbeit zu fordern. Als die Versammlungsteilnehmer am Abend in die Stadt zurückkehren, kommt es zu blutigen Ausschreitungen zwischen ihnen und einem Kavallerieaufgebot.
Die Nachricht vom Sieg der Revolution in Wien und von der Flucht Metternichs erreicht Berlin am 17. März. Eine Versammlung beschließt daraufhin, dem König am 18. März eine Adresse zu übergeben, in der die wichtigsten Forderungen zusammengefaßt sind, nämlich Abzug des Militärs, Pressefreiheit, Einberufung des Landtags und Gründung einer bewaffneten Bürgerwehr. Die Berliner werden aufgefordert, sich an diesem Tag vor dem Schloß einzufinden.
Rund 10 000 Menschen versammeln sich am 18. März auf dem Schloßplatz. Der

König geht auf die Forderung nach *Presse*freiheit ein und beschließt die Einberufung des Landtags für den 2. April. Für weitere Reformen zeigt er sich verhandlungsbereit. Die begeisterte Menge wird aufgefordert, die Demonstration umgehend zu beenden. Das zum Schutz des Schlosses eingesetzte Militär beginnt mit der gewaltsamen Räumung des Schloßplatzes. Nach zwei Schüssen auf die Demonstranten entwickelt sich ein blutiger Aufstand. Die Bürger kämpfen, hinter Barrikaden verschanzt, überwiegend mit improvisierten Waffen wie Forken, Äxten und Steinen gegen über 12 000 gut ausgerüstete Soldaten. Obwohl das Militär im Laufe der Nacht Teile der Stadt erobert, befiehlt der König am 19. März den Abmarsch der Truppen aus der Stadt, nachdem die Bürger zugesagt hatten, nach Abzug der Soldaten die Barrikaden zu räumen. Eine neue Regierung wird gebildet und eine Bürgergilde, die die Bewachung des Schlosses übernimmt, mit Waffen aus dem Zeughaus ausgerüstet. Die Opfer der Barrikadenkämpfe – es gab über 200 Tote – werden im Hof des Schlosses aufgebahrt. Der König wird genötigt, ihnen seinen Respekt zu bezeugen. Am 20. März werden alle politischen Häftlinge entlassen. Der König verkündet am 21. März, daß er von nun an für Einheit und Freiheit eintreten wird. Demonstrativ reitet er mit einer schwarz-rot-goldenen Fahne durch die Stadt.

Presse- und Versammlungsfreiheit ermöglichen im April 1848 die Gründung des Zentralkomitees der Arbeiter, das vom 23. August bis 3. September in Berlin den ersten Allgemeinen Deutschen Arbeiterkongreß abhalten wird, und im Mai 1848 das Erscheinen der ersten Nummer des »Kladderadatsch«. Als Vorläufer der Parteien werden politische Klubs gegründet.

Am 1. Mai werden in einem indirekten Wahlverfahren die Mitglieder der deutschen und der preußischen Nationalversammlung gewählt. 60 000 Berliner sind wahlberechtigt. Die preußische Nationalversammlung hat am 22. Mai ihre erste Sitzung in der Singakademie. Später wird sie im *Schauspielhaus* am Gendarmenmarkt tagen.

In der dritten Maiwoche werden Neuwahlen zur Stadtverordnetenversammlung abgehalten. Aufgrund der Städteordnung von 1809 sind rund 25 000 Bürger wahlberechtigt. Magistrat und Stadtverordnetenversammlung sehen sich vor allem schweren wirtschaftlichen Problemen, ausgelöst durch die unsichere politische Lage, gegenübergestellt. Durch Massenentlassungen in der Industrie sind Tausende arbeitslos. Stadt und Staat versuchen, die Arbeitslosigkeit durch Notstandsarbeiten abzubauen. Arbeitslose werden beim Bau des *Landwehrkanals* und des Spandauer Schiffahrtskanals eingesetzt. Im Laufe des Jahres kommt es immer wieder zu Arbeiterunruhen.

Am 8. und 9. Juni wird auf Demonstrationen die Forderung nach systematischer Bewaffnung des Volkes laut. Am 14. Juni stürmt eine Menschenmenge, darunter zahlreiche Arbeitslose, das Zeughaus und plündert Waffengeschäfte. Der Oberbefehlshaber der Bürgerwehr, die dem Zeughaussturm machtlos gegenüberstand, wird abgesetzt. Zur Aufrechterhaltung der Ordnung wird eine Sicherheitsmannschaft gebildet.

Die nicht abreißenden Demonstrationen und Straßenkämpfe lassen Friedrich Wilhelm IV. von seiner kompromißbereiten Position abrücken. Die preußische Nationalversammlung, deren Auflösung von der Hofpartei, der sogenannten Kamarilla, gefordert wird, verliert aufgrund von Streitigkeiten zwischen Demokraten und Liberalen mehr und mehr an Einfluß. Das liberale Kabinett wird abgesetzt. Am 9. November wird die Nationalversammlung unter Hinweis auf die ihre Sitzungen begleitenden Unruhen vertagt und für den 27. November nach Brandenburg berufen. Da sie versucht, sich diesem Beschluß zu widersetzen, rückt der Oberbefehlshaber der Mark, General Friedrich Graf von Wrangel, am 10. November in Berlin ein. Die Abgeordneten der Nationalversammlung werden gezwungen, ihre Sitzung im Schauspielhaus zu beenden. Am 11. November wird die Bürgerwehr aufgelöst und die Pressefreiheit vorübergehend aufgehoben. Einen Tag später wird über Berlin der Belagerungszustand verhängt. Carl Ludwig von Hinckeldey wird am 18. November zum Polizeipräsidenten ernannt. Er leitet eine Verhaftungswelle und rigorose Zensurmaßnahmen ein. Am 5. Dezember wird die preußische Nationalversammlung endgültig aufgelöst und vom König eine Verfassung erlassen, die zwar liberale Zugeständnisse erkennen läßt, im wesentlichen aber die Macht des Königshauses untermauert.

1849. Friedrich Wilhelm IV. lehnt am 3. April 1849 die Kaiserkrone, die ihm von der Frankfurter Nationalversammlung aufgrund der Wahl vom 28. März 1849 angeboten wird, ab. – Am 28. Juli 1849 wird der Belagerungszustand über Berlin aufgehoben. Polizeiliche Willkürmaßnahmen bleiben jedoch an der Tagesordnung. In den nächsten acht Jahren verfolgt der König unter dem Einfluß der Kamarilla eine Politik der Reaktion.

1850. Durch die Gemeindeordnung vom 11. März 1850 erhalten alle über 24 Jahre alten Einwohner, die Steuern zahlen, ein Gewerbe betreiben oder über Einkünfte verfügen, das Bürgerrecht. Zur Wahl der Stadtverordnetenversammlung, die nach dem Dreiklassenwahlrecht durchgeführt wird, sind jedoch nur 5% der Einwohner wahlberechtigt. Sie werden nach der Höhe der gezahlten Steuern in drei Klassen eingeteilt, die jeweils über Wahlmänner die gleiche Anzahl von Stadtverordneten wählen. Eine weitere Bestimmung zur Wahrung der Interessen des wohlhabenden Bürgertums sorgt dafür, daß die Stadtverordnetenversammlung zur Hälfte mit Hauseigentümern besetzt wird. Die neue Gemeindeordnung stärkt außerdem die Stellung des Oberbürgermeisters und des Magistrats und verschärft die staatliche Aufsicht über die kommunale Verwaltung. Der von Johann Heinrich Strack errichtete Neubau der 1809 durch einen Brand zerstörten *Petrikirche* wird 1850 fertiggestellt.

1851. Das von Christian Daniel *Rauch* in den Jahren 1839 bis 1851 geschaffene Reiterdenkmal Friedrichs des Großen wird am östlichen Ende der Straße *Unter den Linden* am *Forum Fridericianum* errichtet. Polizeipräsident Carl Ludwig von Hinckeldey, der in den nächsten Jahren noch des öfteren in die Kompetenzen der kommunalen Verwaltungsorgane eingreifen wird, gründet eine Berufsfeuerwehr, deren Kosten die Stadt zu tragen hat. Die Straßenreinigung, die bisher Aufgabe der Anwohner war, wird von der neuen Berufsfeuerwehr übernommen.

1852. Hinckeldey schließt mit der englischen Firma Fox und Crampton einen Vertrag, durch den die Firma für 25 Jahre das Privileg erhält, Berlin mit Trinkwasser zu versorgen. 1856 nimmt das erste Wasserwerk den Betrieb auf.

1853. Die Gemeindeordnung von 1850 wird am 30. Mai 1853 durch eine revi-

dierte Städteordnung ersetzt. Sie bestätigt die Befugnisse des Magistrats und verstärkt die staatliche Aufsicht bis zur Bevormundung. Der Stadtverordnetenversammlung wird untersagt, über Angelegenheiten, die nicht der Gemeindeverwaltung unterliegen, zu beraten.
Die über 200 Jahre alte Bauordnung aus der Zeit des Großen Kurfürsten wird 1853 durch eine neue Baupolizeiordnung abgelöst.

1854. Der Drucker Ernst Theodor *Litfaß* erhält am 5. Dezember 1854 die Konzession zur Errichtung von Anschlagsäulen für Werbeplakate.
Wilhelm *Raabe* kommt 1854 nach Berlin und beginnt seinen Roman »Die Chronik der Sperlingsgasse«.

1856. Der vielen Berlinern wegen seiner Eingriffe in Gemeindeangelegenheiten und wegen seines strikten Vorgehens nach der Märzrevolution verhaßte Polizeipräsident Hinckeldey, der sich andererseits aber durch fortschrittliche Maßnahmen um die Entwicklung Berlins verdient gemacht hat, fällt in einem Duell in der *Hasenheide*.
Die seit 1849 in der Köpenicker Vorstadt unter Leitung von August Soller errichtete katholische *Michaelkirche* wird 1856 fertiggestellt.

1857. Nach einem Schlaganfall Friedrich Wilhelms IV. tritt dessen jüngerer Bruder Wilhelm im Oktober 1857 die Regentschaft an. Während der Revolution antiliberal eingestellt, entwickelte Wilhelm in den letzten Jahren eine gewisse Aufgeschlossenheit gegenüber fortschrittlichen Strömungen. Durch die Beendigung der Reaktion und die Berufung gemäßigt liberaler Minister leitet er die sogenannte Neue Ära ein.

1859. Der von Peter Joseph *Lenné* entworfene Spandauer Schiffahrtskanal wird nach elfjährigen Bauarbeiten eröffnet *(Binnenschiffahrt)*.

1861. Am 1. Januar 1861 werden die Vororte Gesundbrunnen, *Wedding* und Moabit sowie Teile von *Schöneberg* und *Tempelhof* eingemeindet. Das *Stadtgebiet* Berlins vergrößert sich von 3511 auf 5923 Hektar.
Nach dem Tod Friedrich Wilhelms IV. am 2. Januar 1861 wird sein Bruder, der bereits seit 1857 die Regierungsgeschäfte führt, als Wilhelm I. König von Preußen.
Am 6. Juni 1861 wird die Deutsche Fortschrittspartei gegründet. Einer der Mitbegründer ist der Mediziner Rudolf *Virchow*. Die Deutsche Fortschrittspartei erlangt im November 1861 bei den Wahlen zum preußischen Abgeordnetenhaus die Mehrheit.
Hermann Friedrich Waesemann beginnt mit dem Bau des Roten *Rathauses*, das 1869 fertiggestellt wird.

1862. Im Herbst 1862 erreichen die Liberalen bei den Ersatzwahlen zur Stadtverordnetenversammlung, bei denen alle zwei Jahre ein Drittel der Stadtverordneten neu gewählt wird, die Mehrheit. Karl Theodor Seydel, Mitglied der dominierenden Fortschrittspartei, wird neuer Oberbürgermeister.
Die Pläne des Kriegsministers Albrecht Graf von Roon, durch eine Heeresreform in Preußen ein schlagkräftiges Berufsheer aufzubauen, waren seit 1861 An-

laß einer Auseinandersetzung zwischen dem Ministerium und dem preußischen Abgeordnetenhaus. Wilhelm I., der die Pläne Roons unterstützt, ernennt am 24. September 1862 Otto von Bismarck zum Ministerpräsidenten. Die Auseinandersetzung um die Heeresreform spitzt sich zum Verfassungskonflikt zu, als Bismarck ohne ein vom Abgeordnetenhaus bewilligtes Budget die Heeresreform durchführt. Auf Widerstand stößt der Kurs der Regierung hauptsächlich in Berlin, wo ordnungsgemäß gewählten Stadträten die Bestätigung verweigert wird. Der Generalbebauungsplan des Baurats James Hobrecht tritt 1862 in Kraft. Er regelt jedoch – ebenso wie die Baupolizeiordnung von 1853 – nicht die Anzahl der Stockwerke und die Bebauung der Grundstücksteile, die der Straße abgewandt sind. Er fördert dadurch den Bau der *Mietskasernen*, die aufgrund des explosionsartigen Bevölkerungswachstums entstehen, das Berlin in diesem und den folgenden Jahrzehnten erlebt *(Bevölkerungsentwicklung)*. Diese Entwicklung führt in den kommenden Jahren, den sogenannten Gründerjahren, zu einem Anstieg der Bodenpreise im Geltungsbereich des Generalbebauungsplans, während in den Nachbarorten Berlins mit ihren niedrigeren Grundstückspreisen die ersten Villenkolonien entstehen.

1864. Der Apotheker Ernst Schering gründet in der Müllerstraße im Wedding eine chemische Fabrik *(Industrie)*.
Der von Friedrich *Hitzig* 1859 begonnene Bau der Berliner Börse wird 1864 vollendet.

1865. Zwischen dem Kupfergraben und Charlottenburg nimmt die erste Pferdeeisenbahn den Betrieb auf *(Öffentlicher Nahverkehr)*.

1866. Nach dem Zerfall des Deutschen Bundes und dem Sieg Preußens über Österreich im Deutschen Krieg wird auf Initiative Bismarcks im August 1866 aus den auf preußischer Seite am Krieg beteiligten Staaten der Norddeutsche Bund gebildet, dessen Hauptstadt Berlin wird. Mit den süddeutschen Staaten werden in den nächsten Jahren Schutz-und-Trutz-Bündnisse gegen Frankreich geschlossen, das aufgrund seiner Vermittlertätigkeit nach dem Deutschen Krieg linksrheinische Gebiete als Kompensationen fordert.
Der 1859 begonnene Bau der *Synagoge in der Oranienburger Straße* nach Entwürfen von Eduard Knoblauch wird 1866 vollendet.

1867. Am 12. Februar 1867 finden allgemeine direkte Wahlen zum konstituierenden Reichstag des Norddeutschen Bundes statt. In allen sechs Berliner Wahlkreisen gewinnen die Kandidaten der Deutschen Fortschrittspartei. Die konservativen Kandidaten, darunter Bismarck und Roon, bekommen kein Mandat. Am 1. Juli 1867 tritt die Verfassung des Norddeutschen Bundes in Kraft. Aufgrund dieser Verfassung übernimmt Wilhelm I. die Bundespräsidentschaft mit dem Oberbefehl über das Bundesheer. Dem preußischen König obliegt auch die Ernennung der Bundesbeamten. Das oberste Regierungsorgan bildet der Bundesrat, dem Bismarck als Bundeskanzler vorsteht. Der Reichstag ist neben dem Bundesrat das zweite gesetzgebende Organ des Norddeutschen Bundes.
Die Zoll- und *Akzisemauer* Friedrich Wilhelms I. wird in den Jahren 1867 bis 1869 abgetragen. – 1867 beginnt der Bau der Ringbahn, deren erster Abschnitt 1871 eröffnet wird *(Öffentlicher Nahverkehr)*.

1868. Friedrich *Hitzig* beendet die seit 1865 andauernden Bauarbeiten für die erste Markthalle Berlins. Nach einer wechselvollen Geschichte wird das Gebäude, das nur bis 1874 als Markthalle dient, nach dem Zweiten Weltkrieg als Varietétheater den Namen *Friedrichstadtpalast* erhalten.

1869. Der Musikpädagoge und Komponist Joseph Joachim wird Direktor der in diesem Jahr gegründeten Hochschule für Musik.
Der Zoologe Alfred Brehm eröffnet *Unter den Linden* das erste Berliner Aquarium. Es wird 1913 an seinen jetzigen Standort am *Zoologischen Garten* verlegt.
Im *Wedding* wird in der Nähe des Gesundbrunnens der *Humboldthain* nach Plänen des Gartenbaudirektors Gustav Meyer angelegt. Der nach Alexander von *Humboldt* benannte Park wird 1875 eröffnet.

1870–1899

1870. Im Januar 1870 werden in Berlin die ersten Volksschulen, in denen kein Schulgeld erhoben wird, eingerichtet.
Die wachsende Machtstellung Preußens innerhalb Europas hatte in den letzten Jahren zu Spannungen im Verhältnis zu Frankreich geführt. Der Konflikt um die Thronkandidatur des Prinzen Leopold von Hohenzollern-Sigmaringen in Spanien, den Bismarck nach dem Verzicht Leopolds durch die gekürzte Veröffentlichung der Emser Depesche verschärft, führt zur Kriegserklärung Frankreichs am 19. Juli 1870. Die vereinigten deutschen Truppen rücken im Laufe des Jahres bis Paris vor. Bismarck handelt in den Monaten des Krieges den Beitritt der süddeutschen Staaten zum Norddeutschen Bund aus und bereitet damit die Gründung des Deutschen Reichs vor.
Theodor *Fontane* wird Theaterkritiker bei der »Vossischen Zeitung«.

1871. Am 18. Januar 1871, zehn Tage vor der Kapitulation von Paris, wird Wilhelm I. im Spiegelsaal des Schlosses Versailles zum Deutschen Kaiser proklamiert. Berlin wird Hauptstadt des Deutschen Reichs und damit Sitz des Reichstags und zahlreicher Reichsbehörden.
Die durch die Hauptstadtfunktion verstärkte Anziehungskraft Berlins und die im Frieden von Frankfurt am 15. Mai 1871 festgelegten Reparationszahlungen Frankreichs lösen eine Welle von Unternehmensgründungen aus und geben damit der seit etwa 1860 andauernden Entwicklung der Gründerjahre einen neuen Impuls.

1872. Berthold Kempinski richtet in der Friedrichstraße eine Probierstube ein und legt damit den Grundstein für das berühmte Unternehmen des Hotel- und Gaststättengewerbes.
Im Mosse-Verlag, der auf eine 1867 von Rudolf Mosse gegründete Annoncen-Expedition zurückgeht, erscheint seit 1872 das »Berliner Tageblatt« *(Presse).*

1873. Der Zusammenbruch der Wiener Börse am 9. Mai 1873 löst eine allgemeine Börsenkrise aus. Im sogenannten Gründerkrach erweisen sich zahlreiche Unternehmen, die in den letzten Jahren gegründet wurden, als unsolide. In Berlin kommt es insbesondere im Wohnungsbau und in der chemischen Industrie zu

Konkursen. Die wirtschaftliche Entwicklung der nächsten Jahre ist überschattet von einer Depression, die erst 1879 mit einer Erholung des Berliner Aktienmarktes beendet sein wird. – Auf dem Königsplatz, dem späteren Platz der Republik, wird die *Siegessäule* nach einem Entwurf von Johann Heinrich Strack am Sedanstag (2. September) 1873 eingeweiht.
Die Wasserversorgung Berlins wird 1873 von der Kommunalverwaltung übernommen. Neue Wasserwerke werden errichtet, und das Leitungsnetz wird ausgebaut. Im gleichen Jahr beginnt entsprechend einer Planung von James Hobrecht der Bau einer Kanalisation. Der erste Teilabschnitt wird 1879 fertiggestellt. – Der nach dem Bau des *Jagdschlosses Grunewald* im Jahr 1542 als Reitweg zwischen dem Cöllner Schloß und dem Grunewald entstandene *Kurfürstendamm* wird auf Betreiben Bismarcks ab 1873 ausgebaut.

1874. Am Südwestrand des *Friedrichshains* wird das erste städtische Krankenhaus eröffnet. Es wurde seit 1864 unter der Leitung von Martin Gropius und Heino Schmieden errichtet.
Auf Anregung des Magistrats von Berlin wird das *Märkische Museum* eingerichtet. Es widmet sich der Heimatkunde Berlins und der Mark Brandenburg.

1875. Bau und Instandhaltung der Straßen Berlins, die bisher Angelegenheiten staatlicher Behörden waren, gehen nach langen Verhandlungen in den Zuständigkeitsbereich der kommunalen Verwaltung über, die in den nächsten Jahren Pflasterung und Reinigung der Straßen verbessert und durch eine großzügige Straßenplanung den Bedürfnissen des zunehmenden Verkehrs Rechnung trägt.
Für die bisher von der *Akademie der Künste* wahrgenommenen Unterrichtsaufgaben wird 1875 die Hochschule für bildende Künste gegründet.

1876. Die seit 1866 unter Leitung von Johann Heinrich Strack nach Plänen von Friedrich August *Stüler* erbaute Nationalgalerie auf der *Museumsinsel* wird 1876 fertiggestellt.

1877. Leopold Ullstein gründet einen *Presse*verlag, in dem zunächst die »Berliner Zeitung« erscheint.
Das anhaltende Bevölkerungswachstum Berlins läßt die Einwohnerzahl in diesem Jahr über eine Million ansteigen *(Bevölkerungsentwicklung).*

1878. Die Sozialistische Arbeiterpartei Deutschlands, die 1875 durch den Zusammenschluß des 1863 von Ferdinand Lassalle gegründeten Allgemeinen Deutschen Arbeitervereins und der 1869 von August Bebel und Wilhelm Liebknecht gegründeten Sozialdemokratischen Arbeiterpartei entstanden war, hatte 1877 in zwei Berliner Wahlkreisen ihre Kandidaten in den Reichstag bringen können. Am 21. Oktober 1878 erläßt die Regierung Bismarck das »Gesetz gegen die gemeingefährlichen Bestrebungen der Sozialdemokratie«, das das Verbot sozialistischer Vereine und Versammlungen sowie die Zensur sozialistischer Druckschriften ermöglicht. 1881 wird zusätzlich über Berlin der sogenannte kleine Belagerungszustand verhängt, der die Anwendung des Sozialistengesetzes erleichtern soll. Dennoch nimmt die Zahl der Wähler der Sozialistischen Arbeiterpartei in den nächsten Jahren weiter zu. Das Sozialistengesetz und der kleine Belagerungszustand werden 1890 aufgehoben.

1879. Auf der Gewerbeausstellung am Lehrter Bahnhof präsentiert Werner *Siemens* die erste elektrische Bahn der Welt. 1881 wird in Lichterfelde die erste elektrische Straßenbahn in Betrieb genommen.
Durch Zusammenlegung der Bauakademie und der Gewerbeakademie wird 1879 die Königliche Technische Hochschule, die Vorläuferin der heutigen *Technischen Universität*, gegründet.
In der Grunewaldstraße in Schöneberg südlich des *Botanischen Gartens* wird das Königliche Botanische Museum eingerichtet. Es baut auf dem 1815 gegründeten Königlichen Herbarium auf.

1880. Der Anhalter Bahnhof, dessen Bau nach Plänen von Franz Schwechten 1874 begonnen wurde, wird fertiggestellt *(Eisenbahn)*.
Der Mediziner und Bakteriologe Robert *Koch* wird 1880 in das Kaiserliche Gesundheitsamt nach Berlin berufen.

1881. 1880 war in Berlin auf Anregung Emil *Rathenaus* mit dem Aufbau eines Fernsprechnetzes begonnen worden. Am 12. Januar 1881 wird das erste Teilnetz in Betrieb genommen.
Der *Tiergarten*, der *Zoologische Garten* und der *Schloß*bezirk *Bellevue* werden am 15. Januar 1881 eingemeindet und schließen die Lücke zwischen den Stadtteilen Moabit und Nord-Schöneberg *(Stadtgebiet)*.
Bereits in den sechziger Jahren des 19. Jahrhunderts, als in Berlin die Trichinose gehäuft auftrat, hatte Rudolf *Virchow* die Einführung öffentlicher Viehmärkte und Schlachthäuser gefordert. 1881 wird auf einem Gelände, das Berlin 1878 von der Gemeinde *Lichtenberg* erworben hatte und das heute zum Bezirk *Prenzlauer Berg* gehört, ein kommunaler Zentralvieh- und Schlachthof eröffnet. Gleichzeitig wird die amtliche Fleischuntersuchung eingeführt.
Das 1867 unter dem Namen Deutsches Gewerbe-Museum gegründete *Kunstgewerbemuseum* erhält in der Prinz-Albrecht-Straße ein Gebäude, das in den Jahren 1877 bis 1881 von Martin Gropius und Heino Schmieden errichtet wurde *(Martin-Gropius-Bau)*.

1882. Am 7. Februar 1882 wird die Stadtbahn zwischen dem Schlesischen Bahnhof und *Charlottenburg eröffnet (Öffentlicher Nahverkehr)*.
Der *Treptower Park*, dessen Anlage 1876 begonnen wurde, wird 1882 der Öffentlichkeit übergeben.
Das Berliner Philharmonische Orchester wird 1882 gegründet. Sein erster Chefdirigent ist Hans von Bülow. Bereits in den ersten Jahren seines Bestehens wird das Philharmonische Orchester internationale Anerkennung finden.

1883. Am 29. Oktober 1883 wird das *Deutsche Theater* eröffnet.
Die erste Zeitung des 1883 von August Scherl gegründeten Verlagshauses ist der »Berliner Lokal-Anzeiger«, eine konservative Zeitung, die zunächst wöchentlich, ab 1885 täglich erscheint *(Presse)*.
Emil *Rathenau* und Oskar von Miller gründen die »Deutsche Edison-Gesellschaft für angewandte Elektricität«, die 1887 in »Allgemeine Elektricitäts-Gesellschaft« (AEG) umbenannt wird *(Industrie)*.

1884. Die »Aktiengesellschaft Städtische Elektricitäts-Werke«, wie die AEG eine

Gründung von *Rathenau* und Miller, nimmt in der Friedrichstraße die erste Blockstation in Betrieb.

1888. Nach dem Tod Wilhelms I. am 9. März 1888 wird sein Sohn Friedrich III. Deutscher Kaiser. Bereits nach 99tägiger Regierungszeit stirbt Friedrich III. am 15. Juni 1888 an einem Krebsleiden. Nachfolger wird sein Sohn Wilhelm II.
Die »Deutsche Kulturgemeinschaft *Urania* e. V.«, die auf eine Idee Alexander von *Humboldts* zurückgeht, wird 1888 gegründet.

1889. Am 20. Oktober 1889 läßt der kurz zuvor gegründete Verein *Freie Bühne*, der sich die Förderung zeitgenössischer Dramatik zur Aufgabe gemacht hat, im 1888 eröffneten Lessing-Theater Gerhart *Hauptmanns* naturalistisches Drama »Vor Sonnenaufgang« uraufführen.
Max *Planck* wird 1889 als Professor für theoretische Physik an die *Friedrich-Wilhelms-Universität* berufen.
Die Kurfürstendamm AG beginnt, durch Bismarck gefördert, am südwestlichen Ende des *Kurfürstendamms* mit der Anlage der Villenkolonie *Grunewald*, in der sich Künstler, Wissenschaftler und Industrielle niederlassen. Grunewald wird 1899 zur Landgemeinde erhoben und 1920 dem Bezirk *Wilmersdorf* zugeordnet.

1890. Am 20. März 1890 wird Otto von Bismarck vorwiegend wegen sozialpolitischer und außenpolitischer Gegensätze von Wilhelm II. zum Rücktritt gezwungen. Bismarck verläßt Berlin und zieht sich auf sein Schloß Friedrichsruh östlich von Hamburg zurück.
Die *Freie Volksbühne*, ein von den Sozialdemokraten unterstützter Theaterverein, wird am 30. Juni 1890 gegründet.

1891. Der »Vorwärts«, der bis 1878 in Leipzig erschien, wird nach der Aufhebung des Sozialistengesetzes im Jahr 1890 in Berlin als Zentralorgan der Sozialdemokratischen Partei neu gegründet. Er geht aus dem seit 1884 erscheinenden sozialdemokratischen »Berliner Volksblatt« hervor.
Otto Lilienthal unternimmt 1891 in Lichterfelde seine ersten Flugversuche. Er läßt dort 1894 einen 11 m hohen Berg aufschütten, der ihm über 100 m weite Gleitflüge ermöglicht. In den Stöllner Bergen, wo Lilienthal 300 m weite Flüge gelingen, verunglückt er 1896 tödlich. 1932 wird der Lilienthalberg in Lichterfelde zu einer Gedenkstätte umgestaltet.

1892. Gerhart Hauptmanns Drama »Die Weber« wird von der *Freien Bühne* am 26. Februar 1892 uraufgeführt. Eine öffentliche Aufführung, die nicht nur von Mitgliedern des Vereins besucht werden kann, läßt die Zensur erst 1894 zu.
In der Neuen Roßstraße eröffnen die Brüder Carl und August Aschinger ihre erste »Bierquelle«. Die Firma Aschinger, die vor allem wegen ihrer preiswerten Gerichte bekannt wird, entwickelt sich in den nächsten Jahren zum größten Unternehmen der Berliner Gastronomie und umfaßt bald über dreißig Bierlokale, außerdem Cafés, Restaurants und Hotels.
Das Theater Unter den Linden, das später den Namen Metropoltheater erhält und heute die *Komische Oper* beherbergt, wird von Ferdinand Fellner und Hermann Helmer 1891/92 errichtet.

Ebenfalls 1891/92 erbaut Heinrich Seeling am Schiffbauerdamm das Neue Theater. Das Gebäude wird 1954 vom *Berliner Ensemble* bezogen.

1894. Der 1884 nach einem Entwurf von Paul Wallot begonnene Bau des *Reichstagsgebäudes* wird 1894 fertiggestellt.
Auf dem *Kreuzberg* wird der Viktoriapark, der seit 1888 nach Plänen von Hermann Mächtig angelegt wurde, der Öffentlichkeit übergeben.

1895. Am 1. September 1895 wird die *Kaiser-Wilhelm-Gedächtnis-Kirche*, die 1891 bis 1895 von Franz Schwechten erbaut wurde, eingeweiht.
Die Berolina, ein von Emil Hundrieser als Personifizierung Berlins geschaffenes kupfernes Frauenstandbild, wird auf dem *Alexanderplatz* errichtet.

1896. In *Charlottenburg* wird das *Theater des Westens* eröffnet.
Die Bronzeplastik der heiligen Gertraude von Rudolph Siemering wird auf der 1894/95 errichteten *Gertraudenbrücke* aufgestellt.

1897. Die *Charité* wird ab 1897 zu einem Klinikviertel ausgebaut.
Adolf Engler beginnt mit der Verlegung des *Botanischen Gartens* von Schöneberg nach Dahlem. Die größere Anlage in Dahlem wird 1909 fertig.
Das Nationaldenkmal Kaiser Wilhelms I., von Reinhold *Begas* als Reiterstandbild geschaffen, wird gegenüber dem Schloß errichtet.

1898. Die *Berliner Sezession*, eine Künstlergruppe, die dem vorherrschenden Stil der Historienmalerei entgegentritt, formiert sich um ihren ersten Präsidenten Max *Liebermann* und den Geschäftsführer Paul *Cassirer*. Bekannte Mitglieder sind Lovis *Corinth*, Käthe *Kollwitz*, Walter *Leistikow* und Max *Slevogt*.
Im *Tiergarten* werden zwischen dem Kemperplatz und der *Siegessäule* die ersten Standbilder der Siegesallee, die Kaiser Wilhelm II. 1895 gestiftet hatte, enthüllt. Unter der Leitung von Reinhold *Begas* werden in der Siegesallee bis 1901 insgesamt 32 Standbilder brandenburgischer und preußischer Herrscher mit jeweils zwei ihrer wichtigsten Zeitgenossen aufgestellt. – Nachdem die Borsigwerke 1896 nach Tegel verlegt wurden, entsteht ab 1898 östlich von Tegel im heutigen Bezirk *Reinickendorf* die Arbeitersiedlung Borsigwalde.

1900–1919

1901. Am 4. November 1901 gründen Schüler des Steglitzer Gymnasiums den »*Wandervogel*-Ausschuß für Schülerfahrten«.
Reinhold *Begas* vollendet das 1897 begonnene Nationaldenkmal für Fürst Otto von Bismarck, das auf dem Königsplatz aufgestellt wird.
Der Operettenkomponist Paul *Lincke* wird Kapellmeister am Apollo-Theater in der Friedrichstadt.

1902. Die erste Strecke der heutigen U-Bahn wird am 18. Februar 1902 dem Verkehr übergeben. Ihr Bau war 1897 auf Initiative der Firma Siemens & Halske begonnen worden *(Öffentlicher Nahverkehr)*. – Der 1896 von Ernst Eberhard von *Ihne* begonnene Bau des Neuen *Marstalls* wird 1902 abgeschlossen.

1904. Auf der nördlichsten Spitze der *Museumsinsel* wird das seit 1897 von Ernst Eberhard von *Ihne* errichtete Kaiser-Friedrich-Museum, das heutige Bode-Museum, eröffnet.

Um die Jahrhundertwende entstanden in Berlin die ersten großen Warenhäuser. Das größte von ihnen ist das 1904 am Leipziger Platz eröffnete Wertheim-Warenhaus mit einer Nutzfläche von 110000 m².

Das städtische Krankenhaus Westend, heute Klinikum Westend der *Freien Universität*, wird eröffnet.

1905. Der von Julius Raschdorff 1893 begonnene Neubau des *Domes* wird 1905 fertiggestellt.

Die Allgemeine Berliner Omnibus AG, die bisher Pferdeomnibusse auf ihren Linien einsetzte, stellt die ersten Autobusse in Betrieb.

Seit 1877 hat sich die Einwohnerzahl Berlins verdoppelt. Sie übersteigt 1905 die Zwei-Millionen-Marke *(Bevölkerungsentwicklung)*.

Max *Reinhardt*, der bereits 1894 bis 1902 als Schauspieler am *Deutschen Theater* tätig war, wird 1905 dessen Direktor.

1906. Der vorbestrafte Schuster Wilhelm Voigt beschlagnahmt am 16. Oktober 1906 in der Uniform eines Hauptmanns die Stadtkasse von *Köpenick*. Der mehrfach literarisch behandelte Vorfall dient unter anderem Carl Zuckmayer als Vorlage für seine 1931 in Berlin uraufgeführte Tragikomödie »Der Hauptmann von Köpenick«.

Der seit 1901 angelegte *Teltowkanal* wird 1906 fertiggestellt *(Binnenschiffahrt)*.

Das Rudolf-Virchow-Krankenhaus, dessen Bau 1899 begonnen wurde, wird 1906 in Betrieb genommen.

1907. Als Zentralbibliothek der seit 1850 entstandenen Volksbüchereien wird die Stadtbibliothek eingerichtet. Sie hat ihren Sitz zunächst in der Zimmerstraße und bezieht 1920 den *Marstall* in der Breiten Straße.

In *Charlottenburg* wird 1907 das *Schiller-Theater* eröffnet.

In der Tauentzienstraße am Wittenbergplatz wird das Kaufhaus des Westens eröffnet. Das KaDeWe ist das größte Warenhaus im westlichen Teil Berlins.

Mit dem Strandbad *Wannsee* wird 1907 das größte Berliner Freibad angelegt.

1908. Das unter der Leitung des ungarischen Architekten Oskar Kaufmann 1907/08 erbaute Hebbel-Theater wird eröffnet.

An der *Friedrich-Wilhelms-Universität* werden 1908 erstmals Frauen offiziell zur Immatrikulation zugelassen.

1909. Nördlich von Berlin entsteht ab 1909 auf einem Gelände des Fürsten Guido Henckel von Donnersmarck die Gartenstadt Frohnau, die heute zum Bezirk *Reinickendorf* gehört.

In der Huttenstraße in Moabit errichtet der Architekt Peter Behrens die *AEG-Turbinenfabrik*.

1910. Der *Sportpalast* an der Potsdamer Straße in Schöneberg wird eröffnet. Er wird für Sportveranstaltungen, u. a. Sechstagerennen der Radfahrer, für Revuen und für politische Massenkundgebungen genutzt.

»Der *Sturm*«, eine der bedeutendsten Zeitschriften des *Expressionismus*, wird von Herwarth *Walden* 1910 gegründet.

1911. Am 11. Januar 1911 wird die »*Kaiser-Wilhelm-Gesellschaft* zur Förderung der Wissenschaften« gegründet.
Zum 100. Todestag des Dichters Heinrich von *Kleist* erhält der ehemalige *Botanische Garten* an der Potsdamer Straße in Schöneberg den Namen Kleistpark.
Das von Ludwig Hoffmann in der Klosterstraße erbaute Stadthaus wird fertiggestellt. Sein Bau war 1902 begonnen worden, weil im Roten *Rathaus* nicht mehr alle städtischen Behörden Platz fanden.
In der Friedrichstraße wird der *Admiralspalast* eröffnet.

1912. Mit Genehmigung des Kaisers erfolgt am 27. Januar 1912 die Umbenennung Rixdorfs in *Neukölln*.
Das Wachstum Berlins und seiner Vororte hatte in den letzten Jahrzehnten mehrfach zu Eingemeindungsplänen geführt. Diese Pläne scheiterten jedoch an den Bedenken der Berliner Stadtverordneten, die die Kosten für eine großstädtische Erschließung der Vororte scheuten, am Widerstand der Vorortgemeinden, die ihre Selbständigkeit nicht verlieren wollten, und an der Ablehnung durch die preußische Regierung und das Abgeordnetenhaus, die eine Ausdehnung Berlins wegen des zunehmenden Einflusses der Sozialdemokraten in der Stadtverordnetenversammlung verhindern wollten. Das am 19. Juli 1911 erlassene Gesetz über die Bildung des »Zweckverbandes Groß-Berlin«, das am 1. April 1912 in Kraft tritt, stellt einen Kompromiß dar. Dem Zweckverband gehören Berlin, *Charlottenburg, Schöneberg, Wilmersdorf, Neukölln, Lichtenberg, Spandau* und die Landkreise Teltow und Niederbarnim an. Sein Zuständigkeitsbereich umfaßt lediglich die Koordinierung der Bebauungspläne und des Verkehrswesens der ihm angehörenden Gemeinden sowie die Schaffung und Erhaltung von Freiflächen, Wäldern und Parkanlagen. Die drängenden Probleme im Wohnungswesen und die wirtschaftlichen Gegensätze zwischen den wohlhabenden Gemeinden im Westen und den nördlichen und östlichen Vororten mit ihren Arbeitersiedlungen bleiben ungelöst.
Die Synagoge in der Charlottenburger Fasanenstraße wird fertiggestellt *(Jüdisches Gemeindezentrum)*.
Das Opernhaus der Stadt *Charlottenburg* wird eröffnet. An seiner Stelle steht heute die *Deutsche Oper Berlin*.

1913. Nachdem sich 1899 die Firma Siemens an der Nonnendammallee zwischen Charlottenburg und *Spandau* niedergelassen hatte, entstand dort wenig später eine Siedlung. Sie erhält 1913 den Namen *Siemensstadt* und wird nach Spandau eingemeindet.
Die 1909 begonnenen Bauarbeiten für das neue Kammergerichtsgebäude in der Elßholtzstraße westlich des Kleistparks werden 1913 abgeschlossen *(Berlin-Museum)*.

1914. Die Königliche Bibliothek, die 1918 in *Preußische Staatsbibliothek* umbenannt wird, bezieht ihr neues Gebäude in der Straße *Unter den Linden*.
Albert *Einstein* siedelt 1914 nach Berlin über und wird Direktor des Kaiser-Wilhelm-Instituts für Physik.

Nach dem 1913 fertiggestellten Osthafen wird 1914 der für Schiffe bis 600 t befahrbare Großschiffahrtsweg Berlin–Stettin eröffnet *(Binnenschiffahrt)*.
Der österreichische Thronfolger Erzherzog Franz Ferdinand und seine Gemahlin werden am 28. Juni 1914 in Sarajevo von serbischen Nationalisten ermordet. Am 28. Juli 1914 erklärt Österreich-Ungarn Serbien den Krieg. Rußland tritt auf die Seite Serbiens und macht mobil. Für das Deutsche Reich, seit 1879 durch den Zweibund mit Österreich-Ungarn verbündet, wird am 31. Juli 1914 der »Zustand der drohenden Kriegsgefahr« verkündet. Am gleichen Tag wird über Berlin der Belagerungszustand verhängt. Anfang August erklärt Deutschland Rußland und dem an die Seite Rußlands getretenen Frankreich den Krieg.
Der Reichstag bewilligt am 4. August die erforderlichen Kriegskredite. Auch die SPD stimmt dem Antrag geschlossen zu. Die Stimmung in der Bevölkerung ist zu Beginn des Ersten Weltkriegs geprägt von patriotischer Euphorie und dem Glauben an einen schnellen Sieg.

1915. Im Februar 1915 werden in Berlin die ersten Lebensmittelkarten ausgegeben. Im öffentlichen Dienst, besonders im Nahverkehr, kommen seit März 1915 verstärkt Frauen zum Einsatz, die die Arbeit der zum Militärdienst eingezogenen Männer übernehmen.
Der Zweckverband Groß-Berlin erwirbt am 27. März 1915 vom preußischen Staat 10000 Hektar Dauerwald. Dadurch wird unter anderem der größte Teil des *Grunewaldes* vor der Bodenspekulation geschützt.
Am Bülowplatz, dem heutigen Luxemburgplatz, wird die Volksbühne fertiggestellt. Die Bauarbeiten zu dem von Oskar Kaufmann entworfenen Gebäude für den Theaterverein *Freie Volksbühne* hatten 1913 begonnen.

1916. Am 1. Mai 1916 wird Karl Liebknecht, der bereits im Dezember 1914 als Abgeordneter der SPD im Reichstag gegen die Bewilligung weiterer Kriegskredite gestimmt hatte, bei einer Antikriegskundgebung auf dem Potsdamer Platz verhaftet und anschließend wegen Hochverrats zu vier Jahren und einem Monat Zuchthaus verurteilt. Daraufhin kommt es am 27. und 28. Juni 1916 zu Protestkundgebungen auf dem Potsdamer Platz und zu Arbeitsniederlegungen in den Berliner Rüstungsbetrieben.

1917. Bereits im Winter 1915/16 mußten in Berlin die Lebensmittelzuteilungen gekürzt werden. Im Juni 1916 fanden die ersten Massenspeisungen statt, da weite Teile der Bevölkerung mit den knapp bemessenen Rationen nicht auskamen. Zum härtesten Winter des Ersten Weltkriegs entwickelt sich der Winter 1916/17. Aufgrund der mangelhaften Kartoffelernte des Jahres 1916 müssen Kohlrüben zur Versorgung der Bevölkerung herangezogen werden. Erschwerend kommt hinzu, daß durch strenge Fröste der Eisenbahnverkehr behindert wird und von Februar bis April 1917 keine Kartoffellieferungen die Stadt erreichen. Die Lebensmittelrationen werden mehrfach gekürzt, so daß es zu Streiks und Demonstrationen kommt. Es entwickelt sich ein blühender Schwarzmarkt. Durch Zusammenschluß mehrerer Filmgesellschaften des deutschsprachigen Raums wird 1917 die Universum-Film AG (Ufa) gegründet.

1918. Im Januar 1918 wird in Berlin erneut gestreikt. Die Arbeitsniederlegungen treffen in erster Linie die Rüstungsindustrie. Am 29. Januar wird ein absolutes

Versammlungsverbot erlassen und am 1. Februar über Berlin der verschärfte Belagerungszustand verhängt. Aufgrund einer Amnestie, die auch politische Gefangene betrifft, wird Karl Liebknecht am 23. Oktober 1918 aus der Haft entlassen. Ende Oktober kommt es unter den Matrosen der Schlachtflotte, die im Kieler Hafen liegt, zu Meutereien. Die Revolte erreicht am 3. November ihren Höhepunkt. Garnison und Arbeiterschaft schließen sich den aufständischen Matrosen an. In den nächsten Tagen breitet sich die Revolution über die deutschen Großstädte aus. Um die öffentliche Ordnung in Berlin aufrechtzuerhalten, schlägt der Magistrat am 7. November die Bildung einer Bürgerwehr ähnlich der des Jahres 1848 vor. Das Kriegsministerium lehnt den Vorschlag ab, da es von der Zuverlässigkeit der in Berlin stationierten Truppen überzeugt ist. Dennoch wird am Vormittag des 9. November ein vorläufiger Arbeiter- und Soldatenrat gebildet. Seine Aufforderung zum Generalstreik wird vielfach befolgt. Der Reichskanzler Prinz Max von Baden gibt die Abdankung des Kaisers und des Kronprinzen bekannt und übergibt die Regierungsgeschäfte an Friedrich Ebert, den Vorsitzenden der SPD, die auch nach der Abspaltung ihres linken Flügels (Unabhängige Sozialdemokratische Partei Deutschlands/USPD und Spartakusbund) die größte Fraktion im Reichstag stellt.

Während die SPD eine parlamentarische Demokratie aufbauen will, verfolgen USPD und Spartakusbund das Ziel eines Rätesystems. Als Vertreter der SPD proklamiert Philipp Scheidemann am frühen Nachmittag des 9. November vom Reichstag aus die »Deutsche Republik«. Der Mitbegründer des Spartakusbundes, Karl Liebknecht, ruft zwei Stunden später im Schloß die »Freie Sozialistische Republik Deutschland« aus.

Die Aufgaben der Reichsregierung werden zunächst von einem Rat der Volksbeauftragten übernommen, der sich aus jeweils drei Vertretern der SPD und der USPD zusammensetzt.

Am 10. November werden in den Berliner Betrieben und Kasernen endgültige Arbeiter- und Soldatenräte gewählt. Sie versammeln sich am Nachmittag des gleichen Tages im Zirkus Busch und akklamieren dem Kabinett des Rates der Volksbeauftragten. Als Aufsichtsbehörde für die Stadt werden jeweils zwei Volksbeauftragte der SPD und der USPD eingesetzt. Die städtischen Organe können ihre Arbeit weitgehend ungestört fortsetzen.

Die Gegensätze zwischen SPD, USPD und Spartakusbund werden in den nächsten Wochen auf den Straßen Berlins ausgetragen. Dabei kommt es immer wieder zu blutigen Zusammenstößen. Vom 16. bis 20. Dezember 1918 tagt in Berlin der Reichskongreß der Arbeiter- und Soldatenräte. Er beschließt für den 19. Januar 1919 Wahlen zur verfassunggebenden Nationalversammlung. Am 24. Dezember 1918 kommt es um das Schloß und den Marstall zu bürgerkriegsähnlichen Kämpfen zwischen Truppeneinheiten, die der SPD unter Ebert nahestehen, und Matrosen der Volksmarinedivision, die im November zum »Schutz der Regierung« nach Berlin gekommen waren und sich inzwischen der radikalen Linken angeschlossen hatten. Nach der Niederlage der Matrosen verlassen die Vertreter der USPD den Rat der Volksbeauftragten.

Vom 30. Dezember 1918 bis 1. Januar 1919 tagt in Berlin der Gründungsparteitag der Kommunistischen Partei Deutschlands (KPD), zu der sich der Spartakusbund und einige kleinere linksradikale Gruppen zusammenschließen.

1919. Anhänger der KPD und der USPD lösen Anfang Januar 1919 den Sparta-kusaufstand aus. Sie rufen zum Generalstreik auf und erklären am 5. Januar den Polizeipräsidenten von Berlin, am 6. Januar die Reichsregierung für abgesetzt. Gustav Noske, Volksbeauftragter der SPD und Oberbefehlshaber der Regie-rungstruppen, läßt den Aufstand niederwerfen. Am 15. Januar werden Karl Lieb-knecht und Rosa Luxemburg von Regierungstruppen in der Nähe des Land-wehrkanals ohne Verfahren erschossen.
Bei den Wahlen zur verfassunggebenden Nationalversammlung am 19. Januar, an denen die KPD nicht teilnimmt, entfallen von 421 Mandaten 163 auf die SPD und 22 auf die USPD. Aufgrund dieser Mandatsverteilung ist die SPD auf die Zusammenarbeit mit bürgerlichen Parteien angewiesen. Am 6. Februar tritt die Nationalversammlung in Weimar zusammen, da Berlin angesichts der Unruhen der letzten Monate als Tagungsort zu unsicher erscheint. Sie erläßt umgehend eine Notverfassung und ernennt Friedrich Ebert zum provisorischen Reichsprä-sidenten.
Am 23. Februar 1919 finden in Berlin Wahlen zur Stadtverordnetenversamm-lung statt. Sie werden aufgrund einer Verordnung vom 24. Januar 1919, durch die auch in den Städten das Dreiklassenwahlrecht abgeschafft wird, nach allge-meinem gleichem Wahlrecht durchgeführt. Die Änderung des Wahlrechts führt zu schweren Verlusten der bürgerlichen Parteien, die bisher die Mehrheit in der Stadtverordnetenversammlung hielten. Von 144 Sitzen entfallen 47 auf die USPD und 46 auf die SPD.
Die KPD fordert am 3. März in ihrem Organ »Rote Fahne« zum Sturz der Re-gierung auf. Im Anschluß an einen außerordentlichen Parteitag der USPD vom 2. bis 6. März 1919 ruft der Arbeiterrat von Groß-Berlin den Generalstreik aus. Dem von der Nationalversammlung zum Reichswehrminister ernannten Gustav Noske wird die vollziehende Gewalt übertragen und über Berlin der Belage-rungszustand verhängt. Eine Woche lang toben in Berlin Straßenschlachten, die 1200 Menschen das Leben kosten.
Nach dem Zusammenbruch des Deutschen Reichs und dem Waffenstillstand vom 11. November 1918 wird am 28. Juni 1919 von den alliierten Siegermächten der Versailler Friedensvertrag unterzeichnet, der Deutschland und seinen Ver-bündeten die alleinige Schuld am Ausbruch des Ersten Weltkriegs zuschreibt. Deutsche Vertreter waren zu den Friedensverhandlungen nicht zugelassen wor-den. Aufgrund des Versailler Vertrages verliert Deutschland seine Kolonien und 70000 km² seines Staatsgebiets. Außerdem wird es zum Ersatz sämtlicher Kriegsschäden verpflichtet. Die Höhe der Reparationszahlungen wird allerdings erst im Mai 1921 durch das Ultimatum der Londoner Konferenz auf 132 Milliar-den Goldmark festgelegt.

1920–1932

1920. Während der zweiten Lesung des Betriebsrätegesetzes kommt es am 13. Ja-nuar 1920 vor dem Reichstag zu Demonstrationen und Ausschreitungen Links-radikaler. Zusammenstöße mit der Sicherheitspolizei kosten 42 Menschen das Leben. Erneut wird über Berlin vorübergehend der Ausnahmezustand ver-hängt.
Am 13. März 1920 marschiert die 6000 Mann starke »Brigade Ehrhardt«, die

1919 als Regierungstruppe gebildet worden war, sich aber der radikalen Rechten angeschlossen hatte, in Berlin ein, ohne daß die Reichswehr nennenswerten Widerstand leistet. Die Reichsregierung flieht nach Dresden. Ehrhardt und seine Truppe besetzen die Regierungsgebäude in der Wilhelmstraße. Die Initiatoren

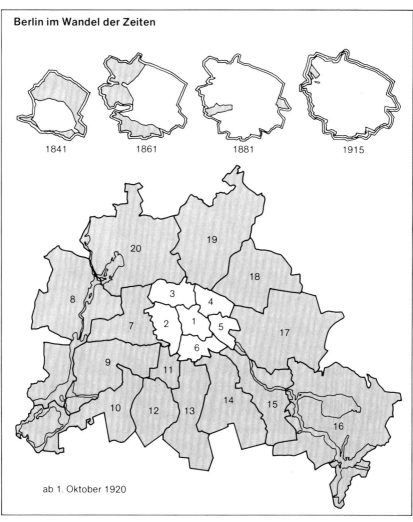

Berlin im Wandel der Zeiten

1841   1861   1881   1915

ab 1. Oktober 1920

Die Eingemeindungen im 19. und beginnenden 20. Jahrhundert ließen Berlin auf 3511 Hektar (1841), 5923 Hektar (1861), 6060 Hektar (1881) und 6570 Hektar (1915) wachsen. Den ganz großen Sprung brachte dann das Groß-Berlin-Gesetz von 1920. Berlin hatte nun eine Fläche von 87810 Hektar und gliederte sich in 20 Bezirke: 1 Mitte, 2 Tiergarten, 3 Wedding, 4 Prenzlauer Berg, 5 Friedrichshain, 6 Kreuzberg, 7 Charlottenburg, 8 Spandau, 9 Wilmersdorf, 10 Zehlendorf, 11 Schöneberg, 12 Steglitz, 13 Tempelhof, 14 Neukölln, 15 Treptow, 16 Köpenick, 17 Lichtenberg, 18 Weißensee, 19 Pankow, 20 Reinickendorf.

des Putsches, der Mitbegründer der Deutschen Vaterlandspartei Wolfgang Kapp und der Reichswehrgeneral Walter von Lüttwitz, übernehmen die Regierung. Die Putschisten finden jedoch keine Unterstützung bei der Reichswehr, und der von den Gewerkschaften ausgerufene Generalstreik läßt das Wirtschaftsleben Berlins zusammenbrechen. Am 17. März tritt Kapp zurück und flieht nach Schweden. Lüttwitz setzt sich nach Ungarn ab.
Die Preußische Landesversammlung beschließt am 27. April 1920 das »Gesetz über die Bildung einer neuen Stadtgemeinde Berlin«, das sogenannte Groß-Berlin-Gesetz, das am 1. Oktober 1920 in Kraft tritt. In der neuen Verwaltungseinheit wird Berlin mit 7 weiteren Städten sowie 59 Landgemeinden und 27 Gutsbezirken zusammengefaßt. Berlin wird dadurch zu einer der größten Städte der Welt. Es hat 3858000 Einwohner und eine Gesamtfläche von 87810 Hektar *(Bevölkerungsentwicklung, Stadtgebiet)*. Als dezentrale Verwaltungseinheiten werden 20 Bezirke gebildet. Das bisherige Berliner Stadtgebiet wird in die Bezirke *Mitte,* Prenzlauer Tor (ab 1921 *Prenzlauer Berg), Friedrichshain,* Hallesches Tor (ab 1921 *Kreuzberg), Tiergarten* und *Wedding* aufgeteilt. Die Städte *Lichtenberg, Köpenick, Neukölln, Schöneberg, Wilmersdorf, Charlottenburg* und *Spandau* bilden in der neuen Stadtgemeinde jeweils einen eigenen Bezirk. Das übrige Stadtgebiet wird in sieben Bezirke eingeteilt, die den Namen des jeweils einwohnerstärksten Ortsteils erhalten, dies sind *Pankow, Weißensee, Treptow, Tempelhof, Steglitz, Zehlendorf* und *Reinickendorf.*
Auch nach der Verwaltungsreform bleiben Magistrat und Stadtverordnetenversammlung die zentralen Körperschaften der städtischen Verwaltung. Die 225 Stadtverordneten werden alle vier Jahre im Verhältniswahlsystem gewählt. Die Stadtverordnetenversammlung wählt ihrerseits den Magistrat, der sich aus maximal 30 Mitgliedern zusammensetzt und an dessen Spitze der Oberbürgermeister steht. Verwaltungsangelegenheiten, die keiner Zentralisierung bedürfen, werden den Organen der Bezirke übertragen. Die Mitglieder eines Bezirksamtes, dessen Leitung in der Hand des Bezirksbürgermeisters liegt, werden von der Bezirksversammlung gewählt. Die Bezirksversammlungen setzen sich aus den Bezirksverordneten sowie den aus dem jeweiligen Bezirk stammenden Stadtverordneten zusammen.
Am 20. Juni 1920 wird erstmals nach der kommunalen Neuordnung die Stadtverordnetenversammlung gewählt. Adolf Wermuth, der seit 1912 Oberbürgermeister von Berlin ist, wird am 30. Oktober 1920 in seinem Amt bestätigt. Wilde Streiks der Elektrizitätsarbeiter, bei denen auch die Krankenhäuser von Stromsperren betroffen sind, führen jedoch bereits im November 1920 zu Wermuths Rücktritt, weil er sich weigert, Maßnahmen gegen die Streikenden zu ergreifen.

1921. Im *Grunewald* zwischen Charlottenburg und Nikolassee wird am 24. September 1921 die *Automobil-Verkehrs-* und *Übungsstraße,* kurz *Avus,* eröffnet. Das von Bruno Paul seit 1914 in der Arnimallee in Dahlem errichtete Museumsgebäude wird 1921 fertiggestellt *(Museen in Dahlem).*
Mit einer Automobilausstellung wird 1921 die erste Ausstellungshalle auf dem *Messegelände* am Charlottenburger Kaiserdamm eingeweiht. Mit ihrem Bau war 1913 begonnen worden.

1922. Aufgrund der ständig zunehmenden Geldentwertung kam es seit Ende des Jahres 1921 häufig zu Lohnstreiks. Im Februar 1922 führen wilde Streiks in den städtischen Betrieben zu erheblichen Störungen des öffentlichen Verkehrs und der Strom-, Gas- und Wasserversorgung. Reichsaußenminister Walther Rathenau fällt am 24. Juni 1922 in der Koenigsallee in Grunewald einem Attentat rechtsradikaler Freikorpsoffiziere zum Opfer.

1923. Im Juli 1923 wird der erste Teil des Volksparks *Jungfernheide* eröffnet. Aus dem Telefunkenhaus in Kreuzberg wird am 15. August 1923 ein Konzert drahtlos übertragen. Nach dieser ersten Rundfunksendung nimmt am 23. Oktober 1923 die »Sendestelle Berlin, Voxhaus, Welle 400« mit einem regelmäßigen Programm den Betrieb auf. Am 8. Oktober 1923 wird der *Flughafen Tempelhof* in Betrieb genommen. Die Inflation führt im Jahr 1923 zu sozialen Unruhen mit Streiks, Demonstrationen und Plünderungen. Am 30. November, als der Kurs des Dollars, der im Januar noch mit 20 000 Mark notiert wurde, auf 4,2 Billionen angestiegen ist, wird die Geldentwertung durch die Umstellung auf die Rentenmark gestoppt. Für 1 Billion Reichsmark wird eine Rentenmark eingetauscht. Durch die Einführung der Rentenmark kommt es zu einer wirtschaftlichen Beruhigung und zu einem Rückgang der Arbeitslosigkeit, von der im Dezember 1923 235 000 Berliner betroffen sind.
Mit der vorübergehenden Stabilisierung der Wirtschaft geht eine kulturelle Blüte einher, die den Begriff der »Goldenen zwanziger Jahre« entstehen läßt.

1924. Am 4. Dezember 1924 wird auf dem *Messegelände* die erste »Große Deutsche Funk-Ausstellung Berlin« eröffnet.

1925. Nach dem Tod Friedrich Eberts am 28. Februar 1925 tritt bei den Reichspräsidentenwahlen u. a. der Kommunist Ernst Thälmann gegen den konservativen Paul von Hindenburg an. In Berlin kommt es zu Straßenkämpfen zwischen Konservativen und KPD-Mitgliedern. Hindenburg wird am 26. April zum Reichspräsidenten gewählt.
Eine am 16. Juni 1925 durchgeführte Volkszählung ergibt, daß die Einwohnerzahl Berlins über vier Millionen angestiegen ist *(Bevölkerungsentwicklung).* Durch die Bauordnung vom 3. November 1925 vollzieht sich im Wohnungsbau ein grundsätzlicher Wandel. Der Bau von *Mietskasernen* mit Hinterhöfen und Seitenflügeln wird verboten. In den nächsten Jahren entstehen in den Außenbezirken zahlreiche Wohnsiedlungen mit ausgedehnten Grünflächen und aufgelockerter Bebauung, z. B. die Siedlung Onkel Toms Hütte in *Zehlendorf,* die Hufeisensiedlung im *Neuköllner* Ortsteil Britz und die Großsiedlung *Siemensstadt.*

1926. Auf dem *Messegelände* am Kaiserdamm wird am 20. Februar 1926 die erste »Grüne Woche« eröffnet. Der *Funkturm* wird am 3. September 1926 anläßlich der dritten Deutschen Funkausstellung in Betrieb genommen. Der Königsplatz vor dem Reichstag erhält 1926 den Namen Platz der Republik.

1927. Joseph Goebbels, der im November 1926 NSDAP-Gauleiter von Berlin-Brandenburg geworden war, gründet im Juli 1927 die Wochenzeitung »Der Angriff«, das Berliner Parteiorgan der NSDAP. Trotz eines vorübergehenden Verbots der Partei kommt es in den nächsten Jahren immer häufiger zu blutigen Zu-

sammenstößen zwischen der Sturmabteilung (SA) der NSDAP und dem Rotfrontkämpferbund der KPD.
Der Westhafen wird 1927 eröffnet *(Binnenschiffahrt)*.

1928. Die Berliner Verkehrs-Aktiengesellschaft (BVG) wird am 8. Dezember 1928 auf Betreiben Ernst Reuters, des städtischen Dezernenten für das Verkehrswesen, gegründet. Am 1. Januar 1929 werden Straßenbahn-, Omnibus- und U-Bahn-Verkehr von der BVG übernommen. – Am Funkturm auf dem Messegelände findet 1928 die erste Fernsehvorführung statt.

1929. Die sich abzeichnende wirtschaftliche Depression hatte bereits im Winter 1928/29 die Arbeitslosenzahlen wieder ansteigen lassen. Ende April 1929 kommt es in Berlin zu Massendemonstrationen und Arbeitslosenunruhen. Am 1. Mai 1929 errichten Demonstranten in Neukölln und im Wedding Barrikaden. Die Polizei reagiert mit dem Einsatz von Wasserwerfern und Panzerwagen. Am 3. Mai wird über Neukölln und Wedding der Ausnahmezustand verhängt. Die Unruhen fordern 30 Todesopfer und zahlreiche Schwerverletzte.
Im Juni 1929 wird im Wedding der Volkspark *Rehberge* eröffnet.
Heinrich *Zille*, der mit seinen volkstümlichen, aber zugleich sozialkritischen Darstellungen des Berliner Proletarier-»Milljöhs« große Popularität erlangt hatte, stirbt am 9. August 1929 im Alter von 71 Jahren in Charlottenburg.
Am 24. Oktober 1929 kommt es zu einem Kurssturz an der New Yorker Börse, der den Beginn der Weltwirtschaftskrise markiert. Ein dramatischer Anstieg der Arbeitslosigkeit und eine Verschärfung der politischen Radikalisierung sind die Folgen.
Gustav *Böß*, seit 1921 Oberbürgermeister von Berlin, tritt am 7. November 1929 wegen des Vorwurfs der Bestechlichkeit zurück. Er ist das Opfer eines von seinen politischen Gegnern und der Presse gegen ihn verwendeten Skandals um die Textilfirma der Brüder Sklarek, die die Stadt um rund 10 Millionen Mark betrogen hatte. Das Preußische Oberverwaltungsgericht erkennt am 1. Oktober 1930, daß er sich keiner unehrenhaften Handlung schuldig gemacht hat. Wegen eines Dienstvergehens wird er jedoch zu einer Geldstrafe verurteilt.
Nach den Kommunalwahlen vom 17. November 1929 zieht die NSDAP erstmals in die Stadtverordnetenversammlung ein. Sie erhält 13 Mandate. Fraktionsvorsitzender wird Joseph Goebbels.
1929 erscheint Alfred *Döblins* Großstadtroman »Berlin Alexanderplatz«.
In Schmargendorf wird die *Kreuzkirche* fertiggestellt.

1930. Im Vorfeld der Reichstagswahlen vom 14. September 1930 kommt es in Berlin häufig zu gewalttätigen Auseinandersetzungen, insbesondere zwischen Nationalsozialisten und Kommunisten. Das Ergebnis der Wahl bringt den Parteien der Mitte erhebliche Verluste. Die NSDAP, die die Zahl ihrer Abgeordneten von 12 auf 107 erhöhen kann, wird nach der SPD zweitstärkste Partei.
Auf der *Museumsinsel* wird 1930 das Pergamon-Museum eröffnet.
Hermann Oberth, Rudolf Nebel und Wernher von Braun führen 1930 auf dem Gelände des späteren *Flughafens Tegel* ihre ersten Raketenversuche durch.

1931. Am 31. März 1931 tritt das »Gesetz über die vorläufige Regelung verschiedener Punkte des Gemeindeverfassungsrechts für die Hauptstadt Berlin« in

Kraft. Es stärkt die Stellung des Oberbürgermeisters, dem die Exekutive zu Lasten des Magistrats übertragen wird. Zwei Bürgermeister und 15 Fachstadträte unterstützen ihn in seiner Arbeit. Um den Einfluß der radikalen Parteien auf die Arbeit der Stadtverwaltung zu verringern, wird als neue Verwaltungskörperschaft der Stadtgemeindeausschuß eingerichtet, dessen 45 Mitglieder aus den Reihen der Stadtverordneten gewählt werden und der in nichtöffentlichen Sitzungen zusammentritt. Am 14. April 1931 wählt die Stadtverordnetenversammlung Heinrich Sahm, der zuvor Senatspräsident der Freien Stadt Danzig war, zum neuen Oberbürgermeister.

Die Auswirkungen der Wirtschaftskrise zwingen die Stadt zum Verkauf der »Berliner Städtischen Elektrizitätswerke AG« (Bewag) an die »Berliner Kraft- und Licht-AG«. Mit dem Erlös kann ein Teil der kurzfristigen Verbindlichkeiten der Stadt gedeckt werden. Die durch die Fusion entstandene »Berliner Kraft- und Licht (Bewag)-AG« wird in den nächsten Jahren von der Stadt teilweise aufgekauft. – In der Masurenallee in Charlottenburg wird das *Haus des Rundfunks* in Betrieb genommen.

1932. Am 30. Mai 1932 tritt Heinrich Brüning, der 1930 als Reichstagsabgeordneter des Zentrums Reichskanzler geworden war, zurück. Hindenburg ernennt Franz von Papen, der dem rechten Flügel des Zentrums angehört, zum Nachfolger Brünings. Ebenso wie Brüning verfügt von Papen über keine parlamentarische Mehrheit.

Von Papen hebt das Verbot der SA auf und setzt am 20. Juli 1932 die preußische Regierung unter dem sozialdemokratischen Ministerpräsidenten Otto Braun ab. In Berlin vergeht kaum ein Tag, an dem es nicht zu Straßenschlachten zwischen Nationalsozialisten und Kommunisten kommt. Vor dem Hintergrund einer Arbeitslosigkeit, von der in Deutschland 6 Millionen Menschen betroffen sind – allein in Berlin gibt es 600 000 Erwerbslose –, gelingt es der NSDAP, aus den Reichstagswahlen vom 31. Juli 1932 mit 230 von 608 Mandaten als stärkste Fraktion hervorzugehen.

Nach der Auflösung des Reichstags finden bereits am 6. November 1932 Neuwahlen statt. Zwar bringt die Wahl der NSDAP erhebliche Verluste, sie stellt jedoch auch im neuen Reichstag mit 196 Abgeordneten die stärkste Fraktion. Am 2. Dezember 1932 wird Kurt von Schleicher von Hindenburg zum Reichskanzler ernannt. Von Schleichers Versuch, den linken Flügel der NSDAP zu einer Zusammenarbeit zu bewegen und die Nationalsozialisten zu spalten, scheitert. Es gelingt ihm nicht, eine parlamentarische Mehrheit für sein Kabinett zu gewinnen. – Am Landwehrkanal wird 1932 das *Shell-Haus* fertiggestellt.

1933–1945

1933. Am 30. Januar 1933 ernennt Reichspräsident Hindenburg Adolf Hitler zum Reichskanzler, nachdem es Franz von Papen in Vermittlungsgesprächen gelungen war, die Vorbehalte Hindenburgs gegen den »böhmischen Gefreiten« abzubauen. Am Abend der »Machtergreifung« feiern die Nationalsozialisten ihren Sieg mit einem Fackelzug. Sie ziehen, begleitet vom Jubel Tausender begeisterter Zuschauer, vom Tiergarten durch das Brandenburger Tor in die Wilhelmstraße.

Der Brand des *Reichstagsgebäudes* in der Nacht vom 27. auf den 28. Februar 1933, von dem die Nationalsozialisten behaupten, er sei das Fanal eines kommunistischen Umsturzversuchs gewesen, dient als Vorwand für den Erlaß der Notverordnung »zum Schutz von Volk und Staat« vom 28. Februar 1933, durch die die verfassungsmäßigen Grundrechte aufgehoben werden. Politische Gegner der NSDAP, insbesondere Mitglieder der KPD, werden verfolgt und verhaftet, Zeitungen verboten, mißliebige Beamte entlassen. Die SA beginnt mit der Einrichtung zunächst provisorischer Konzentrationslager. Bei den Reichstagswahlen am 5. März 1933 erreichen NSDAP und Deutschnationale Volkspartei im Reich zusammen die absolute Mehrheit.

Auch die Stadtverordnetenwahlen vom 12. März 1933 ergeben für NSDAP und Deutschnationale Volkspartei eine absolute Mehrheit. Im Rahmen der nationalsozialistischen Gleichschaltung wird am 14. März 1933 Julius Lippert, der Fraktionsvorsitzende der NSDAP in der Stadtverordnetenversammlung, als »Staatskommissar für die Hauptstadt Berlin« eingesetzt. Dadurch wird Berlin stärker als bisher verwaltungsrechtlich von der Provinz Brandenburg getrennt. Der Ausschluß der KPD-Abgeordneten aus der Stadtverordnetenversammlung durch Erlaß vom 20. März 1933 und die Auflösung der SPD-Fraktion verringert die Zahl der Stadtverordneten von 225 auf 131 und bringt der NSDAP die alleinige absolute Mehrheit.

Am 24. März 1933 verabschiedet der Reichstag, der nach dem Brand des *Reichstagsgebäudes* in der *Kroll-Oper* tagt, gegen die Stimmen der SPD das »Gesetz zur Behebung der Not von Volk und Reich«, das Ermächtigungsgesetz, durch das die Regierung zur Gesetzgebung ohne parlamentarische Kontrolle befugt wird. Nachdem bereits am 17. März 1933 die Entlassung sämtlicher jüdischer Ärzte der städtischen Krankenhäuser auf Anordnung des Staatskommissars Lippert ausgesprochen worden war, rufen die Nationalsozialisten am 1. April 1933 zum Boykott jüdischer Geschäftsleute, Ärzte und Rechtsanwälte auf. Mit der Bücherverbrennung vom 10. Mai 1933 beginnt die systematische Verfolgung jüdischer und anderer mißliebiger Schriftsteller, Künstler und Wissenschaftler. Viele von ihnen emigrieren oder werden mit einem Berufsverbot belegt *(Juden)*. In einer Großaktion der SA und der SS werden vom 21. bis 26. Juni 1933 Hunderte von Gegnern der NSDAP, insbesondere Mitglieder der KPD und der SPD, festgenommen und im Gefängnis des Köpenicker Amtsgerichts gefoltert und zum Teil ermordet. Die »Köpenicker Blutwoche« fordert 91 Todesopfer. Innerhalb der Evangelischen Kirche hatten im Laufe des Jahres 1933 die der NSDAP nahestehenden Deutschen Christen an Einfluß gewonnen. Im September 1933 gründet der Dahlemer Pfarrer Martin *Niemöller* den Pfarrernotbund, aus dem später die Bekennende Kirche hervorgeht, die im Gegensatz zu den Deutschen Christen und der nationalsozialistischen Diktatur steht. Nachdem Mitte des Jahres alle politischen Parteien mit Ausnahme der NSDAP unter mehr oder weniger starkem Druck aufgelöst worden waren, tritt die Stadtverordnetenversammlung am 12. November 1933 zum letzten Mal zusammen. Durch ein Gesetz vom 22. September 1933 waren ihre Aufgaben dem Stadtgemeindeausschuß übertragen worden, die Aufgaben der Bezirksverordnetenversammlungen übernahmen die Bezirksämter.

1934. Die wichtigsten Zeitungsverlage Berlins werden innerhalb der ersten Monate der nationalsozialistischen Diktatur entweder direkt von der NSDAP oder von Organisationen, die ihrer Kontrolle unterliegen, übernommen *(Presse)*. Davon ist im Juni 1934 auch der Ullstein-Verlag betroffen. Der Verlag, der einen Wert von rund 60 Millionen Mark hat, wird – wie auch viele andere jüdische Unternehmen –»arisiert«. Die Brüder Ullstein müssen am 9. Juni 1934 an ein von der NSDAP kontrolliertes Konsortium verkaufen. Der Kaufpreis beträgt 6,5 Millionen Mark.

Durch ein Gesetz vom 29. Juni 1934 werden die Stadtverordnetenversammlung und die Bezirksverordnetenversammlungen, die bereits im September 1933 ihre Funktion verloren hatten, endgültig aufgelöst. Sie werden durch einen aus 45 Ratsherren bestehenden Gemeinderat bzw. durch Bezirksbeiräte, denen 8 bis 12 Personen angehören, ersetzt. Die Mitglieder der neuen Gremien, die keine Entscheidungsbefugnisse, sondern nur beratende Funktion haben, werden auf Vorschlag des Gauleiters vom Oberbürgermeister ernannt.

Mit der Begründung, der Stabschef der SA, Ernst Röhm, habe eine Verschwörung gegen Hitler geplant, werden vom 30. Juni bis 2. Juli 1934 einige SA-Führer und andere der Führungsspitze der NSDAP unbequeme Personen, insgesamt etwa 85, ohne Verfahren ermordet. In Berlin leitet Hermann Göring die Niederschlagung des angeblichen »Röhm-Putsches«. Der größte Teil der Opfer wird in der Lichterfelder Kaserne der SS, der Schutzstaffel der NSDAP, erschossen. Die Aktion, der auch der ehemalige Reichskanzler von Schleicher und der Zentrumspolitiker und Vorsitzende der Katholischen Aktion Berlin, Erich Klausener, zum Opfer fallen, wird nachträglich durch ein vom Kabinett einstimmig gebilligtes Gesetz als »Staatsnotwehr« legalisiert.

Nach dem Tod Hindenburgs am 2. August 1934 übernimmt Hitler als »Führer und Reichskanzler« auch die Befugnisse des Reichspräsidenten.

Der 1932 begonnene Bau der *Gustav-Adolf-Kirche* wird 1934 fertiggestellt.

1935. Durch das »Gesetz über den Aufbau der Deutschen Wehrmacht« vom 16. März 1935 wird die allgemeine Wehrpflicht eingeführt. Zwei Tage später findet in Berlin eine zweistündige Luftschutzübung für die Zivilbevölkerung statt. Die *Deutschlandhalle* wird am 29. November 1935 eingeweiht.

Die Reduzierung seiner Befugnisse durch die Nationalsozialisten veranlaßt Oberbürgermeister Sahm im Dezember 1935 zum Rücktritt.

1936. Vom 1. bis 16. August 1936 finden in Berlin die XI. Olympischen Spiele statt. Sie werden auf dem Reichssportfeld in Charlottenburg *(Olympiastadion)* ausgetragen. Zahlreichen Gästen aus aller Welt wird mit gewaltigem repräsentativem Aufwand ein beeindruckendes Schauspiel geboten.

An der Leipziger Straße, Ecke Wilhelmstraße, wird das Reichsluftfahrtministerium, das heutige *Haus der Ministerien,* seiner Bestimmung übergeben.

1937. Am 1. Januar 1937 tritt eine Neuregelung der Verfassung und Verwaltung Berlins in Kraft. Das höchste Amt der Stadt ist danach das des Oberbürgermeisters und Stadtpräsidenten, das der bisherige Staatskommissar Lippert übernimmt. Der Gauleiter der NSDAP, also Goebbels, hat aufgrund des neuen Gesetzes für den »Einklang der Gemeindeverwaltung mit der Partei« zu sorgen.

Durch einen Erlaß Hitlers vom 30. Januar 1937 wird Albert Speer zum »Generalbauinspektor für die Reichshauptstadt« ernannt. Er hat einen Gesamtbauplan zu erstellen und für eine »planvolle Gestaltung des Stadtbildes der Reichshaupt-

stadt« zu sorgen. Speers Planung basiert auf der Anlage einer Nord-Süd- und einer Ost-West-Achse. Die Ost-West-Achse mit der Straße Unter den Linden, der Charlottenburger Chaussee (heute Straße des 17. Juni), dem Kaiserdamm und der Heerstraße soll zu einer »via triumphalis« ausgebaut werden. Als Abschluß der Nord-Süd-Achse, die im Bereich des Spreebogens an einem gewaltigen Kuppelbau vorbeiführen soll, ist in Schöneberg ein 170 m breiter, 119 m tiefer und 117 m hoher Triumphbogen vorgesehen.
Vom 14. bis 22. August 1937 wird in Berlin die 700-Jahr-Feier der Stadt begangen. Die erste Erwähnung Cöllns im Jahre 1237 dient als Bezugsdatum.

1938. Mit den Nürnberger Gesetzen vom 15. September 1935 hatten die Nationalsozialisten den *Juden* bereits die Bürgerrechte aberkannt. In der Nacht vom 9. auf den 10. November 1938, der sogenannten Reichskristallnacht, kommt es in ganz Deutschland zu brutalen Ausschreitungen gegen jüdische Mitbürger. Menschen werden mißhandelt, Wohnungen verwüstet, Geschäfte geplündert. Die Synagogen stehen in Flammen *(Jüdisches Gemeindezentrum, Synagoge in der Oranienburger Straße).* Die Situation der jüdischen Bevölkerung wird in den nächsten Monaten immer unerträglicher, so daß die Zahl der Auswanderer zunimmt.
Die *Siegessäule* und das Bismarckdenkmal müssen 1938 den Plänen Albert Speers weichen. Sie werden vom Platz der Republik, den die Nationalsozialisten 1933 wieder in Königsplatz umbenannt haben, an den Großen Stern umgesetzt. Auch die Siegesallee mit ihren 32 Standbildern wird in der Nähe des Großen Sterns neu aufgebaut.
Den Chemikern Otto *Hahn* und Fritz Straßmann gelingt in Dahlem die Kernspaltung des Urans durch Neutronenbestrahlung.

1939. Am 20. März 1939 werden in der Hauptfeuerwache an der Köpenicker Straße zahlreiche Werke, die von der nationalsozialistischen Kulturpropaganda der sogenannten entarteten Kunst zugeordnet werden, verbrannt.
Die Auseinandersetzung um die Freie Stadt Danzig und den polnischen Korridor nimmt Hitler zum Anlaß für den Angriff auf Polen am 1. September 1939. Die Gestapo registriert am Tag des Ausbruchs des Zweiten Weltkriegs in der Berliner Bevölkerung »mangelnde Kriegsbegeisterung«. Bereits am 26. August hatte die Mobilmachung begonnen, und der Bevölkerung war die Einführung eines Bezugsscheinsystems für Lebensmittel, Textilien und Brennstoffe angekündigt worden. Am 2. September wird das Abhören ausländischer Sender verboten. Frankreich und Großbritannien, die die polnische Haltung in der Danzig-Frage unterstützen, erklären am 3. September Deutschland den Krieg. Die Sowjetunion, mit der Hitler am 23. August einen Nichtangriffspakt geschlossen hatte, beginnt am 17. September mit der Besetzung der polnischen Ostgebiete. Sicherheitsdienst (SD) und Sicherheitspolizei werden am 27. September 1939 im Reichssicherheitshauptamt (RSHA) zusammengefaßt. Leiter des RSHA wird der SS-Führer Reinhard Heydrich. 1940 wird auch die Gestapo dem RSHA in der Prinz-Albrecht-Straße angegliedert.
Kurz nach Ausbruch des Krieges werden die Arbeiten zur Umgestaltung Berlins weitgehend eingestellt. Der größte Teil der monströsen Bauten, die Speer geplant hatte, kommt nicht mehr zur Ausführung.
Ludwig Steeg, der 1937 zum Bürgermeister und Stellvertreter des Oberbürger-

meisters Lippert ernannt worden war, wird nach dem Eintritt Lipperts in den
Wehrdienst als kommissarischer Oberbürgermeister eingesetzt.

1940. Im Juli 1940 feiern die Berliner den erfolgreich abgeschlossenen Frank-
reichfeldzug. Hitler wird bei seiner Rückkehr von der begeisterten Bevölkerung
empfangen. Am 25. August 1940 beginnen die deutschen Luftangriffe auf die Londoner Innenstadt. Der Gegenangriff der britischen Luftwaffe auf die deutsche Hauptstadt erfolgt in der Nacht vom 25. auf den 26. August. Das gegenseitige Bombar-
dement, das, von gelegentlichen ruhigeren Phasen unterbrochen, bis zum
Kriegsende andauert, verursacht zu Beginn in Berlin nur relativ geringe Schäden.
Die britische Luftwaffe vergrößert jedoch in den nächsten Jahren ihren Flug-
zeugbestand, so daß die Folgen ihrer Einsätze verheerende Ausmaße annehmen.
– Deutschland, Italien und Japan schließen am 27. September 1940 den Drei-
mächtepakt. Die Unterzeichnung des Vertrages findet in Berlin statt.

1941. Mit einem Überraschungsangriff beginnt am 22. Juni 1941 der Krieg gegen
die Sowjetunion. Noch im November des Vorjahres hatten in Berlin deutsch-sowjetische Verhandlungen über die Aufteilung Europas stattgefunden. Dabei war
jedoch keine Einigung erzielt worden.
Im Laufe des Jahres 1941 ändern die Nationalsozialisten ihren Kurs in der Judenverfolgung. Statt der bisher geförderten Auswanderung beginnt die Phase
der Deportation und des Massenmordes. Am 18. Oktober 1941 werden mit dem
ersten »Aussiedlungstransport« 1013 Berliner *Juden* in die Konzentrationslager
des Ostens gebracht.
Nach dem japanischen Überfall auf Pearl Harbor am 7. Dezember 1941 erklärt
Deutschland den USA den Krieg. Hitler gibt seine Entscheidung am 11. Dezember vor dem Reichstag bekannt.

1942. In einer Villa am Großen *Wannsee* findet am 20. Januar 1942 die sogenannte Wannseekonferenz unter dem Vorsitz des Leiters des Reichssicherheitshauptamtes Heydrich statt. Vertreter der Staatsführung und der NSDAP beschließen die bereits im Vorjahr eingeleitete »Endlösung der Judenfrage«, also
den systematischen Massenmord an den im deutschen Machtbereich lebenden
Juden.

1943. Anfang des Jahres 1943 gerät die Wehrmacht an der Ostfront in die Defensive. Goebbels ruft am 18. Februar 1943 im *Sportpalast* den »totalen Krieg« aus.
Ab Mitte Februar werden die über 14 Jahre alten Schüler der Berliner Schulen als
Flakhelfer eingezogen.
Die Bombenangriffe der britischen Luftwaffe auf Berlin werden im Laufe des
Jahres intensiviert. Sie kosten Tausende Berliner das Leben. Industriebetriebe
und Verkehrsanlagen, aber auch Wohnungen und Baudenkmäler werden zerstört. Am 6. August 1943 beginnt die Evakuierung Berlins. Bis Ende Dezember
haben eine Million Berliner, hauptsächlich Frauen, Kinder und alte Menschen,
die Stadt verlassen *(Bevölkerungsentwicklung).* Im November 1943 beginnen systematische Flächenbombardements durch die britische Luftwaffe.

1944. Ab März 1944 wird Berlin auch von Flugzeugen der amerikanischen Luft-

waffe bombardiert. In den Sommermonaten lassen die Luftangriffe vorübergehend wieder nach. Die alliierten Truppen konzentrieren sich auf die Normandie,
wo am 6. Juni 1944 die Invasion beginnt. Das Oberkommando der Wehrmacht in der Bendlerstraße wird im Juli 1944 zum
Zentrum des Widerstandes gegen die nationalsozialistische Diktatur. Oberst
Claus Graf Schenk von Stauffenberg verübt am 20. Juli 1944 im Führerhaupt-
quartier »Wolfschanze« bei Rastenburg in Ostpreußen ein Bombenattentat auf
Hitler. Da Hitler jedoch nur leicht verletzt wird, scheitert der Staatsstreich in
Berlin. Stauffenberg und ein Teil seiner Mitverschworenen, Generaloberst Lud-
wig Beck, General Friedrich Olbricht, Oberst Albrecht Ritter Mertz von Quirn-
heim und Oberleutnant Werner von Haeften, werden am Abend des 20. Juli im
Bendlerblock verhaftet und kurz nach Mitternacht ohne Verfahren erschossen. In
den nächsten Tagen wird im Reichssicherheitshauptamt eine Sonderkommission
gebildet, die die Verfolgung von Personen, die mit dem Aufstand vom 20. Juli in
Zusammenhang gebracht werden, zur Aufgabe hat. Am 7. und 8. August fällt der
Volksgerichtshof unter seinem Präsidenten Roland Freisler im Kammergericht
am Kleistpark die ersten von fast 200 Todesurteilen gegen Mitglieder der Widerstandsbewegung. Ein großer Teil der Opfer des Volksgerichtshofs werden im
Hinrichtungsschuppen der Strafanstalt Plötzensee erhängt. – Goebbels, der im
April 1944 das Amt des Stadtpräsidenten übernommen hatte, wird im August
zum Generalbevollmächtigten für den totalen Kriegseinsatz ernannt. Er ordnet
eine Erhöhung der wöchentlichen Arbeitszeit und drastische Einschränkungen
des kulturellen Lebens an. Die dadurch freiwerdenden Arbeitskräfte sollen in
der Wehrmacht und in der Rüstungsindustrie zum Einsatz kommen.

1945. Ende Januar 1945 errichten die sowjetischen Truppen Brückenköpfe westlich der Oder bei Küstrin. Am 3. Februar unternimmt die amerikanische Luftwaffe mit 900 Bombern und 600 Jägern einen der schwersten Angriffe auf Berlin.
Er fordert nach deutschen Angaben 2600 Todesopfer, amerikanische Schätzungen liegen jedoch weit höher.
Am 16. April beginnt die Schlacht um Berlin. Von der Oder her nähern sich 1,6
Millionen Mann starke sowjetische Truppen unter den Marschällen Georgij K.
Schukow und Iwan S. Konjew der zur Festung erklärten Reichshauptstadt. In
der Nacht vom 20. auf den 21. April fliegen die Alliierten ihren letzten Luftangriff auf Berlin. Die sowjetischen Truppen stoßen am 21. April in die nördlichen
und östlichen Außenbezirke vor, schließen Berlin am 25. April ein und erreichen
nach heftigen Straßen- und Häuserkämpfen am 27. April die Innenstadt.
Der Versuch der 12. Armee der Wehrmacht unter General Wenck, von Südwesten her den sowjetischen Ring um Berlin zu durchbrechen, scheitert am 28.
April bei Ferch in der Nähe von Potsdam. Am gleichen Tag wird Generaloberst
Nikolaj N. Bersarin zum Stadtkommandanten ernannt. Er befiehlt die Auflösung der NSDAP und aller NS-Organisationen und verhängt eine nächtliche
Ausgangssperre von 22 Uhr abends bis 6 Uhr morgens.
Als die Straßenkämpfe am 30. April die unmittelbare Umgebung der Reichskanzlei erreichen, begeht Hitler, der sich in den Tiefbunker hinter dem Gebäude
zurückgezogen hat, gemeinsamen Selbstmord mit seiner Frau Eva Braun, die er
erst am Vortag geheiratet hat. Der Verteidigungskommissar von Berlin Goebbels und seine Frau vergiften am nächsten Tag ihre sechs Kinder und begehen
anschließend ebenfalls Selbstmord.

General Helmuth Weidling als Kommandant der deutschen Truppen in Berlin und Marschall Wassilij I. Tschuikow unterzeichnen am 2. Mai 1945 die Kapitulation Berlins. Bis zum Abend des gleichen Tages werden in Berlin nach sowjetischen Angaben 70 000 deutsche Soldaten gefangengenommen. In den nächsten Tagen kommt es vielfach zu Ausschreitungen gegen die Bevölkerung. Die »Befreier« gebärden sich zu einem großen Teil als Plünderer, Mörder und Vergewaltiger. Zum Zeitpunkt der Kapitulation ist die Bevölkerungszahl auf 2,3 Millionen gesunken *(Bevölkerungsentwicklung)*. Zwei Drittel der Einwohner sind Frauen. Die Luftangriffe auf Berlin haben etwa 50 000 Menschen das Leben gekostet. 750 000 Berliner sind bei Kriegsende noch evakuiert. Der größte Teil von ihnen kehrt in den nächsten Jahren nach Berlin zurück. Die Zahl der jüdischen Einwohner Berlins ist von 160 000 im Jahr 1933 auf etwa 1400 gesunken. Rund ein Drittel der Berliner *Juden* fiel dem Massenmord zum Opfer.

Ungefähr 20% aller Gebäude Berlins sind zerstört, 50% sind beschädigt. Der öffentliche Verkehr sowie die Strom- und Gasversorgung sind zusammengebrochen. Auch die Wasserversorgung ist in einigen Stadtteilen nicht mehr intakt.

Auf sowjetischen Befehl wird umgehend mit der Beseitigung der Trümmermassen begonnen. Die Aufräumungsarbeiten werden zu einem großen Teil von Frauen geleistet, so daß der anerkennende Begriff der Trümmerfrau entsteht. In den nächsten Jahren werden die ungeheuren Schuttmassen – sie werden auf 80 Millionen Kubikmeter geschätzt – an mehreren Stellen des Stadtgebietes zu Bergen aufgeschüttet. Auf diese Weise entstehen unter anderem der *Teufelsberg* im *Grunewald* und der *Insulaner* im Bezirk Schöneberg.

Die sowjetische Militärverwaltung läßt seit dem 28. April von sogenannten Volkskomitees Block-, Straßen- und Hausobleute ernennen, die die Befehle des Stadtkommandanten und die Bestimmungen einer provisorischen deutschen Verwaltung zu verbreiten bzw. durchzuführen haben. Nach der Neuordnung der Lebensmittelrationierung am 5. Mai übernehmen die Obleute die Verteilung der Karten. Gleichzeitig werden »antifaschistische Hilfskomitees« gebildet, die mit polizeilichen Befugnissen ausgestattet werden.

Die bedingungslose Kapitulation der deutschen Wehrmacht wird am 7. Mai im amerikanischen Hauptquartier in Reims und in der Nacht vom 8. auf den 9. Mai im sowjetischen Hauptquartier in Karlshorst im Berliner Bezirk *Lichtenberg* unterzeichnet.

Der Berliner Rundfunk hatte auf sowjetischen Befehl bereits am 4. Mai den Sendebetrieb wieder aufgenommen. Am 15. Mai erscheint in Berlin die erste Tageszeitung nach dem Krieg, die von der sowjetischen Militärverwaltung herausgegebene »Tägliche Rundschau« *(Presse)*. Sie veröffentlicht eine Bekanntmachung, nach der ein Rationierungssystem mit fünf Versorgungsgruppen eingeführt wird, abgestuft von Karte I für Schwerarbeiter bis Karte V für nicht berufstätige Erwachsene. Am gleichen Tag wird die Ausgangssperre auf die Zeit zwischen 22.30 Uhr abends und 6 Uhr morgens reduziert.

Der erste Nachkriegsmagistrat unter Oberbürgermeister Arthur Werner nimmt am 17. Mai die Arbeit auf. Seine Mitglieder wurden vom sowjetischen Stadtkommandanten ausgewählt. Der Magistrat setzt sich zur Hälfte aus ehemaligen KPD-Mitgliedern zusammen. Ihm gehören aber auch angesehene bürgerliche Persönlichkeiten an, z. B. der Architekt Hans *Scharoun* als Stadtrat für Bau- und Wohnungswesen, Ferdinand *Sauerbruch* als Stadtrat für Gesundheitswesen und

Andreas Hermes, ehemaliger Reichsminister und Mitglied der Widerstandsbewegung, der schon am 7. Mai zum Beauftragten für das Ernährungswesen ernannt wurde, als Stadtrat für Ernährung. Nach dem ersten öffentlichen Konzert am 13. Mai findet am 27. Mai die erste Theatervorstellung statt. In Berlin entwickelt sich allmählich wieder ein kulturelles Leben. Auch der *öffentliche Nahverkehr* kommt nach und nach wieder in Gang. Die ersten Busse verkehren seit dem 13. Mai, die ersten U-Bahn-Züge seit dem 14. Mai, und am 20. Mai fahren die ersten Straßenbahnen durch Berlin. Am 29. Mai wird auf einigen *Eisenbahn*strecken zu den Nachbarorten Berlins der Verkehr wieder aufgenommen. Mit der Wiederherstellung der Gas- und Elektrizitätswerke sowie der Versorgungsleitungen war unmittelbar nach der Besetzung Berlins begonnen worden. Wegen der geringen Kapazität der verbliebenen Anlagen und wegen Brennstoffmangels müssen Strom und Gas jedoch kontingentiert werden. Briefe und Postkarten werden von der Berliner Post bereits seit dem 22. Mai im innerstädtischen Verkehr befördert. Die ersten Telefongespräche über Dienstleitungen der Stadtverwaltung können seit dem 5. Juni geführt werden.
Am 5. Juni findet in Köpenick die erste Sitzung der alliierten Oberbefehlshaber statt. Sie erklären die Übernahme der Regierung in Deutschland durch den Alliierten Kontrollrat. Er setzt sich nach dem Beitritt Frankreichs zum Londoner Abkommen vom 12. September 1944 aus den Oberbefehlshabern der vier Besatzungsarmeen zusammen. In der Erklärung der Oberbefehlshaber werden die Regelungen des Londoner Abkommens, das Grundlage des Viermächtestatus von Berlin ist, wiederholt: Einteilung Deutschlands in vier Besatzungszonen unter Herauslösung Groß-Berlins, das in vier Sektoren aufgeteilt wird, gemeinsame Verwaltung Berlins durch die Alliierte Kommandantur, der die vier Stadtkommandanten von Berlin angehören.
Am 9. Juni wird vom Oberbefehlshaber der sowjetischen Besatzungstruppen Schukow die Sowjetische Militäradministration Deutschlands (SMAD) eingerichtet. Ihr obliegt die Verwaltung der Sowjetischen Besatzungszone. Die SMAD erklärt am 10. Juni Berlin-Karlshorst zu ihrem Sitz. Noch am selben Tag läßt sie die Gründung von Parteien und Gewerkschaften für Berlin und die Sowjetische Besatzungszone zu. Am 11. Juni nimmt die KPD ihre Arbeit auf. Zwei Tage später wird der Gründungsausschuß des Freien Deutschen Gewerkschaftsbundes (FDGB) eingesetzt. Am 15. Juni erfolgt die Wiedergründung der SPD. Die Liberal-Demokratische Partei Deutschlands (LDPD) wird am 16. Juni, die Christlich-Demokratische Union Deutschlands (CDU) am 26. Juni gegründet. Alle vier Parteien geben kurz nach ihrer Gründung eigene Parteizeitungen heraus. So erscheint am 13. Juni die »Deutsche Volkszeitung« als Organ der KPD.
Nach Verzögerungen durch die sowjetische Besatzungsmacht können die Truppen der Amerikaner und Briten am 4. Juli ihre Sektoren einnehmen. Die französischen Truppen treffen erst am 12. August in ihrem Sektor ein.
Vom 17. Juli bis 2. August tagt im Potsdamer Schloß Cecilienhof die Gipfelkonferenz der alliierten Siegermächte USA, Großbritannien und Sowjetunion. Für Berlin ist vor allem die gemeinsame Forderung nach Erhaltung der wirtschaftlichen Einheit Deutschlands von Bedeutung. Frankreich, das an der Konferenz nicht teilnimmt, stimmt den Deutschland betreffenden Teilen des Potsdamer Abkommens zu.
Der Alliierte Kontrollrat hält seine erste Sitzung am 30. Juli im US-Hauptquar-

tier in Dahlem ab. Als ständigen Sitz wählt er das ehemalige Kammergericht am Kleistpark *(Berlin-Museum)*.

Eine am 12. August durchgeführte Volkszählung ergibt, daß die Einwohnerzahl Berlins auf 2,8 Millionen angewachsen ist. Die Zunahme der Bevölkerung beruht in erster Linie auf der Rückkehr Evakuierter *(Bevölkerungsentwicklung)*.

Die Hochschule für bildende Künste war bereits am 18. Juni wiedereröffnet worden. Seit dem 3. September werden an der Universität Berlin, die die Nachfolge der *Friedrich-Wilhelms-Universität* antritt, Vorkurse zur Vorbereitung auf das am 12. November beginnende erste Nachkriegssemester abgehalten, zu dem sich rund 4000 Studenten einschreiben. Offiziell wird die Berliner Universität am 29. Januar 1946 eröffnet *(Humboldt-Universität)*.

Durch ein vom Magistrat erlassenes Bezirksverfassungsstatut vom 26. September 1945 werden mit Genehmigung der Alliierten Kommandantur Bezirksämter als ausführende Organe des Magistrats eingerichtet. Ihre Mitglieder sowie die Bezirksbürgermeister werden vom Magistrat ernannt. Die Alliierte Kommandantur hat der Ernennung zuzustimmen.

Als erste unabhängige und überparteiliche Zeitung erscheint mit amerikanischer Lizenz am 27. September »Der Tagesspiegel« *(Presse)*.

Die Vorsitzenden der CDU, Walther Schreiber und Andreas Hermes, werden wegen ihrer Kritik an den Methoden der Bodenreform am 19. Dezember durch sowjetischen Befehl abgesetzt.

Am 21. Dezember wird aus je 30 Mitgliedern der KPD und der SPD der sogenannte »Sechzigerausschuß« gebildet, der die Verschmelzung beider Parteien vorbereiten soll. Die SPD, die zunächst eine Vereinigung mit der KPD angestrebt hatte, hält nun die Zustimmung eines Reichsparteitags für nötig.

Über den Zustand der Berliner Wirtschaft gibt eine zum Jahresende erstellte Übersicht der Industriekapazität Aufschluß. Durch Kriegseinwirkungen wurden rund 25% der industriellen Anlagen vernichtet. Unmittelbar nach Kriegsende hatte die sowjetische Besatzungsmacht mit der Demontage in allen Sektoren Berlins begonnen. Da aufgrund des Londoner Abkommens feststand, daß sie die westlichen Sektoren Berlins würde räumen müssen, wurde hier bis zur Besetzung durch die Westalliierten besonders intensiv demontiert. Eine Fortsetzung der Demontage durch die Westalliierten war nur noch in sehr geringem Umfang möglich. Bei den 12 Betrieben, die auf ihrer Demontageliste standen, handelte es sich um bereits demontierte Anlagen, die nur zum Teil wiederaufgebaut worden waren. Die Statistik zum Jahresende weist für die Westsektoren Demontageverluste in Höhe von 85% aus. Im Ostsektor wurden bis zum Jahresende nur rund 33% der Anlagen demontiert, da die spätere Produktion dieses Sektors der Deckung sowjetischer Reparationsforderungen dienen soll.

1946–1950

1946. In den Westsektoren Berlins findet am 31. März 1946 eine Urabstimmung der SPD-Mitglieder über die Vereinigung mit der KPD statt, bei der sich über 80% gegen die Vereinigung aussprechen. Im Ostsektor wird die Abstimmung vom sowjetischen Stadtkommandanten verhindert.

Am 9. April 1946 wird die Technische Hochschule als *Technische Universität* wiedereröffnet.

Die Parteitage der KPD und der SPD vom 19. und 20. April 1946 beschließen, trotz der eindeutigen Ablehnung des Zusammenschlusses in den Reihen der SPD, am 21. und 22. April im *Admiralspalast* einen Vereinigungsparteitag durchzuführen, auf dem die Sozialistische Einheitspartei Deutschlands (SED) gegründet wird. Otto Grotewohl, bisher Vorsitzender der SPD, und Wilhelm Pieck, bisher Vorsitzender der KPD, werden zu gleichberechtigten Vorsitzenden der SED gewählt. Die Tageszeitung »Neues Deutschland«, das Zentralorgan der SED, erscheint erstmals am 23. April *(Presse)*. Am 31. Mai wird die SED von der Alliierten Kommandantur in allen vier Sektoren zugelassen. Am gleichen Tag erfolgt die Wiederzulassung der SPD, die sich um die Mitglieder des sogenannten »Zehlendorfer Waldklubs«, einer Gruppe von entschiedenen Gegnern der Zwangsvereinigung mit der KPD, neu formiert hat.

Im Mai 1946 wird das Sowjetische Ehrenmal im *Tiergarten* eingeweiht, das im britischen Sektor auf einem unter sowjetischer Hoheit stehenden exterritorialen Areal errichtet wurde.

Im Ostsektor Berlins wird am 1. August 1946 die *Akademie der Wissenschaften* neu gegründet.

Der von der amerikanischen Besatzungsmacht gegründete Drahtfunk im amerikanischen Sektor (DIAS), der am 7. Februar 1946 den Sendebetrieb über Telefonleitungen aufgenommen hatte, strahlt am 4. September 1946 seine erste Sendung mit einem ehemaligen Militärsender aus und wird somit zum Rundfunk im amerikanischen Sektor (RIAS).

Die *Preußische Staatsbibliothek* Unter den Linden wird am 1. Oktober 1946 als »Öffentliche Wissenschaftliche Bibliothek« wiedereröffnet. Sie wird 1954 in Deutsche Staatsbibliothek umbenannt.

Am 20. Oktober 1946 tritt die von der Alliierten Kommandantur genehmigte vorläufige Verfassung von Groß-Berlin in Kraft. Sie basiert auf den Regelungen der Gesetze von 1853, 1920 und 1931. Allerdings müssen Vertreter aller Parteien, die dies wünschen, am Magistrat beteiligt werden. Die von der Bevölkerung zu wählende Stadtverordnetenversammlung wird beauftragt, bis zum 1. Mai 1948 einen Entwurf für eine neue Verfassung auszuarbeiten.

Am Tag des Inkrafttretens der vorläufigen Verfassung, also am 20. Oktober, finden in Berlin die ersten Stadtverordnetenwahlen nach dem Krieg statt. Die SED erleidet eine empfindliche Niederlage. Bei einer Wahlbeteiligung von 92,3% erhält sie 19,8% der Stimmen, auf die SPD entfallen 48,7%, auf die CDU 22,2% und auf die LDPD 9,3%.

Die am 20. Oktober 1946 gewählte Stadtverordnetenversammlung tritt am 26. November erstmals zusammen. Sie wählt einstimmig Otto Suhr von der SPD zum Stadtverordnetenvorsteher. Auf ihrer Sitzung am 5. Dezember wählt die Stadtverordnetenversammlung den neuen Magistrat. Zum Oberbürgermeister wählt sie Otto Ostrowski (SPD).

Trotz der schwierigen Versorgungslage in Berlin steigt die Bevölkerungszahl weiter an. Ende des Jahres 1946 leben 3,2 Millionen Menschen in Berlin *(Bevölkerungsentwicklung)*.

1947. Ausbleibende Kohlelieferungen hatten bereits im November 1946 zu erheblichen Einschränkungen in der Elektrizitätsversorgung geführt. Anfang des Jahres 1947 müssen über 1000 Betriebe wegen Energiemangels stillgelegt werden. Die größten Schwierigkeiten bereitet der Stadtverwaltung nach wie vor die

Ernährungslage der Stadt. Rund 1450 Berliner verhungern oder erfrieren im Laufe des Winters 1946/47.
Am 1. März 1947 wird auf Beschluß der Stadtverordnetenversammlung die völlig unzureichende Rationierungsstufe V beseitigt. Für die erwachsenen Einwohner Berlins gibt es somit nur noch drei unterschiedliche Lebensmittelkartenstufen. Auf diesem Wege kann jedoch keine grundsätzliche Verbesserung der Versorgung erreicht werden, sondern nur eine gerechtere Verteilung der vorhandenen Nahrungsmittel.
Die sowjetische Militärregierung gibt im April 1947 dem Magistrat die Anweisung, die Lebensmittelversorgung des Ostsektors von der der Westsektoren zu trennen. Lebensmittel aus der Sowjetischen Besatzungszone dürfen nur noch im sowjetischen Sektor verteilt werden.
Der sozialdemokratische Oberbürgermeister Otto Ostrowski, der mit der SED Verhandlungen über gemeinsame Anstrengungen zur Lösung der Versorgungsprobleme der Stadt geführt hatte, tritt am 17. April 1947 zurück, nachdem ihm die Stadtverordnetenversammlung am 11. April wegen dieser Verhandlungen das Vertrauen entzogen hatte. Die Stadtverordnetenversammlung beschließt am 8. Mai, daß die bisherige 3. Bürgermeisterin Louise Schroeder (SPD) bis zur Wahl eines neuen Oberbürgermeisters die Geschäfte kommissarisch übernehmen soll. Am 24. Juni wird Ernst Reuter (SPD), Stadtrat für Verkehr und Versorgungsbetriebe, zum Oberbürgermeister gewählt. Die Alliierte Kommandantur teilt der Stadtverordnetenversammlung jedoch am 18. August 1947 mit, daß sie Reuter als Oberbürgermeister nicht bestätigen kann. Die sowjetische Delegation hatte ihn wegen antisowjetischer Einstellung abgelehnt. Louise Schroeder bleibt kommissarische Oberbürgermeisterin.
Seit Ende 1946 liefen in Berlin Bestrebungen zur Neugründung der *Freien Volksbühne*, die 1933 von den Nationalsozialisten verboten worden war. Nach Auseinandersetzungen im Gründungsausschuß kommt es zur separaten Gründung der Volksbühne Berlin im sowjetischen Sektor, die am 21. September 1947 im Deutschen Theater im Bezirk Mitte ihre Eröffnungskundgebung veranstaltet. Wenige Tage später, am 12. Oktober, findet im Steglitzer Titania-Palast die Eröffnungskundgebung der Freien Volksbühne statt, die von den nichtkommunistischen Mitgliedern des Gründungsausschusses mit Genehmigung der westlichen Stadtkommandanten gegründet worden war.
Am 13. November 1947 spricht die Stadtverordnetenversammlung dem am 19. Mai 1945 vom sowjetischen Stadtkommandanten eingesetzten Polizeipräsidenten Paul Markgraf das Mißtrauen aus. Markgraf, selber Mitglied der SED, hatte mit sowjetischer Unterstützung die Mehrzahl der Führungspositionen innerhalb seiner Organisation mit Kommunisten besetzt. Ihm wird vorgeworfen, an zahlreichen Verschleppungen und willkürlichen Verhaftungen beteiligt zu sein.
Im früheren Gebäude des Metropoltheaters wird am 23. Dezember 1947 unter Leitung von Walter *Felsenstein* die *Komische Oper* eröffnet.

1948. Die Mehrheit der demokratischen Parteien der Stadtverordnetenversammlung beschließt am 18. März 1948 anläßlich des 100. Jahrestages der Märzrevolution von 1848 gegen die Stimmen der SED die Neugründung der 1920 ins Leben gerufenen Deutschen Hochschule für Politik.
Nachdem auf der Londoner Außenministerkonferenz vom 25. November bis 15. Dezember 1947 keine Einigung über den zukünftigen wirtschaftlichen und poli-

tischen Status Deutschlands erzielt werden konnte, erklärt der Vorsitzende des
Alliierten Kontrollrats, der sowjetische Oberbefehlshaber in Deutschland, Marschall Wassilij D. Sokolowskij, am 20. März 1948 nach heftigen Angriffen gegen
die Westalliierten die Sitzung für vertagt und verläßt den Sitzungssaal. Da die
sowjetischen Vertreter auch künftig eine Mitwirkung im Alliierten Kontrollrat
ablehnen, muß er seine Arbeit einstellen.
Die Behinderungen des Verkehrs zwischen den westlichen Besatzungszonen
und den Westsektoren Berlins, die die sowjetischen Behörden Anfang des Jahres
1948 eingeleitet haben, werden nach dem Austritt der Sowjets aus dem Alliierten
Kontrollrat verschärft.
Am Lehniner Platz in Wilmersdorf wird am 9. April das Britische Kulturzentrum
British Centre eröffnet, das heute seinen Sitz an der Lietzenburger Straße in
Charlottenburg hat.
Die Stadtverordnetenversammlung verabschiedet am 22. April 1948 gegen die
Stimmen der SED die neue Verfassung von Groß-Berlin. Sie wird der Alliierten
Kommandantur entsprechend dem Auftrag der vorläufigen Verfassung von
1946 fristgerecht zugestellt. Zu einer Genehmigung dieser neuen Verfassung
kommt es jedoch vorerst nicht.
Am 17. Juni 1948 erhält der Königsplatz vor dem Reichstag auf Beschluß der Be-
zirksverordnetenversammlung des Bezirks Tiergarten wieder den Namen Platz
der Republik.
Die gescheiterten Bemühungen um eine gemeinsame Währungsreform in ganz
Deutschland veranlassen die Westalliierten, am 18. Juni 1948 eine separate Währungsreform für die westlichen Besatzungszonen anzukündigen, die am 20. Juni
durchgeführt werden soll. Die Westsektoren Berlins sollen hiervon aufgrund des
Viermächtestatus ausgenommen werden. In weiteren Verhandlungen mit der sowjetischen Militärverwaltung versuchen die Westalliierten, für Berlin eine gemeinsame Lösung zu finden. Der sowjetische Oberbefehlshaber Sokolowskij
kündigt nach dem Abbruch der Verhandlungen für den 23. Juni eine Währungsreform in der Sowjetischen Besatzungszone und in Groß-Berlin an. Die westalliierten Stadtkommandanten protestieren gegen die Anordnung Sokolowskijs
und kündigen ihrerseits für den 25. Juni die Einführung der Westmark in den
Westsektoren an. Daraufhin beginnt die sowjetische Militärverwaltung in der
Nacht vom 23. auf den 24. Juni 1948 mit der Blockade Westberlins. Der amerikanische Oberbefehlshaber in Deutschland, General Lucius D. Clay, ordnet noch
am 24. Juni den Aufbau einer Luftbrücke zur Versorgung der Berliner Bevölkerung und der westalliierten Garnisonen an.
Nachdem am 23. Juni 1948 in ganz Berlin die Ostmark eingeführt wurde, folgt in
den Westsektoren am 25. Juni die Einführung der Westmark, so daß in Westberlin zwei gültige Währungen, jedoch mit unterschiedlicher Kaufkraft, existieren.
Oberst Alexander Jelisarow, der Stellvertreter des erkrankten Stadtkommandanten Alexander G. Kotikow, hatte bereits am 16. Juni 1948 die Sitzung der Alliierten Kommandantur verlassen. Am 1. Juli 1948 erklären die sowjetischen Behörden einseitig die Alliierte Kommandantur für aufgelöst und beenden dadurch die
Viermächteverwaltung. Da eine solche Auflösung jedoch nur von allen vier Siegermächten gemeinsam beschlossen werden kann, wird die Arbeit der Alliierten
Kommandantur von den Westalliierten fortgesetzt.
Polizeipräsident Markgraf wird am 26. Juli 1948 wegen verfassungswidriger
Maßnahmen, Nichterfüllung seiner gesetzlichen Aufgaben und fortgesetzter

Weigerung, Anweisungen des Magistrats nachzukommen, seines Amtes entho-
ben. Johannes Stumm, bisher stellvertretender Polizeipräsident, wird mit der
kommissarischen Übernahme der Amtsgeschäfte betraut. Da sich Markgraf mit
Unterstützung des sowjetischen Stadtkommandanten weigert, sein Amt zu übergeben, kommt es zur Spaltung der Berliner Polizei. Um weitere Eingriffe der sowjetischen Behörden zu verhindern, wird das Polizeipräsidium in den amerikanischen Sektor verlegt und am 4. August 1948 offiziell durch den Magistrat
übergeben. Markgraf formiert im Ostsektor eine eigene Polizei in enger organi-
satorischer Anlehnung an die Volkspolizei der Sowjetischen Besatzungszone.

Die Bestrebungen der SED, den Freien Deutschen Gewerkschaftsbund (FDGB)
unter ihre Kontrolle zu bringen, hatten schon im Laufe des Jahres 1947 zur Bildung einer Opposition innerhalb des FDGB geführt. Im Februar 1948 bildete
sich eine Arbeitsgemeinschaft Unabhängige Gewerkschafts-Opposition, die im
Juni 1948 von den westlichen Alliierten als alleiniger Tarifpartner anerkannt
wurde. Am 14. August 1948 konstituiert sich auf einer Sitzung der Vorstände
von 19 neugegründeten Gewerkschaftsverbänden die Unabhängige Gewerkschaftsorganisation Groß-Berlin (UGO) als Rechtsnachfolger des Freien Deutschen Gewerkschaftsbundes.

Bereits am 23. Juni 1948 war es zu Behinderungen der Arbeit der Stadtverordnetenversammlung durch kommunistische Demonstranten gekommen. Sie waren
in das Neue Stadthaus, das ehemalige Gebäude der Feuersozietät im Ostsektor,
wo die Stadtverordnetenversammlung ihre Sitzungen abhielt, eingedrungen und
hatten den Plenarsaal besetzt. Derartige Störungen wiederholen sich am 26. und
27. August.

Am 6. September wird das Neue Stadthaus erneut von Demonstranten gestürmt.
Ordner der Stadtverordnetenversammlung und Angestellte des Magistrats werden von der Polizei des sowjetischen Sektors verhaftet. Der Stadtverordnetenvorsteher Otto Suhr vertagt die Sitzung und beruft die Stadtverordnetenversammlung für den Abend des gleichen Tages zu einer außerordentlichen Sitzung
in das Studentenhaus der Technischen Universität in Charlottenburg im britischen Sektor ein. Am 9. September findet auf dem Platz der Republik die größte
Kundgebung in Berlin seit Kriegsende statt. 300 000 Berliner protestieren gegen
die Störungen der Sitzungen der Stadtverordnetenversammlung und gegen wi-
derrechtliche Eingriffe der sowjetischen Besatzungsmacht in die Verwaltung
der Stadt.

Ab November 1948 bis 1956/57 wird zur Finanzierung der Blockadefolgen in
Berlin und in den westlichen Besatzungszonen das Notopfer Berlin erhoben. Es
handelt sich um eine Abgabe, mit der Löhne und Gehälter bzw. Gewinne zusätzlich zur Einkommensteuer belastet werden. Außerdem wird für die Beförderung
von Postsendungen eine zusätzliche Gebühr von 2 Pfennig erhoben.

Auf dem innerhalb von nur drei Monaten erbauten *Flughafen Tegel* nehmen die
französischen Flugzeuge der Luftbrücke am 18. November 1948 den Flugverkehr auf.

Ottomar Geschke (SED), der zweite Stellvertreter Otto Suhrs, beruft für den 30.
November 1948 eine außerordentliche Sitzung der Stadtverordnetenversammlung in den *Admiralspalast* im Bezirk Mitte ein. Der sogenannte Demokratische
Block, der sich aus dem Landesverband der SED, den im Frühjahr 1948 gebildeten Ostberliner Arbeitskreisen bzw. Arbeitsgemeinschaften der Christlich-De-
mokratischen Union und der Liberal-Demokratischen Partei sowie einer »so-

zialdemokratischen Oppositionsgruppe« zusammensetzt, soll auf der Sitzung einen neuen Magistrat ausrufen. Neben den 23 gewählten SED-Abgeordneten der Stadtverordnetenversammlung nehmen fast 1600 Vertreter der kommunistischen Massenorganisationen, der Betriebe des Ostsektors und des »Demokratischen Blocks« an der Versammlung teil. Sie erklären den rechtmäßigen Magistrat für abgesetzt und wählen einen provisorischen Magistrat unter dem neuen Oberbürgermeister Friedrich Ebert (SED), dem Sohn des ersten Reichspräsidenten der Weimarer Republik. Die Oberbefehlshaber der westlichen Besatzungsmächte protestieren beim sowjetischen Oberbefehlshaber gegen die Bildung eines separaten Ostberliner Magistrats und bezeichnen die Wahl als illegal. Angesichts der Spaltung der Stadtverwaltung wird aufgrund eines einstimmigen Beschlusses der rechtmäßigen Stadtverordnetenversammlung am 1. Dezember der politische Notstand ausgerufen. Der rechtmäßige Magistrat wird in die Westsektoren verlegt, da seine Mitglieder am Betreten des Neuen Stadthauses im Ostsektor gehindert werden. Der Magistrat des Ostsektors erhält vom sowjetischen Stadtkommandanten am 2. Dezember seine Anerkennung als »einzig rechtmäßiges Verwaltungsorgan«.

Wegen Einschränkungen der akademischen und demokratischen Freiheiten an der Universität Berlin war im Laufe des Jahres 1948 die Gründung einer freien Hochschule im Westteil der Stadt vorbereitet worden. Am 4. Dezember 1948 findet im Titania-Palast in Steglitz die Eröffnungsveranstaltung der *Freien Universität* statt.

Die für den 5. Dezember 1948 angesetzten Wahlen zur Stadtverordnetenversammlung können, da sie vom sowjetischen Stadtkommandanten verboten wurden, nur in den Westsektoren abgehalten werden. Die SED nimmt an den Wahlen nicht teil. Trotz ihres Boykottaufrufs beträgt die Wahlbeteiligung 86,3%. Die SPD erhält 64,5%, die CDU 19,4% und die LDPD 16,1% der Stimmen.

Seit Beginn der Blockade konnte die Transportleistung der Luftbrücke erheblich gesteigert werden. Dadurch war im November 1948 eine Erhöhung der Rationen für die Westberliner Bevölkerung möglich. Für die Berliner Wirtschaft sind die Folgen der Blockade jedoch verheerend. Zahlreiche Betriebe müssen stillgelegt oder auf Kurzarbeit umgestellt werden.

1949. Der Landesverband Berlin der LDPD beschließt am 12. Januar 1949, den Beschlüssen der westdeutschen Landesverbände zu folgen und den Namen Freie Demokratische Partei (FDP) anzunehmen.

Am 14. Januar 1949 tritt die neugewählte Stadtverordnetenversammlung im *Rathaus Schöneberg* zu ihrer ersten Sitzung zusammen. Otto Suhr wird in seinem Amt als Stadtverordnetenvorsteher bestätigt. Ernst Reuter, der nach seiner Wahl zum Oberbürgermeister am 24. Juni 1947 sein Amt aufgrund des sowjetischen Einspruchs nicht antreten konnte, wird erneut zum Oberbürgermeister gewählt. Die Wahl des neuen Magistrats findet auf der Sitzung der Stadtverordnetenversammlung am 18. Januar 1949 statt.

Durch die »Dritte Verordnung zur Neuordnung des Geldwesens« der westlichen Stadtkommandanten wird die Westmark am 20. März 1949 zum alleingültigen Zahlungsmittel in den Westsektoren Berlins. Die Ostmark, die bisher im Zahlungsverkehr überwogen hatte, wird für ungültig erklärt. Jeder Bürger kann 15,- Ostmark im Verhältnis 1:1 umtauschen. Höhere Beträge werden im Verhältnis 5:1 umgetauscht.

Am 8. Mai 1949, dem vierten Jahrestag des Kriegsendes, wird das Sowjetische Ehrenmal im *Treptower Park* vom sowjetischen Stadtkommandanten Kotikow eingeweiht.
Durch das New Yorker Abkommen vom 4. Mai 1949 wird in der Nacht vom 11. auf den 12. Mai die Blockade Westberlins aufgehoben. Da der Verkehr auf den Land- und Wasserwegen in den nächsten Monaten nur allmählich wieder in Gang kommt, müssen die Versorgungsflüge der Luftbrücke bis zum 30. September 1949 fortgesetzt werden.
Durch das sogenannte Kleine Besatzungsstatut vom 14. Mai 1949 überträgt die Alliierte Kommandantur der deutschen Verwaltung der Westsektoren weitgehende gesetzgeberische, vollziehende und gerichtliche Gewalt. Einschränkungen dieser Selbständigkeit beziehen sich in erster Linie auf Bereiche, die die äußere Sicherheit der Stadt betreffen.
Auch nach der Abschaffung der Ostmark in den Westsektoren Berlins zahlt die der sowjetischen Militäradministration unterstehende Reichsbahn, die auch für den Betrieb der S-Bahn zuständig ist, Löhne und Gehälter der Westberliner Eisenbahner weiterhin in Ostmark aus. Die Forderung nach Entlohnung in Westmark führt am 21. Mai 1949 zum Eisenbahnerstreik, an dem sich 14500 Arbeiter und Angestellte beteiligen. Am 23. Mai kommt es bei der Besetzung der Anlagen der Reichsbahn zu Zusammenstößen zwischen demonstrierenden Eisenbahnern und der Bahnpolizei der Sowjetischen Besatzungszone, die ein Todesopfer fordern. Daraufhin werden die Anlagen der Reichsbahn von der Polizei der Westsektoren besetzt. Da sich die Reichsbahndirektion verpflichtet, Löhne und Gehälter ab 1. Juni zu 60% in Westmark auszuzahlen, und die Transportabteilung der sowjetischen Militärregierung den Streikenden zusichert, sie nach der Wiederaufnahme der Arbeit nicht zu benachteiligen, wird der Streik am 28. Juni abgebrochen. Trotz dieser Zusagen werden bis zum September 1949 2000 Westberliner Eisenbahner entlassen. Den Westberliner Angestellten der Reichsbahn werden die Gehälter weiterhin zu 100% in Ostmark ausgezahlt.
Die Mitglieder des Parlamentarischen Rates, dem auch fünf Berliner Delegierte mit beratender Funktion angehören, nämlich Ernst Reuter (SDP), Otto Suhr (SPD), Paul Löbe (SPD), Jakob Kaiser (CDU) und Hans Reif (FDP), unterzeichnen am 23. Mai 1949 in Bonn das Grundgesetz der Bundesrepublik Deutschland, das am 24. Mai in Kraft tritt. Laut Artikel 23 des Grundgesetzes ist Groß-Berlin ein Land der Bundesrepublik Deutschland. Die Westalliierten melden jedoch aufgrund des Viermächtestatus Vorbehalte an. So werden die Berliner Bundestagsabgeordneten nicht in allgemeinen Wahlen, sondern am 14. August 1949 von der Stadtverordnetenversammlung gewählt. Im Bundestag haben sie lediglich beratende Funktion. Bundesgesetze müssen, um in Berlin Geltung zu erlangen, von der Stadtverordnetenversammlung übernommen werden.
Am Nollendorfplatz in Schöneberg wird am 3. Juni 1949 das Amerika-Haus, ein Informationszentrum über die USA, eröffnet. Es wird 1957 in einen Neubau in der Hardenbergstraße in Charlottenburg verlegt.
Die sowjetischen Bemühungen, Ostberlin in die Sowjetische Besatzungszone einzubeziehen, finden am 7. Oktober 1949 ihren Höhepunkt in der Gründung der Deutschen Demokratischen Republik, die für sich Berlin als Hauptstadt beansprucht. Der Magistrat des sowjetischen Sektors stellt fest, daß Berlin aufgrund der Verfassung der DDR nicht Land der Bundesrepublik Deutschland, sondern Hauptstadt der DDR ist.

Das mit amerikanischer und britischer Unterstützung wiederaufgebaute Kraftwerk West wird am 1. Dezember 1949 eingeweiht. In dieser ersten Ausbaustufe hat es eine Kapazität von 108 000 kW. Damit ist eine vom Ostsektor unabhängige Stromversorgung der Westsektoren gewährleistet.

1950. Während der Blockade war der Wiederaufbau Westberlins gegenüber den westlichen Besatzungszonen praktisch um ein Jahr in Rückstand geraten. Zahlreiche Betriebe waren nach Beendigung der Blockade der Konkurrenz aus Westdeutschland nicht mehr gewachsen und mußten in Konkurs gehen. Die daraus resultierende Massenarbeitslosigkeit erreicht im Februar 1950 mit 306 000 Erwerblosen ihren Höchststand nach Kriegsende. Mit Unterstützung der Vereinigten Staaten und der Bundesrepublik können im Laufe des Jahres 1950 umfangreiche Wirtschaftsförderungsmaßnahmen eingeleitet werden, die den Wiederaufbau Westberlins auf breiter Basis in Gang bringen. Auch auf dem Gebiet des Wohnungsbaus werden in nächster Zeit umfangreiche Anstrengungen unternommen. Die Rationierung von Lebensmitteln und Gebrauchsgütern war seit der Blockade schon mehrfach gelockert worden. Sie wird im Frühjahr 1950 aufgehoben.

Anläßlich der Gründung der Deutschen *Akademie der Künste* findet am 24. März 1950 im Bezirk Mitte im *Admiralspalast,* der provisorischen Staatsoper, eine Festveranstaltung statt. Der kulturpolitische Auftrag der Akademie besteht in der Förderung der »sozialistischen Kunst und Literatur in ihrer großen Bedeutung für die geistige Formung der neuen sozialistischen Menschen«.

In Anwesenheit des Bundeskanzlers Konrad Adenauer wird am 15. April 1950 das *Bundeshaus* in der Kaiserallee, die bei dieser Gelegenheit in Bundesallee umbenannt wird, eröffnet. Um die Stellung Berlins innerhalb der Bundesrepublik Deutschland zu unterstreichen, werden in den nächsten Jahren zahlreiche Bundesbehörden in Berlin eingerichtet.

Das französische Kulturzentrum Maison de France am Kurfürstendamm wird am 21. April 1950 eröffnet.

Zum 250jährigen Jubiläum der *Akademie der Wissenschaften* erhält der *Gendarmenmarkt* in Ostberlin am 18. Juni 1950 den Namen Platz der Akademie.

Die beiden Gewerkschaftsverbände der kaufmännischen, Büro- und Verwaltungsangestellten sowie der Techniker und Werkmeister, die bisher der Unabhängigen Gewerkschaftsorganisation (UGO) angehörten, treten am 1. Juli 1950 der Deutschen Angestellten-Gewerkschaft bei. Die übrigen Verbände der UGO schließen sich am 8. Juli 1950 dem Deutschen Gewerkschaftsbund an.

Im »Aufbaugesetz« vom 6. September 1950 erklären die Behörden des Ostsektors das während des Krieges teilweise ausgebrannte *Berliner Schloß* zu einer »nicht mehr aufbauwürdigen Ruine«. Heftige Proteste von Fachleuten aus ganz Deutschland können nicht verhindern, daß schon am nächsten Tag mit der Sprengung des Schlosses begonnen wird. Der durch den Abriß des Schlosses vergrößerte *Lustgarten* erhält 1951 den Namen Marx-Engels-Platz.

Am 1. Oktober 1950 tritt die neue Verfassung von Berlin in Kraft. Sie entspricht im wesentlichen dem am 22. April 1948 von der Stadtverordnetenversammlung verabschiedeten Verfassungsentwurf, der jedoch aufgrund der Ereignisse des Jahres 1948 nicht die Genehmigung der Alliierten Kommandantur erhielt. Nach einigen Anpassungen an das Grundgesetz der Bundesrepublik Deutschland war von der Stadtverordnetenversammlung am 4. August 1950 erneut über den Entwurf abgestimmt worden, und die Alliierte Kommandantur hatte die Verfassung am 29. August genehmigt, so daß sie am 1. September verkündet werden konnte. Als gewählte Volksvertretung, die der bisherigen Stadtverordnetenversammlung entspricht, ist in der neuen Verfassung das Abgeordnetenhaus verankert. Ein der Bevölkerungszahl entsprechender Teil der 200 Mandate des Abgeordnetenhauses wird für die Vertreter des Ostsektors freigehalten. Statt des Magistrats sieht die neue Verfassung als Landesregierung den Senat vor, der sich aus dem Regierenden Bürgermeister und dessen Stellvertreter, dem Bürgermeister, sowie maximal 16 Senatoren zusammensetzt.

General Lucius D. Clay, der frühere amerikanische Oberbefehlshaber in Deutschland, übergibt am 24. Oktober 1950 der Berliner Bevölkerung die Freiheitsglocke im Turm des Rathauses Schöneberg.

An den ersten Wahlen zum Abgeordnetenhaus nach Inkrafttreten der neuen Verfassung beteiligen sich am 3. Dezember 1950 90,4% der Wahlberechtigten. 44,7% der Stimmen entfallen auf die SPD, 24,6% auf die CDU und 23,0% auf die FDP. Die übrigen Parteien, die an der Wahl teilgenommen haben, bleiben unter 5% und ziehen somit nicht ins Abgeordnetenhaus ein, da die neue Verfassung eine 5%-Sperrklausel enthält. Die SPD erhält 61 Sitze, die CDU 34 und die FDP 32. Für die Ostberliner Bevölkerung, die an den Wahlen nicht teilnehmen kann, werden 73 Sitze freigehalten.

1951–1960

1951. Otto Suhr wird am 11. Januar 1951 zum Präsidenten des Abgeordnetenhauses gewählt, das am 12. Januar das Amt des Regierenden Bürgermeisters zu besetzen hat. Sowohl Walther Schreiber (CDU) als auch Ernst Reuter (SPD) erhalten jeweils die gleiche Stimmenzahl. Es kommt zur Bildung einer großen Koalition zwischen den drei im Abgeordnetenhaus vertretenen Parteien. Walther Schreiber kandidiert nicht erneut für das Amt des Regierenden Bürgermeisters, so daß Ernst Reuter am 18. Januar gewählt wird. Am 1. Februar wählt das Abgeordnetenhaus einen All-Parteien-Senat.

Die Kroll-Oper, die nach dem Brand des Reichstagsgebäudes im Jahre 1933 als Tagungsort des Reichstages diente, war im Krieg zerstört worden. Ihre Ruine wird am 27. März 1951 gesprengt.

Im Juni 1951 finden in Westberlin erstmals die Internationalen Filmfestspiele Berlin statt. Aufgrund des großen Erfolges wird die sogenannte Berlinale auf Beschluß des Abgeordnetenhauses vom 15. Oktober 1953 zu einer ständigen Einrichtung des kulturellen Lebens.

Zwei Jahre nach Beendigung der Blockade wird am 10. Juli 1951 vor dem Flughafen Tempelhof das Luftbrückendenkmal eingeweiht.

Auf Initiative des Regierenden Bürgermeisters Ernst Reuter finden in Westberlin vom 5. bis 30. September 1951 erstmals die Berliner Festwochen statt.

Am 18. Oktober 1951 wird die rund 1000 m vor der Stadtgrenze liegende Exklave Steinstücken, die als Teil des Bezirks Zehlendorf zum amerikanischen Sektor gehört, von der Volkspolizei der DDR besetzt und ihre Eingemeindung in den Stadtkreis Potsdam erklärt. Aufgrund energischer Proteste der Westalliierten zieht die Volkspolizei wenige Tage später wieder ab. Die Eingemeindung wird widerrufen.

1952. Anfang 1952 wird in Ostberlin das sogenannte Nationale Aufbauwerk gegründet, das die Bevölkerung zur »freiwilligen Selbstverpflichtung« aufruft. In den nächsten Jahren können durch politischen und moralischen Druck zahlreiche Ostberliner dazu bewegt werden, in ihrer Freizeit ohne Bezahlung am Wiederaufbau mitzuwirken. Seit Ende 1949 hatte der Flüchtlingsstrom aus Ostberlin und der DDR nach Westberlin ständig zugenommen. Wohnungsmangel und Arbeitslosigkeit wurden durch dieses Problem verstärkt. Am 4. Februar 1952 tritt ein für Westberlin übernommenes Bundesgesetz in Kraft, wonach in einem sogenannten Notaufnahmeverfahren eine Aufenthaltsgenehmigung für die Bundesrepublik und Westberlin erteilt wird. Aufgrund dieses Gesetzes können 80% der Flüchtlinge in das Bundesgebiet übernommen werden. In Westberlin und im Bundesgebiet werden entsprechende Notaufnahmelager eingerichtet, in denen die Flüchtlinge vorübergehend eine Unterkunft finden. Das Ostberliner Fernmeldeamt trennt am 27. Mai 1952 sämtliche Fernsprechleitungen zwischen West- und Ostberlin. Auch Ferngespräche zwischen Westberlin und der DDR werden unterbunden. Seit Juni 1952 können die Einwohner Westberlins nur noch mit einer Ausnahmegenehmigung, die in Ostberlin beantragt werden muß, in die Sowjetische Besatzungszone einreisen. Der in der Sowjetischen Besatzungszone liegende Haus- und Grundbesitz der Westberliner Bevölkerung wird im Juli 1952 enteignet. Die *Gedenkstätte Plötzensee* wird am 14. September 1952 eingeweiht. Im Ullstein-Verlag, der Anfang des Jahres 1952 aufgrund eines Wiedergutmachungsbeschlusses des Landgerichts Berlin neu gegründet werden konnte, erscheint seit dem 25. September 1952 wieder die »Berliner Morgenpost«.

1953. Nach dem Tod Stalins am 5. März 1953 beschließt das Politbüro des ZK der SED am 9. Juni 1953 den sogenannten Neuen Kurs. Der Bevölkerung der DDR wird eine Reihe von Erleichterungen, die »die begangenen Fehler korrigieren«, angekündigt. Unter anderem soll die private Wirtschaft gestärkt werden. Flüchtlinge sollen bei ihrer Rückkehr in die DDR ihr Eigentum zurückerhalten, und der Reiseverkehr soll erleichtert werden. Eine Rücknahme der im Mai beschlossenen Arbeitsnormerhöhung um durchschnittlich 10%, die indirekt zu einer Lohnsenkung führen würde, ist jedoch nicht vorgesehen. Gegen diese Maßnahme richten sich die Forderungen der Ostberliner Bauarbeiter, die am 15. Juni in der *Stalinallee* die Arbeit niederlegen. Am 16. Juni verteidigt das FDGB-Organ »Tribüne« die Erhöhung der Arbeitsnorm und fordert ihre Durchsetzung bis zum 30. Juni. Am gleichen Tag ziehen rund 10 000 Streikende zum Haus der Ministerien in der Leipziger Straße. Sie rufen zum Generalstreik auf und fordern nicht mehr nur die Rücknahme der Normerhöhung, sondern den Rücktritt der Regierung und freie Wahlen. Zwischen Funktionären und Streikenden kommt es am Abend des 16. Juni zu ersten Ausschreitungen. Westliche Rundfunksender berichten über diese Ereignisse, so daß die SED am 17. Juni in Ostberlin und zahlreichen Städten der DDR Betriebsversammlungen einberuft. Trotz der Zusage, daß die Arbeitsnormerhöhung zurückgenommen werden soll, entwickelt sich der Streik zum politischen Volksaufstand. Vor dem *Haus der Ministerien* fordern 12 000 Demonstranten neben höherem Lohn freie Wahlen und die Einheit Deutschlands. Einige Volkspolizisten schließen sich den Demonstranten an, andere prügeln auf sie ein. Es kommt zu Straßenschlachten, die zahlreiche Tote und Verletzte fordern. Die rote Fahne wird vom *Brandenburger Tor* geholt, Sperren an der Sektorengrenze werden niedergerissen. Am Mittag des 17. Juni gehen sowjetische Truppen mit Panzern gegen die Demonstranten vor, und der sowjetische Stadtkommandant Pawel T. Dibrowa verhängt über Ostberlin den Ausnahmezustand und das Kriegsrecht.

Steinwürfe gegen die Panzer und Blockieren ihrer Ketten sind die letzten Versuche der Gegenwehr, doch durch das Eingreifen der Besatzungsmacht wird der Aufstand innerhalb kurzer Zeit niedergeworfen. Mehrere tausend Menschen werden wahllos verhaftet und viele von ihnen zu Freiheitsstrafen verurteilt. Ihre genaue Zahl ist ebenso unbekannt wie die Zahl der Toten und Verletzten.

Am 23. Juni 1953 findet vor dem *Rathaus Schöneberg* in Anwesenheit des Bundeskanzlers Konrad Adenauer und des Regierenden Bürgermeisters Ernst Reuter eine Trauerkundgebung für die Opfer des Volksaufstandes vom 17. Juni statt, an der rund 125 000 Berliner teilnehmen. Acht Demonstranten waren in Westberliner Krankenhäusern ihren Verletzungen erlegen. Sie werden im Anschluß an die Trauerkundgebung beigesetzt.

Der Bundestag verabschiedet am 3. Juli 1953 ein Gesetz, durch das der 17. Juni als Tag der deutschen Einheit zum gesetzlichen Feiertag erklärt wird. Die Charlottenburger Chaussee im Bezirk Tiergarten zwischen Brandenburger Tor und S-Bahnhof Tiergarten wird am 24. Juli 1953 in Straße des 17. Juni umbenannt. Ihre Verlängerung im Bezirk Charlottenburg erhält diesen Namen am 3. November 1953.

Der Ausnahmezustand über Ostberlin wird am 11. Juli 1953 vom sowjetischen Stadtkommandanten aufgehoben.

Ernst Reuter stirbt am 29. September 1953. Er wird vom 1. bis 3. Oktober im *Rathaus Schöneberg* aufgebahrt, wo ihm die Bürger Berlins die letzte Ehre erweisen. Der Platz »Am Knie« in Charlottenburg erhält am 1. Oktober 1953 den Namen *Ernst-Reuter-Platz.*

Das Abgeordnetenhaus wählt am 22. Oktober 1953 Walther Schreiber (CDU) gegen die Stimmen der SPD, die Otto Suhr als Gegenkandidaten aufgestellt hat, zum Regierenden Bürgermeister. Am 12. November 1953 wählt das Abgeordnetenhaus einen Koalitionssenat aus CDU und FDP. Durch das Ausscheiden der SPD aus der Regierung gibt es im Berliner Parlament erstmals nach dem Krieg eine Opposition.

Zum Jahresende wird in Berlin ermittelt, daß allein im Jahr des Volksaufstands vom 17. Juni 300 000 Flüchtlinge Westberlin erreicht haben. Der größte Teil von ihnen wird nach Westdeutschland ausgeflogen.

1954. Vom 25. Januar bis 18. Februar 1954 tagt in Berlin, zeitweise im ehemaligen Gebäude des Alliierten Kontrollrats, zeitweise in der sowjetischen Botschaft in Ostberlin, die Außenministerkonferenz der Siegermächte. Zu ihren Themen gehört ein vom britischen Außenminister Anthony Eden entwickelter Plan zur Wiedervereinigung Deutschlands, der jedoch von der Sowjetunion abgelehnt wird, so daß in der Deutschlandfrage keine Einigung erzielt wird. Die westlichen Außenminister unterstreichen am 20. Februar 1954 – wie sie dies schon nach früheren Konferenzen taten – erneut ihren Willen, die Freiheit Westberlins zu garantieren.

Die Sowjetunion erklärt am 25. März 1954, daß sie mit der DDR die gleichen Beziehungen wie mit »anderen souveränen Staaten« aufnehmen werde.

Das 1949 von Bertolt *Brecht* und seiner Frau Helene Weigel gegründete *Berliner Ensemble* bezieht im April 1954 das Theater am Schiffbauerdamm.
Der auf Beschluß des Senats vom 12. November 1953 gegründete Sender Freies Berlin nimmt am 1. Juni 1954 den Sendebetrieb auf.
Die Bundesversammlung tagt am 17. Juli 1954 erstmals in Berlin. Sie wählt Theodor Heuss für eine weitere Amtsperiode zum Bundespräsidenten.
Am 17. September 1954 wird die *Amerika-Gedenkbibliothek* eröffnet.
In Ostberlin werden am 17. Oktober 1954 erstmals »Volkswahlen« zur Stadtverordnetenversammlung abgehalten. Die Wahlberechtigten haben offiziell die Möglichkeit, einer Einheitsliste zuzustimmen oder sie abzulehnen. Da einfaches Einwerfen des Stimmzettels in die Urne als Zustimmung gilt, müssen Wähler, die die Kabinen benutzen, damit rechnen, daß ihr Verhalten als Ablehnung der Einheitsliste gewertet wird. Erwartungsgemäß erhält die Einheitsliste eine überwältigende Mehrheit. Das Wahlergebnis wird mit 99,3% Ja-Stimmen angegeben. Friedrich Ebert (SED) wird von der Stadtverordnetenversammlung im November erneut zum Oberbürgermeister gewählt.
Wilhelm *Furtwängler,* der 1922 als Nachfolger von Arthur *Nikisch* Chefdirigent des Berliner Philharmonischen Orchesters geworden war, stirbt am 30. November 1954. Sein Nachfolger wird 1955 Herbert von *Karajan.*
Am 2. Dezember 1954 wird die Westberliner *Akademie der Künste* gegründet. Sie setzt laut Satzung die Tradition der Preußischen Akademie der Künste fort.
An den Wahlen zum Abgeordnetenhaus am 5. Dezember 1954 beteiligt sich erstmals auch die SED. Sie scheitert jedoch mit 2,7% der Stimmen an der 5%-Hürde. Die SPD erreicht 44,6%, die CDU 30,4% und die FDP 12,8% der Stimmen.

1955. Aufgrund des Wahlergebnisses vom 5. Dezember 1954 bilden SPD und CDU im Abgeordnetenhaus eine Koalition. Otto Suhr (SPD) wird am 11. Januar 1955 zum Regierenden Bürgermeister, Willy Brandt (SPD) zum Präsidenten des Abgeordnetenhauses gewählt. Der Koalitionssenat erhält am 22. Januar 1955 die Zustimmung des Abgeordnetenhauses.
Die seit 1951 von den DDR-Behörden erhobenen Straßenbenutzungsgebühren für den Personen- und Güterverkehr zwischen Westberlin und dem Bundesgebiet werden am 1. April 1955 drastisch erhöht. Zwar erfolgt nach intensiven Verhandlungen am 10. Juni 1955 eine teilweise Rücknahme der Erhöhung, doch verbleibt insgesamt eine Steigerung um etwa 500%.
Am 5. Mai 1955 tritt der Deutschlandvertrag zwischen den drei Westmächten und der Bundesrepublik Deutschland in Kraft. Aufgrund des Deutschlandvertrages erhält die Bundesrepublik volle Souveränität. Die Alliierte Kommandantur gibt am gleichen Tag eine Erklärung über Berlin ab. Dieser Erklärung zufolge bleiben die Hoheitsrechte der Alliierten in Berlin auch nach dem Inkrafttreten des Deutschlandvertrages bestehen. Die wenig später vom Bundestag verabschiedete Wehrgesetzgebung wird in Westberlin nicht übernommen, da ihr Vereinbarungen der Alliierten über die Entmilitarisierung Berlins entgegenstehen. – Der *Tierpark Friedrichsfelde* im Ostberliner Bezirk Lichtenberg wird am 2. Juli 1955 eröffnet.
Der Deutsche Bundestag wählt für seine Arbeitssitzung vom 19. und 20. Oktober 1955 erstmals Berlin als Tagungsort. Er tritt im Großen Hörsaal der Technischen Universität zusammen. Der Bundesrat wird seine erste Sitzung in Berlin am 15. März 1956 abhalten.

Die Königliche Porzellan-Manufaktur, 1918 in »Staatliche Porzellan-Manufaktur *(KPM)*« umbenannt, erhält am 22. November 1955 einen Neubau in der Wegelystraße am S-Bahnhof Tiergarten.

1956. Die Kasernierte Volkspolizei der DDR wird am 18. Januar 1956 in Nationale Volksarmee umbenannt. Entgegen den Vereinbarungen der Alliierten über die Entmilitarisierung Berlins werden Freiwillige auch in Ostberlin geworben und alljährlich am 1. Mai Paraden auf dem Marx-Engels-Platz, dem früheren *Lustgarten,* abgehalten.
Der Ausbau des Stadtautobahnrings, eines auf etwa 100 km Länge geplanten Schnellstraßensystems, wird am 1. April 1956 begonnen.
Das *Haus des Rundfunks* in der Masurenallee war nach der Besetzung Westberlins durch die Westalliierten unter sowjetischer Verwaltung geblieben. Am 5. Juli 1956 vereinbaren der Regierende Bürgermeister Otto Suhr und der sowjetische Stadtkommandant Andrej S. Tschamow die Übergabe des Gebäudes an Westberlin. Da sämtliche Anlagen demontiert wurden, kann das Haus des Rundfunks erst am 1. Dezember 1957 vom Sender Freies Berlin wieder in Betrieb genommen werden.

1957. Bundeskanzler Konrad Adenauer weist bei der Unterzeichnung der Römischen Verträge zur Gründung der Europäischen Wirtschaftsgemeinschaft (EWG) und der Europäischen Atomgemeinschaft (Euratom) am 25. März 1957 darauf hin, daß aufgrund der außenpolitischen Vertretung Westberlins durch die Bundesrepublik Deutschland die Verträge auch für Westberlin Gültigkeit haben.
Vom 6. Juni bis 29. September findet in Westberlin die *Internationale Bauausstellung (Interbau) 1957* statt. Anläßlich dieser Veranstaltung war 1955 mit dem Wiederaufbau des *Hansaviertels* im Bezirk *Tiergarten* begonnen worden. An der Stelle der hier im Krieg zerstörten *Kaiser-Friedrich-Gedächtnis-Kirche* wird ein Neubau vorgestellt. Weitere Anziehungspunkte für die Besucher der Bauausstellung sind das *Le-Corbusier-Haus* und die *Kongreßhalle.*
Der Regierende Bürgermeister Otto Suhr stirbt am 30. August 1957. Das Abgeordnetenhaus wählt am 3. Oktober 1957 Willy Brandt zu seinem Nachfolger.
Am 13. Oktober 1957 werden die in der DDR und in Ostberlin bisher gültigen Banknoten aufgrund einer Verordnung der Deutschen Notenbank durch neue ersetzt. Pro Person werden jedoch zunächst nur 300 Mark umgetauscht. Höhere Bargeldbeträge sind auf ein Sonderkonto einzuzahlen und werden auf eine eventuell »spekulative Herkunft« überprüft, bevor sie zur Auszahlung freigegeben werden. Giralgeld ist von dieser Überprüfung nicht betroffen. Die Lohnausgleichskasse in Westberlin, die in Ostberlin arbeitenden Westberlinern einen Teil ihres Lohnes in Westmark umtauscht, erleidet durch diese Maßnahme der Deutschen Notenbank erhebliche Verluste.

1958. Nachdem die Rationierung in Westberlin bereits 1950 eingestellt werden konnte, werden die Lebensmittelkarten durch ein Gesetz vom 28. Mai 1958 auch in Ostberlin abgeschafft.
Der sowjetische Ministerpräsident Nikita S. Chruschtschow fordert am 27. November 1958 in Noten an die Westalliierten die Aufhebung des Viermächtestatus und den Abzug sämtlicher Truppen aus Westberlin, das in eine »Freie Stadt« um-

gewandelt werden soll. Die beteiligten Parteien sollen innerhalb eines halben Jahres eine entsprechende Übereinkunft treffen. Nach Ablauf dieser Frist werde die Sowjetunion die geplanten Maßnahmen durch ein Abkommen mit der DDR, nämlich einen separaten Friedensvertrag, verwirklichen. Die Forderungen Chruschtschows werden von den westlichen Alliierten scharf zurückgewiesen. Sie erklären sich jedoch grundsätzlich bereit, unter Berücksichtigung der Berlin-Frage Verhandlungen über das Deutschland-Problem zu führen. Dies sei allerdings nicht aufgrund eines Ultimatums möglich.
Unter dem Eindruck des Chruschtschow-Ultimatums wählt die Westberliner Bevölkerung am 7. Dezember 1958 das neue Abgeordnetenhaus. Die Wahlbeteiligung ist mit 92,9% die höchste seit Kriegsende. Nur SPD (52,6% der Stimmen) und CDU (37,7% der Stimmen) ziehen ins Abgeordnetenhaus ein. Die FDP scheitert mit 3,8% der Stimmen an der 5-%-Hürde. Die SED muß sich mit 1,9% der Stimmen begnügen.

1959. SPD und CDU bilden eine große Koalition. Willy Brandt wird am 12. Januar 1959 vom Abgeordnetenhaus in seinem Amt als Regierender Bürgermeister bestätigt. Am 15. Januar 1959 wählt das Abgeordnetenhaus den Koalitionssenat aus SPD- und CDU-Senatoren.
Am 25. Mai 1957 war in Wannsee der Grundstein für das *Hahn-Meitner-Institut für Kernforschung* Berlin gelegt worden. Am 14. März 1959 kann die erste Abteilung des Instituts die Arbeit aufnehmen.
Das nach Kriegszerstörungen wiederaufgebaute *Schloß Bellevue* wird am 18. Juni 1959 dem Bundespräsidenten Theodor Heuss als Berliner Amtssitz übergeben.
Nachdem Chruschtschow am 5. März 1959 erklärt hatte, der in der Note vom 27. November 1958 genannte Termin habe nicht den Charakter eines Ultimatums, finden vom 11. Mai bis 20. Juni 1959 Begegnungen der Außenminister der vier Siegermächte in Genf statt. Sie werden nach einer Unterbrechung am 13. Juli 1959 wieder aufgenommen. Aufgrund der starren Haltung der Sowjetunion – sie lehnt sowohl einen von den Westmächten vorgelegten Friedensplan als auch eine Interimslösung kompromißlos ab – wird die Genfer Außenministerkonferenz am 5. August 1959 ergebnislos beendet. Weitere Verhandlungen werden vereinbart, allerdings ohne Festsetzung eines Termins oder einer Frist.
Das *Jüdische Gemeindezentrum* in der Charlottenburger Fasanenstraße wird am 27. September 1959 in Anwesenheit des Regierenden Bürgermeisters Willy Brandt und des Vorsitzenden der Jüdischen Gemeinde Heinz Galinski seiner Bestimmung übergeben.

1960. Im Juni 1960 nimmt die im Vorjahr gegründete Deutsche Stiftung für Entwicklungsländer in der *Villa Borsig* ihre Arbeit auf.
Personen aus Westdeutschland dürfen seit dem 8. September 1960 nur noch mit einem Passierschein den Ostsektor Berlins besuchen. Die Passierscheine werden jedoch nicht an allen Sektorenübergängen, sondern nur an den Übergängen Brandenburger Tor, Potsdamer Platz, Bahnhof Friedrichstraße, Wollankstraße und Elsenstraße ausgegeben.
Durch die Wirtschaftsförderungsmaßnahmen der letzten Jahre ist es auf dem Westberliner Arbeitsmarkt zu einer Normalisierung gekommen. Die Statistik weist im September 1960 19 200 Erwerbslose aus, denen 14 700 offene Stellen gegenüberstehen.

1961–1970

1961. Die Anfang Juni 1961 erneut von der Sowjetunion aufgeworfene Frage eines Friedensvertrages mit der DDR und der Umwandlung Westberlins in eine Freie Stadt beantwortet der Präsident der Vereinigten Staaten, John F. Kennedy, am 25. Juli 1961 mit der Formulierung der »three essentials«, der lebenswichtigen Interessen der Westalliierten in Berlin. Die Schutzmächte, wie sie seit der Blockade von den Westberlinern genannt werden, fordern aufgrund des Viermächtestatus erstens das Recht auf Anwesenheit in Berlin und zweitens das Zugangsrecht durch Mitteldeutschland nach Berlin. Drittens betrachten sie die Lebensfähigkeit Westberlins als unabdingbar, also das Recht der Westberliner Bevölkerung, ihre Zukunft selbst zu bestimmen und ihre Lebensweise selbst zu wählen. Kennedy unterstreicht die Bereitschaft der USA, sowjetischen Gewaltakten notfalls Widerstand entgegenzusetzen.

Der Flüchtlingsstrom aus der DDR und Ostberlin hatte nach einem vorübergehenden Rückgang seit 1959 wieder zugenommen. Allein im Juli 1961 erreichen 30 000 Flüchtlinge Westberlin. Die DDR-Behörden reagieren mit einer verschärften Propaganda gegen »Abwerbung« und »Menschenhandel«. Gegen Grenzgänger mit Ostberliner Wohnsitz und Westberliner Arbeitsplatz wurden schon bisher Schikanen und Diffamierungskampagnen eingesetzt, um sie zur Aufgabe ihrer Arbeitsplätze zu bewegen. Seit dem 1. August 1961 müssen sie Mieten und Abgaben in Westmark bezahlen. Unter diesen Bedingungen steigt die Zahl der Flüchtlinge Anfang August 1961 auf über 2000 pro Tag.

Die Regierungen der Warschauer-Pakt-Staaten fordern in einer am 11. August 1961 beschlossenen Erklärung die Volkskammer und die Regierung der DDR auf, an der Grenze zu Westberlin dafür zu sorgen, daß der »Wühltätigkeit gegen Länder des sozialistischen Lagers zuverlässig der Weg verlegt« und eine »verläßliche Bewachung und eine wirksame Kontrolle gewährleistet wird«. Ebenfalls am 11. August 1961 fordert der Ministerpräsident der DDR, Willi Stoph, vor der Volkskammer »Schutzmaßnahmen« gegen »Menschenhändler, Abwerber und Saboteure«. Die Volkskammer beauftragt daraufhin den Magistrat von Ostberlin mit der Durchführung der Maßnahmen, die sich aufgrund der »Festlegung der Teilnehmerstaaten des Warschauer Paktes und dessen Beschlusses als notwendig erweisen . . .«

Der Ministerrat der DDR beschließt am 12. August 1961, an der Grenze zu Westberlin »eine verläßliche Bewachung und eine wirksame Kontrolle zu gewährleisten, um der Wühltätigkeit den Weg zu verlegen«. Der Bevölkerung der DDR und Ostberlins wird der Besuch Westberlins untersagt. Grenzgänger müssen ihre Tätigkeit in Westberlin aufgeben.

Am Morgen des 13. August 1961 werden entlang der Sektorengrenze zwischen Ost- und Westberlin Sperranlagen mit Stacheldraht und Gräben errichtet. Neben Bauarbeitern und Angehörigen sogenannter Betriebskampfgruppen werden vor allem Volkspolizisten und Soldaten der Nationalen Volksarmee für diese Arbeiten eingesetzt. An 13 Verbindungsstraßen bleiben Sektorenübergänge geöffnet. Durch Absperrungen wird der Bahnhof Friedrichstraße zum Sektorenübergang umgestaltet. Der übrige U- und S-Bahn-Verkehr zwischen den beiden Teilen der Stadt wird eingestellt. Am 15. August wird an einigen Stellen der Sektorengrenze mit dem Bau einer Mauer aus übereinandergeschichteten Betonplatten begonnen. Die Eingänge von Häusern, deren Fronten an die Westsektoren angrenzen, wie dies z. B. in der Bernauer Straße der Fall ist, werden zugemauert. Später werden auch die Fenster dieser Häuser vermauert, da zahlreiche Flüchtlinge von dort in die Freiheit springen. Bei derartigen Fluchtversuchen verunglücken im Laufe des Jahres 1961 vier Personen tödlich.

Proteste der Westalliierten gegen die Verletzung des Viermächtestatus durch die Absperrungsmaßnahmen bleiben ebenso ohne Wirkung wie eine Protestkundgebung vor dem Rathaus Schöneberg, zu der sich am 16. August 500000 Berliner versammeln. Um Westberlin werden Land- und Wassersperren von insgesamt rund 160 km Länge gezogen. In den nächsten Monaten und Jahren werden die Sperranlagen mit perverser Perfektion weiter ausgebaut. Die »Grenzsicherungsorgane« erhalten den Befehl, auf Flüchtlinge zu schießen. Nach westlichen Beobachtungen sterben allein in den ersten drei Jahren nach dem Bau der Mauer 52 Menschen bei Fluchtversuchen.

Nachdem der Sektorenübergang Brandenburger Tor bereits am 14. August wegen westlicher »Provokationen« geschlossen worden war, erfolgt am 23. August die Schließung weiterer fünf Übergänge. Gleichzeitig führt das DDR-Innenministerium für die Westberliner Bevölkerung einen Passierscheinzwang für Besuche in Ostberlin ein. Zur Erteilung der Passierscheine wollen die DDR-Behörden eigene Verwaltungsstellen in Westberlin errichten, was jedoch von den Westalliierten nicht geduldet wird, weil sie damit eine erneute Verletzung des Viermächtestatus von Berlin anerkennen würden. Da die DDR weder den Passierscheinzwang zurücknimmt noch Passierscheine an den Sektorenübergängen ausgibt, bleibt den Westberlinern der Zugang nach Ostberlin versperrt.

Am 25. Oktober 1961 spitzt sich die Lage in Berlin erneut zu. Angesichts der ständigen Verletzungen des Viermächtestatus durch die Sowjetunion, die auch den Westalliierten das Recht auf Bewegungsfreiheit in ganz Berlin vorenthält, gehen amerikanische Panzer am Sektorenübergang Friedrichstraße, dem sogenannten Checkpoint Charlie, in Stellung. Zwar fahren zunächst auf Ostberliner Seite sowjetische Panzer auf, doch ziehen sie sich am 28. Oktober 1961 zurück. Da sich die Sowjetunion auf eine militärische Auseinandersetzung nicht einlassen kann, lenkt sie in der Frage der Bewegungsfreiheit der Westalliierten ein.

Neben der durch entsprechende Baumaßnahmen gesicherten Ruine der *Kaiser-Wilhelm-Gedächtnis-Kirche* war 1959 mit der Errichtung eines Neubaus begonnen worden, der am 17. Dezember 1961 eingeweiht wird.

In *Charlottenburg* wird 1961 die *Deutsche Oper Berlin* eröffnet.

1962. Am 26. Januar 1962 übernimmt die Ostberliner Stadtverordnetenversammlung unter Mißachtung alliierter Vereinbarungen über die Entmilitarisierung Berlins die Wehrgesetzgebung der DDR und führt die Wehrpflicht ein.

Die *Stiftung Preußischer Kulturbesitz* nimmt ihre Arbeit auf. Am 29. März 1962 wird ihr Kurator Hans-Georg Wormit in sein Amt eingeführt.

Am 22. August 1962 wird der sowjetische Stadtkommandant aus Ostberlin abberufen. Seine Befugnisse gehen auf den sowjetischen Oberbefehlshaber in Deutschland über. Die DDR-Regierung setzt am gleichen Tag einen Stadtkommandanten der Nationalen Volksarmee ein.

Das Westberliner Parteibüro der SED war am 24. August 1961 auf Anordnung des Senators für Inneres geschlossen worden. Das Oberverwaltungsgericht hatte diese Anordnung jedoch am 13. Juni 1962 aufgehoben. Am 24. November 1962 beschließt die Westberliner SED eine formale Trennung von der Ostberliner

Parteiorganisation und nennt sich künftig Sozialistische Einheitspartei Westberlin (SEW). 1962 sind in Westberlin nur noch 12 150 Arbeitslose registriert. Die Zahl der offenen Stellen ist auf 24 750 angestiegen. Durch den Bau der Mauer war der Flüchtlingsstrom versiegt, und rund 63 000 Grenzgänger, auf die sich die Westberliner Wirtschaft mittlerweile eingestellt hatte, waren dem Arbeitsmarkt entzogen worden. Der nun entstandene Arbeitskräftemangel kann nicht in vollem Umfang durch Anwerbung von Facharbeitern aus Westdeutschland ausgeglichen werden, so daß in den nächsten Jahren eine große Zahl ausländischer Arbeitnehmer nach Berlin kommt *(Türken)*.

1963. Mitte Januar 1963 lädt der sowjetische Ministerpräsident Nikita S. Chruschtschow, der sich anläßlich des 6. Parteitags der SED in Ostberlin aufhält, den Regierenden Bürgermeister Willy Brandt zu einem Gespräch ein. Obwohl Brandt die Einladung annehmen will, kommt das Gespräch nicht zustande, da die CDU, mit der die SPD eine Koalition gebildet hatte, dies ablehnt.
Den Wahlen zum Abgeordnetenhaus am 17. Februar 1963 gehen Diskussionen über die Ostpolitik voraus. Die SPD geht aus den Wahlen mit einer absoluten Mehrheit von 61,9% der Stimmen gestärkt hervor. Die CDU erleidet erhebliche Verluste und erreicht nur 28,8%. Nach vierjähriger Pause zieht die FDP mit 7,9% der Stimmen wieder ins Abgeordnetenhaus ein. Die SEW erreicht mit 1,4% nicht einmal das Ergebnis der SED von 1958. Trotz ihrer absoluten Mehrheit geht die SPD eine kleine Koalition mit der FDP ein. Das Abgeordnetenhaus wählt am 8. März 1963 erneut Willy Brandt zum Regierenden Bürgermeister und bestätigt den Koalitionssenat.
In der Schaperstraße im Bezirk Wilmersdorf wird am 30. April 1963 das Theater der *Freien Volksbühne* eröffnet.
Die Kirche *Maria Regina Martyrum* wird am 5. Mai 1963 von Julius Kardinal Döpfner geweiht. Ihr Bau war auf dem 78. Deutschen Katholikentag 1958 in Berlin beschlossen worden.
Der Präsident der Vereinigten Staaten, John F. Kennedy, besucht am 26. Juni 1963 Berlin. Zu seiner Rede an die Berliner Bevölkerung versammeln sich mehr als 500 000 Menschen vor dem *Rathaus Schöneberg*. Kennedy verurteilt die Mauer als abscheulichste Demonstration für das Versagen des kommunistischen Systems. Die Solidarität der gesamten freien Welt mit der Berliner Bevölkerung unterstreicht er mit den Worten:»Alle freien Menschen, wo immer sie leben mögen, sind Bürger dieser Stadt Westberlin, und deshalb bin ich als freier Mann stolz darauf, sagen zu können: Ich bin ein Berliner!«
Die seit 1960 am Kemperplatz im Bezirk *Tiergarten* nach einem Entwurf von Hans *Scharoun* errichtete *Philharmonie* wird am 15. Oktober 1963 eröffnet. Sie ist das erste Gebäude eines neuen *Kulturforums*.
Am 22. November 1963, dem Tag der Ermordung John F. Kennedys, versammeln sich Zehntausende von Berlinern auf dem Platz vor dem *Rathaus Schöneberg*, wo sie dem amerikanischen Präsidenten fünf Monate zuvor begeistert für seine Rede applaudiert hatten. Der Platz erhält am 26. November den Namen John-F.-Kennedy-Platz.
Der Senat hatte im Vorjahr vergeblich versucht, für Westberliner eine Vereinbarung über Passierscheine zu erreichen. Nach langen Verhandlungen zwischen Senatsrat Horst Korber und DDR-Staatssekretär Erich Wendt wird am 17. De-

zember 1963 ein Passierscheinabkommen abgeschlossen, so daß in der Zeit vom 19. Dezember 1963 bis zum 5. Januar 1964 zum ersten Mal seit August 1961 Verwandtenbesuche in Ostberlin möglich werden. Westberliner Stellen registrieren in diesem Zeitraum rund 1,2 Millionen Ostberlinbesuche. In den Jahren 1964 bis 1966 werden drei weitere befristete Passierscheinabkommen, die jeweils für kurze Besuchszeiträume gelten, abgeschlossen.

1964. Die Sowjetunion und die DDR halten in einem Freundschafts- und Beistandspakt vom 12. Juni 1964 ihre Absicht fest, Westberlin als selbständige politische Einheit zu betrachten. Die Westmächte geben daraufhin am 26. Juni 1964 eine Deutschland-Erklärung ab, der zufolge Westberlin keine selbständige politische Einheit ist. Die einseitigen Schritte der Sowjetunion zur Lahmlegung der Viermächteverwaltung Berlins hätten den rechtlichen Status der Stadt nicht aufgehoben. Mit Rücksicht auf die Lebensfähigkeit und die Entwicklung Berlins hätten die Westmächte die Herstellung enger Bindungen zwischen Berlin und der Bundesrepublik Deutschland genehmigt. Dazu gehöre auch die außenpolitische Vertretung Berlins durch die Regierung der Bundesrepublik Deutschland. Der Viermächtestatus werde dadurch nicht berührt.
Die in Berlin tagende Bundesversammlung wählt am 1. Juli 1964 Heinrich Lübke für eine weitere Amtsperiode zum Bundespräsidenten.
Durch die Inbetriebnahme des 212 m hohen *Fernmeldeturms auf dem Schäferberg* in Wannsee wird Westberlin am 18. Juli 1964 vollständig an das Fernwählnetz der Bundesrepublik Deutschland angebunden.
Seit November 1964 werden Rentnern aus Ostberlin und der DDR Passierscheine zum Besuch ihrer Verwandten in Westberlin erteilt.
Am Marx-Engels-Platz, dem früheren *Lustgarten*, werden Ende des Jahres 1964 die Bauarbeiten am Staatsratsgebäude abgeschlossen.
Die Bauarbeiten für das *Märkische Viertel* im Bezirk *Reinickendorf* und die Siedlung *Falkenhagener Feld* im Bezirk *Spandau* hatten bereits 1963 begonnen. Seit 1964 wird in *Neukölln* auf der Grundlage einer Planung von Walter Gropius die Großsiedlung Berlin-Buckow angelegt, die nach ihrem Planer auch als *Gropiusstadt* bezeichnet wird.

1965. Gegenüber der Kaiser-Wilhelm-Gedächtnis-Kirche wird am 2. April 1965 das *Europa-Center* eröffnet.
Am 7. April 1965 hält der Bundestag zum achten und letzten Mal eine Plenarsitzung in Westberlin ab. Die DDR und die Sowjetunion bezeichnen die Sitzung als unrechtmäßig und provozierend. Sie stören die Sitzung durch Tiefflüge und bringen den Interzonenverkehr zeitweise zum Erliegen.
Im freien Teil Berlins veranstaltet der Verband Deutscher Studentenschaften am 1. Juli 1965 einen Protestmarsch, an dem sich rund 10000 Studenten beteiligen. Er richtet sich gegen den sogenannten Bildungsnotstand, also finanzielle und personelle Mängel an Schulen und Hochschulen.

1966. Am 5. Februar 1966 findet in Westberlin die erste aufsehenerregende Demonstration gegen den Vietnamkrieg statt. Rund 2000 Studenten blockieren den Verkehr in der Innenstadt. Ihr Protest richtet sich gegen die Politik der amerikanischen Schutzmacht. In den nächsten Monaten und Jahren ist Westberlin, das sich zu einem Zentrum der sogenannten Studentenbewegung entwickelt, Schauplatz zahlreicher Demonstrationen und Protestveranstaltungen gegen die USA, was allerdings vom weitaus größten Teil der Bevölkerung angesichts der Situation der Stadt als befremdlich empfunden wird.

Durch das vierte Passierscheinabkommen vom 7. März 1966 wird den Einwohnern Westberlins über Ostern und Pfingsten erneut der Besuch ihrer Verwandten in Ostberlin ermöglicht. Wie schon bei den ersten drei Passierscheinabkommen werden die unterschiedlichen statusrechtlichen Standpunkte, die sich in Orts-, Behörden- und Amtsbezeichnungen niederschlagen, durch eine entsprechende Klausel ausgeklammert. Eine solche Übereinkunft kann bei späteren Verhandlungen nicht mehr erzielt werden, da die DDR auf der Anerkennung ihres Standpunktes besteht.

Am 22. und 23. Juni 1966 veranstalten 3000 Studenten an der Freien Universität das erste sogenannte Sit-in in Deutschland, da sich der Senat der Freien Universität weigert, ihnen Räume für politische Veranstaltungen anzubieten. Nach zehn Stunden gibt der Senat nach, und die Studenten beenden ihre Aktion. Die Forderung der Studenten nach einer Hochschulreform wird in nächster Zeit noch mehrfach Anlaß zu Protestveranstaltungen an den Westberliner Universitäten sein.

Der Axel Springer Verlag *(Presse)* bezieht am 6. Oktober 1966 sein neues Hauptgebäude an der Kochstraße direkt an der Sektorengrenze.

Willy Brandt tritt am 1. Dezember 1966 von seinem Amt als Regierender Bürgermeister zurück, um nach der Bildung der großen Koalition in Bonn Außenminister und Vizekanzler im Bundeskabinett zu werden. Sein Nachfolger wird am 14. Dezember 1966 Heinrich Albertz (SPD), der bisherige Bürgermeister und Innensenator.

Während einer sogenannten Vietnam-Woche vom 3. bis 10. Dezember 1966 finden in Westberlin zahlreiche Protestveranstaltungen gegen die USA statt. Auf der Abschlußveranstaltung erklärt Rudi Dutschke, ein führendes Mitglied des Sozialistischen Deutschen Studentenbundes (SDS), es gelte, gegen die große Koalition in Bonn eine Außerparlamentarische Opposition (APO) zu bilden.

1967. Aus den Wahlen zum Abgeordnetenhaus am 12. März 1967 geht die SPD erneut mit einer absoluten Mehrheit hervor. Sie bildet wie schon in der vorhergehenden Legislaturperiode eine Koalition mit der FDP. Am 6. April 1967 wählt das Abgeordnetenhaus den Senat und bestätigt Heinrich Albertz in seinem Amt als Regierender Bürgermeister.

Während das Staatsoberhaupt des Iran, der knapp 12 Jahre später von Ayatollah Chomeini gestürzte Schah Reza Pahlewi, Westberlin besucht, finden am 2. Juni 1967 Demonstrationen von Schülern und Studenten statt, auf denen der Schah unter anderem als »Handlanger des amerikanischen Imperialismus« beschimpft wird. Es kommt zu Zusammenstößen zwischen der zum Schutz des Schahs eingesetzten Polizei, schahtreuen Persern und gewalttätigen Demonstranten. Der Student Benno Ohnesorg wird von der Kugel eines Polizisten tödlich getroffen. Anläßlich dieses Zwischenfalls finden in den nächsten Tagen Trauerkundgebungen und Protestaktionen statt.

Der Ostberliner Oberbürgermeister Friedrich Ebert tritt am 2. Juli 1967 im Alter von 72 Jahren aus gesundheitlichen Gründen von seinem Amt zurück. Sein Nachfolger wird Herbert Fechner, der bisherige Bezirksbürgermeister von Köpenick.

Das *Brücke-Museum* in Dahlem, das auf Schenkungen von Mitgliedern der Künstlergemeinschaft »Brücke«, vor allem von Karl *Schmidt-Rottluff,* basiert, wird am 15. September 1967 eröffnet. Die letzte Westberliner Straßenbahnlinie, die Linie 55 zwischen Charlottenburg und Spandau, stellt am 2. Oktober 1967 den Verkehr ein. Der Regierende Bürgermeister Heinrich Albertz tritt am 12. Oktober 1967 von seinem Amt zurück. Anlaß ist die nach den Ereignissen des 2. Juni 1967 an ihm geübte Kritik. Das Abgeordnetenhaus wählt am 19. Oktober 1967 Klaus Schütz (SPD) zu seinem Nachfolger.

In der Stauffenbergstraße im Bezirk Tiergarten wird 1967 im Hof des ehemaligen Oberkommandos der Wehrmacht ein *Ehrenmal für die Opfer des 20. Juli 1944* errichtet.

1968. Der SDS veranstaltet am 17. und 18. Februar 1968 an der Technischen Universität einen Vietnam-Kongreß. 12 000 Teilnehmer des Kongresses demonstrieren auf dem Kurfürstendamm mit Viet-Cong-Fahnen sowie Bildern von Rosa Luxemburg und Ernesto »Che« Guevara. An einer Gegendemonstration vor dem Rathaus Schöneberg, zu der der Senat und der DGB aufrufen, beteiligen sich am 21. Februar 1968 rund 70 000 Menschen. Mit dem Bekenntnis »Lieber tot als rot« veranschaulichen sie die Haltung der überwältigenden Mehrheit der Westberliner Bevölkerung.

Rudi Dutschke, einer der Anführer der Studentenbewegung, wird am 11. April 1968 auf dem Kurfürstendamm von einem Wirrkopf niedergeschossen und lebensgefährlich verletzt. In den folgenden Tagen kommt es in Berlin zu schweren Ausschreitungen, vorwiegend gegen Einrichtungen des Axel Springer Verlages, der wegen der ablehnenden Haltung seiner Zeitungen gegenüber der Studentenbewegung für den Anschlag auf Dutschke verantwortlich gemacht wird. Die Demonstrationen werden in den nächsten Monaten zunehmend gewalttätig. Es kommt zu Straßenschlachten und Brandanschlägen. Unter dem Motto »Macht kaputt, was euch kaputt macht!« entwickelt sich die Protestbewegung zur Basis des Terrorismus.

Die DDR, die nach wie vor an ihrem Standpunkt festhält, daß Westberlin eine selbständige politische Einheit sei, hatte in den letzten Jahren mehrfach gegen die Bundespräsenz in Berlin protestiert. Am 13. April 1968 wird Ministern und leitenden Beamten der Bundesregierung die Durchreise durch die DDR nach Westberlin verboten. Im Juni 1968 führt die DDR eine Paß- und Visumpflicht für Reisen zwischen Westberlin und dem übrigen Bundesgebiet ein. Aufgrund neuer Gebühren im Berlinverkehr, z. B. einer »Steuerausgleichsabgabe« für Lastkraftwagen, entstehen für Westberlin erhebliche wirtschaftliche Belastungen, die jedoch weitgehend durch eine Neufassung des Berlin-Hilfe-Gesetzes der Bundesregierung aufgefangen werden.

Das Klinikum Steglitz der *Freien Universität,* mit dessen Bau 1959 begonnen wurde, wird am 9. Oktober 1968 eröffnet. Neben seinen Aufgaben in Forschung und Lehre erfüllt es mit 1500 Betten auch eine wichtige Funktion in der medizinischen Versorgung der Bevölkerung.

Im Bezirk Tiergarten werden im Oktober 1968 die Bauarbeiten an der *Neuen Nationalgalerie* abgeschlossen. Sie ist Bestandteil des *Kulturforums.*

1969. Der amerikanische Präsident Richard M. Nixon ruft am 27. Februar 1969 anläßlich eines Berlin-Besuchs die Sowjetunion zu einem Abbau der Spannungen und zum Meinungsaustausch über Fragen des Status quo in Berlin auf. Die Sowjetunion zeigt Interesse an derartigen Gesprächen, so daß in den nächsten Monaten Vorbereitungen für Viermächte-Verhandlungen über Berlin getroffen werden. Unter heftigen Protesten der Sowjetunion und der DDR tritt die Bundesversammlung am 5. März 1969 in Berlin zusammen. Sie wählt Gustav Heinemann zum Bundespräsidenten. Während der Sitzung wird der Berlinverkehr von der DDR gesperrt.

Im ehemaligen Kammergericht in Kreuzberg, das nach schweren Kriegsschäden seit 1963 wiederaufgebaut wurde, wird am 21. Juni 1969 das *Berlin-Museum* eröffnet.

Das Abgeordnetenhaus verabschiedet am 16. Juli 1969 das Universitätsgesetz, das der Forderung nach studentischer Mitbestimmung entgegenkommt. Bewerber um ein Lehramt müssen deshalb künftig damit rechnen, statt ausschließlich nach ihrer Qualifikation auch und vor allem nach ihrer politischen Einstellung beurteilt zu werden. Die durch das Universitätsgesetz eingeleiteten Reformen werden in den kommenden Jahren allerdings teilweise wieder zurückgenommen.

Der Ostberliner *Fernsehturm* wird am 3. Oktober 1969 eingeweiht.

1970. In der Zeit vom 22. bis 27. Februar 1970 tagen in Westberlin Bundestagsausschüsse. Die DDR reagiert darauf mit erneuten Störungen des Berlinverkehrs.

Das 1847 in Kreuzberg eröffnete Krankenhaus Bethanien wird am 24. März 1970 geschlossen. Nach kontroversen Diskussionen über eine künftige Nutzung oder einen eventuellen Abriß des Gebäudes wird es 1973 vom Bezirk Kreuzberg zum Künstlerhaus Bethanien umgestaltet und dient somit kulturellen Aufgaben.

Im früheren Gebäude des Alliierten Kontrollrats, dem ehemaligen Kammergericht am Kleistpark, beginnen am 26. März 1970 die Viermächte-Verhandlungen über Berlin. Aufgrund der gegensätzlichen Standpunkte werden zunächst kaum Fortschritte erreicht.

Der wegen Kaufhaus-Brandstiftung inhaftierte Terrorist Andreas Baader wird am 14. Mai 1970 während eines ihm gestatteten Besuchs des sozialwissenschaftlichen Instituts der Freien Universität mit Waffengewalt befreit. Ein unbeteiligter Angestellter des Instituts wird bei der Befreiung schwer verletzt. In den nächsten Monaten und Jahren fordern Terroranschläge in Westberlin und im übrigen Bundesgebiet zahlreiche Menschenleben. Urheber dieser Terrorwelle ist die Baader-Meinhof-Bande, die sich um Andreas Baader und die an seiner Befreiung beteiligte Ulrike Meinhof gruppiert und sich selbst »Rote Armee Fraktion« nennt.

Am 12. August 1970 wird in Moskau der deutsch-sowjetische Vertrag unterzeichnet. Er enthält neben einem gegenseitigen Gewaltverzicht eine Anerkennung der Unverletzlichkeit der Oder-Neiße-Linie und der Grenze zwischen der Bundesrepublik und der DDR. Da die Bundesregierung das Inkrafttreten des Vertrages von einer befriedigenden Berlin-Regelung abhängig macht, erhalten die Viermächte-Verhandlungen über Berlin durch eine wachsende sowjetische Konzessionsbereitschaft neue Impulse.

1971–1980

1971. Die Wahlen zum Abgeordnetenhaus am 14. März 1971 bringen der SPD zum vierten Mal in ununterbrochener Reihenfolge seit 1958 eine absolute Mehrheit. Klaus Schütz wird am 20. April 1971 vom Abgeordnetenhaus als Regierender Bürgermeister bestätigt. Den Senat bildet die SPD erstmals ohne Koalitionspartner.

Am 3. September 1971 wird im früheren Gebäude des Alliierten Kontrollrats das Viermächte-Abkommen über Berlin von den Botschaftern der Westmächte und der Sowjetunion paraphiert. Wenn auch über den Status von Berlin keine endgültige Einigung erzielt werden kann, so erkennt die Sowjetunion doch erstmals seit ihrem Austritt aus der Alliierten Kommandantur völkerrechtlich verbindlich die für Berlin bestehenden Rechte und Verantwortlichkeiten aller vier Alliierten an, die sich aus den Vereinbarungen der Kriegs- und Nachkriegszeit ergeben. Die Befugnisse der Alliierten finden auch Berücksichtigung in der Feststellung des Viermächte-Abkommens, daß Westberlin wie bisher kein Bestandteil (konstitutiver Teil) der Bundesrepublik Deutschland ist und daß es auch weiterhin nicht von ihr regiert wird. Die Bindungen Westberlins an die Bundesrepublik werden jedoch bestätigt und damit auch die eingeschränkte Integration Westberlins in das Wirtschafts-, Finanz- und Rechtssystem der Bundesrepublik Deutschland sowie die außenpolitische Vertretung Westberlins durch den Bund. Lediglich Sitzungen des Bundestags, des Bundesrats und der Bundesversammlung dürfen künftig nicht mehr in Westberlin stattfinden. Allerdings können Ausschüsse und Fraktionen des Bundestages weiterhin in Westberlin tagen. In bezug auf praktische Verbesserungen bildet das Viermächte-Abkommen die Grundlage für innerdeutsche Vereinbarungen, die in den nächsten Monaten auszuhandeln sind und mit der Unterzeichnung des Schlußprotokolls zum Viermächte-Abkommen in Kraft treten sollen. So garantiert die Sowjetunion beispielsweise für den zivilen Transitverkehr den behinderungsfreien Zugang nach Westberlin auf dem Land- und Wasserweg. Ein entsprechendes Transitabkommen soll zwischen der Bundesrepublik Deutschland und der DDR abgeschlossen werden. Der Reise- und Besuchsverkehr sowie die Probleme der Westberliner Exklaven sollen Gegenstand von Verhandlungen des Westberliner Senats mit der Regierung der DDR sein. Verbesserungen im Bereich des Post- und Fernmeldewesens wurden bereits Anfang des Jahres eingeleitet, als der Telefonverkehr zwischen Ost- und Westberlin, der 1952 von östlicher Seite unterbrochen worden war, am 31. Januar 1971 mit zunächst zehn Leitungen wiederaufgenommen wurde. In den nächsten Monaten werden die Telefonverbindungen mit Ostberlin ausgebaut und Ferngespräche zwischen Westberlin und der DDR ermöglicht.

Das Transitabkommen wird am 17. Dezember 1971 in Bonn unterzeichnet. Es sieht eine vereinfachte und schnellere Abfertigung an den Kontrollpunkten vor. Statt der bisher individuell erhobenen Straßenbenutzungs- und Visagebühren soll die DDR eine jährliche Transitpauschale erhalten. Zurückweisungen oder Festnahmen von Reisenden sind auf exakt geregelte Ausnahmefälle beschränkt, nämlich wenn ein sogenannter Mißbrauch der Transitwege vorliegt. Personen, Gepäck und Fahrzeuge dürfen nur noch bei begründetem Verdacht durchsucht werden. Der Güterverkehr soll durch ein vereinfachtes Formularverfahren und Plombierung der Transporte beschleunigt werden.

Am 20. Dezember 1971 kommen die Verhandlungen des Westberliner Senats mit der Regierung der DDR zum Abschluß. Reisen nach Ostberlin und in die DDR sollen Westberlinern in Zukunft an 30 Tagen im Jahr ohne Beschränkung auf Verwandtenbesuche ermöglicht werden. Das Ministerium des Innern der DDR soll in Westberlin Büros für Besuchs- und Reiseangelegenheiten einrichten, um dort Berechtigungsscheine für Eintagesbesuche auszugeben. Auch mehrtägige Reisen, allerdings mit einem komplizierteren Genehmigungsverfahren, sind vorgesehen. Die Probleme der Westberliner Exklaven sollen durch Gebietsaustausch gelöst werden. Insgesamt ist der Austausch von 17,1 Hektar Ostberliner bzw. DDR-Gebiet gegen 15,6 Hektar Westberliner Gebiet geplant. Außerdem soll die DDR einen Wertausgleich in Höhe von vier Millionen Mark erhalten. Die Exklave Steinstücken soll durch eine unkontrollierte Zufahrtsstraße mit Westberlin verbunden werden.

1972. Obwohl die im Vorjahr vereinbarte Regelung des Reiseverkehrs noch keine Gültigkeit erlangt hat, können Westberliner aufgrund einer Sonderregelung vom 29. März 1972 zu Ostern und Pfingsten erstmals seit sechs Jahren Ostberlin und darüber hinaus auch die DDR besuchen. Über die Feiertage werden eine Million Besuche registriert.
Die Außenminister der USA, Großbritanniens, Frankreichs und der Sowjetunion unterzeichnen am 3. Juni 1972 im früheren Gebäude des Alliierten Kontrollrats das Schlußprotokoll zum Viermächte-Abkommen, so daß es zusammen mit den innerdeutschen Vereinbarungen in Kraft tritt. Sämtliche Regelungen des Vertragswerks werden in den kommenden Monaten in die Praxis umgesetzt. Darüber hinaus werden in den nächsten Jahren weitere Vereinbarungen getroffen, z. B. über den Ausbau der Verkehrswege von und nach Westberlin mit Mitteln der Bundesrepublik Deutschland. Zu ständigen Kontroversen führt allerdings die Höhe des von der DDR bei Ostbesuchen geforderten Mindestumtauschs von D-Mark in Mark der DDR zum Kurs 1:1, der für die DDR eine wichtige Devisenquelle darstellt. Auch der Status von Berlin ist weiterhin Gegenstand von Auseinandersetzungen. Aus der Feststellung des Viermächte-Abkommens, Westberlin sei kein konstitutiver Teil der Bundesrepublik Deutschland, schließen die Sowjetunion und die DDR, daß es eine selbständige politische Einheit sei, ohne die Bindungen zwischen Westberlin und der Bundesrepublik Deutschland zu berücksichtigen. Andererseits bestreiten sie die Gültigkeit des Viermächtestatus für Ostberlin.
Diese unterschiedlichen Ansichten stehen einer weiteren Annäherung zwischen den beiden deutschen Staaten jedoch nicht im Wege. Die Bundesrepublik Deutschland und die DDR schließen am 21. Dezember 1972 den Grundlagenvertrag, der ihre gegenseitigen Beziehungen regelt. Trotz grundsätzlicher Meinungsverschiedenheiten in bezug auf die nationale Frage und die 1967 geschaffene Staatsbürgerschaft der DDR kann mit dem Vertrag eine Intensivierung der Zusammenarbeit im humanitären und kulturellen Bereich eingeleitet werden, wobei Westberlin in die Vereinbarungen einbezogen wird. In Bonn und Ostberlin sollen Ständige Vertretungen eingerichtet werden. Die Ständige Vertretung der Bundesrepublik Deutschland in Ostberlin soll unter Beachtung der Viermächte-Vereinbarungen auch die Interessen Westberlins wahrnehmen. Der Grundlagenvertrag stellt keine völkerrechtliche Anerkennung der DDR dar.

1973. Der *Sportpalast* in der Potsdamer Straße im Bezirk Schöneberg muß am 31.

Johann Erdmann Hummel, Die Granitschale im Lustgarten. Öl auf Leinwand, 1831.
Links ist der von Schinkel umgestaltete Dom zu sehen.
Berlin (West), Staatliche Museen Preußischer Kulturbesitz, Nationalgalerie.

Eduard Gaertner, Gendarmenmarkt im Winter. Öl auf Leinwand, 1857.
Potsdam, Schloß Sanssouci.

Tasse (KPM), nach 1803. Das Dekor zeigt die
»Zelte« im Tiergarten. Berlin-Museum (links
Mitte). – Eduard Gaertner, Der Rittersaal im
Königlichen Schloß. Aquarell, 1844. Berlin-
Museum (links oben). – Eduard Gaertner,
Panorama von Berlin vom Dach der Friedrich-
Werderschen Kirche aus. Öl auf Leinwand,
1834. Ausschnitt. Schloß Charlottenburg
(rechts oben). – Eduard Gaertner, Die Königs-
brücke zur Königsstraße. Öl auf Leinwand,
1835. Märkisches Museum (rechts).

Franz Krüger, Parade auf dem Opernplatz. Öl auf Leinwand, 1829.
Auf dem Ausschnitt sind mehrere bekannte Persönlichkeiten zu erkennen,
u. a. Schadow, Schinkel und Rauch.
Berlin (Ost), Staatliche Museen, Nationalgalerie.

März 1973 aus wirtschaftlichen Gründen schließen. Am 13. November 1973 beginnt der Abriß des Gebäudes.

1974. Der Ostberliner Oberbürgermeister Herbert Fechner wird im Februar 1974 von Erhard Krack, dem bisherigen Minister für Bezirksgeleitete Industrie und Lebensmittelindustrie, abgelöst. Am 10. November 1974 ermorden Terroristen bei einem mißlungenen Entführungsversuch den Präsidenten des Berliner Kammergerichts, Günter von Drenkmann.

1975. Peter Lorenz, der Landesvorsitzende und Spitzenkandidat der CDU für die kommenden Abgeordnetenhauswahlen, wird am 27. Februar 1975 von Mitgliedern der kriminellen Vereinigung »Bewegung 2. Juni«, einer Nachfolgeorganisation der Baader-Meinhof-Bande, entführt. Die Behörden erfüllen die Bedingungen der Entführer und lassen fünf inhaftierte Terroristen in den Südjemen ausfliegen. Peter Lorenz wird daraufhin am 4. März 1975 freigelassen. Während sich Peter Lorenz noch in den Händen der Entführer befindet, wird die CDU bei den Wahlen zum Abgeordnetenhaus am 2. März 1975 mit 43,5% der Stimmen stärkste Partei. Am 24. und 25. April 1975 wählt das Abgeordnetenhaus den Senat und den Regierenden Bürgermeister. SPD und FDP bilden eine Koalition, so daß Klaus Schütz in seinem Amt bestätigt wird.
Auf dem in den Jahren 1969 bis 1974 ausgebauten *Flughafen Tegel* wird am 1. September 1975 der volle Flugbetrieb aufgenommen. Der *Flughafen Tempelhof* dient weiterhin als amerikanischer Militärflughafen.
Die Hochschule für bildende Künste und die Hochschule für Musik werden am 30. September 1975 zur Hochschule der Künste vereinigt.

1976. Das Museum für Deutsche Volkskunde wird am 10. April 1976 im Magazintrakt des *Geheimen Staatsarchivs*, das seit 1970 zu diesem Zweck umgebaut wurde, eröffnet. – Am 25. April 1976 wird in Ostberlin am Marx-Engels-Platz, dem früheren *Lustgarten*, der *Palast der Republik* eröffnet.

1977. Nach parteiinternen Auseinandersetzungen tritt der Regierende Bürgermeister Klaus Schütz am 2. Mai 1977 von seinem Amt zurück. Dietrich Stobbe (SPD), bisher Senator für Bundesangelegenheiten, wird sein Nachfolger.

1978. An der Potsdamer Straße im Bezirk Tiergarten wird 15. Dezember 1978 als weitere Komponente des *Kulturforums* die *Staatsbibliothek Preußischer Kulturbesitz* eröffnet.
Bereits Anfang der siebziger Jahre war die Idee aufgekommen, in Westberlin erneut eine Bauausstellung stattfinden zu lassen. Der Senat beschließt 1978 die Durchführung der *Internationalen Bauausstellung (IBA) 1987*.
Wegen des nach dem Bau der Mauer einsetzenden Arbeitskräftemangels waren in den sechziger Jahren nicht nur Facharbeiter aus dem Bundesgebiet angeworben worden. Auch Gastarbeiter aus Südeuropa und der Türkei waren nach Westberlin gekommen. 1978 erreicht der Ausländeranteil an der Westberliner Bevölkerung 10,4%. 45,7% der Ausländer sind *Türken*. Trotz der veränderten Arbeitsmarktlage – in den siebziger Jahren war die Zahl der Arbeitslosen wieder gestiegen – nimmt der Ausländeranteil in den nächsten Jahren weiter zu.

1979. Aus den Wahlen zum Abgeordnetenhaus am 18. März 1979 geht die CDU erneut als stärkste Partei hervor. Die SPD/FDP-Koalition behält jedoch die absolute Mehrheit. Dietrich Stobbe wird am 26. April 1979 vom Abgeordnetenhaus als Regierender Bürgermeister bestätigt.
Neben dem Messegelände in Charlottenburg wird am 2. April 1979 das *Internationale Congress Centrum (ICC)* eröffnet.
Bereits 1977 waren die Kontrollstellen an der Stadtgrenze Ostberlins zur DDR abgebaut worden, und das Verordnungsblatt des Magistrats, das die Übernahme von DDR-Gesetzen für Ostberlin bekanntgab, hatte sein Erscheinen eingestellt. Am 28. Juni 1979 beschließt die Volkskammer eine Änderung des Wahlgesetzes der DDR. Die Ostberliner Abgeordneten der Volkskammer sollen künftig nicht mehr von der Stadtverordnetenversammlung benannt, sondern direkt gewählt werden. Trotz wiederholter Proteste der westlichen Alliierten vertritt die DDR auch künftig die Auffassung, Ostberlin sei Bestandteil der DDR und unterliege nicht dem Viermächtestatus.
In einem seit 1976 im Bezirk Tiergarten an der Klingelhöferstraße nahe dem Landwehrkanal errichteten Gebäude nach Plänen von Walter Gropius wird im Dezember 1979 das *Bauhaus-Archiv* eröffnet.
Bei einem Wettbewerb des Ostberliner Magistrats für den Wiederaufbau des Berliner Altstadtkerns, des sogenannten *Nikolaiviertels*, fällt die Wahl auf den Projektvorschlag des Architekten Günter Stahn.
Um das frühere Dorf Marzahn im Ostberliner Bezirk *Lichtenberg* war 1978 mit dem Bau eines Wohngebiets begonnen worden, das nach seiner Fertigstellung 35 000 Wohnungen umfassen soll. Obwohl die Grenzen Berlins im Londoner Abkommen entsprechend dem Groß-Berlin-Gesetz definiert sind, bildet Ostberlin 1979 unter Einbeziehung von DDR-Gebiet einen neuen Verwaltungsbezirk, der den Namen Marzahn erhält. Die Westalliierten protestieren gegen diese Verletzung des Viermächtestatus.

1980. Der Steglitzer Kreisel, in elfjähriger Bauzeit durch Finanzierungsprobleme und politische Auseinandersetzungen bekannt geworden, wird im Februar 1980 fertiggestellt. Der 30geschossige Gebäudekomplex wird unter anderem von der *Steglitzer* Bezirksverwaltung genutzt.
Am 16. Mai 1980 nimmt der 344 m hohe *Fernmeldeturm Frohnau* im Bezirk *Reinickendorf* den Sendebetrieb auf.
An der *Kongreßhalle* im Tiergarten stürzt am 21. Mai 1980 ein Teil der Dachkonstruktion an der Vorderfront des Gebäudes ein. Das Unglück fordert ein Todesopfer und mehrere Verletzte.
Das von Christian Daniel *Rauch* geschaffene Reiterdenkmal Friedrichs des Großen wird im November 1980 wieder an seinem ursprünglichen Standort am östlichen Ende der Straße *Unter den Linden* aufgestellt, von dem es 1950 entfernt worden war.
Im Laufe des Jahres 1980 werden in Westberlin, vorwiegend im Bezirk Kreuzberg, zahlreiche leerstehende Häuser, deren Modernisierung geplant ist oder die Neubauten weichen sollen, von sogenannten Hausbesetzern illegal ohne Miet- oder Pachtvertrag bezogen. Mit ihren Aktionen verbinden die Hausbesetzer die Forderung nach Erhaltung billigen Wohnraums.

1981–1986

1981. Dietrich Stobbe und der SPD/FDP-Koalitionssenat geben am 15. Januar 1981 ihren Rücktritt bekannt. Ausgelöst wurde die Senatskrise im Dezember des Vorjahrs durch den »Fall Garski«. Die landeseigene Berliner Bank hatte die Kredite der Firma Bautechnik KG gekündigt und Strafantrag gegen den Firmeninhaber Dietrich Garski erstattet, dem sie Kreditbetrug vorwarf. Garski hatte vom Senat Landesbürgschaften in Höhe von 115 Millionen DM erhalten, die nach dem nunmehr unausweichlichen Konkurs der Bautechnik KG in Anspruch genommen werden können. Der daraufhin von Stobbe unternommene Versuch einer Senatsumbildung war an parteiinternen Flügelkämpfen der SPD und Meinungsverschiedenheiten mit der FDP gescheitert.

Das Abgeordnetenhaus wählt am 23. Januar 1981 den bisherigen Bundesjustizminister Hans-Jochen Vogel (SPD) zum Nachfolger Stobbes im Amt des Regierenden Bürgermeisters. SPD und FDP bilden erneut einen Koalitionssenat.

Am 30. Januar 1981 kommt es in Westberlin zu schweren Krawallen, nachdem ein Hausbesetzer, der sich bei der Räumung eines Hauses unter anderem des Landfriedensbruchs schuldig gemacht hatte, zu 18 Monaten Gefängnis verurteilt worden war. In den nächsten Monaten ist Berlin noch mehrfach Schauplatz gewalttätiger Demonstrationen von Hausbesetzern.

Die von Karl Friedrich *Schinkel* für die *Schloßbrücke*, die heutige Marx-Engels-Brücke im Bezirk Mitte, entworfenen Marmorskulpturen, die seit dem Zweiten Weltkrieg in Westberlin lagerten, werden vom Senat am 29. April 1981 der Ostberliner Verwaltung übergeben, die sie im Rahmen der von 1982 bis 1984 dauernden Renovierungsarbeiten an der Schloßbrücke wieder an ihrem ursprünglichen Standort aufstellen läßt.

Erstmals seit Kriegsende finden am 10. Mai 1981 in Berlin vorgezogene Neuwahlen zum Abgeordnetenhaus statt. Mit 48% der Stimmen wird die CDU wie schon 1975 und 1979 stärkste Partei. Die Alternative Liste (AL), die in den siebziger Jahren aus Überresten der Studentenbewegung entstanden war, erreicht 7,2% der Stimmen, so daß sie mit den traditionellen Parteien ins Abgeordnetenhaus einzieht. – Am 11. Juni 1981 wählt das Abgeordnetenhaus Richard von Weizsäcker (CDU) zum Regierenden Bürgermeister. Die CDU bildet einen von der FDP tolerierten Minderheitssenat.

Entsprechend der Änderung des Wahlgesetzes der DDR aus dem Jahre 1979 werden bei den Volkskammerwahlen am 14. Juni 1981 erstmals 40 Ostberliner Abgeordnete direkt gewählt. Die Westalliierten protestieren gegen diese Verletzung des Viermächtestatus. Sie weisen erneut darauf hin, daß einseitige Schritte der DDR die Rechtslage von Groß-Berlin nicht berühren und daß sie weiterhin ihre Rechte und Verantwortlichkeiten in vollem Umfang wahrnehmen werden.

Die 1962 eröffnete *Schaubühne* am Halleschen Ufer wird am 21. August 1981 in ein entsprechend umgebautes Gebäude am Lehniner Platz verlegt.

1982. Der amerikanische Präsident Ronald Reagan besucht am 11. Juni 1982 Westberlin. In einer Rede vor dem Schloß Charlottenburg betont Reagan, daß die USA weiterhin die strikte Einhaltung und volle Verwirklichung des Viermächte-Abkommens erwarten, und zwar einschließlich der Aspekte, die den Ostsektor Berlins betreffen. Trotz eines Demonstrationsverbots kommt es an mehreren Stellen der Stadt zu Ausschreitungen gewalttätiger Demonstranten.

1983. CDU und FDP bilden am 17. März 1983 einen Koalitionssenat. Die FDP, die den bisherigen Minderheitsenat der CDU toleriert hatte, wird mit zwei Senatoren-Posten an der Regierungsverantwortung beteiligt.

In der Schloßstraße im Bezirk Charlottenburg wird am 14. Oktober 1983 das *Bröhan-Museum* eröffnet.

Am 14. Dezember 1983 wird im Bezirk Kreuzberg der erste Bauabschnitt des Museums für Verkehr und Technik eröffnet, das in den nächsten Jahren weiter ausgebaut wird.

Der Senat und die Deutsche Reichsbahn in Ostberlin schließen am 30. Dezember 1983 mit Zustimmung der Alliierten eine Vereinbarung, durch die das Westberliner S-Bahn-Netz am 9. Januar 1984 vom Senat übernommen und in das Nahverkehrssystem der Westberliner BVG integriert werden kann *(Öffentlicher Nahverkehr)*. Im Rahmen dieser Vereinbarung wird auch der Hamburger Fernbahnhof in der Invalidenstraße mit dem 1906 gegründeten *Verkehrs- und Baumuseum* unter die Verwaltung des Senats gestellt.

1984. Als Nachfolger Richard von Weizsäckers, den die CDU/CSU am 28. November 1983 als Kandidaten für das Amt des Bundespräsidenten nominiert hatte, wird am 9. Februar 1984 Eberhard Diepgen, der Landes- und Fraktionsvorsitzende der Berliner CDU, vom Abgeordnetenhaus zum Regierenden Bürgermeister gewählt.

Nachdem 1980 der *Friedrichstadtpalast* am Schiffbauerdamm in Ostberlin wegen Baufälligkeit geschlossen werden mußte, wird am 27. April 1984 in der Friedrichstraße der neue Friedrichstadtpalast eröffnet.

Auf dem Gelände des *Kulturforums* wird am 2. Mai 1984 neben der Philharmonie der Grundstein für den *Kammermusiksaal* des Berliner Philharmonischen Orchesters gelegt. Das nahegelegene *Musikinstrumentenmuseum* wird am 14. Dezember 1984 eröffnet.

Westberlin hat Ende 1984 rund 1,85 Millionen Einwohner. Der Ausländeranteil liegt bei rund 13%. Die Einwohnerzahl von Ostberlin beträgt 1,2 Millionen, so daß insgesamt etwa 3,05 Millionen Menschen in Berlin leben *(Bevölkerungsentwicklung)*.

1985. Bei den Wahlen zum Abgeordnetenhaus am 10. März 1985 erreicht die CDU 46,4% der Stimmen. Sie bildet erneut eine Koalition mit der FDP. Am 18. April 1985 wird Eberhard Diepgen vom Abgeordnetenhaus als Regierender Bürgermeister bestätigt.

Am 26. April 1985 wird im Bezirk Neukölln die *Bundesgartenschau* eröffnet. Sie dauert bis zum 20. Oktober 1985.

Im Ostberliner Bezirk *Friedrichshain* wird am 1. August 1985 der Ostbahnhof gesprengt. Das Gebäude, das bis 1950 Schlesischer Bahnhof hieß, weicht dem Neubau eines repräsentativen Hauptbahnhofs.

1986. Als vorgezogener Beitrag zur 750-Jahr-Feier Berlins und rechtzeitig vor dem XI. Parteitag der SED findet am 4. April 1986 auf dem Platz zwischen Spree und Spandauer Straße, Karl-Liebknecht-Straße und neu errichtetem *Nikolaiviertel* die feierliche Einweihung des *Marx-Engels-Forums* statt.

Anläßlich des 25. Jahrestags des Mauerbaus findet am 13. August 1986 im Reichstagsgebäude eine Gedenkveranstaltung statt, bei der Bundeskanzler Hel-

mut Kohl, der Regierende Bürgermeister Eberhard Diepgen und der SPD-Vor-
sitzende und frühere Regierende Bürgermeister Willy Brandt sprechen. Auf
mehreren Demonstrationen hatten bereits am vorhergehenden Wochenende
Tausende Westberliner gegen die Mißachtung der Menschenrechte und die Unterdrückung der Freiheit in der DDR protestiert. In Ostberlin wird der Jahrestag
mit einem »Kampfappell« gefeiert. Der SED-Generalsekretär und Staatsratsvorsitzende Erich Honecker, der 1961 als Sekretär des Nationalen Verteidi-
gungsrates für die Vorbereitung und Durchführung der Absperrungsmaßnahmen zuständig war, erklärt vor aufmarschierten »Kampfgruppen der Arbeiterklasse«, der Bau der Mauer habe den Völkern Europas den Frieden gerettet:
»Mit dieser historischen Tat wurde die Freiheit unseres Volkes gewahrt und der
Grundstein für das weitere Erblühen unseres sozialistischen Staates gelegt.«
Nach westlichen Beobachtungen kamen seit 1961 in Berlin 74 Menschen bei
Fluchtversuchen ums Leben. Die tatsächliche Zahl der Todesopfer ist nicht
bekannt.

Lexikon

Admiralspalast

Das Gebäude an der Friedrichstraße in Ostberlin, dessen Front durch fünf dorische Halbsäulen aus Granit gegliedert wird, wurde von Heinrich Schweitzer und A. Diepenbrock 1910/11 errichtet. Hier wurden Operetten und Varietédarbietungen sowie die ersten Eisrevuen Berlins gezeigt.

Das im Krieg nur wenig beschädigte Bauwerk diente von 1945 bis 1955 der Staatsoper für ihre Aufführungen. Im April 1946 war es Schauplatz des Vereinigungsparteitags von KPD und SPD zur SED. Im Zusammenhang mit der von der Sowjetunion und der SED betriebenen Spaltung Berlins fand hier am 30. November 1948 durch Vertreter kommunistischer und gleichgeschalteter Organisationen die Wahl eines separaten Magistrats für Ostberlin unter Leitung des neuen Oberbürgermeisters Friedrich Ebert (SED) statt.

Nach 1955 wurde das Gebäude Sitz des Metropoltheaters (Operetten). Als »Haus der Presse« ist es Klubhaus des Journalistenverbandes der DDR. Außerdem finden hier Vorstellungen des Kabaretts »Die Distel« statt.

AEG-Turbinenfabrik

Die von Peter Behrens im Jahr 1909 erbaute Montagehalle der AEG an der Ecke Huttenstraße/Berlichingenstraße in Moabit gehört zu den eindrucksvollsten Industriebauten des beginnenden 20. Jahrhunderts. Die Stahl- und Glasfassade der Längsseite, ursprünglich 110 m, nach Erweiterung 207 m lang, und die massiven gequaderten Eckpfeiler der Stirnseite geben der Halle ihr Gepräge. Der polygonale Betongiebel trägt das gleichfalls von Behrens entworfene frühere sechseckige AEG-Zeichen.

Ägyptisches Museum

Die ersten neun Zeugnisse der Kultur des antiken Ägypten, von denen drei noch erhalten sind, kamen nach Berlin, als 1698 die Sammlung des Italieners Giovanni Pietro Bellori für Kurfürst Friedrich III. angekauft wurde. Ein bedeutender Fortschritt war 1823 der Erwerb einer Sammlung des pensionierten Generalleutnants Heinrich Carl Menu von Minutoli. 1827 folgten 1600 Stücke, die der Kaufmann Giuseppe Passalacqua in Theben ausgegraben hatte. Passalacqua wurde zum 1. Juli 1828 als »Aufseher« der Ägyptischen Sammlung angestellt, die damals im Schloß Monbijou an der Oranienburger Straße untergebracht war. Der Triester blieb bis zu seinem Tod 1865 Direktor des Ägyptischen Museums, das 1850 ins Erdgeschoß des seit 1843 erbauten Neuen Museums auf der *Museumsinsel* umzog.

Sein Nachfolger wurde Richard Carl Lepsius, der die Ägyptologie als Wissenschaft in Deutschland begründete und bereits seit 1855 Mitdirektor war. Er hatte durch Ausgrabungen und Käufe während einer Reise in den Jahren 1842 bis 1845 die Museumsbestände wesentlich bereichert.

Seit 1884 war dann Adolf Ermann Direktor. Er war in erster Linie Sprachwissenschaftler und erarbeitete ein umfangreiches Wörterbuch der altägyptischen

Sprache. Trotzdem erhielt das Museum in seiner Amtszeit seine wertvollsten und bekanntesten Schätze, zunächst vor allem durch Ankäufe, später durch systematische Ausgrabungstätigkeit. So wurde bei der von Ludwig Borchardt geleiteten und von dem Kaufmann James Simon finanzierten Grabung der Deutschen Orient-Gesellschaft in Tell el-Amarna am 6. Dezember 1912 die Büste der Königin Nofretete entdeckt, die 1920 endgültig in den Besitz des Museums überging. Den Zweiten Weltkrieg überstand der größere Teil der wertvollsten Ausstellungsstücke, die an verschiedenen Orten ausgelagert waren. Das Museum selbst brannte aus.

In Ostberlin begann der Neuaufbau 1953, allerdings nicht im Neuen Museum, sondern im Westflügel des 1897 bis 1904 von Ernst Eberhard von *Ihne* erbauten heutigen Bode-Museums, das ebenfalls auf der *Museumsinsel* liegt. 1958 wurden diejenigen Kunstwerke zurückgegeben, die sowjetische Truppen 1945/46 abtransportiert hatten.

Andere ausgelagerte Bestände wurden von westalliierten Truppen in Celle und Wiesbaden sichergestellt. Sie kehrten ebenfalls nach Berlin zurück – die Nofretete 1956 nach über zehnjährigem Aufenthalt in Wiesbaden. 1967 wurde ein neues Ägyptisches Museum in Westberlin eröffnet. Die Sammlung bezog am Spandauer Damm gegenüber dem Mitteltrakt von Schloß Charlottenburg die östliche der beiden ehemaligen Gardekasernen, die Friedrich August *Stüler* 1851 bis 1859 am Nordende der Schloßstraße errichtet hatte. Seit 1976 ist die Ausstellungsfläche durch den angrenzenden ehemaligen Marstall der 3. Schwadron Garde du Corps erweitert, der unter Leitung von Wilhelm Drewitz ab 1855 erbaut worden war. Im Marstall steht seit 1977 als Geschenk Ägyptens und Gegenleistung für die deutsche Hilfe bei der Bergung von Tempelanlagen im Bereich des in den sechziger Jahren angelegten Nasser-Stausees das Kalabsha-Tor, nach der Nofretete der Hauptanziehungspunkt des Museums, das vor allem durch mehrere große Sonderausstellungen (u. a. 1976 Nofretete-Echnaton; 1980 Tutanchamun; 1985 Nofret) zahlreiche Besucher anlockte.
LITERATUR: S. Settgast u. a., Ägyptisches Museum Berlin. 1983.

Akademie der Künste

Die auf Anregung von Andreas *Schlüter* und anderen in Berlin tätigen Künstlern im Jahr 1696 von Friedrich III. und seiner Frau Sophie Charlotte gestiftete Kurfürstliche (später Preußische) Akademie der bildenden Künste (seit 1704 Akademie der Künste und mechanischen Wissenschaften) sollte ursprünglich vor allem der Weiterbildung einheimischer Künstler und dem Kontakt zwischen den Künstlern sowie zwischen Kunst, Wissenschaft und Öffentlichkeit dienen. Sie war nach den Akademien in Rom und Paris die dritte Einrichtung dieser Art. Im 18. Jahrhundert war sie dann allerdings zeitweise eine durchaus elementare Lehranstalt, die Kurse in Zeichnen, Malen und Modellieren, in Anatomie und Perspektive sowie in Geometrie und Architektur anbot. Auch die Unterbringung im Obergeschoß des *Marstalls* Unter den Linden deutet nicht auf eine besondere Wertschätzung der Akademie hin.

1875 übernahm die neugegründete Hochschule für bildende Künste die Lehraufgaben der Akademie, die im Jahr 1907 in das ehemalige Arnimsche Palais am Pariser Platz umziehen konnte. Nach dem Zweiten Weltkrieg entstanden in Berlin zwei Neugründungen. In Ostberlin wurde 1950 die Deutsche Akademie der Künste, seit 1972 Akademie der Künste der DDR, gegründet. Sie hat ihren Sitz an der Hermann-Matern-Straße und pflegt in vier Sektionen bildende Kunst, dramatische Kunst, Dichtung und Sprache sowie Musik, verwaltet Archive und Nachlässe und veranstaltet Ausstellungen.

Da die Ostberliner Akademie in die Kulturpolitik der DDR eingebunden wurde, entstand 1954 in Westberlin eine zweite Akademie der Künste, die 1955 die Arbeit aufnahm und die Tradition der Preußischen Akademie fortsetzt. Ihr Gebäude im Hansaviertel wurde von dem aus Berlin stammenden US-amerikanischen Industriellen Henry H. Reichhold gestiftet und 1959/60 von Werner Düttmann erbaut. Der Komplex besteht aus drei Teilbereichen, die durch Galerie und Foyer verbunden sind, dem »Blauen Haus« mit Büro-, Tagungs- und Wohnräumen sowie Ateliers, dem Ausstellungsbau, der auch Archive beherbergt, sowie dem Studiobau mit einer Bühne. Die Akademie gliedert sich in Abteilungen für bildende Kunst, Baukunst, Musik, Literatur, darstellende Kunst sowie (seit 1984) Film- und Medienkunst.

Akademie der Wissenschaften

Die Akademie wurde auf Anregung von Gottfried Wilhelm *Leibniz* 1700 als Kurfürstlich-Brandenburgische Societät der Wissenschaften von Friedrich III. gestiftet. Leibniz war auch ihr erster Präsident. 1711 erhielt sie den Namen Akademie der Wissenschaften. Sie verfiel jedoch schon nach wenigen Jahren. Der von Friedrich Wilhelm I. als Präsident eingesetzte Historiker Jakob Paul Freiherr von Gundling tat sich mehr als Hofnarr denn als ernsthafter Wissenschaftler hervor. Friedrich II. erneuerte die Akademie am 24. Januar 1744 und berief zwei Jahre später den französischen Mathematiker und Physiker Pierre-Louis de Maupertuis (*1698, †1759), der von 1741 bis 1756 in Berlin tätig war, zum Präsidenten.
Parallel zur Entwicklung der Berliner Universität (seit 1810) und in enger Verbindung mit dieser wurde die Akademie zu einer der bedeutendsten wissenschaftlichen Gesellschaften der Welt. Die Akademie der Wissenschaften wurde im August 1946 im Ostsektor neu gegründet. Sie nahm ihre Arbeit in einem Gebäude am *Gendarmenmarkt* auf, der seit 1950 Platz der Akademie heißt. 1972 in Akademie der Wissenschaften der DDR umbenannt, unterhält die Einrichtung heute etwa dreißig Institute für die Grundlagenforschung aller wichtigen Disziplinen. In Westberlin ist die Neugründung einer Akademie der Wissenschaften für 1987 vorgesehen.
LITERATUR: G. Dunken, Die Deutsche Akademie der Wissenschaften zu Berlin in Vergangenheit und Gegenwart. ²1960 – A. Harnack, Geschichte der Königlichen Preußischen Akademie der Wissenschaften zu Berlin. 3 Bände. 1900.

Akzisemauer

Am 28. Juni 1734 begann der Bau einer Zoll- und Akzisemauer, die Berlin weiträumig umschloß. Sie ersetzte die engen Festungsanlagen, die Johann Gregor Memhardt ab 1658 errichtet hatte und die auf Cöllner Seite ab 1734 und auf Berliner Seite ab 1746 abgetragen wurden. Die neue Mauer diente nicht Verteidigungszwecken, sondern sollte in erster Linie die Erhebung der Akzise sichern. Dabei handelte es sich um eine Verbrauchssteuer, die der Große Kurfürst zuerst seit 1641 für die wichtigsten in die Stadt eingeführten Lebensmittel, dann seit 1667 für eine Vielzahl von weiteren Waren hatte erheben lassen und die der Kasse des Landesherrn unmittelbar zugute kam. Daneben sollte die Akzisemauer die Desertion von Soldaten verhindern, die aufgrund der rigorosen Rekrutierungspraxis des »Soldatenkönigs« ein erhebliches Problem war. Die Mauer schloß nicht nur die inzwischen entstandenen Vorstädte ein, sondern auch weites unbebautes Gelände, so daß die Stadt bis ins 19. Jahrhundert nicht in ihrem Wachstum behindert wurde.
Die Akzisemauer wies 18 Tore auf (von Westen über Norden und Osten nach Süden): *Brandenburger Tor,* Neues, Oranienburger, Hamburger, Rosenthaler, Schönhauser, Prenzlauer, Königs-, Landsberger, Frankfurter, Stralauer, Schlesisches, Köpenicker, Cottbusser, Wasser-, Hallesches, Anhalter und Potsdamer Tor. Nach der Mitte des 19. Jahrhunderts, als die Stadt teilweise kräftig über die Akzisemauer hinaus gewachsen war, stellte sie nur noch ein Verkehrshindernis dar. Sie wurde in den Jahren 1867 bis 1869 abgetragen (Abb. S. 114).

Alexanderplatz

Der Alexanderplatz, heute der Mittelpunkt Ostberlins, markierte früher den östlichen Rand Berlins. Der Platz vor dem Stadttor, das zunächst Oderberger Tor, dann Georgentor und seit 1701 Königstor hieß, war im 18. Jahrhundert ein Vieh- und Wollmarkt mit anschließendem Exerzierplatz. 1805 erhielt er seinen Namen zu Ehren von Zar Alexander von Rußland. In der Mitte des Platzes, der mit S-Bahnhof (seit 1886) und U-Bahnhof (seit 1915) zu einem bedeutenden Verkehrsknotenpunkt wurde, stand seit 1895 das Denkmal der Berolina von Emil Hundrieser. An dieser Stelle befindet sich seit 1969 die 10 m hohe Stahlkonstruktion der Weltzeituhr von Erich John mit geätzten Aluminium- und Emailverkleidungen. Außerdem steht auf dem Platz der Brunnen der Völkerfreundschaft von Walter Womacka (1969), dessen kreisrundes Becken mit 23 m Durchmesser von einem Ring aus farbigem Email und Kupfer gefaßt ist. Den Platz säumen u. a. beiderseits der Einmündung der Rathausstraße das Berolina- und das Alexanderhaus, zwei achtstöckige Bürogebäude von Peter Behrens (1928 bis 1931), das Centrum-Warenhaus (1967 bis 1970, größtes

Plan von Berlin aus dem Jahr 1789. Kolorierter Kupferstich von Carl Ludwig von innerhalb der Akzisemauer bereits weitgehend bebaut ist. Nur im Südosten

Kaufhaus der DDR, 80 × 75 × 34 m, 15 000 m² Verkaufsfläche), das Interhotel Stadt Berlin (1967 bis 1970, 39 Geschosse, 123 m hoch), das 17geschossige Haus des Reisens (1969 bis 1971) und das 12geschossige Haus des Lehrers (1961 bis 1964, mit 7 m hohem und

Oesfeld. Der Plan zeigt, wie das Gebiet finden sich noch größere freie Flächen.

125 m langem Bildfries aus Glas-Email-, Keramik- und Metallelementen). LITERATUR: K. J. Lemmer, Alexanderplatz. Ein Ort deutscher Geschichte. 1980.

Amerika-Gedenkbibliothek

Die Amerika-Gedenkbibliothek entstand als Berliner Zentralbibliothek nach einer Spende der USA in Höhe von 5,4 Millionen DM zur Erinnerung an die Versorgung Westberlins durch die alliierte Luftbrücke während der Blockade 1948/49. Sie wurde 1952 bis 1954 von den Architekten Gerhard Jobst, Willy Kreuer, Fritz Wille und Fritz Bornemann am Blücherplatz im Bezirk Kreuzberg errichtet und hat einen Buchbestand von über 700 000 Bänden, zu denen Zeitungen, Zeitschriften, Notenwerke, Tonträger, Spiele und Dias hinzukommen. Das fünfgeschossige Gebäude hat im Erdgeschoß die Ausleihe und eine Freihandbibliothek mit 90 000 Bänden, davon 25 000 Bände Präsenzbestand, im Tiefgeschoß Jugendbücherei und Berlin-Abteilung.

Antikenmuseum

Das Westberliner Antikenmuseum ist seit 1960 in der westlichen der beiden ehemaligen Gardekasernen, die Friedrich August *Stüler* 1851 bis 1859 am Ende der Schloßstraße gegenüber von Schloß Charlottenburg errichtete, untergebracht. Im östlichen Pendant befindet sich das *Ägyptische Museum.* Die beiden Gebäude sind architektonisch auf den Schloßkomplex abgestimmt. Sie fallen durch Kuppeln auf, die sich, von einem Säulenkranz getragen, über die Dächer erheben.

Die Sammlungen umfassen etwa die Hälfte der nach 1945 erhalten gebliebenen Bestände an antiker Kleinkunst, die bis 1932 das Antiquarium als selbständige Abteilung der Berliner Museen bildeten und deren andere Hälfte heute in Ostberlin ein Teil des Pergamon-Museums auf der *Museumsinsel* ist. Die Ausstellungsgegenstände reichen von der kretisch-mykenischen bis zur frühbyzantinischen Zeit. Schwerpunkte sind attische Vasen, griechische Bronzearbeiten, Gemmen, Gläser, Schmuckstücke, Arbeiten aus Edelmetall und Elfenbein sowie Mumienporträts. Besonders auffallend ist der 1868 erworbene Hildesheimer Silberfund, eine Sammlung römischen Prunkgeschirrs aus der Zeit des Augustus. 1984 kam eine neue Abteilung mit etruskischer, römischer und unteritalienischer Kleinkunst hinzu.

Bettina von Arnim

Schriftstellerin, *4. April 1785 Frankfurt am Main, †20. Januar 1859 Berlin.
1807 kam Bettina Brentano, eigentlich Anna Elisabeth Brentano, die Tochter eines wohlhabenden Frankfurter Kaufmanns italienischer Herkunft, nach Berlin. Hier lernte sie Achim von Arnim kennen, der mit ihrem Bruder Clemens befreundet war und den sie 1811 heiratete. 1807 begegnete sie in Weimar zum ersten Mal Goethe, der ein Jugendfreund ihrer Mutter war und für den sie eine schwärmerische Verehrung empfand; 1835 erschien ihr Briefroman »Goethes Briefwechsel mit einem Kinde«. Ähnlich überschwenglich waren ihre Gefühle für ihren Bruder Clemens und für Caroline von Günderode, mit der sie befreundet war. Ihre Bücher »Die Günderode« (1840) und »Clemens Brentanos Frühlingskranz« (1844) machen ihr romantisch übersteigertes Lebensgefühl deutlich.
Achim von Arnim hatte 1814 Berlin verlassen und war auf sein Gut Wiepersdorf bei Jüterbog gezogen. Bettina von Arnim kehrte 1817 nach Berlin zurück. In dieser Stadt konnte sie ihre literarischen Interessen pflegen und am anregenden Leben der *literarischen Salons* teilnehmen. Auch sie selbst führte einen beliebten Salon, in dem sich die geistige und künstlerische Elite der Stadt traf. Zum Kreis der *Berliner Romantik* gehörend, verfolgte sie mit leidenschaftlichem Engagement das Zeitgeschehen. Sie sprach sich für die Abschaffung der Todesstrafe aus und setzte sich für das Recht der Frauen auf Emanzipation ein. Die Mißstände in den *Mietskasernen* der Berliner Arbeiterviertel, von denen sie sich im Vogtland vor dem Hamburger Tor (so genannt, weil hier überwiegend Arbeiter aus dem sächsischen Vogtland untergebracht waren) selbst überzeugt hatte, veranlaßten

sie zu der anklagenden Schrift »Dies Buch gehört dem König« (1843), die sie Friedrich Wilhelm IV. widmete, ohne besondere Wirkung zu erzielen.
LITERATUR: I. Drewitz, Bettina von Arnim. 1978. – H. Lilienfein, Bettina, Dichtung und Wahrheit ihres Lebens. 1949.

»Athenäum«

Diese von den Brüdern August Wilhelm und Friedrich *Schlegel* in Berlin 1798 bis 1800 herausgegebene, führende Zeitschrift der Frühromantik enthielt literaturkritische Aufsätze und grundlegende theoretische Beiträge, in denen das Lebensgefühl, die Geschichts- und Kunstauffassung der Romantik dargelegt und erörtert wurden. Zu den Mitarbeitern gehörten Novalis, Friedrich Wilhelm Schelling, Friedrich Daniel Ernst *Schleiermacher* und Ludwig *Tieck.*
LITERATUR: J. Bobeth, Die Zeitschriften der Romantik. 1911.

Avus

Die *A*utomobil-*V*erkehrs- und *Ü*bungs*s*traße, bestehend aus zwei ursprünglich je 9,8 km langen, durch Kurven verbundenen Geraden, die den *Grunewald* durchqueren, wurde 1913 bis 1921 angelegt und mit einem Rennen am 24. September 1921 als erste Autorennstrecke in Deutschland eröffnet. Die Avus diente anfangs ausschließlich sportlichen Zwecken.
Im Jahr 1937 stellte Bernd Rosemeyer mit einem Auto-Union-Wagen den Rennrekord auf. Er fuhr eine Durchschnittsgeschwindigkeit von 276,4 km/h. Rudolf Caracciola erreichte mit einem Mercedes auf einer der Geraden eine Höchstgeschwindigkeit von über 400 km/h.
Die Avus wurde 1939 an das Autobahnnetz angebunden. Nach dem Zweiten Weltkrieg wurden die Geraden auf 8,4 km verkürzt. 1968 wurde die steile Nordkurve abgerissen. Der Sportbetrieb ist seither stark reduziert. Heute ist die Avus ein Teil der Berliner Stadtautobahn. Sie verbindet das Stadtzentrum Westberlins mit dem Südwesten der Stadt und der Transitautobahn (Grenzübergang Dreilinden/Drewitz).

Bauhaus-Archiv/Museum für Gestaltung

Dieses Archiv und Museum hat die Aufgabe, Idee und Auswirkung des Bauhauses in Architektur und Design zu dokumentieren. Es wurde 1960 in Darmstadt gegründet und 1971 nach Berlin verlegt. Hier war die Sammlung zunächst in einer 1892/93 errichteten ehemaligen Infanteriekaserne an der Schloßstraße in Charlottenburg neben dem Antikenmuseum untergebracht. An der Klingelhöferstraße im Bezirk Tiergarten, nahe dem Landwehrkanal, wurde 1976 bis 1979 nach Plänen von Walter Gropius, die ursprünglich für ein geplantes Haus auf dem Darmstädter Rosenhügel gedacht waren, ein Neubau errichtet und im Dezember 1979 eröffnet.
Die Sammlung zeigt Architekturmodelle und -zeichnungen, Möbel, Wandbehänge, Geschirr und Tischgerät, Lampen, Glas, Keramik, Schmuck, Tapeten und typographische Arbeiten, ferner Bühnenmodelle, Figurinen und Masken, aber auch Gemälde, Zeichnungen und Skulpturen von Lehrern und Schülern des Bauhauses aus den Jahren 1919 bis 1933.

Reinhold Begas

Bildhauer, *15. Juli 1831 Berlin, †3. August 1911 Berlin.
Der Schüler von *Rauch*, der in seiner Jugend auch stark von *Schadow* sowie bei Italienreisen in den Jahren 1856 bis 1858 von Michelangelo und Bernini beeinflußt wurde, entwickelte sich zum antiklassizistischen Vertreter des Neubarock, der auch an *Schlüter* anknüpfte. Der außerordentlich produktive Schöpfer von Porträtbüsten und Denkmälern oft monumentalen Charakters verbindet naturalistische Stoffauffassung und Pathos zu einem Stil, dessen künstlerischer Wert bereits zu seinen Lebzeiten nicht unumstritten war.
Eines seiner Hauptwerke ist das Bismarck-Denkmal (1897 bis 1901), einst vor dem Reichstag, heute im *Tiergarten*. 1949/50 abgetragen wurden das Denkmal Wilhelms I. (1892 bis 1897) und der *Neptunbrunnen* (1888 bis 1891) im Schloßbereich, der jedoch 1969 zwischen dem Rathaus und Marienkirche neu aufgestellt wurde. An den 32 Statuen der ehemaligen Siegesallee, die unter der Leitung von Reinhold Begas zwischen 1895 und 1901 entstanden, arbeitete u. a. auch sein jüngerer Bruder Karl (*1845, †1916) mit. Sein Vater Karl d. Ä. (*1794, †1854) und seine Brüder Oskar (*1828, †1883) und Adalbert (*1836, †1888) waren dagegen als Maler bekannt.
Reinhold Begas schuf in Berlin auch Denkmäler für Schiller (1868, stand 1871 bis 1935 auf dem *Gendarmenmarkt* und 1951 bis 1985 im Lietzenseepark, Wiederaufstellung 1987 vor dem *Schauspielhaus*; Bronzekopie im Schillerpark, Wedding) und für Alexander von *Humboldt* (1883, vor dem *Prinz-Heinrich-Palais*), außerdem die 1936 im Preußenpark aufgestellte und neuerdings in ehemaligen Kreuzberger Pumpenwerk stehende Monumentalfigur der Borussia sowie in Potsdam die Grabmäler für Kaiser Friedrich III. und seine Frau Viktoria.

Benediktinerinnenkloster Sankt Marien

Das Benediktinerinnenkloster Sankt Marien in *Spandau*, das zu den ältesten Klöstern der Mark gehört, wurde im Jahr 1239, möglicherweise aber auch schon früher, gegründet. Es besaß sehr umfangreichen Grundbesitz im heutigen Stadtgebiet von Berlin und darüber hinaus in der Mark. Das Kloster befand sich im Süden der Spandauer Altstadt vor dem Potsdamer Tor. Es wurde 1558 säkularisiert und sein Besitz dem kurfürstlichen Amt Spandau übertragen. Beim Bau der Stadtbefestigung wurden die Klostergebäude 1638 abgerissen.

Berliner Ensemble

Das Berliner Ensemble wurde 1949 von Bertolt *Brecht* und Helene Weigel gegründet, nachdem Brecht am *Deutschen Theater* seine »Mutter Courage und ihre Kinder« inszeniert hatte. Es widmet sich gesellschaftspolitischen Themen und pflegt insbesondere Inszenierungen der Stücke Bertolt Brechts. Das Ensemble bezog 1954 das Theater am Schiffbauerdamm und bekam damit ein eigenes festes Haus.

Heinrich Seeling hatte das Gebäude 1891/92 am Schiffbauerdamm nördlich vom Bahnhof Friedrichstraße nahe dem alten Friedrichstadtpalast erbaut. Es trug zunächst den Namen Neues Theater und hatte zwei Ränge und insgesamt 800 Plätze im Zuschauerraum. Hier wurden am 26. Februar 1892 in nicht öffentlicher Vorstellung vor Mitgliedern der *Freien Bühne* Gerhart *Hauptmanns* »Weber« uraufgeführt. 1903 übernahm Max *Reinhardt* die Theaterleitung. In seiner Zeit wurden Drehbühne und Orchesterraum eingebaut. Später erhielt das Haus den Namen Theater am Schiffbauerdamm. Am 31. August 1928 wurde hier Bertolt Brechts »Dreigroschenoper« mit großem Erfolg uraufgeführt. Für Brecht war dieser Abend praktisch der Durchbruch zum Weltruhm.
Helene Weigel leitete das Berliner Ensemble bis zu ihrem Tod am 6. Mai 1971. Ihr folgten Ruth Berghaus und 1977 Manfred Wekwerth.

Berliner Festwochen

Wie die *Internationalen Filmfestspiele Berlin* finden auch die Berliner Festwochen seit 1951 alljährlich statt, in der Regel in den Monaten September/Oktober. Im Mittelpunkt stehen musikalische Darbietungen, sinfonische und Kammerkonzerte sowie Oper und Tanz, dazu kommen neue Tendenzen des internationalen Theaters, Filmvorführungen, Lesungen und Ausstellungen der bildenden Künste.
Verstanden sich die Festwochen ursprünglich vor allem als Schaufenster der freien Künste des Westens und ihrer neuesten Entwicklungen, so wurden sie im Laufe ihrer Geschichte zunehmend zu einem Forum der Begegnung von Ost und West, an dem Künstler aus aller Welt teilnehmen. Dabei wird stets der Versuch einer Schwerpunktbildung thematischer, zeitlicher oder räumlicher Art gemacht. Zum Beispiel wählte man für 1986 das Motto »Begegnung der Künste – Kunst der Begegnung« und lud Moskauer Orchester und Solisten, Tänzer und bildende Künstler mit ihren Werken ein.
Im Berliner Jubiläumsjahr 1987 bilden »Exil und Emigration, Trauer und Erinnerung, Krieg, Leiden und Friedenssehn-

sucht« Motive der Veranstaltungen. Daneben werden viele Auftragswerke der konzertanten Musik, des Theaters und der Oper gezeigt, die für das Stadtjubiläum geschaffen wurden.

Berliner Romantik

Auf die Berliner Ludwig *Tieck* und Wilhelm Heinrich *Wackenroder* gehen die Anfänge der deutschen Romantik zurück. Die beiden Freunde hatten auf ihren Wanderungen durch Franken 1793 Erfahrungen gemacht, die sie in die romantische Bewegung einbrachten, nämlich das für sie neue, stark gefühlsbetonte Erlebnis von Landschaft und Natur und die Neuentdeckung der mittelalterlichen Kunst, Kultur und Religion in den fränkischen Städten, vor allem in Nürnberg. Sie entwickelten eine vom Gefühl bestimmte Betrachtungsweise der Kunst, besonders der Malerei und Musik.
Schon während der Frühromantik hatte sich in Berlin ein Zentrum gebildet. Es hatten zahlreiche Kontakte zur Jenaer Frühromantik bestanden, und etliche Vertreter dieses Kreises waren nach Berlin gezogen. Hier gaben die Brüder *Schlegel* von 1798 bis 1800 das »Athenäum« heraus, das zur wichtigsten literarkritischen Zeitschrift der Frühromantik wurde. Berlin bot durch seine zahlreichen *literarischen Salons und Gesellschaften* (u. a. Rahel *Varnhagen von Ense,* Henriette *Herz;* Mittwochsgesellschaft, Tunnel über der Spree) ein geistig anregendes Klima und fruchtbaren Gedankenaustausch, aus dem sich manche Zusammenarbeit entwickelte. Adelbert von *Chamisso,* Friedrich de la Motte-Fouqué, die Brüder August Wilhelm und Friedrich *Schlegel,* Ludwig *Tieck,* Wilhelm Heinrich *Wackenroder,* Zacharias Werner, E. T. A. *Hoffmann,* Heinrich von *Kleist,* das Ehepaar Achim und Bettina von *Arnim,* Clemens Brentano und der Philosoph und Theologe Friedrich Daniel Ernst *Schleiermacher* sind nur einige der Persönlichkeiten, die sich in Berlin durch die romantische Idee verbunden fühlten.
LITERATUR: F. Claudon, Lexikon der Romantik. 1980. – I. Drewitz, Berliner Salons. Gesellschaft und Literatur zwischen Aufklärung und Industriezeitalter.

1965. – K. J. Heinisch, Deutsche Romantik. 1973. – R. Huch, Die Romantik, Ausbreitung, Blütezeit und Verfall. ⁵1968. – E. Kleßmann, Die Welt der Romantik. 1969. – Ders., Die deutsche Romantik. 1979. – J. Nadler, Die Berliner Romantik. 1921.

Berliner Schloß

Nachdem es Kurfürst Friedrich II. 1442 gelungen war, der Doppelstadt Berlin-Cölln Teile ihrer Selbständigkeit zu nehmen, mußte Cölln ihm ein Gelände innerhalb der Stadtmauern zum Bau eines Schlosses überlassen. Am 31. Juli 1443 legte der Kurfürst den Grundstein. Beim Bau des Schlosses wurde die Cöllner Stadtmauer mit einbezogen, so daß dem Landesherrn jederzeit ein freier Zugang zur Stadt gesichert war. Die Bürger, für die das Schloß den Charakter einer Zwingburg hatte, behinderten in den nächsten Jahren immer wieder die bis 1451 andauernden Bauarbeiten. Von diesem ersten Bau war bis zur Sprengung des Schlosses nach dem Zweiten Weltkrieg noch ein Turm, der »Grüne Hut«, erhalten, der ursprünglich zur Cöllner Stadtmauer gehörte. Friedrich II. bewohnte das Schloß selten. Auch sein Bruder Albrecht III. Achilles, der ihm 1470 nachfolgte, hielt sich meist nicht in der Mark auf und nutzte das Schloß nur gelegentlich. Erst ab 1486, unter Kurfürst Johann, wurde das »Schloß zu Cölln an der Spree« ständige Residenz. Während der Regierungszeit des Kurfürsten Joachim II. wurde ab 1538 unter der Leitung von Caspar Theyß nach einem Entwurf von Schloßbaumeister Konrad Krebs ein neues, erweitertes Schloß im Stil der Renaissance errichtet, für dessen Bau das alte Schloß größtenteils abgerissen wurde. Von diesem Schloß zeugte bis zum Abriß 1950/51 die damals neugestaltete Erasmuskapelle. Für die charakteristische Bauplastik sorgte der Bildhauer Hans Schenk, genannt Scheußlich, aus Schneeberg in Sachsen. Nach Abschluß der Bauarbeiten im Jahr 1540 wurden in den folgenden Jahren die wichtigsten kurfürstlichen Behörden in das neue Schloß verlegt. Der in Spandau tätige Festungsbaumeister Rochus Guerini Graf zu Lynar

setzte den Ausbau des Schlosses nach 1578 fort. Unter Kurfürst Friedrich Wilhelm wurden ab 1643 nach kriegsbedingter Vernachlässigung Instandsetzungsarbeiten am Schloß vorgenommen. Gleichzeitig wurde die barocke Umgestaltung eingeleitet. Es entstanden der *Lustgarten* an der Nordseite mit einer auf das Schloß bezogenen Wegeführung und die von Westen her auf das Schloß ausgerichtete Allee *Unter den Linden*. Kurfürst Friedrich III. veranlaßte dann 1698 den Um- und Neubau in großem Stil. Der Hofbildhauer Andreas *Schlüter*, der 1699 zum Schloßbaudirektor ernannt wurde, leitete die Neugestaltung, bis 1706 der unzulänglich berechnete Münzturm einstürzte und Schlüter 1707 durch Johann Friedrich *Eosander* abgelöst wurde. Eosander arbeitete bis 1713 am Schloß. Er vergrößerte es um das Doppelte und plante bereits die Kuppel über dem Westflügel, die dann zunächst unausgeführt blieb, da König Friedrich Wilhelm I. 1716 die Bauarbeiten, die 1713 von Martin Böhme übernommen worden waren, durch einen Baustopp beendete. Das Schloß bildete nun einen rechteckigen Gebäudekomplex von 192 × 116 m mit zwei Innenhöfen. Die Längsseiten nach Nordwesten zum Lustgarten und nach Südosten zum Schloßplatz wiesen je zwei Portale auf. An der Ostecke stand ein barock verkleideter runder Turm, der zum Schloß Joachims II. gehörte. Die ältesten Bauteile einschließlich des »Grünen Hutes« befanden sich in dem nach Nordosten gerichteten Flügel an der Spree. In der Mitte des gegenüberliegenden Südwestflügels öffnete sich ein großes, dreiteiliges Triumphbogen-Portal aus den Jahren 1708 bis 1715, das Eosander dem Severusbogen in Rom nachempfunden hatte. Darüber erhob sich die oktogonale Schloßkapelle mit der gewaltigen Kuppel, die Friedrich August *Stüler* und Albert Dietrich Schadow 1845 bis 1853 erbauten und die das Gesamtbild seither beherrschte. Im Zweiten Weltkrieg erlitt das Schloß, das nach der Ausrufung der Republik zum Teil als Museum genutzt worden war, schwere, aber nicht irreparable Schäden. Es wurde von den Ostberliner Behörden 1950 zu einer »nicht mehr aufbauwürdigen Ruine« erklärt und trotz

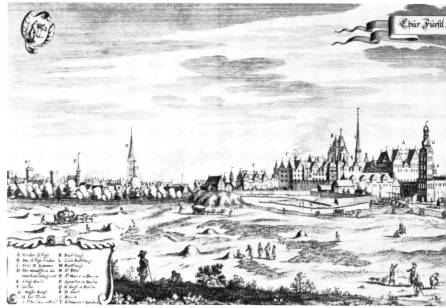

Ansicht von Berlin um 1650. Kupferstich von Caspar Merian aus der etwa vom heutigen Bahnhof Friedrichstraße, zeigt in der Mitte das Schloß (A), die Domkirche (H), das Cöllnische

heftiger Proteste von Fachleuten aus Ost und West gesprengt. Den größten Teil der bis 1951 geräumten Fläche nimmt heute der *Palast der Republik* ein. Das Portal IV vom Lustgartenflügel Eosanders wurde in einer Kopie als Haupteingang in das südlich des abgerissenen Schlosses 1962 bis 1964 errichtete Staatsratsgebäude eingesetzt.

LITERATUR: E. Cyran, Das Schloß an der Spree. 1985. – G. Peschken u. H. W. Klünner, Das Berliner Schloß. 1982.

Berliner Sezession

Am Ende des 19. Jahrhunderts stand die *Akademie der Künste*, deren Präsident Anton von Werner war, weitgehend unter dem Einfluß des Hofes. Ihre jährlichen Ausstellungen waren ebenso vom Geschmack des Kaisers bestimmt wie die Preisverleihungen und der Ankauf von Bildern für die Museen. Gegen den in konservativen Formen erstarrten Akademismus lehnte sich eine Gruppe von Künstlern auf, die, beeinflußt vom französischen Impressionismus, neue Wege

der künstlerischen Gestaltung suchten. An die Stelle historischer, mythologischer und religiöser Szenen setzten sie Themen aus dem alltäglichen Leben der Menschen und der sie umgebenden Natur. Statt der akademischen Ateliermalerei bevorzugten sie die Freilichtmalerei. Kaiser Wilhelm II. bezeichnete diese Richtung als »Rinnsteinkunst«.

Als 1892 Berliner Künstler den norwegischen Maler Edvard Munch zu einer Ausstellung seiner Bilder einluden, kam es zu ablehnenden und empörten Reaktionen, so daß die Ausstellung nach zwei Tagen geschlossen werden mußte. In den folgenden Jahren setzte sich der Prozeß der Abspaltung fort. Als Vorläufer der Berliner Sezession entstand die »Freie Vereinigung zur Veranstaltung von künstlerischen Ausstellungen«, zu deren Gründungsmitgliedern u. a. Max *Liebermann* und Walter *Leistikow* gehörten.

Nachdem 1892 in München und 1897 in Wien Sezessionen entstanden waren, wurde 1898 unter der Führung von Walter Leistikow die Berliner Sezession gegründet. Ihr erster Präsident war der in-

Topographie der Mark Brandenburg, 1652. Der Blick von Nordwesten, links davon u. a. den Turm der Nikolaikirche (I) und die Marienkirche (O), rechts Rathaus (L) und die Petrikirche (N).

zwischen international anerkannte Max Liebermann, ihr Geschäftsführer der Kunsthändler Paul *Cassirer*. Zu ihren Mitgliedern zählten u. a. Hans Baluschek, Lovis *Corinth*, Käthe *Kollwitz*, Max *Slevogt*, Franz Skarbina und Lesser Ury. Die erste Sezessionsausstellung fand 1899 in einem Gebäude in der Kantstraße statt. Später wurde am Kurfürstendamm ausgestellt. Das Wirken der Sezession hatte zur Folge, daß das Interesse in der Bevölkerung geweckt wurde, eine Auseinandersetzung und Parteinahme stattfand, die bildende Kunst in Berlin neue Impulse bekam und Berlin sich allmählich zu einem Zentrum der modernen Kunst entwickelte. LITERATUR: R. Pfefferkorn, Die Berliner Sezession. 1972.

Berlinische Galerie

Im Gebäude der *Kunstbibliothek* in der Jebensstraße am Bahnhof Zoologischer Garten wurde 1975 die Berlinische Galerie eröffnet. Mit ihren Sammlungsbeständen, Gemälden, Graphiken und Plastiken sowie Materialien zur Baukunst, gibt sie einen Überblick über die Entwicklung der bildenden Kunst in Berlin des 19. und 20. Jahrhunderts. Angeschlossen sind ein Archiv und eine Spezialbibliothek.

Berlin-Museum/ehem. Kammergericht

Die Dokumentation und museale Präsentation der Geschichte Berlins ist traditionell die Aufgabe des *Märkischen Museums* in Ostberlin. Nach dem Bau der Mauer war dieses Museum für Westberliner nicht zugänglich. Deshalb entstand 1962 ein Förderverein für ein neues Museum in Westberlin, das der Kunst- und Kulturgeschichte der Stadt, vor allem der Berliner Geschichte insbesondere seit dem 17. Jahrhundert, gewidmet ist.
Als Sitz wurde das ehemalige Kammergerichtsgebäude gewählt, das Philipp Gerlach im Auftrag Friedrich Wilhelms I. 1734/35 an der Lindenstraße in Kreuzberg erbaut hatte. Als »Kollegienhaus«

beherbergte es die bis dahin im Schloß tätigen Gerichte und Verwaltungen. Das ehemalige Kammergericht, das einzige größere Gebäude aus der Zeit Friedrich Wilhelms I. in Westberlin, war im Zweiten Weltkrieg schwer beschädigt worden. Sein Abriß war bereits vorgesehen, als die Entscheidung fiel, es für das Museum wiederaufzubauen. Das geschah unter Restaurierung der äußeren Form, aber weitgehender innerer Neugestaltung in den Jahren 1963 bis 1969. Seit 1969 werden in dem dreiflügeligen Gebäude Ansichten zur Stadtgeschichte, Porträts, Möbel und andere Gebrauchsgegenstände, Zeugnisse der Berliner Kunst und Kultur sowie des Kunstgewerbes ausgestellt. Eine Sonderausstellung ist dem Berliner Maler und Zeichner Heinrich *Zille* gewidmet.

Für das Kammergericht, das seit 1879 als Oberlandesgericht der Provinz Brandenburg und oberstes preußisches Landgericht fungierte, wurde 1909 bis 1913 ein Neubau an der Elßholtzstraße am Kleistpark in Schöneberg errichtet, der 1945 Sitz des Alliierten Kontrollrats wurde und heute die Alliierte Luftsicherheitszentrale beherbergt. Das heutige Kammergericht (Berliner Oberlandesgericht) ist im Gerichtsgebäude am Lietzensee (Witzlebenplatz, Bez. Charlottenburg), dem ehemaligen Reichsmilitärgericht bzw. Reichskriegsgericht, untergebracht, das 1908 bis 1910 entstand.

Bevölkerungsentwicklung

Die ältesten Schätzungen der Bevölkerungszahl beziehen sich auf den Anfang des 15. Jahrhunderts. In Berlin wurden damals 700 Häuser gezählt, in Cölln etwa 300.

um 1400	6 000
um 1500	12 000
um 1540	11 000
um 1577	8 000
um 1590	14 000 (Berlin allein 9 000)
1618	12 000
1640	6 000
1643	7 500

Im Laufe des 15. Jahrhunderts verdoppelte sich die Einwohnerzahl. Es folgten 150 Jahre der Stagnation, hauptsächlich verursacht durch mehrere Pestepidemien (u. a. 1576: 4000 Tote; 1598/99: 3000 Tote; 1630/31: 3000 Tote). Am Ende des

Dreißigjährigen Krieges standen in Berlin und Cölln von 1209 Häusern 450 leer oder waren zerstört.

1685	17 000
1688	20 000
1700	29 000
1709	57 000
1713	61 000
1725	60 000 (davon 12 000 Garnison)
1730	72 000

Nach dem Dreißigjährigen Krieg erhöhte sich die Einwohnerzahl rasch, vor allem durch Zuwanderung und besonders nach dem Potsdamer Edikt von 1685 *(Hugenotten)*. Im Jahr 1709 wurden Berlin, Cölln, der *Friedrichswerder,* die *Dorotheenstadt* und die *Friedrichstadt* zusammengeschlossen. Wie unbedeutend Berlin zu diesem Zeitpunkt noch war, zeigt ein Vergleich mit London und Paris, die Ende des 17. Jahrhunderts bereits jeweils etwa 700 000 Einwohner hatten! Mit dem Regierungsantritt Friedrich Wilhelms I. (1713) kam es zu einem vorübergehenden Bevölkerungsrückgang, da die rigorosen Rekrutierungsmaßnahmen zu Abwanderungen führten. Diese Entwicklung glich sich in der zweiten Hälfte der Regierungszeit dieses Königs aus.

1745	95 000
1755	127 000
1763	103 000
1786	147 000 (davon 34 000 Garnison)
1800	172 000
1809	145 000
1825	220 000

In die kontinuierliche Aufwärtsentwicklung der Einwohnerzahl brachten der Siebenjährige Krieg und die Napoleonische Besetzung Rückschläge.

1834	265 000
1840	329 000
1850	419 000
(im heutigen *Stadtgebiet:*	
1852	511 000)
1858	458 000
1861	548 000

Im 19. Jahrhundert nahm die Bevölkerung rasch zu. 1861 wurde das *Stadtgebiet* um Moabit, *Wedding* und Gesundbrunnen sowie Teile von *Schöneberg* und *Tempelhof* erweitert.

1867	700 000
1871	827 000
(im heutigen *Stadtgebiet:*	
1871	932 000)
1875	977 000

Im Jahr 1877 überschritt die Einwohnerzahl die Millionen-Grenze. Zusätzlich zu dem weiterhin starken Wachstumsgewinn kamen neuerliche Eingemeindungen im Jahr 1881.

1880 1 122 000
1885 1 316 000
1890 1 579 000

In der Aufstellung für die folgenden Jahre beziehen sich die in Klammern angegebenen Zahlen auf das heutige *Stadtgebiet* von Groß-Berlin.

1900 1 890 000 (2 700 000)
1905 2 040 000 (3 150 000)
1910 2 076 000 (3 700 000)
1919 1 907 000 (3 804 000)

Nach 1905 wuchs die Bevölkerung Berlins in seinen damaligen Grenzen nur noch geringfügig. Während des Ersten Weltkriegs nahm sie sogar ab. Dann kam es zur Eingemeindungsaktion vom 1. Oktober 1920 durch das Groß-Berlin-Gesetz. Im bisherigen Berliner *Stadtgebiet* wuchs die Einwohnerzahl nochmals geringfügig auf 1 971 000 (1925), nahm dann aber im völlig übervölkerten Innenstadtbereich über 1 806 000 (1933) auf 1 779 000 (1939) ab, während sie in den neuen Stadtbezirken kräftig wuchs. Dadurch stieg die Bevölkerungszahl Berlins von rund 3,9 Millionen im Jahr 1920 bis auf fast 4,5 Millionen im Jahr 1943:

1920 3 858 000
1925 4 024 000
1933 4 243 000
1939 4 339 000
1943 4 478 000

Bei einer Zählung am 8. Oktober 1919, der letzten vor der Eingemeindung, ergaben sich für die größten selbständigen Städte und Landgemeinden die in Tabelle 1 angegebenen Bevölkerungszahlen. (Soweit diese Gemeinden nicht namengebend für einen Bezirk wurden, ist in Klammern der Bezirk angegeben, dem sie zugeordnet wurden.)

Tabelle 1

Stadt bzw. Gemeinde	Einwohner
Charlottenburg, Stadt	322 792
Neukölln, Stadt	262 128
Schöneberg, Stadt	175 093
Lichtenberg, Stadt	144 662
Wilmersdorf, Stadt	139 406
Spandau, Stadt	95 513
Steglitz	83 366
Pankow	57 935
Lichterfelde (Steglitz)	47 213
Weißensee	45 880

Friedenau (Schöneberg)	43 833
Reinickendorf	41 264
Tempelhof	34 365
Köpenick, Stadt	32 586
Treptow	30 704
Oberschöneweide (Treptow)	25 612
Friedrichsfelde (Lichtenberg)	24 404
Mariendorf (Steglitz, Tempelhof)	20 699
Tegel (Reinickendorf)	20 590
Zehlendorf	20 561

Tabelle 2 auf S. 124 zeigt die Bevölkerungsentwicklung der 20 Berliner Stadtbezirke von 1919 bis 1939 (in 1000 Einwohnern). Die rechte Spalte zeigt die Veränderungen innerhalb dieser zwanzig Jahre, wobei die jeweilige Einwohnerzahl von 1919 dem Wert 100,0 entspricht. Stadtbezirke mit einem Wert unter 100,0 hatten also in dieser Periode eine Bevölkerungsabnahme zu verzeichnen.

Besonders stark ist die Zunahme in den bevölkerungsschwachen, relativ dünn besiedelten Randbezirken Zehlendorf, Reinickendorf und Köpenick, aber auch in Tempelhof, Weißensee, Spandau und Pankow gewesen.

Ihren Höchststand erreichte die Gesamtbevölkerung 1943 mit fast 4,5 Millionen. Dann nahm die Einwohnerzahl in den letzten Kriegsjahren, in erster Linie durch die im August 1943 eingeleitete Evakuierung, schlagartig ab, so daß bei Kriegsende nur noch rund 2,3 Millionen Menschen in Berlin lebten. Ihre Zahl erhöhte sich bis Ende 1946 u. a. durch die Rückkehr Evakuierter wieder auf rund 3,2 Millionen. Insgesamt hatte der Krieg also zu einem Bevölkerungsrückgang von rund 1,3 Millionen geführt. Tabelle 3 auf S. 124 dokumentiert die Entwicklungen der Kriegs- und Nachkriegszeit (in 1000 Einwohnern). In den beiden rechten Spalten wird die Entwicklung von 1939 bis 1946 bzw. von 1939 bis 1981 gezeigt, wobei die jeweilige Einwohnerzahl von 1939 dem Wert 100,0 entspricht.

Die stärkste Bevölkerungsabnahme bis 1981 war in den Kernbezirken Mitte, Tiergarten, Friedrichshain, Kreuzberg und Wedding zu verzeichnen. Zugenommen haben in Westberlin wiederum die Randbezirke Tempelhof, Reinickendorf, Spandau und Zehlendorf, in Ostberlin die bisherigen Bezirke Lichtenberg und Weißensee, wo sich in Marzahn und Ho-

Tabelle 2

Bezirk	1919	1925	1933	1939	1919-1939
Mitte	292,8	295,8	266,1	263,6	90,0
Tiergarten	273,5	283,6	251,9	213,6	78,1
Wedding	337,2	351,8	332,1	325,1	96,4
Prenzlauer Berg	311,6	326,3	313,0	298,0	95,6
Friedrichshain	326,1	336,3	303,1	346,3	106,2
Kreuzberg	366,3	377,3	339,2	332,6	90,8
Charlottenburg	325,1	345,1	340,6	300,0	92,3
Spandau	104,4	111,6	146,5	170,4	163,2
Wilmersdorf	157,9	174,9	196,6	206,8	131,0
Zehlendorf	32,9	44,3	65,9	81,1	246,5
Schöneberg	218,9	231,7	221,1	277,9	127,0
Steglitz	146,7	160,6	194,8	213,9	145,8
Tempelhof	60,1	68,0	114,4	125,4	208,7
Neukölln	279,4	290,3	315,6	303,2	108,5
Treptow	89,1	97,5	124,5	118,2	132,7
Köpenick	56,9	65,8	88,5	120,4	211,6
Lichtenberg	183,7	198,8	241,2	196,8	107,1
Weißensee	54,6	58,1	81,6	90,3	165,4
Pankow	94,4	100,8	141,3	154,7	163,9
Reinickendorf	92,5	105,5	164,3	200,5	216,8

Tabelle 3

Bezirk	1946	1961	1981	1939-1946	1939-1981
Westberlin:					
Tiergarten (B)	110,6	114,7	73,8	51,8	34,6
Wedding (F)	234,9	219,1	135,2	72,3	41,6
Kreuzberg (A)	204,9	189,5	130,8	63,0	39,3
Charlottenburg (B)	208,5	223,2	151,9	69,5	50,6
Spandau (B)	159,6	172,8	195,6	93,7	114,8
Wilmersdorf (B)	126,6	162,9	132,4	61,2	64,0
Zehlendorf (A)	76,4	94,9	84,0	94,2	103,6
Schöneberg (A)	173,4	192,7	141,6	62,4	51,0
Steglitz (A)	139,7	185,8	168,4	65,3	78,7
Tempelhof (A)	110,9	141,0	163,3	88,4	130,2
Neukölln (A)	274,6	276,0	278,9	90,6	92,0
Reinickendorf (F)	192,9	215,9	232,7	96,2	116,1
Ostberlin:					
Mitte	124,9	90,2	84,2	47,4	31,9
Prenzlauer Berg	251,0	206,9	176,7	84,2	59,3
Friedrichshain	193,1	152,7	128,4	55,8	37,1
Treptow	108,0	116,4	120,2	91,4	101,7
Köpenick	113,9	119,8	122,4	94,6	101,7
Lichtenberg*	157,7	157,7	292,3	80,1	148,5
Weißensee**	82,0	76,8	97,5	90,8	108,0
Pankow	144,0	134,8	140,1	93,1	90,6

(A) = amerikanischer Sektor, (B) = britischer Sektor, (F) = französischer Sektor; * mit den neuen Bezirken Marzahn und Hellersdorf, ** mit dem neuen Bezirk Hohenschönhausen.

henschönhausen die Neubautätigkeit konzentriert.
Die Gesamtentwicklung der Einwohnerzahl beider Halbstädte zeigt Tabelle 4 (in 1000 Einwohnern).

Tabelle 4

Jahr	Berlin	Ostberlin	Westberlin
1946	3187,5	1174,6	2012,9
1950	3336,5	1189,5	2147,0
1961	3243,8	1055,3	2188,5
1971	3172,0	1088,0	2084,0
1981	3051,0	1162,3	1888,7
1984	3046,6	1198,0	1848,6

Bei der Bewertung dieser Zahlen ist zu berücksichtigen, daß die »echte« Bevölkerungszahl nach Schätzung der Verwaltung und Berechnungen von Forschungsinstituten in Westberlin seit 1981 um mindestens 100000 höher liegt als die »amtliche« Zahl, die viele unechte Zweitwohnsitze, ungemeldete Zuzüge u. a. nicht erfassen kann. Aus diesem Grunde ist davon auszugehen, daß die tatsächlichen Einwohnerzahlen der Westberliner Bezirke durchschnittlich Ende 1984 um 5–7% höher waren, als es Tabelle 5 zeigt.

Tabelle 5

Bezirk	Einwohner
Tiergarten	71040
Wedding	135296
Kreuzberg	126694
Charlottenburg	145476
Spandau	191882
Wilmersdorf	130139
Zehlendorf	83714
Schöneberg	134904
Steglitz	166262
Tempelhof	161111
Neukölln	273342
Reinickendorf	228725

Binnenschiffahrt

Der Güterverkehr zu Wasser spielte für Berlin und Cölln seit der Stadtgründung eine wichtige Rolle. Die Städte hatten das Niederlagsrecht, d. h., die durchreisenden Kaufleute mußten ihre Schiffe entladen und die Waren am Ufer einige Tage anbieten. Das Entladen der Schiffe war auch deshalb notwendig, weil der Mühlendamm, der die *Spree* zwischen Cölln und Berlin quert, erst 1892 eine

Schleuse erhielt und ein durchgehender Verkehr bis zum Bau des *Landwehrkanals* (1845 bis 1850) unmöglich war. Für den Handel Berlins wirkte der Bau des Friedrich-Wilhelm-Kanals zwischen Spree und Oder in den Jahren 1662 bis 1669 sehr belebend. Nun bestand eine Wasserstraße zwischen Elbe und Oder, zwischen Hamburg und Breslau mit Berlin als einziger Zollstelle auf brandenburgischem Gebiet. 1670 wurde der Packhof mit dem Zoll- und Akziseamt eingerichtet.
Nachdem durch den *Landwehrkanal* zwischen der Oberspree nahe dem Schlesischen Tor und der Unterspree in Charlottenburg der durchgehende Verkehr ermöglicht worden war, schuf der von 1848 bis 1859 erbaute Spandauer Schiffahrtskanal zwischen dem Humboldthafen an der Spree und der *Havel* am Südende des Tegeler Sees eine weitere Erleichterung für den Schiffsverkehr.
Der Verbesserung des Fernverkehrs diente dann auch der 1901 bis 1906 angelegte *Teltowkanal* im Süden Berlins. Schon vorher waren in den achtziger und neunziger Jahren der vorigen Jahrhunderts durch Spreeregulierung, Schleusenbau und neue angehobene Brücken bessere Bedingungen für den Durchfahrtsverkehr geschaffen worden. Die Bemühungen der Folgezeit richteten sich auf den Bau neuer, leistungsfähigerer Häfen. Zur Ergänzung der bereits bestehenden (Nordhafen am Spandauer Schiffahrtskanal seit 1859, Urbanhafen am Landwehrkanal seit 1895 u. a.) entstanden 1913 der Osthafen an der Spree und 1927 der Westhafen, der durch den Spandauer Schiffahrtskanal/Hohenzollernkanal mit der Havel und durch den Charlottenburger Verbindungskanal und den Westhafenkanal mit der Spree verbunden ist. Außerdem wurden alte Kanäle vertieft und neue angelegt, um den Verkehr größerer Schiffe zu ermöglichen. 1914 wurde der Großschiffahrtsweg Berlin-Stettin eröffnet, der für Schiffe bis 600 t befahrbar war.
So entwickelte sich Berlin vor dem Ersten Weltkrieg zum zweitgrößten Binnenhafen Deutschlands nach Duisburg. Der Umschlag erreichte über 7 Millionen Tonnen im Jahr. Er blieb auch in den zwanziger Jahren auf dieser Höhe, bevor er in den dreißiger Jahren noch weiter stieg. 80% des Güterumschlags waren

eingehende Waren, vor allem Massengüter wie Kohle, Holz, Baustoffe, Erze und andere industrielle Rohstoffe sowie Lebensmittel. An dieser Struktur hat sich auch nach dem Zweiten Weltkrieg nicht allzuviel geändert. In Westberlin, dessen Haupthafen der Westhafen ist, werden etwa 5 Millionen Tonnen umgeschlagen, in Ostberlin etwa 3 Millionen Tonnen. Die schiffbaren Wasserwege Berlins haben insgesamt eine Länge von 182 km, davon entfallen 114 km auf Westberlin. Aufgrund eines Abkommens der Alliierten aus dem Jahr 1951 werden sämtliche Schleusen Berlins vom Wasserstraßenhauptamt in Ostberlin betrieben. LITERATUR: W. Natzschka, Berlin und seine Wasserstraßen. 1971.

Botanischer Garten

Der älteste Botanische Garten Berlins wurde im Jahr 1646 von Johann Sigismund Elßholtz am Nordende des *Lustgartens* angelegt. 1679 folgte dann eine Anlage auf einem Gelände in Schöneberg, das bereits seit dem 16. Jahrhundert als kurfürstlicher Küchengarten genutzt wurde und seit 1911 den Namen Kleistpark trägt. An die Stelle dieses Botanischen Gartens, auf der heute noch im Kleistpark erhaltene Baumbestand zurückgeht, trat in den Jahren 1897 bis 1909 der heutige Botanische Garten an der Straße Unter den Eichen in Steglitz, der unter Leitung von Adolf Engler angelegt wurde. Das Gelände, das seinerzeit zu Dahlem gehörte, hat eine Fläche von 42 Hektar, auf der 18000 Pflanzenarten gezeigt werden. Im Mittelpunkt stehen pflanzengeographisch geordnete Freilandanlagen, aber auch verschiedene nach wissenschaftlichen und pädagogischen Aspekten eingerichtete Abteilungen. Nördlich des Botanischen Gartens wurde 1911 das Botanische Museum eröffnet, das u. a. ein Herbarium mit 1,5 Millionen Pflanzen besitzt. Es geht auf frühere Einrichtungen (1815 Königliches Herbarium, 1879 Königliches Botanisches Museum am Südrand des Botanischen Gartens in Schöneberg) zurück und vervollständigt den Charakter des Botanischen Gartens als Lehr- und Bildungsinstitution.

Johann **Boumann**

Baumeister, *um 1706 Amsterdam, †6. September 1776 Berlin.
Der gebürtige Niederländer Johann Boumann war seit 1732 für den preußischen Hof tätig, zunächst vor allem in Potsdam, wo er ab 1737 das Holländische Viertel und später u. a. das Berliner Tor und das Rathaus erbaute. In Berlin zählen zu seinen Hauptwerken der Neubau des *Doms* (1747 bis 1750), die von Friedrich dem Großen und Georg Wenzeslaus von Knobelsdorff entworfene *Sankt-Hedwigs-Kathedrale* (1747 bis 1773, mit einer Unterbrechung von 1755 bis 1771) und – ebenfalls nach einem Entwurf von *Knobelsdorff* – das *Prinz-Heinrich-Palais* (1748 bis 1766), das spätere Hauptgebäude der Universität. Außerdem schuf Boumann die Pläne für das 1774 bis 1776 von Georg Christian Unger errichtete Französische Komödien- oder *Schauspielhaus*. Sein Sohn Michael Philipp Daniel Boumann errichtete 1785/86 für Prinz August Ferdinand, den jüngsten Bruder Friedrichs des Großen, das *Schloß Bellevue* im Tiergarten, während Georg Friedrich Boumann 1774 bis 1780 den Bau der von Georg Christian Unger entworfenen Königlichen Bibliothek und 1777 bis 1780 die Errichtung der von Karl von *Gontard* entworfenen *Königskolonnaden* leitete.

Brandenburger Tor

Am Quarré, dem westlichen Abschluß der Straße *Unter den Linden* an der Zoll- und *Akzisemauer*, erbaute Carl Gotthard *Langhans* 1788 bis 1791 an der Stelle eines älteren Tores das bis heute erhaltene Tor, das den Propyläen in Athen nachempfunden ist. Es ist das einzige noch bestehende Berliner Stadttor. Das Brandenburger Tor, aus Sandstein errichtet, war das erste monumentale Bauwerk des Berliner Klassizismus. Sechs Paare von dorischen Säulen, die durch Mauern verbunden sind, bilden fünf Durchfahrten. Rechts und links schließen sich zwei niedrige, von Säulen umgebene Gebäude an, die früher der Wache und der Zollbehörde dienten. Das insgesamt 62 m breite, 11 m tiefe und 20 m hohe Tor trug die nach einem Entwurf von Johann Gottfried *Schadow* 1793 von Emanuel Jury in Kupfer getriebene, 5 m hohe Quadriga, den von vier Pferden gezogenen Wagen der Siegesgöttin Viktoria. Dieses Wahrzeichen Berlins war von 1807 bis 1814 von Napoleon nach Paris entführt worden. Im Zweiten Weltkrieg wurden das Tor und die Quadriga schwer beschädigt. 1956/57 erfolgte die Wiederherstellung des Tores. 1956 bis 1958 wurde in Westberlin nach einem erhalten gebliebenen Gipsabguß des Holzmodells eine neue Quadriga hergestellt. Sie wurde 1959 den Ostberliner Behörden übergeben, die vor der Aufstellung das Eiserne Kreuz der Befreiungskriege und den preußischen Adler, die 1814 in den Siegeskranz der Viktoria eingefügt worden waren, entfernen ließen.

Das Tor hatte 1791 die Bezeichnung »Friedenstor« erhalten; der bildhauerische Schmuck nach Schadows Entwurf auf der den Linden zugewandten Seite deutet die Siegesgöttin als Friedensbringerin. Von diesem Geist wurde später oft abgewichen, wenn das Tor nach siegreichen Feldzügen Schauplatz von Triumphzügen wurde. Seit 1961 versperrt die Mauer die Durchfahrt.

Bert(olt) **Brecht**

Schriftsteller, *10. Februar 1898 Augsburg, †14. August 1956 Ostberlin.
Brecht, der Sohn eines Papierfabrikanten, besuchte in Augsburg das Gymnasium und begann 1917 in München ein Medizinstudium. Seit 1914 veröffentlichte er Gedichte in einer Augsburger Zeitung. Ab 1919 wurde seine Hinwendung zur Literatur immer intensiver, zu Lasten des Medizinstudiums. 1920 kam er erstmals als Student nach Berlin, dann wieder 1922, und 1924 ließ er sich hier endgültig nieder. Er wurde Mitarbeiter Max *Reinhardts* am Deutschen Theater. 1922 fand in München die Uraufführung des Stücks »Trommeln in der Nacht« statt, für das Brecht den Kleist-Preis erhielt. Am 31. August 1928 wurde die Uraufführung der »Dreigroschenoper« im Theater am Schiffbauerdamm ein großer Erfolg, und 1930 wurde in Berlin »Die Maßnahme« uraufgeführt.

Brecht, der sich in den zwanziger Jahren dem Kommunismus zugewendet hatte, bekam 1932 erste Schwierigkeiten mit der Zensur und 1933 Aufführungsverbot. Mit seiner Familie – nach der Scheidung von seiner ersten Frau hatte er 1929 Helene Weigel geheiratet – verließ er am 28. Februar 1933, unmittelbar nach dem Reichstagsbrand, Deutschland. Über Prag, Wien, Zürich und Paris ging er nach Svendborg in Dänemark, nach dem Ausbruch des Krieges weiter über Schweden nach Finnland und 1941 in die USA. Am 10. Mai 1933 wurden seine Bücher auf dem Opernplatz verbrannt, am 8. Juni 1935 wurde ihm die deutsche Staatsangehörigkeit aberkannt.

1947 verließ Brecht die USA und ging nach Zürich. 1948 kam er nach Ostberlin. Hier fand am 11. Januar 1949 im *Deutschen Theater* die Premiere von »Mutter Courage und ihre Kinder« statt. Im gleichen Jahr gründete er zusammen mit Helene Weigel, die die Leitung übernahm, das *Berliner Ensemble*, das erst im Deutschen Theater spielte und 1954 das Theater am Schiffbauerdamm erhielt. Brecht wohnte von 1953 bis zu seinem Tod in einer Wohnung in der Chausseestraße 125. Hier befindet sich seit 1978 eine Forschungs- und Gedenkstätte. Seit 1952 besaß Brecht ein Landhaus in Bukkow am Scharmützelsee (»Buckower Elegien«, 1953).

Mit seinen Werken versuchte Brecht, vom Standpunkt des Marxisten aus Gesellschaftskritik zu üben und die Verhältnisse zu ändern. Die DDR sieht in ihm einen hervorragenden Vertreter des ersten deutschen Arbeiter- und Bauernstaates und einen Klassiker des Sozialistischen Realismus.

LITERATUR: F. Faßmann, Brecht. Bildbiographie. ²1964. – R. Grimm, Bertolt Brecht. ⁵1971. – K. Völker, Bertolt Brecht. Eine Biographie. 1976.

Bröhan-Museum

Die Privatsammlung von Professor Karl H. Bröhan wurde 1982 der Stadt Berlin übereignet. Die umfangreichen Bestände, Gemälde, Werke der Graphik und Plastik, Glas und Porzellan, Keramik, Zinn und Silber sowie Möbel, stammen vorwiegend aus der Zeit zwischen 1890 und 1940. Sie werden seit 1983 in einer ehemaligen Infanteriekaserne an

der Schloßstraße neben dem *Antikenmu-seum* – gegenüber von Schloß Charlottenburg – ausgestellt, in der zuvor das *Bauhaus-Archiv* provisorisch untergebracht war.
Im Bereich der Malerei und Graphik bilden Werke der *Berliner Sezession* und ihrer Nachfolger den Schwerpunkt der Sammlung, vor allem umfaßt sie Bilder von Hans Baluschek (*1870, †1935), Karl Hagemeister (*1848, †1933) und Willy Jaeckel (*1888, †1944).
Im Bereich des Kunstgewerbes zeigt das Museum ein breites Spektrum europäischer Erzeugnisse von Jugendstil und Art Déco.
LITERATUR: K. H. Bröhan u. a., Bröhan-Museum Berlin. 1984.

Brücke-Museum

Am Rand des Grunewalds in Dahlem errichtete Werner Düttmann 1966/67 am Bussardsteig den Flachbau des Brücke-Museums. Es befindet sich auf dem gleichen Grundstück, auf dem das geräumige ehemalige Atelier des Bildhauers Arno Breker steht, das dieser in der Zeit des Nationalsozialismus für seine Monumentalplastiken benutzte.
Das Brücke-Museum beruht auf umfangreichen Stiftungen, die vor allem Karl *Schmidt-Rottluff* (*1884, †1976), aber auch Erich Heckel (*1883, †1970) in den sechziger Jahren gewährten. Es dokumentiert die Entwicklung der Künstlervereinigung »Brücke«, die Schmidt-Rottluff und Heckel 1905 in Dresden gemeinsam mit Ernst Ludwig Kirchner (*1880, †1938) und Fritz Bleyl (*1880, †1966) gründeten und die bis 1913 bestand, sowie den weiteren künstlerischen Weg von Schmidt-Rottluff und Heckel.
Die Bestände wurden durch den Nachlaß Schmidt-Rottluffs und durch Ankäufe, vor allem aus Mitteln der Deutschen Klassenlotterie, abgerundet. Außer Schmidt-Rottluff, Heckel und Kirchner, von denen eine größere Anzahl von Werken vorhanden ist, werden auch Arbeiten der zeitweiligen Brücke-Mitglieder Cuno Amiet, Otto Mueller, Emil Nolde und Max *Pechstein* sowie einiger den Brücke-Gründern nahestehender Künstler ausgestellt.
LITERATUR: L. Reidemeister, Brücke-Museum. Katalog der Gemälde, Glasfenster und Skulpturen. ³1979.

Bundesgartenschau

Nach fast zehnjähriger Vorbereitung fand auf einem Gelände im Ortsteil Britz des Bezirks Neukölln, das bis dahin teils landwirtschaftlich, teils gärtnerisch genutzt war, am 26. April bis 20. Oktober 1985 die Bundesgartenschau statt. Wie in fast allen Fällen hatte die Durchführung der Bundesgartenschau auch in Berlin den Zweck, eine neue große Parkanlage zu schaffen. Damit sollte das gerade in den südöstlichen Bezirken Westberlins (Neukölln, Kreuzberg, Tempelhof) sehr begrenzte Angebot an Naherholungsmöglichkeiten verbessert werden.
Der Erholungspark Massiner Weg erstreckt sich um einen künstlichen See mit eingelagerter »Liebesinsel« und enthält zahlreiche gärtnerische Anlagen (Rosengarten, Staudengarten, Hexengarten, Dahlienarena u. a.) und naturnah gestaltete Flächen (Flachwasserbiotop, Feuchtwiesen, Heidelandschaft u. a.). Außerdem finden sich über das Gelände verteilte Beete mit jahreszeitlich wechselnder Bepflanzung, Liegewiesen, Spielanlagen, ein Aussichtsberg, mehrere Restaurants und als besondere Attraktion Europas größte Sonnenuhr. Der Park ist durch fünf Eingänge erschlossen; die Anlage hat eine Gesamtfläche von 100 Hektar.

Bundeshaus

Das 1893 bis 1895 erbaute ehemalige Gebäude der Artillerieprüfungskommission an der Bundesallee in Wilmersdorf dient seit dem 15. April 1950 dem Bevollmächtigten der Bundesrepublik Deutschland in Berlin als Amtssitz. Dieser Bundesbevollmächtigte, der dem Bundeskanzler direkt unterstellt ist, ist mit seinem Amt Ausdruck der besonderen Rechtsstellung Berlins, wie sie sich aus dem Viermächtestatus und den verfassungsrechtlichen Regelungen der Bundesrepublik Deutschland und des Landes Berlin (West) ergibt. Auch einzelne Bundesministerien unterhalten in Berlin Vertretungen, die ihren Sitz im Berliner Bundeshaus haben.

Café des Westens und Romanisches Café

Am *Kurfürstendamm*, Ecke Joachimsthaler Straße, befand sich Anfang des Jahrhunderts das Café des Westens, dem der Volksmund den Namen »Café Größenwahn« gab. Hier trafen sich Literaten, bildende Künstler, Theaterleute, Bohemiens und solche, die Wert darauf legten, für Bohemiens gehalten zu werden, Erfolgreiche und Erfolglose, die darauf warteten, daß ihre Genialität endlich erkannt würde, und sich die Zeit bis dahin durch den Genuß belebender Getränke, deren Bezahlung sie oft schuldig blieben, erträglich zu gestalten versuchten. Zu den Stammgästen gehörte Herwarth *Walden*, der sich u. a. mit den Malern Chagall, Klee, Marc, Marinetti und Kokoschka an seinem Tisch traf. Gottfried Benn saß hier mit seiner Geliebten Else Lasker-Schüler, die ein Mittelpunkt dieses Cafés war, und suchte Kontakt zu den Expressionisten. Max *Reinhardt*, Ernst von Wolzogen, Walter Mehring und Leonhard Frank waren einige von den zahlreichen weiteren, die hier Gleichgesinnte, Gedankenaustausch und Anregung suchten. Das Romanische Café hatte die gleiche Funktion und erlebte seine besten Jahre nach dem Ersten Weltkrieg. Es befand sich, bevor es im Zweiten Weltkrieg zerstört wurde, an der Stelle, an der heute das Europa-Center steht. In den zwanziger Jahren war das Romanische Café Treffpunkt für alle, die sich einiger Bedeutung bewußt sein konnten oder doch wenigstens den Ehrgeiz hatten, sie zu erwerben. Wer in den legendären »Goldenen Zwanzigern« in Berlin »dabeisein« wollte, kam am Romanischen Café nicht vorbei. Expressionisten und Dadaisten, Künstler und Kritiker, Politiker und Journalisten, Ansässige und Besucher – alle ließen sich hier sehen, hofften auf Kontakte, Anregungen und Anerkennung. Das galt auch für Ausländer: Thomas S. Eliot, André Gide, Sinclair Lewis und Thomas Wolfe studierten hier die Berliner Kulturszene. Bertolt *Brecht*, Walter Hasenclever, Heinrich Mann, Erich Mühsam, Roda Roda, Carl Zuckmayer, Wolfgang Koeppen, George Grosz, Max *Slevogt*, der »rasende Reporter« Egon Erwin Kisch, sie alle und viele mehr schufen die Faszination dieses Cafés.

Paul Cassirer

Kunsthändler und Verleger, **21. Februar 1871 Görlitz*, *†7. Januar 1926 Berlin (Selbstmord)*.
Paul Cassirer eröffnete 1898 in Berlin gemeinsam mit seinem Vetter Bruno Cassirer einen Kunstsalon, in dem er die Werke deutscher und französischer Impressionisten zeigte. Er war einer der bedeutendsten Förderer dieser Kunstrichtung. Zusammen mit der *Berliner Sezession*, der er angehörte, veranstaltete er Ausstellungen. 1898 gründeten Paul und Bruno Cassirer auch einen Verlag, in dem sie hauptsächlich Kunstliteratur herausgaben. LITERATUR: Tilla Durieux, Meine ersten neunzig Jahre. 1971.

Adelbert von Chamisso

Dichter und Naturforscher, **30. Januar 1781 Schloß Boncourt, Champagne, †21. August 1838 Berlin*.
Adelbert von Chamisso, eigentlich Louis Charles Adelaide de Chamisso, gehörte einem französischen Adelsgeschlecht an. Seine Familie mußte 1790 nach der Zerstörung ihres Stammsitzes und der Enteignung ihrer Güter Frankreich verlassen und zog nach Bayreuth. 1796 erhielt sie durch die Bemühungen von Chamissos älterem Bruder Prudens die Erlaubnis, nach Berlin zu ziehen. Im gleichen Jahr wurde der 15jährige Chamisso Page im Hofstaat der Königin Luise. 1798 trat er in die preußische Armee ein. In dieser Zeit gab er von 1804 bis 1806 zusammen mit Karl August *Varnhagen von Ense* einen Musenalmanach heraus. 1806 gab er den Militärdienst auf. In den Jahren 1806 bis 1813 traf sich Chamisso regelmäßig mit *Schleiermacher*, Fichte, *Kleist*, *Varnhagen von Ense* und Savigny, um über Preußens Zukunft und der Vertreibung Napoleons nachzudenken. 1812 bis 1815 studierte er Botanik. 1815 bis 1818 nahm er an einer Forschungsreise auf dem russischen Segelschiff »Rurik« unter der Leitung des Balten Otto von Kotzebue teil. Nach seiner Rückkehr wurde er 1819 zum Ehrendoktor der Philosophie ernannt und erhielt eine Anstellung als Adjunkt, später als Kustos, am *Botanischen Garten*. Er entdeckte den Generationswechsel der

Manteltiere. 1835 wurde er Mitglied der Akademie der Wissenschaften. 1832 bis 1835 gab Chamisso zusammen mit Gustav Schwab den »Deutschen Musenalmanach« heraus.
Chamisso veröffentlichte 1814 »Peter Schlemihls wundersame Geschichte«, eine Märchennovelle, mit der er literarischen Ruhm erlangte. Zu seinen balladenartigen Gedichten gehören »Das Riesenspielzeug« und »Die alte Waschfrau«. Im Park Monbijou steht eine Büste Chamissos.
LITERATUR: W. Feudel, Adelbert von Chamisso. 1965. – J. E. Hitzig, Leben und Briefe von Adelbert von Chamisso. 2 Bände. 1839/40. – G. Schmid, Chamisso als Naturforscher. 1942.

Charité

Als 1710 in der Mark Brandenburg eine Pestepidemie ausbrach, ließ Friedrich I. vor den Toren Berlins ein Pesthaus errichten, das anschließend zeitweise als Hospital, zeitweise als Arbeitshaus diente, bis es 1726 als Krankenhaus mit angeschlossener Lehr- und Forschungsstätte eingerichtet und Charité genannt wurde. In ihr ging das 1716 gegründete »Theatrum anatomicum« auf, das der Ausbildung von Wundärzten für die Armee diente.
1785 bis 1797 entstand die erste große Krankenhausanlage. 1810 wurde die Medizinische Fakultät der neugegründeten *Friedrich-Wilhelms-Universität* ins Leben gerufen. Sie hatte 117 Studenten. Erster Dekan war Christoph Wilhelm Hufeland. Die Krankenanstalten der Charité wurden der Universität 1829 eingegliedert. Die berühmtesten Mitglieder der Medizinischen Fakultät waren im 19. Jahrhundert Rudolf *Virchow* und Robert *Koch*, im 20. Jahrhundert Ferdinand *Sauerbruch* und Theodor Brugsch. An die Erstgenannten erinnern bedeutende Denkmäler: für Virchow auf dem Karlsplatz von Fritz Klimsch (1910) mit einem Marmorrelief des Arztes und einer symbolischen Darstellung des Kampfs gegen die Krankheit und für Robert Koch auf dem Robert-Koch-Platz von Louis Tuaillon (1916) als marmornes Sitzbild.
Ab 1897 wurde die Charité zu einem umfangreichen Klinikviertel ausgebaut, das auf einem 15 Hektar großen Gelände

zwischen Alexanderufer, Invalidenstraße, Hermann-Matern-Straße und Schumannstraße mehrere Spezialkliniken vereint. Im Zweiten Weltkrieg erlitt sie schwere Schäden. Nach deren Beseitigung und ersten Erweiterungen in den fünfziger Jahren (u. a. Hautklinik) wurden Ende der siebziger Jahre umfangreiche Neubauten begonnen, deren erster das Chirurgische Zentrum war.
LITERATUR: G. Jaeckel, Die Charité. 1965.

Charlottenburg

Nordwestlich des Dorfes Lietzow, das sich im 14. Jahrhundert aus einem 1239 erstmals urkundlich erwähnten Hof westlich von Berlin entwickelt hatte, begann 1695 für die Kurfürstin und spätere Königin Sophie Charlotte der Bau des von Johann Arnold *Nering* entworfenen Lustschlosses Lietzenburg. Es wurde nach dem Tod der Königin am 1. Februar 1705 in *Schloß Charlottenburg* umbenannt. Die südlich davon entstandene, rund 100 Einwohner zählende Siedlung erhielt ebenfalls den Namen Charlottenburg. Am 5. April 1705 verlieh ihr König Friedrich I. die Stadtrechte.
Trotz der Eingemeindung des Dorfes Lietzow im Jahr 1720 und der Ansiedlung von Hofbeamten wuchs die Einwohnerzahl Charlottenburgs im 18. Jahrhundert nur langsam. In der ersten Hälfte des 19. Jahrhunderts bekam es den Charakter eines Ausflugsortes, und wohlhabende Berliner ließen sich hier Sommersitze errichten. Mitte des 19. Jahrhunderts setzte ein rasches Wachstum der Stadt ein. Westlich von Charlottenburg entstand ab 1866 die Villenkolonie Westend. Hauptausdehnungsrichtung war jedoch Südosten. Die Bevölkerungszahl, die 1870 bereits auf 17000 angestiegen war, wuchs bis 1890 auf 77000. Zur Verbesserung der Verkehrssituation wurden neue Straßenzüge angelegt und alte ausgebaut, so z. B. ab 1880 der *Kurfürstendamm*. Die seit 1865 bestehende Pferdeeisenbahn nach Berlin wurde durch die Stadtbahn und seit 1902 durch die erste U-Bahn-Linie ergänzt. Großstädtischen Charakter bekam Charlottenburg durch Einrichtungen der Kultur und des Bildungswesens. Zwischen der Hardenbergstraße und der

Charlottenburger Chaussee, der heutigen Straße des 17. Juni, entstanden 1878 bis 1884 das Hauptgebäude der Technischen Hochschule (heute *Technische Universität*) und 1898 bis 1902 die Gebäude der Hochschule für Musik und der Hochschule für bildende Künste (1975 zur Hochschule der Künste vereinigt). In der Kantstraße wurde 1896 das *Theater des Westens* eröffnet, in der Bismarckstraße 1907 das *Schiller-Theater* und 1912 das Opernhaus der Stadt Charlottenburg, an dessen Stelle heute die *Deutsche Oper Berlin* steht.
1912 schloß sich Charlottenburg dem Zweckverband Groß-Berlin an. Bei der Eingemeindung 1920 bildete es den 7. Berliner Verwaltungsbezirk, der seit 1945 zum britischen Sektor gehört. 1955 bis 1960 wurde die Siedlung Charlottenburg-Nord als Erweiterung der 1929 bis 1931 beiderseits der Grenze zu *Spandau* entstandenen Großsiedlung *Siemensstadt* angelegt. Die südöstlichen Teile Charlottenburgs mit dem *Kurfürstendamm*, der schon in den zwanziger Jahren in Konkurrenz zu den »Linden« und der Friedrichstraße stand, entwickelten sich nach dem Zweiten Weltkrieg zum engeren City-Bereich Westberlins.
LITERATUR: H. Engel u. a. (Hrsg.), Charlottenburg. Der Neue Westen. 1986. – W. Gundlach, Geschichte der Stadt Charlottenburg. 1905. – A. Kiermeir u. A. Weber, Charlottenburg. 1984. – S. Prösel u. M. Kremin, Berlin um 1700. Die Idealstadt Charlottenburg. 1984. – W. Ribbe (Hrsg.), Von der Residenz zur City. 275 Jahre Charlottenburg. 1980. – I. Wirth, Die Bauwerke und Kunstdenkmäler von Berlin. Stadt und Bezirk Charlottenburg. 1961.

Daniel Nikolaus **Chodowiecki**

Maler und Graphiker, *16. Oktober 1726 Danzig, †7. Februar 1801 Berlin.
1743 kam Chodowiecki nach Berlin. Er war zunächst bis 1754 als Kaufmann tätig. Nach Anfängen als Emailmaler ging er zu Christian Bernhard Rode in die Lehre. 1764 wurde er Mitglied der Akademie der Künste und 1797 deren Direktor. Er malte kleinformatige Porträts und Genrebilder. Besonders als Radierer erlangte er Bedeutung. Unter seinen 2000 Radierungen überwiegen Illustra-

1.2. petite Palisade. 3. Chapeau flamand. 4. double Palisade 5. Noble Simplicité.

Daniel Nikolaus Chodowiecki, Berliner Frisuren. Kupferstich um 1780.

tionen zu literarischen Werken, u. a. von *Lessing*, Goethe, Schiller, Claudius und Klopstock. Auch sein zeichnerisches Werk ist sehr umfangreich. Chodowiecki schildert in seinen Bildern realistisch das alltägliche Leben der Menschen seiner Zeit. Viele Themen, die die Maler des 19. Jahrhunderts in Historienbildern behandelten, finden sich zuerst in seinem Werk.
Beispiele für Chodowieckis kleine Ölbilder und Miniaturen befinden sich im *Märkischen Museum*, im *Schloß Charlottenburg* und im *Berlin-Museum*, und seine Radierungen sind komplett im Besitz des Kupferstichkabinetts der *Museen in Dahlem*.
LITERATUR: J.-H. Bauer, Daniel Nikolaus Chodowiecki. Das druckgraphische Werk. 1982. – J. Jahn, Daniel Chodowiecki und die künstlerische Entdeckung des Berliner bürgerlichen Alltags. 1954.

Lovis **Corinth**

Maler und Graphiker, *21. Juli 1858 Tapiau, Ostpreußen, †17. Juli 1925 Zandvoort, Niederlande.
1876 bis 1880 studierte Corinth an der Kunstakademie in Königsberg u. a. bei Otto Günther, anschließend setzte er seine Studien bis 1884 an der Münchner Akademie fort. 1884 bis 1887 war er in Antwerpen und Paris, wo er an der Académie Julian arbeitete. In dieser Zeit wurde sein Interesse für die flämische Malerei geweckt, besonders für die Werke von Rembrandt und Frans Hals. Nach seiner Rückkehr nach Königsberg fand Corinth zu seinem persönlichen, kraftvoll realistischen Stil. 1890 bis 1900 war er wieder in München.
Seit 1900 lebte Corinth in Berlin. Hier schloß er sich der *Berliner Sezession* an, deren Präsident er 1915 wurde, blieb im Grunde aber ein Einzelgänger. Zusammen mit Max *Liebermann* und Max *Slevogt* gehörte er zu den Hauptvertretern des Berliner Impressionismus. Der dunkelfarbige kraftvolle Stil der frühen Werke zeigte eine Veränderung, Corinth arbeitete mit Lichteffekten, seine Farben wurden heller, verloren aber nicht an Intensität. Er malte vor allem Landschaften, aber auch Porträts, Stilleben, weibliche Akte, religiöse und mythologische Szenen. Um 1911 begann er sich den graphischen Techniken zuzuwenden. Es entstanden Radierungen, Lithographien und Buchillustrationen.
1903 heiratete Corinth seine Schülerin Charlotte Berend, sie wurde sein bevorzugtes Modell. 1907/08 kam August Macke nach Berlin und wurde sein Schüler. Ein Schlaganfall, den Corinth 1911 erlitt, hatte körperliche Behinderungen und die Erfahrung der Nähe des Todes zur Folge. Mit großer Energie arbeitete Corinth weiter, aber seine Malweise änderte sich. Sein Werk sollte nun nicht mehr die Wirklichkeit der Natur, sondern die Wirklichkeit des Malers wiedergeben. Intensive Farben sollten die individuelle Empfindung zum Ausdruck bringen, expressive Werke entstanden.
Ab 1918 war Corinth den Sommer über in Urfeld am Walchensee, hier schuf er die Walchenseebilder. Auf vielen Reisen besuchte er Frankreich, die Schweiz, Italien und Dänemark. 1925 reiste er in die Niederlande, um die Werke von Rembrandt und Frans Hals zu sehen. Auf dieser Reise starb er.
Die Nationalgalerie auf der *Museumsinsel* zeigt einige von Corinths Werken, u. a. »Mutterliebe« (1911), »Frau mit Rosenhut« (1912) und das Porträt von Max Halbe (1917). Im *Märkischen Museum* hängt das Porträt von Walter Leistikow (1893) und in der *Neuen Nationalgalerie* »Walchensee mit Lärche« (1921).
Die Nationalsozialisten bezeichneten die Werke Corinths als entartet, sie wurden aus den Museen entfernt.
LITERATUR: C. Berend-Corinth, Mein Leben mit Lovis Corinth. Neuausgabe 1958. – Dies., Die Gemälde von Lovis Corinth. 1958. – G. von der Osten, Lovis Corinth. ²1959.

Dada-Bewegung

1917 hatte die literarisch-künstlerische Dada-Bewegung von Zürich, wo sie 1916 begründet worden war, nach Berlin übergegriffen. Richard Huelsenbeck, Raoul Hausmann, John Heartfield, George Grosz, Walter Mehring und Hannah Höch waren in Berlin die Hauptvertreter dieser Bewegung. Sie wurden durch den Malik-Verlag von Wieland Herzfelde gefördert, der in seinen Zeitschriften die satirischen Zeichnungen von George Grosz veröffentlichte und seine Mappen herausgab.
In Berlin war die Dada-Bewegung besonders stark politisch engagiert. Sie stand der KPD nach deren Gründung 1919 nahe und wollte dazu beitragen, die verspätete bürgerliche Revolution in Deutschland in eine proletarische zu überführen. Die Dadaisten waren antimilitaristisch und antipatriotisch und verspotteten die »Spießer« im deutschen Bürgertum. Sie lehnten die überlieferten Kunstformen ab und forderten die absolute künstlerische Freiheit. Zufall und Spontaneität sollten bestimmende Faktoren ihrer Antikunst sein. Lautgedichte, Geräuschkonzerte, Collagen und Fotomontagen waren die Mittel, mit denen man die Welt, wie man sie im Ersten Weltkrieg erlebt hatte, verändern wollte.
LITERATUR: R. Huelsenbeck, En avant Dada. Zur Geschichte des Dadaismus. ²1978. – W. Mehring, Berlin-Dada. Eine

Chronik mit Photos und Dokumenten. Zürich 1959.

Deutsche Oper Berlin

An der Stelle, an der Heinrich Seeling 1911/12 das Opernhaus in *Charlottenburg* erbaut hatte, das im Zweiten Weltkrieg zerstört wurde, errichtete Fritz Bornemann ab 1956 die Deutsche Oper Berlin, die am 24. September 1961 eröffnet wurde. In den modernen Glas- und Stahlbau wurden nur im technischen Bereich einige ältere Gebäudeteile einbezogen. Zur Bismarckstraße ist der Zuschauerraum durch eine fensterlose, 70 m lange Fassade gegen den Straßenlärm abgeschirmt. Diese ungegliederte Fassade aus Waschbeton erhält durch eine davorgestellte, 20 m hohe, schwarze, abstrakte Chromnickelstahl-Skulptur von Hans Uhlmann (1960/61) einen besonderen Akzent.

Deutscher Dom

Die südliche der beiden Zwillingskirchen auf dem ehemaligen *Gendarmenmarkt*, 1701 bis 1708 von Oberlandbaudirektor Martin Grünberg als fünfeckiger Zentralbau mit Apsiden an allen Seiten erbaut, erhielt wie der benachbarte *Französische Dom* erst nachträglich (1780 bis 1785) einen mächtigen, von Karl von *Gontard* entworfenen Kuppelturm mit drei Säulenreihen. Der von Christian Rode entworfene plastische Schmuck ähnelt ebenfalls dem der Nachbarkirche. Die Renovierung durch Hermann v. d. Hude 1881/82 war ein weitgehender Neubau, da die Kirche sehr baufällig war. Der Wiederaufbau der 1943 ausgebrannten Kirche steht vor der Vollendung.

Deutsche Staatsoper

Als erstes Gebäude des *Forum Fridericianum* wurde in den Jahren 1741 bis 1743 unter Leitung von Johann Georg Fünck nach Plänen von Georg Wenzeslaus von *Knobelsdorff* das Opernhaus, die spätere Deutsche Staatsoper, errichtet. Eine Neuerung in der Geschichte des Theaterbaus war die völlige funktionale Unabhängigkeit des als Hofoper und für Festlichkeiten gedachten, allseits freistehenden Bauwerks vom Schloß. Bei einem Umbau der Inneneinrichtung durch Carl Gotthard *Langhans* 1787 wurden Ränge und ansteigendes Parkett eingebaut. Nach einem Brand in der Nacht vom 18. auf den 19. August 1843 baute Carl Ferdinand Langhans die Oper 1844 völlig neu auf. Ernst Rietschel schuf den Giebelschmuck in Zinkguß, außerdem wurden in Nischen griechische Dichterfiguren und auf dem Dach Apollo mit Musen aufgestellt. 1869, 1910 und vor allem 1926 bis 1928 erfolgten An- und Aufbauten im Bühnenbereich, die die äußere Gestalt vor allem des Südteils des Gebäudes veränderten.

Das im Zweiten Weltkrieg zunächst 1941 ausgebrannte, 1942 wiederhergestellte und dann 1945 völlig zerstörte Opernhaus wurde 1951 bis 1955 neu aufgebaut. Dabei wurde mit der Aufschrift »Deutsche Staatsoper« die ursprüngliche, »Fridericus Rex Apolloni et Musis«, ersetzt. Erst 1986 wurde die alte Aufschrift wieder angebracht. Sie knüpft an die Bauidee an, das Opernhaus durch den giebelgeschmückten Portikus mit sechs korinthischen Säulen als Tempel für Apollo und die Musen zu konzipieren. Durch diese Gestaltung erweist sich die Staatsoper als ältestes Beispiel des an Palladio geschulten Klassizismus in Berlin.

LITERATUR: W. Otto, Die Lindenoper. Ein Streifzug durch ihre Geschichte. 1980.

Deutsches Theater

1848 wurde das Friedrich-Wilhelmstädtische Theater gegründet, das zunächst im Saal des Friedrich-Wilhelmstädtischen Kasinos spielte, bis das von Eduard Titz erbaute Theatergebäude an der Schumannstraße 1850 fertig war. Das Theater widmete sich zunächst der klassischen Operette; es zog 1883 in die Chausseestraße um. Das Haus an der Schumannstraße, bereits 1872 und erneut 1883 umgebaut, kaufte Adolph L'Arronge, ein Autor damals vielgespielter Volksstücke, und nannte es Deutsches Theater. 1894 übernahm Otto Brahm das Theater. Er förderte vor allem die naturalistischen Dramatiker

Gerhart *Hauptmann*, Hermann *Sudermann* und Arno Holz. Die Aufführung der »Weber« von Hauptmann im September 1894 veranlaßte den Kaiser zur Kündigung seiner Loge. Unter Leitung von Max *Reinhardt* (1905 bis 1920 und 1925 bis 1932), der das klassische Drama, aber auch die Frühwerke des Expressionismus pflegte, wurde das Haus zu einer der führenden deutschsprachigen Bühnen.
Reinhardt gründete im benachbarten Kasino 1906 auch die Kammerspiele. Für das Foyer dieses Gebäudes schuf Edvard Munch den achtteiligen Zyklus »Lebensfries«, eine lyrisch wirkende Folge landschaftlicher und figürlicher Motive in lichten Farben. Das Werk wurde in der Zeit des Nationalsozialismus entfernt und verkauft. 1966 kaufte es die *Neue Nationalgalerie* in Westberlin.
Das im Zweiten Weltkrieg schwer beschädigte Deutsche Theater wurde in neuer Form wiederaufgebaut. An *Brechts* Inszenierung seiner »Mutter Courage und ihre Kinder« im Jahr 1949 schloß sich die Gründung des *Berliner Ensembles* an.

Deutschlandhalle

Die Deutschlandhalle südlich des *Messegeländes* am Messedamm wurde aus Anlaß der Olympischen Spiele 1936 als Austragungsort für verschiedene Wettbewerbe errichtet und im November 1935 eingeweiht. Sie konnte je nach Bestuhlung 16 000 bis 20 000 Zuschauer aufnehmen.
Im Januar 1943 brannte die Halle nach einem Luftangriff aus. Nach dem Wiederaufbau wurde sie im Oktober 1957 wieder in Betrieb genommen. Heute ist die Deutschlandhalle Schauplatz der größten Hallensportereignisse Berlins (u. a. Reitturniere) und bietet bis zu 10 000 Sitz- und 2000 Stehplätze.

Alfred Döblin

Schriftsteller, *10. August 1878 Stettin,* †28. Juni 1957 Emmendingen, Baden.
Döblin, der aus einer jüdischen Kaufmannsfamilie stammte, wuchs in Berlin auf, denn seine Mutter war 1889, nach dem Scheitern ihrer Ehe, mit ihren Kindern nach Berlin gezogen. Von 1891 bis zur Reifeprüfung 1900 besuchte er das Cöllnische Gymnasium. Bis 1904 studierte er in Berlin Medizin, ging dann nach Freiburg und promovierte hier 1905. Anschließend war er in Regensburg Assistenzarzt und kehrte im Herbst 1906 nach Berlin zurück, um eine Stelle im psychiatrischen Krankenhaus in Buch anzutreten. 1908 bis 1911 arbeitete er am städtischen Krankenhaus Am Urban, danach eröffnete er eine eigene Praxis als Neurologe und Internist. 1912 heiratete er die wohlhabende Fabrikantentochter und Medizinstudentin Erna Reiß.
Seine ersten Novellen veröffentlichte Döblin 1910 in der von seinem Freund Herwarth *Walden* herausgegebenen expressionistischen Zeitschrift »Der Sturm«. 1913 erschienen die grotesken expressionistischen Erzählungen »Die Ermordung einer Butterblume«.
Nachdem Döblin seit 1915 als Militärarzt eingesetzt worden war, kehrte er 1918 nach Berlin zurück, wurde Sozialdemokrat und eröffnete 1919 in der Frankfurter Allee wieder eine Praxis. 1921 wurde Charlotte Niclas seine Geliebte und Freundin der Familie.
Döblin hatte 1916 für den 1915 erschienenen Roman »Die drei Sprünge des Wang-Lun« den Fontane-Preis erhalten. 1929 erschien dann sein Welterfolg »Berlin Alexanderplatz«, *der* Großstadtroman, der 1931 erstmals verfilmt wurde. Der Erfolg dieses Romans ermöglichte ihm eine Praxis und Wohnung am Kaiserdamm. 1928 wurde er in die Akademie der Künste und 1931 in deren Senat gewählt. Unmittelbar nach dem Reichstagsbrand verließ Döblin Berlin und ging über Zürich nach Paris. Seine Bücher wurden am 10. Mai 1933 verbrannt. 1936 erhielt er die französische Staatsbürgerschaft und arbeitete im Informationsministerium. 1940 floh er über Portugal in die USA und konvertierte zum Katholizismus. Im Herbst 1945 kehrte er nach Frankreich zurück und wurde bis 1951 als französischer Besatzungsbeamter in Mainz und Baden-Baden eingesetzt. 1946 bis 1951 war er Herausgeber der Zeitschrift »Das Goldene Tor«.
Döblins letzte Lebensjahre waren überschattet von Krankheit und wirtschaftlicher Not. Er starb im Landeskrankenhaus Emmendingen und wurde auf dem

Friedhof von Housseras bei Rambervillers in Lothringen bestattet.
LITERATUR: H. Arnold (Hrsg.), Alfred Döblin. ²1972. - K. Müller-Salget, Alfred Döblin, Werk und Entwicklung. 1972.

Dom

Die monumentalste Kirche Berlins – 114 m lang, 73 m breit und 85 m hoch – wurde 1893 bis 1905 direkt gegenüber dem Schloß von Julius Raschdorff errichtet. Kaiser Wilhelm II. wird die Absicht zugeschrieben, mit dem durch Stilelemente der Hochrenaissance geprägten Bauwerk dem Kölner Dom Konkurrenz zu machen; das gelang mindestens insofern, als die Grundfläche des Berliner Doms mit 6270 m² um 110 m² größer ist.
Der Dom mit seiner gewaltigen Kuppel wurde im Zweiten Weltkrieg schwer beschädigt. Seit 1974 wurde das Äußere restauriert, das Innere soll bis 1991 fertiggestellt sein.
Der Kirchenbau steht an der Stelle eines älteren Doms, den Johann *Boumann* 1747 bis 1750 im Auftrag Friedrichs des Großen erbaut hatte und den Karl Friedrich *Schinkel* 1817 im Innern und 1820 bis 1822 auch äußerlich umgestaltet hatte.
Bevor dieser friderizianische Dom errichtet wurde, befand sich die Domkirche an der Südwestecke des Schlosses. Es handelte sich um die 1297 zuerst erwähnte Kirche des ehemaligen Dominikanerkonvents, die 1536 vom Kurfürsten zum Sitz des Domstifts gemacht wurde. Am 14. September 1539 wurde hier in Anwesenheit des Kurfürsten Joachim II. die erste offizielle evangelische Predigt in Berlin gehalten. 1614/15 war die Kirche Schauplatz schwerer Auseinandersetzungen zwischen Lutheranern und Reformierten. Der lutherische Dompropst mußte die Stadt verlassen, und die wertvollen Kunstschätze der Kirche wurden zerstört.
In der Hohenzollerngruft unter dem Dom befinden sich neben anderen Grabdenkmälern die von *Schlüter* entworfenen Sarkophage für Königin Sophie Charlotte (1705), Prinz Friedrich Ludwig (1708) und König Friedrich I. (1713) sowie das bronzene Grabmal des Kurfürsten Johann, das nach einem Entwurf Peter Vischers aus Nürnberg von dessen Sohn Johannes 1530 hergestellt wurde.

Dorfkirchen

Entsprechend der großen Zahl kleiner märkischer Dörfer, die im Laufe der Entwicklung der Großgemeinde Berlin aufgesogen oder eingemeindet worden sind, gibt es bis heute zahlreiche Dorfkirchen, die teilweise auffallende Elemente im Bild der Großstadt darstellen. Ihre Gesamtzahl beträgt etwa fünfzig, rund die Hälfte davon liegt jeweils in West- und Ostberlin. Die meisten gehen auf das 13. bis 15. Jahrhundert zurück, wobei der Erhaltungszustand sehr unterschiedlich ist und der Umfang inzwischen erfolgter Renovierungen, Umbauten und Erweiterungen alte Bausubstanz z. T. nur in geringem Maß übrigließ.
In Ostberlin gehört zu den bemerkenswertesten Dorfkirchen diejenige von Blankenburg im Bezirk *Pankow*, ein Granitquaderbau aus der Mitte des 13. Jahrhunderts mit quadratischem Turm. Die Dorfkirche von Hohenschönhausen, eine der kleinsten Berlins, stammt in ihren ältesten Teilen ebenfalls aus dem 13., sonst aus dem 14./15. Jahrhundert, mit Anbauten aus dem 19. und 20. Jahrhundert. Die Kirche enthält einen Flügelaltar und Heiligenfiguren aus dem 15. Jahrhundert, die früher in der Kirche des nahe gelegenen Wartenberg standen. Die Dorfkirche von Stralau (Bez. *Friedrichshain*) auf einer Halbinsel zwischen Spree und Rummelsburger See, ein verputzter Bau mit einem Feldsteinsockel, wurde 1464 errichtet. Aufmerksamkeit verdienen Teile der Inneneinrichtung, vor allem die einzigen Reste spätgotischer Glasfenster in Berlin (Ende 15. bis 2. Hälfte 16. Jahrhundert). Die ebenfalls auf das 15. Jahrhundert zurückgehende Dorfkirche von *Pankow* wurde 1858/59 von Friedrich August *Stüler* erweitert. In den gleichen Jahren errichtete Stüler auch den interessantesten neueren Dorfkirchenbau Westberlins, die Kirche am Stölpchensee im Dorf Stolpe im heutigen Bezirk *Zehlendorf*, Ortsteil Wannsee. Sie weist einen gedrungenen Vierungsturm und drei polygonale Apsiden auf und ist im Innern in italienisch-romanischen Formen ausgestattet.

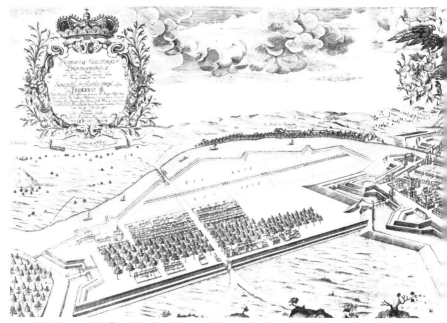

Die Festung Berlin. Kupferstich von Johann Bernhard Schultz aus dem Jahr 1688.
Baugelände der Dorotheenstadt, in der Mitte die Doppelstadt Berlin-Cölln
der Spree, das »Bollwerk im Morast« –

Die St.-Annen-Kirche, Dorfkirche von Dahlem, gleichfalls im Bezirk *Zehlendorf*, ein Backsteinbau auf Feldsteinsockel mit einem Chor vom Ende des 15. Jahrhunderts, geht nach einer nicht ganz sicheren Datierung auf das Jahr 1220 zurück. Aus dem Barock stammen Kanzel (1679) und Empore. Der Schnitzaltar und ein Gemälde der Kreuzigung aus der Berliner Franziskanerkirche (um 1485) sind spätgotisch. Der Kirchenturm aus dem Jahr 1781 war ab 1832 Relaisstation der ersten optischen Telegraphenlinie.
Ebenfalls bereits um 1220 wurde die Dorfkirche von Marienfelde (Bez. *Tempelhof*) errichtet. Sie gilt als älteste Kirche Berlins und wurde vom Templerorden auf dem vollständig erhaltenen Dorfanger erbaut. Von 1312 bis 1435 gehörten Kirche und Dorf den Johannitern. Der Westturm ist rechteckig mit seitlichen Giebeln und hat die gleiche Breite wie das quadratische Langhaus, an das sich Chor und Apsis als stetig kleinere Quadrate anschließen. Restaurierungen und Umbauten in den Jahren 1896, 1921 und 1954 haben das Gesamtbild wenig beeinflußt.
Wohl ebenfalls im ersten Drittel des 13. Jahrhunderts und vom Templerorden erbaut ist der spätromanische Granitquaderbau der Dorfkirche Mariendorf (Bez. *Tempelhof*). Sie ist derjenigen von Marienfelde ähnlich, abgesehen vom Turm, der im zweiten Geschoß von einem rechteckigen auf einen quadratischen Grundriß reduziert ist und auf einem pyramidenförmigen Dach einen achteckigen barocken Holzaufsatz mit geschweifter Kupferhaube von 1737 trägt. Im Turm hängt eine Glocke aus dem Jahr 1480.
Die Dorfkirche von Buckow (Bez. *Neukölln*), erbaut wohl um 1250, ist aus Granitquadern und Feldsteinen errichtet. Im spätgotischen Kreuzgewölbe aus dem 15. Jahrhundert wurden 1908 bzw. 1950 Malereien, vor allem Passionsszenen, freigelegt. Die Kirche enthält als Beispiel des sogenannten Weichen Stils das vermutlich aus Nürnberg stammende Epitaph des Grafen Johann von Hohenlohe († 1412).

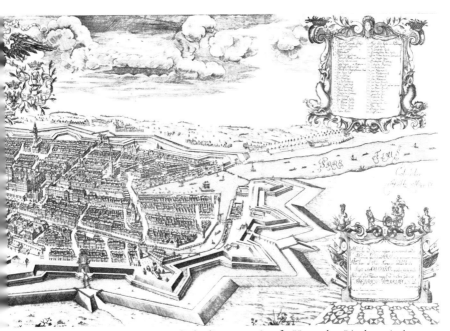

Der Blick von Südwesten zeigt links die spätere Straße Unter den Linden mit dem mit der vorgelagerten neuen Stadt Friedrichswerder und rechts, südlich heute Standort des Märkischen Museums.

LITERATUR: K. Pomplun, Berlins alte Dorfkirchen. [5]1984.

Dorotheenstadt

Kurfürst Friedrich Wilhelm hatte 1668 seiner zweiten Gattin Dorothea das Gebiet nördlich der Allee *Unter den Linden* geschenkt. Das Gebiet war im Oktober 1673 zur Bebauung abgesteckt worden. Am 2. Januar 1674 erhielt die neue Siedlung, die den Namen Dorotheenstadt trug, vom Kurfürsten die gleichen Privilegien, wie sie der *Friedrichswerder* bereits 1662 erhalten hatte, und wurde damit vierte Residenzstadt. Im Jahr 1709 wurden die Dorotheenstadt und die südlich benachbarte Friedrichstadt mit Berlin, Cölln und dem Friedrichswerder zur Königsstadt Berlin zusammengeschlossen.
Im 19. Jahrhundert entwickelte sich das Viertel zum wichtigsten Theater- und Vergnügungsbezirk Berlins. In der im Zweiten Weltkrieg zerstörten Dorotheenstädtischen Kirche stand eines der bedeutendsten Werke Johann Gottfried *Schadows*, das Grabmal des Grafen Alexander von der Mark (1788 bis 1791), das heute in der Nationalgalerie auf der *Museumsinsel* aufbewahrt wird.

Ehrenmal für die Opfer des 20. Juli 1944

Eine nationale Gedächtnisstätte des Widerstandes gegen den Nationalsozialismus wurde 1967 im Hof des ehemaligen Oberkommandos der Wehrmacht, dem sogenannten Bendlerblock, an der heutigen Stauffenbergstraße im Bezirk Tiergarten errichtet. An der Stelle, an der am Abend des 20. Juli 1944 der Attentäter Oberst Graf Schenk von Stauffenberg und seine Mitverschworenen Beck, Olbricht, Mertz von Quirnheim und von Haeften ohne Verfahren erschossen wurden, erinnert die Statue eines gefesselten Jünglings von Richard Scheibe (1953) an die Widerstandskämpfer. Der Dokumentation des Widerstands gilt eine 1968 eingerichtete ständige Ausstellung im 2. Stock des Gebäudes.

Albert **Einstein**

Physiker, *14. März 1879 Ulm, †18. April 1955 Princeton, N. J. (USA).
Nach dem Studium an der Eidgenössischen Technischen Hochschule in Zürich wurde Albert Einstein Schweizer Staatsbürger und Mitarbeiter am Patentamt in Bern (1902 bis 1909). 1905 promovierte er. Er erweiterte den Quantenbegriff Max *Plancks* zur zunächst umstrittenen Lichtquantentheorie und stellte in seiner Abhandlung »Zur Elektrodynamik bewegter Körper« die spezielle Relativitätstheorie auf. Nach der Habilitation in Bern (1908) wurde er 1909 Professor an der Universität Zürich, 1911 an der deutschen Universität Prag und 1912 an der ETH Zürich.
1913 erhielt Einstein einen Ruf nach Berlin, 1914 wurde er Direktor des Kaiser-Wilhelm-Instituts für Physik und Mitglied der Preußischen Akademie der Wissenschaften. Als Jude, Zionist, Pazifist und erklärter Gegner des Nationalsozialismus verlor er 1933 seine Ämter und emigrierte in die USA. Dort forderte er, abweichend von seiner pazifistischen Grundhaltung, 1939 Präsident Roosevelt zum Bau der Atombombe auf. 1941 wurde er US-amerikanischer Staatsbürger. Ab 1946 stellte sich Einstein an die Spitze derjenigen Wissenschaftler, die vor den Gefahren der Nuklearwaffen warnten.
Indessen hatte Einstein 1914/15 in Berlin die allgemeine Relativitätstheorie formuliert und die Schriften »Über die spezielle und die allgemeine Relativitätstheorie« (1917) und »Grundzüge der Relativitätstheorie« (1922) veröffentlicht. Er erklärte damit die Gravitation und erkannte die Äquivalenz von Masse und Energie. 1921 erhielt er für seine Beiträge zur Quantentheorie den Physik-Nobelpreis. 1919 hatte eine britische Sonnenfinsternis-Expedition eine Bestätigung der Gravitations- und Relativitätstheorie geliefert, die aber umstritten blieb, wobei antisemitische Strömungen auch in Fachkreisen eine Rolle spielten.
LITERATUR: P. Jordan, Albert Einstein. Sein Lebenswerk und die Zukunft der Physik. 1969. – P. A. Schlipp, Albert Einstein als Philosoph und Naturforscher. 1983. – J. Wickert, Albert Einstein in Selbstzeugnissen und Bilddokumenten. 1972.

Die erste in der Maschinenbauanstalt von August Borsig im Jahr 1841 erbaute Dampflokomotive »Beuth«. Zeitgenössische Lithographie.

Eisenbahn

Am 29. Oktober 1838 wurde die 26 km lange Eisenbahnstrecke von Berlin nach Potsdam eröffnet, die bis 1846 nach Magdeburg verlängert wurde. In den folgenden Jahren entstanden Verbindungen nach Wittenberg (ab 1841), Breslau über Frankfurt/Oder (ab 1842), Stettin (ab 1843) und Hamburg (ab 1846), ferner nach Bitterfeld und Halle über Dessau sowie nach Leipzig und nach Dresden über Elsterwerda. So wurde Berlin mit seinen verschiedenen innerstädtischen Kopfbahnhöfen zum Mittelpunkt eines ausgedehnten Eisenbahnnetzes, das allmählich ganz Deutschland erfaßte.

Die ab 1867 etappenweise errichtete Ringbahn und die 1882 eröffnete Stadtbahn hatten neben der Bedienung des innerstädtischen Verkehrs auch die Aufgabe, die einzelnen Bahnhöfe des Fernverkehrs miteinander zu verknüpfen. Gleichzeitig ist nicht zu übersehen, daß die umfangreichen Eisenbahnanlagen auch erhebliche Hindernisse für den innerstädtischen Verkehr darstellten *(Öffentlicher Nahverkehr)*.

Um die Jahrhundertwende bedienten fünf Bahnhöfe der Stadtbahn (Charlottenburg, Zoologischer Garten, Friedrichstraße, Alexanderplatz, Schlesischer Bahnhof) sowie fünf isolierte Kopfbahnhöfe (Görlitzer, Anhalter, Potsdamer, Lehrter, Stettiner Bahnhof) den größten Teil des Fernverkehrs. Im Sommerfahrplan 1930 verkehrten von den 10 Fernbahnhöfen Berlins täglich 259 Zugpaare, die im Jahr 16 Millionen Passagiere beförderten.

Der zunehmende Individualverkehr mit Kraftfahrzeugen sowie der Flugverkehr haben nach dem Zweiten Weltkrieg ebenso zu einem Rückgang der Eisenbahnbenutzung geführt wie die politische Entwicklung. Heute liegt der Eisenbahnverkehr Westberlins im Zuständigkeitsbereich der Ostberliner Reichsbahn. Für den Transitverkehr Westberlins zur Bundesrepublik standen zunächst vier Strecken zur Verfügung: vom Bahnhof Zoologischer Garten nach Hamburg über Schwanheide-Büchen, von Zoologischer Garten und Wannsee nach Hannover über Marienborn–Helmstedt, nach Frankfurt über Gerstungen–Bebra und nach München über Probstzella–

Ludwigstadt. 1972 kam eine weitere Verbindung nach München über Gutenfürst–Hof hinzu. Die Reisegeschwindigkeit leidet noch unter den Kontrollaufenthalten und der fehlenden Elektrifizierung im Gebiet der DDR. U. a. deshalb beträgt der Anteil der Eisenbahn am Fernverkehr Westberlins nur etwa 11% (1984 2,8 Millionen Fahrgäste – 4,3 Millionen benutzten das Flugzeug und 19 Millionen fuhren mit Kraftfahrzeugen).

Der Eisenbahnfernverkehr Ostberlins umgeht das Gebiet Westberlins. Als Ostberliner Hauptbahnhof wird an der Stelle des 1985 abgerissenen Schlesischen Bahnhofs, der seit 1950 Ostbahnhof hieß, ein repräsentativer Neubau errichtet.

LITERATUR: A. Gottwaldt, Eisenbahn-Brennpunkt Berlin. Die deutsche Reichsbahn 1920–1939. ²1982. – Königl. Preuß. Minister für Öffentliche Arbeiten (Hrsg.), Berlin und seine Eisenbahnen. 2 Bände. 1896.

Johann Friedrich **Eosander**

Baumeister, getauft 23. August 1669 Lübeck, Stralsund oder Livland, †22. Mai 1728 Dresden.

Johann Friedrich Nilsson Eosander stammt aus den schwedischen Besitzungen am Südufer der Ostsee. Seine genaue Herkunft liegt im dunkeln. Seit 1713 trägt er den Titel Freiherr Göthe und wird oft Eosander von Göthe genannt.

Der in Paris ausgebildete Eosander wirkte seit 1699 in Berlin, wo er als Hofbaumeister zum Rivalen und Nachfolger *Schlüters* wurde, von dem er 1707 die Leitung der Arbeiten am *Berliner Schloß* übernahm. Vorher hatte er bereits ab 1702 am Schloß Lietzenburg, dem späteren *Schloß Charlottenburg*, gebaut – u. a. die Kuppel –, ab 1703 im Auftrag von König Friedrich I. für die Gemahlin des Ministers Graf von Wartenberg das Lustschloß Monbijou errichtet und 1704 Schloß Niederschönhausen umgebaut. 1713 trat Eosander in die Dienste Karls XII. von Schweden, 1723 ging er an den Dresdener Hof, wo er Schloß Übigau erbaute.

LITERATUR: R. Biederstedt, Johann Friedrich Eosander. 1961.

Ephraim-Palais

Die besterhaltene Rokokofassade Berlins zeigt das Ephraim-Palais, das bis 1935 an der Kreuzung Mühlendamm/ Poststraße nahe dem *Molkenmarkt* im Kern der Berliner Altstadt stand. Das Haus hatte der jüdische Münzpächter Friedrichs des Großen, Veitel Heine Ephraim, im Jahr 1761 gekauft und von Friedrich Wilhelm Diterichs umbauen und erweitern lassen. Charakteristisch sind die abgerundete Ecke des Hauses, die zwei Paar Doppelsäulen beiderseits des Portals aufweist, sowie die mit Gittern, Putten und Vasen reich verzierten Balkone und Balustraden. Die Fassade des 1935 beim Neubau der Mühlendammbrücke abgerissenen Hauses war in Westberlin eingelagert worden. Sie sollte nach früheren Planungen für den Neubau eines Jüdischen Museums in der Lindenstraße nahe dem *Berlin-Museum* verwendet werden, wurde aber dann 1984 nach Ostberlin überführt, wo das Ephraim-Palais bis 1986 im *Nikolaiviertel* nahe dem historischen Standort rekonstruiert wurde. Seine Räume werden vom Museum für Bildende Künste genutzt.

Ermeler-Haus

Am Märkischen Ufer in Ostberlin steht seit 1969 das heute als Gaststätte genutzte Ermeler-Haus, das an seinem ursprünglichen Standort in der Breiten Straße als schönstes Bürgerhaus Berlins galt. Es geht auf ein Patrizierhaus des 16. Jahrhunderts zurück, das um 1760 von Friedrich Wilhelm Diterichs für den Armeelieferanten Friedrich Damm im Stil des Rokoko umgebaut wurde. Seinen Namen erhielt das Haus von Wilhelm Ferdinand Ermeler, der es 1824 erwarb und klassizistische Veränderungen vornehmen ließ. 1914 wurde das Haus Eigentum der Stadt, die es seit 1932 als Zweigstelle des *Märkischen Museums* nutzte. Nachdem Kriegsschäden 1952/53 beseitigt worden waren, mußte das Ermeler-Haus 1966 bis 1969 für die Verbreiterung der Breiten Straße an seinen heutigen Platz versetzt werden. Dabei wurde zwar auf die Rekonstruktion der Inneneinrichtung mit Rokokogeländer und Putten im Treppenhaus, Dek-

kengemälden und Stuckarbeiten besonderer Wert gelegt, doch litt das äußere Erscheinungsbild.

Ernst-Reuter-Platz

Den Namen des populärsten Stadtoberhauptes der Nachkriegszeit trägt seit dem 1. Oktober 1953 einer der größten zentralen Plätze Westberlins, der frühere Platz »Am Knie« in Charlottenburg. In den Ring um das 130 × 117 m messende Oval, in dessen Grünflächen zwei Wasserbecken eingelagert sind, münden fünf wichtige Hauptstraßen: Otto-Suhr-Allee, Bismarck- und Hardenbergstraße, Straße des 17. Juni und Marchstraße. Die Gesamtgestaltung des Platzes stammt von Bernhard Hermkes, die Innenraumgestaltung von Werner Düttmann. Eine Neugestaltung ist geplant. An den Platz stoßen im Osten die Gebäude der *Technischen Universität*, die das ganze Stadtviertel beiderseits der Straße des 17. Juni zwischen Marchstraße und Hardenbergstraße im Westen sowie dem Landwehrkanal und dem Zoologischen Garten im Osten einnehmen. Im Norden, Westen und Süden erheben sich die Gebäude bedeutender Firmen und Banken, u. a. Eternit, Telefunken, IBM sowie Raiffeisen- und Berliner Disconto-Bank. Vor dem Gebäude der Architektur-Fachbereiche der TU wurde zum 10. Todestag Ernst Reuters im Jahr 1963 die Bronzeskulptur »Die Flamme« von Bernhard Heiliger aufgestellt. Zur Ausstattung des Platzes gehören auch plastische Werke von Karl Hartung und Gerhard Marcks.

Europa-Center

Der Gebäudekomplex entstand in den Jahren 1963 bis 1965 auf einem 20000 m² großen Ruinengelände am Breitscheidplatz zwischen Tauentzienstraße und Budapester Straße gegenüber der *Kaiser-Wilhelm-Gedächtnis-Kirche* an der Stelle des ehemaligen Romanischen Cafés. Er wurde von Helmut Hentrich und Hubert Petschnigg unter künstlerischer und städtebaulicher Beratung von Werner Düttmann und Egon Eiermann erbaut.

Das Europa-Center besteht aus einem 86 m hohen, 22geschossigen Bürohochhaus mit einer Aussichtsplattform und mit dem weithin sichtbaren, 11 m hohen Mercedesstern sowie einem Sockelbau, der auf drei Ebenen und einer Nutzfläche von 90 000 m² ein Einkaufszentrum mit Geschäften, Cafés, Gaststätten und Kinos beherbergt. Außerdem findet man im Europa-Center das Kabarett »Die Stachelschweine«, das Revuetheater »La vie en rose«, die Spielbank Berlin, das Palace Hotel, das Verkehrsamt Berlin und eine Multivisionsshow, die auf sechs Projektionsflächen die Geschichte Berlins darstellt.

1974 bis 1976 erfolgte ein Umbau des Europa-Centers und eine Überdachung der Innenhöfe. Die 13 m hohe Wasseruhr des Pariser Physikers Bernard Gitton, die dem Betrachter eindrucksvoll den Fluß der Zeit vor Augen führt, wurde 1982 aufgestellt.

Ursprünglich war das Europa-Center als Treffpunkt Europas im freien Teil Berlins konzipiert worden. Ergänzend zu dieser Vorstellung wurde bei der Umgestaltung des Breitscheidplatzes in den Jahren 1981 bis 1983 der Weltkugel-Brunnen des Bildhauers Joachim Schmettau als symbolischer Treffpunkt der Welt angelegt.

Expressionismus in Berlin

Herwarth *Walden* gilt als Urheber des Begriffs Expressionismus als Bezeichnung für die neue Kunstrichtung, die sich im ersten Jahrzehnt des 20. Jahrhunderts entwickelt hatte. 1911 hatte er in seiner 1910 gegründeten Zeitschrift »Der *Sturm*« diese Bezeichnung benutzt. Mit seiner Zeitschrift, die bis 1932 erschien, und mit der ebenfalls 1910 eröffneten »Sturm-Galerie« verfolgte Walden die Absicht, die expressionistische Malerei und Literatur zu fördern. Die Künstlervereinigungen »Brücke«, gegründet 1905 in Dresden, und »Blauer Reiter«, gegründet 1911 in München, waren die Mittelpunkte der expressionistischen Bewegung in Deutschland. Die Brücke-Künstler siedelten bald nach Berlin über und sammelten sich hier um Herwarth Walden.

Franz Pfemfert gab 1911 bis 1932 die literarische Zeitschrift »Die Aktion« her-

aus. Zu seinen Mitarbeitern gehörten u. a. Max Brod, Gottfried Benn, René Schickele, Werner Hasenclever und Else Lasker-Schüler, die auch für den »Sturm« arbeitete. Kurt Hiller gründete 1909 den literarischen Verein »Neuer Club«, in dem sich die expressionistischen Berliner Dichter trafen und aus ihren Werken lasen. 1910 gründete er das »Neopathetische Cabaret«.

Max *Reinhardts* Kabarett »Schall und Rauch« schuf den Expressionisten ein viel genutztes Betätigungsfeld, und das Romanische Café bot die Gelegenheit zu anregendem Gedankenaustausch und zur effektvollen Selbstdarstellung *(Café des Westens und Romanisches Café).* Hier traf sich, was das Bewußtsein verändern, die Kunst erneuern und die Welt verbessern wollte.

LITERATUR: L. Richard, Lexikon des Expressionismus. 1978. – H. Walden, Einblick in Kunst. Expressionismus, Futurismus, Kubismus. 1917, ⁵1924.

Falkenhagener Feld

Im Westen *Spandaus* wurde beiderseits der Falkenseer Chaussee seit 1963 die Stadtrandsiedlung Falkenhagener Feld mit rund 8000 Wohnungen errichtet. Die Gesamtplanung leitete Hans Stephan. In einem Netz von vier-, sechs-, acht- und zwölfgeschossigen Wohnzeilen ragen einzelne Punkthochhäuser mit 12, 14, 16 und 17 Stockwerken heraus und akzentuieren das Gesamtbild.

Walter Felsenstein

*Schauspieler, Regisseur und Theaterintendant, *30. Mai 1901 Wien, †8. Oktober 1975 Ostberlin.*
Felsenstein hatte zunächst als Schauspieler gearbeitet und betätigte sich seit 1927 als Regisseur an verschiedenen Opern- und Schauspielbühnen. 1940 kam er nach Berlin. 1947 wurde er Intendant der *Komischen Oper* in Ostberlin. Mit seinen Inszenierungen, die oft Neubearbeitungen waren, schuf er ein realistisches Musiktheater. Dabei zeichnete ihn ein besondere Befähigung zur Menschenführung aus.

LITERATUR: G. Friedrich, Walter Felsenstein. ²1967.

Fernmeldeturm Frohnau

Im nördlichsten Zipfel Westberlins, im *Reinickendorfer* Ortsteil Frohnau, wurde am 16. Mai 1980 der seit 1978 errichtete höchste Fernmeldeturm der Stadt in Betrieb genommen. Mit einer Höhe von 344 m stellt er die Telefonverbindung zu der Station Gartow im Kreis Lüchow-Dannenberg her. Dabei sind durch die Richtfunk-Sichtverbindung über eine Entfernung von 135 km gleichzeitig 2000 Schaltungen möglich; ein 117 m hoher älterer Turm ließ nur 360 Schaltungen zu. Außerdem werden Fernsehprogramme übertragen.

Fernmeldeturm Schäferberg

Durch die Inbetriebnahme des 212 m hohen Fernmeldeturms auf dem 103 m hohen Schäferberg nahe der Königstraße in Wannsee wurde Westberlin am 18. Juli 1964 vollständig an das Fernwählnetz der Bundesrepublik Deutschland angebunden. Die Gegenstationen im Richtfunkverkehr sind Torfhaus im Harz und Höhbeck an der Elbe. Mit Hilfe der Einrichtungen des Turms, zu denen auch zwei große Parabolantennen mit 10 m Durchmesser gehören, werden auch Fernsehprogramme übertragen.

Fernsehturm

Der Fernsehturm, das weithin sichtbare Wahrzeichen Ostberlins, wurde 1965 bis 1969 zwischen dem S-Bahnhof *Alexanderplatz* und der *Marienkirche* nach einem Entwurf von Fritz Dieter und Günter Franke erbaut.
Der mit Antenne 365 m hohe Turm hat einen 250 m hohen Stahlbetonschaft. Der kugelförmige Turmkopf mit sieben Geschossen besteht aus 140 Edelstahlsegmenten, die dem Bauwerk bei entsprechender Sonneneinstrahlung durch kreuzförmige Reflexionen sakrale Züge verleihen. In 203 m Höhe befindet sich ein Aussichtsgeschoß mit 24 m Durchmesser, darüber das Tele-Café mit 29 m Durchmesser, das sich in einer Stunde um 360° dreht.
Am Fuß des Turms, der einen Durchmesser von 32 m hat, enthalten zweigeschossige Pavillonbauten aus den Jahren

1969 bis 1972 Ausstellungsräume und Restaurants.

Flughafen Schönefeld

Das Gelände des Zentralflughafens der DDR liegt außerhalb der Stadtgrenzen Berlins und etwa 18 km südöstlich des Ostberliner Stadtzentrums. Es diente vor 1945 als Werkflugplatz der Flugzeugindustrie und danach als Stützpunkt der sowjetischen Besatzungsmacht. Nach einem Erstflug nach Moskau 1955 begann im Jahr 1956 der zivile Auslandsflugverkehr der DDR, seit 1963 ausschließlich durch die Gesellschaft Interflug, und im Jahr 1957 der Inlandslinienverkehr, der 1980 wieder eingestellt wurde. Die Zahl der Passagiere stieg von etwa 200 000 (1961) über 1,3 Millionen (1972) auf über 2,1 Millionen (1981).
Der Flughafen hat S-Bahn-Anschluß. Seine Start- und Landebahnen sind 3,6 bzw. 2,7 km lang. Für eine Reihe von Reisezielen, besonders im Charterflug- und Pauschalreiseverkehr, hat Schönefeld auch für Westberlin Bedeutung, da sich die DDR durch subventionierte Flugpreise Deviseneinnahmen verschafft.

Flughafen Tegel

Das Gelände des heutigen Flughafens im Bereich der *Jungfernheide* diente seit 1870 als Artillerieschießplatz und seit 1900 auch als Übungsgebiet des Berliner Luftschifferbataillons. Seit 1930 führten hier Hermann Oberth, Rudolf Nebel und Wernher von Braun Raketenversuche durch. Während der Blockade wurde dann der Flughafen Tegel als französischer Militärflughafen in nur drei Monaten Bauzeit hergerichtet, und am 18. November 1948 konnte der Flugverkehr aufgenommen werden. Seine 2400 m lange Start- und Landebahn war zu diesem Zeitpunkt die längste Europas.
Als *Flughafen Tempelhof* auf Dauer als zu wenig ausbaufähig erwies, begann die Entwicklung Tegels als ziviler Flughafen. Ab 1960 verlegte die Air France ihren Verkehr hierher. Bald folgte der gesamte Berliner Charterverkehr. Die Abfertigung erfolgte zunächst provisorisch an der Nordseite des Gelän-

des. 1969 bis 1974 wurde dann der neue Flughafen Tegel-Süd mit einem sechsekkigen Passagiergebäude errichtet. Die 14 Flugsteige sind direkt mit dem Auto zugänglich, da das Innere des Sechsecks befahrbar ist. Ankunft und Abflug liegen auf einer Ebene. 1974 wurde auch eine weitere Landebahn, die über 3 km lang ist, fertig. Am 1. September 1975 wurde der gesamte zivile Flugverkehr Westberlins nach Tegel verlegt.

Das 4,7 km² große Flughafengelände liegt 8 km vom Stadtzentrum enfernt und ist gut über die Stadtautobahn erreichbar. 1984 wurden bei 55 011 Starts und Landungen 4 293 440 Passagiere und 19 900 t Fracht und Post befördert. Die Kapazität Tegels wird mit 5,5 Millionen Passagieren im Jahr angegeben, so daß der Flughafen für überschaubare Zeit den Bedürfnissen gerecht wird.

Flughafen Tempelhof

Das Tempelhofer Feld war seit der Zeit König Friedrich Wilhelms I. Truppenübungsplatz. Nach 1871 diente das Gelände auch als erster Erprobungsort für Luftfahrzeuge in Berlin. Nach 1900 wurde dann auch der seit 1870 als Artillerieschießplatz genutzte Teil der Jungfernheide bei Tegel, das Gelände des heutigen Flughafens, als Übungsplatz der Luftschiffertruppe verwendet. Daneben entstanden in und bei Berlin vor und nach dem Ersten Weltkrieg eine Reihe weiterer Flugplätze, von denen heute nur noch der *Flughafen Schönefeld* (DDR) und der Flughafen Gatow (britische Schutzmacht) in Betrieb sind. Als nach dem Ersten Weltkrieg der zivile Flugverkehr in Gang kam, fand er zunächst vor allem von Johannisthal (Bezirk Treptow) und Staaken (bei Spandau) aus statt. In Tempelhof, wo 1909 Orville und Wilbur Wright erste Motorflüge durchgeführt hatten, wurde am 8. Oktober 1923 der Zentralflughafen Berlins eröffnet.

Bald konzentrierte sich der gesamte Flugverkehr hier. Von 1924 (952 Starts und Landungen, 1706 Passagiere, etwa 20 t Luftpost und Luftfracht) steigerte sich die Verkehrsleistung zu den Rekordwerten der Vorkriegszeit 1938: 63 571 Starts und Landungen, 247 453 Passagiere, 7700 t Luftpost und Luftfracht. Dann gingen die Zahlen kriegsbedingt zurück.

Die ersten festen Flughafenbauten (Flugzeughallen von Heinrich Kosina und Paul Mahlberg, 1925 bis 1927; Empfangsgebäude von Paul und Klaus Engler, 1926 bis 1929) waren rasch erweiterungsbedürftig (Neubau von Ernst Sagebiel ab 1936).

In der Nachkriegszeit diente der Flughafen zunächst ausschließlich den militärischen und seit 1946 auch zivilen Bedürfnissen der westlichen Besatzungsmächte. Während der Blockade hatte er zwischen Ende Juni 1948 und Anfang Oktober 1949 entscheidenden Anteil an den 277 728 Flügen der Luftbrücke mit einer Transportleistung von etwa 2,3 Millionen t. Auf dem Platz der Luftbrücke vor dem Verwaltungsgebäude des Flughafens wurde zum Gedenken an die 78 Menschen, meist fliegendes Personal, die im Zusammenhang mit der Luftbrücke ihr Leben verloren, im Jahr 1951 das Luftbrückendenkmal nach einem Entwurf von Eduard Ludwig errichtet. Die drei nach Westen gerichteten Bogen der 20 m hohen Betonskulptur symbolisieren die drei Luftkorridore, über die die alliierten Versorgungsflüge Berlin erreichten.

Der Flughafen wurde indessen weiter ausgebaut. Bis 1954 waren zwei neue Start- und Landebahnen von je etwa 2100 m Länge fertig, und 1962 wurde die neue Abfertigungshalle – 100 m lang, 50 m breit, 17 m hoch – eingeweiht, von der ein direkter Zugang zu überdachten Flugsteigen möglich ist.

Die Umstellung auf Großraumflugzeuge mit Düsentriebwerken führte gleichzeitig zu einer Funktionsteilung mit dem *Flughafen Tegel*, der ab 1960 zunächst von der Air France genutzt wurde und dann zunehmend den Charterflug übernahm, bis 1975 der gesamte zivile Flugverkehr Westberlins dorthin verlegt wurde.

Das Berliner Luftverkehrsaufkommen war von 1098 Starts und Landungen mit 21 556 Passagieren und 3200 t Luftpost und Luftfracht im Jahr 1948 kontinuierlich auf 89 625 Starts und Landungen mit 6 121 406 Passagieren und 36 500 t Luftpost und Luftfracht im Jahr 1971 gestiegen. Davon entfielen noch 5,5 Millionen Passagiere auf Tempelhof. Danach sank das Aufkommen, bedingt durch die Verbesserung des Transitverkehrs, und pendelte sich ab 1974 bei 4 bis 4,5 Millionen Passagieren pro Jahr ein.

Theodor **Fontane**

Schriftsteller, *30. *Dezember 1819 Neuruppin,* †20. *September 1898 Berlin.*
Fontane, der aus einer Hugenottenfamilie stammte, kam 1833 nach Berlin. Er besuchte die Gewerbeschule und begann 1836 eine Apothekerlehre, die er 1847 mit dem Apothekerexamen abschloß. 1844/45 diente er als Einjährig-Freiwilliger in der preußischen Armee. 1848 bekam er eine Anstellung als Apotheker im Diakonissenkrankenhaus Bethanien. Er gab 1849 diesen Beruf auf, um als freier Schriftsteller arbeiten zu können. Seit 1844 war er Mitglied der literarischen Gesellschaft »Tunnel über der Spree«. 1850 heiratete Fontane, kurze Zeit danach verlor er seine Stelle als Lektor im Literarischen Kabinett des preußischen Innenministeriums. 1852 ging er als Korrespondent für die »Preußische Zeitung« nach London. Nachdem er 1859 zurückgekehrt war, arbeitete er ab 1860 als Redakteur für die konservative »Neue Preußische Zeitung«. Als Kriegsberichterstatter nahm er an drei Kriegen teil (1864, 1866, 1870) und wurde 1870 in Frankreich als angeblicher Spion gefangengenommen. Auf Intervention Bismarcks ließen ihn die Franzosen wieder frei. 1870 bis 1889 war er Theaterkritiker der »Vossischen Zeitung«. Eine Stelle als erster Sekretär der Akademie der Künste kündigte er nach drei Monaten, weil er Schwierigkeiten mit dem Präsidenten hatte.
Fontane begann seine schriftstellerische Tätigkeit mit Gedichten und Balladen (»Herr von Ribbeck«, »Archibald Douglas«) und den »Wanderungen durch die Mark Brandenburg« (4 Bände, 1862 bis 1882). Er war fast 60 Jahre alt, als er anfing, Romane und Erzählungen zu schreiben: »Der Sturm« (1878), »L'Adultera« (1882), »Schach von Wuthenow« (1883), »Irrungen, Wirrungen« (1888), »Stine« (1890), »Frau Jenny Treibel« (1892), »Effi Briest« (1895), »Der Stechlin« (1899). Die kritisch-realistischen Gesellschaftsromane Fontanes gaben dem europäischen Roman neue Impulse. In ausführlichen Schilderungen zeich-

nete er Bilder seiner Zeit und räumte dabei dem Dialog einen breiten Raum ein.
Seine Romane spielen in der Mark Brandenburg und in Berlin und zeigen Menschen aus Adel und Bürgertum in ihren gesellschaftlichen Bindungen.
Die Sammlungen seiner Briefe – »Briefe an seine Familie« (2 Bände, 1905), »Briefe an die Freunde« (1943) – weisen Fontane als ausgezeichneten Briefschreiber aus.
Fontane wurde auf dem heute zu Ostberlin gehörenden Französischen Friedhof in der Liesenstraße bestattet. Im *Märkischen Museum* ist sein Arbeitszimmer zu sehen, und im *Tiergarten* steht seit 1908 sein Denkmal.
LITERATUR: H. F. Aust (Hrsg.), Fontane aus heutiger Sicht. 1980. – M. Hass, Theodor Fontane. 1979. – H. Nürnberger, Theodor Fontane in Selbstzeugnissen und Bilddokumenten. 1968. – H. H. Reuter, Fontane. 2 Bände. 1968. – H. Scholz, Theodor Fontane. 1978.

Forum Fridericianum

Unter der Bezeichnung Forum Fridericianum konzipierte Friedrich II. gemeinsam mit *Knobelsdorff* bei seinem Regierungsantritt 1740 die Bebauung des östlichen Endes der Straße *Unter den Linden,* des späteren Opernplatzes (heute Bebelplatz), im Sinne eines kulturellen Zentrums für Berlin. Gedacht war zunächst an das Opernhaus, die heutige *Deutsche Staatsoper,* die 1741 bis 1743 errichtet wurde, ein Akademiegebäude und – auf der anderen Seite der Linden – einen neuen Königspalast.
Die Pläne wurden später verändert, und die Bauarbeiten zogen sich länger hin, als ursprünglich geplant war, da die Finanzen Preußens durch die Kriege des Königs zu sehr beansprucht waren. Als zweites Gebäude wurde 1747 die heutige *Sankt-Hedwigs-Kathedrale* begonnen, die 1773 geweiht wurde. Es folgten das *Prinz-Heinrich-Palais* (1748 bis 1766) und schließlich die Königliche Bibliothek (1774 bis 1780), die spätere *Preußische Staatsbibliothek.*
Gekrönt wurde der Gesamtkomplex, der in der DDR heute auch »Lindenforum« genannt wird, schließlich 1851 durch die Aufstellung des Rauchschen Reiterdenkmals Friedrichs des Großen, das nach

dreißigjähriger Abwesenheit (1950 bis 1980) heute wieder an seinem Platz steht.

Französischer Dom

Auf dem zentralen Platz der seit 1688 entstandenen *Friedrichstadt*, in der viele *Hugenotten* wohnten, dem späteren *Gendarmenmarkt*, wurde für die französische reformierte Gemeinde in den Jahren 1701 bis 1705 nach Plänen von Louis Cayart und Abraham Quesnay der Französische Dom erbaut. Der Entwurf orientiert sich an der Hauptkirche der Hugenotten in Charenton, die 1624 errichtet und 1688 zerstört worden war. Den Rechteckbau mit halbrunden Konchen ergänzte Georg Christian Unger 1780 bis 1785 nach Plänen Karl von *Gontards* durch einen Kuppelturm mit drei Säulenhallen. Der figürliche Schmuck, vor allem in den Giebelfeldern der Säulenhallen und auf den Giebeln, wurde von Daniel Nikolaus *Chodowiecki* entworfen. Im Jahr 1905 renovierte Otto March die Kirche, die nach schweren Kriegsbeschädigungen bis 1983 wiederhergestellt wurde. Im Untergeschoß des Turms befindet sich ein nach 1945 eingerichtetes Hugenottenmuseum.

Freie Bühne

Am 10. Februar 1889 fand die Gründungsversammlung des Theatervereins Freie Bühne statt. Initiator der Gründung nach dem Vorbild des französischen *Théâtre libre* war der Theaterkritiker und spätere Theaterdirektor Otto Brahm. Mitbegründer waren Samuel Fischer, die Brüder Hart, Maximilian Harden, Theodor Wolff, Paul Schlenther und Ludwig Fulda. Ziel des Vereins war es, sozialkritische Werke naturalistischer Dramatiker, deren Aufführungen die Zensur verhindert hätte, in gemieteten Theatern als geschlossene Veranstaltungen am Sonntagvormittag aufzuführen und so die Zensur zu umgehen. Auf diese Weise kamen umstrittene Werke Ibsens (»Die Gespenster«), *Hauptmanns* (»Vor Sonnenaufgang«, »Die Weber«) und *Sudermanns* zur Aufführung. Ab 1890 gab der Verein eine eigene Zeit-

schrift heraus, »Die freie Bühne für modernes Leben«. Sie hieß ab 1894 »Neue Deutsche Rundschau« und ab 1904 »Neue Rundschau«.

Freie Universität

Die Alleinvertretungsansprüche des stalinistisch geprägten Marxismus-Leninismus als »wissenschaftliche Weltanschauung« und der kommunistischen Freien Deutschen Jugend als politische Studentenvertretung führten an der Berliner Universität in den Jahren nach 1945 zu einer zunehmenden Einschränkung der akademischen und studentischen Freiheiten. Sie äußerte sich in einem wachsenden Druck auf nichtkommunistische Hochschullehrer, vor allem Geisteswissenschaftler, und in der Relegation, nicht selten auch Verhaftung demokratischer Studentenvertreter. Daraus entstand das Bedürfnis nach einer Universitätsgründung in den Westsektoren, der im August 1948 der amerikanische Militärgouverneur General Lucius D. Clay zustimmte. Die erste Satzung der Freien Universität Berlin datiert vom 4. November 1948, und genau einen Monat später erfolgte nach dem Auszug von Studenten und Professoren aus Ostberlin die feierliche Eröffnung im Titania-Palast in Steglitz. Erster Rektor wurde der 86jährige Nestor der deutschen Historiker, Friedrich Meinecke. Der Lehrbetrieb wurde zunächst provisorisch vor allem in Villen des *Zehlendorfer* Ortsteils Dahlem aufgenommen. Als erstes größeres eigenes Universitätsgebäude wurde nach einer Stiftung der Henry Ford Foundation in den Jahren 1952 bis 1955 der Henry-Ford-Bau errichtet. Er besteht aus zwei durch ein Brückenbauwerk über die Harnackstraße miteinander verbundenen Gebäudeteilen, von denen der eine die Universitätsbibliothek und der andere das Auditorium maximum und weitere Hörsäle enthält. Ebenfalls 1952 wurde in Dahlem die Mensa erbaut. Ein umfangreicher Institutskomplex entstand ab 1967 an der Habelschwerdter Allee. Die 1948 wiedergegründete Deutsche Hochschule für Politik wurde 1958 als Otto-Suhr-Institut in die Freie Universität eingegliedert. In den Jahren 1959 bis 1968 erbauten die Architekten Curtis und Davis aus New Orleans zusammen mit Franz Mocken am Hindenburgdamm in Lichterfelde den ausgedehnten Komplex des Klinikums *Steglitz*. Als zweites Klinikum wurde das Krankenhaus Westend am Spandauer Damm in *Charlottenburg*, das von der Medizinischen Fakultät bereits seit 1950 mitbenutzt wurde, in die FU eingegliedert. Das 1904 eröffnete Krankenhaus wurde mehrfach, insbesondere in den fünfziger und sechziger Jahren, erweitert.

Die Freie Universität, die 1948/49 mit 2140 Studenten in drei Fakultäten den Vorlesungsbetrieb aufnahm und später in sechs Fakultäten gegliedert war, erfuhr 1969/70 eine Neustrukturierung in 24 Fachbereiche. Im Wintersemester 1984/85 waren 51 450 Studenten immatrikuliert, davon 23 985 Frauen (46,6 %) und 3864 Ausländer (7,5 %). Nach der Studentenzahl wird die FU in der Bundesrepublik Deutschland nur von der Münchner Universität übertroffen.
LITERATUR: G. Kotowski, Die Freie Universität Berlin. 1965.

Freie Volksbühne

Wilhelm Bölsche, Bruno Wille und Otto Brahm gründeten am 30. Juni 1890 den Verein Freie Volksbühne. Bisher hatten die hohen Eintrittspreise der Arbeiterschaft einen Theaterbesuch unmöglich gemacht, nun sollte das Eintrittsgeld 50 Pfennig betragen, und die Karten sollten unter den Mitgliedern ausgelost werden. So entstand die erste Bühne für Arbeiter. Sie wurde von der Sozialdemokratischen Partei und den Freien Gewerkschaften gefördert. Das Angebot wurde von den Arbeitern schnell angenommen. Bald zählte der Verein 2000 Mitglieder, und ihre Zahl wuchs in den nächsten Jahren weiter.

Im Jahr 1905 waren es bereits 11 000, 1912 über 100 000 Mitglieder. Wie die Freie Bühne nutzte auch die Freie Volksbühne die Möglichkeit, durch die Aufführung in geschlossenen Veranstaltungen des Vereins den Maßnahmen der Zensur und der Polizei zu entgehen. Bereits kurze Zeit nach der Gründung der Freien Volksbühne entstanden Meinungsverschiedenheiten darüber, ob sie der Propaganda für den Sozialismus dienen solle oder ob es ihre Aufgabe sei, die

bestehende bürgerliche Kunst der proletarischen Bevölkerung nahezubringen. So kam es zur Abspaltung der Neuen Freien Volksbühne im Jahr 1892. 1913 übernahm Max *Reinhardt* die Leitung der Freien Volksbühne, die in der 1913 bis 1915 von Oskar Kaufmann errichteten Volksbühne am Bülowplatz ein eigenes Haus erhielt. 1919 vereinigten sich die beiden Vereine wieder zur Volksbühne e. V., die 1933 von den Nationalsozialisten verboten wurde.

Am 12. Oktober 1947 wurde die Freie Volksbühne Berlin für die Westsektoren ins Leben gerufen, nachdem es am 21. September des gleichen Jahres wegen politischer Auseinandersetzungen im Gründungsausschuß zur separaten Gründung der Volksbühne Berlin im sowjetischen Sektor gekommen war. Am 30. April 1963 wurde der Neubau der Freien Volksbühne in der Schaperstraße in Wilmersdorf vom Intendanten Erwin Piscator eingeweiht. Der Architekt war Fritz Bornemann.
LITERATUR: J. Bab, Wesen und Weg der Volksbühnenbewegung. 1909. – S. Nestriepke, Neues Beginnen. Die Geschichte der Freien Volksbühne Berlin 1946–1955. 1956. – A. Schwerd, Zwischen Sozialdemokratie und Kommunismus. Zur Geschichte der Volksbühne von 1918–1933. 1975.

Friedrichshagener Dichterkreis

Im Köpenicker Ortsteil Friedrichshagen fand sich ab 1890 ein Kreis sozialistisch gesinnter, naturalistischer Dichter um die Brüder Heinrich und Julius Hart, Bruno Wille und Wilhelm Bölsche, die hier wohnten, zusammen. Zu diesem Kreis gehörten u. a. Carl und Gerhart *Hauptmann*, Peter Hille, Frank Wedekind, Max Halbe, Richard Dehmel und August Strindberg.

Wille, Bölsche und die Brüder Hart gründeten zur selben Zeit auch den Dichterverein »Durch«.

Friedrichshain

Die Stadtverordnetenversammlung beschloß 1840 zur Jahrhundertfeier der Thronbesteigung Friedrichs des Großen die Anlage eines öffentlichen Parks im

Osten der Stadt. Nach Plänen von Peter Joseph *Lenné* entstand in den Jahren 1846 bis 1848 der Volkspark Friedrichshain, der 1874/75 von Gustav Meyer nach Osten erweitert wurde. 1913 wurde nach einem Entwurf von Ludwig Hoffmann der neubarocke Märchenbrunnen angelegt. Eine halbkreisförmige Bogenanlage umrahmt den Brunnen mit seinen vielfach gestuften Wasserbecken, die von zahlreichen Märchenfiguren von Ignaz Taschner gesäumt werden.

Am Südrand des Friedrichshains befindet sich der Ehrenfriedhof der Märzgefallenen, auf dem 184 Barrikadenkämpfer des Jahres 1848 ruhen. Neun kommunistische Matrosen, die im Dezember 1918 starben, wurden hier ebenfalls beigesetzt.

In den ersten Jahren des Zweiten Weltkriegs wurden im Park zwei große Flaktürme errichtet, die auch zur Aufnahme umfangreicher Bestände der Berliner Museen dienten. Diese Kunstschätze fielen nach der Eroberung Berlins 1945 einem Brand, dessen Ursache ungeklärt blieb, zum Opfer. Die Türme wurden gesprengt und bildeten, von Trümmerschutt bedeckt, die Grundlage für zwei künstliche, inzwischen baumbestandene Hügel (Großer und Kleiner Bunkerberg).

Heute ist der 52 Hektar große Park mit zwei kleinen Seen, Rosarium, Freilichtbühne und Gaststätten die ausgedehnteste Grünanlage der Ostberliner Innenstadt. Im Park wurde vorübergehend auch die Bronzegruppe des heiligen Georg von August Kiß aus dem Jahr 1855 neu aufgestellt, die früher im ersten Schloßhof stand und jetzt einen neuen Standort beim *Nikolaiviertel* an der Spree gefunden hat.

Im Friedrichshain und in seiner unmittelbaren Nachbarschaft befinden sich einige der bemerkenswertesten politischen Denk- und Ehrenmäler Ostberlins: An der Virchowstraße steht das Ehrenmal für den gemeinsamen Kampf der polnischen Soldaten und deutschen Antifaschisten (1971/72), an der Friedenstraße das Ehrenmal für die Kämpfer gegen den Faschismus im spanischen Bürgerkrieg (Fritz Cremer, 1968) und schließlich auf dem Leninplatz das 1970 enthüllte, 19 m hohe Lenindenkmal aus rotem ukrainischem Granit (Nikolaj W. Tomskij, 1968/69).

Friedrichshain (Bezirk)

Bei der Eingemeindung 1920 wurde aus dem östlichen Teil des zu diesem Zeitpunkt bereits bestehenden Stadtgebietes und dem Dorf Stralau der 5. Verwaltungsbezirk von Berlin gebildet. Er wurde nach der in seinem nördlichen Teil gelegenen Parkanlage Friedrichshain benannt. 1933 bis 1945 hieß er Horst-Wessel-Stadt.

Das alte Fischerdorf Stralau auf einer Halbinsel zwischen Spree und Rummelsburger See wurde 1288 erstmals urkundlich erwähnt. Seit 1574 wurde hier alljährlich am 24. August, dem Bartholomäustag, der erste Fischzug nach der Schonzeit gefeiert. Dieses Fest, der sogenannte Stralauer Fischzug, entwickelte sich zu einem Volksfest, an dem ab Ende des 18. Jahrhunderts auch die Einwohner Berlins teilnahmen und das sich bis ins 20. Jahrhundert erhielt.

Das übrige Gebiet des heutigen Bezirks Friedrichshain war bis zur Mitte des 19. Jahrhunderts nur locker bebaut. Danach entwickelte es sich zu einem Arbeiterviertel mit zahlreichen *Mietskasernen*. Gleichzeitig siedelten sich aufgrund der günstigen Verkehrsverhältnisse Betriebe verschiedener Branchen an, insbesondere der holzverarbeitenden Industrie. 1874 wurde am Südostrand des Friedrichshains das erste städtische Krankenhaus Berlins eröffnet.

Im Zweiten Weltkrieg wurden in Friedrichshain über 50% der Wohnungen zerstört. Seit 1945 gehört der Bezirk zum sowjetischen Sektor.

Friedrichstadt

Südlich der Linden bzw. der die Südgrenze der *Dorotheenstadt* bildenden parallellaufenden Behrenstraße begann 1688 die Anlage der Friedrichstadt. Das Viertel entwickelte sich rasch zur fünften Residenzstadt. Vor allem erhielt es durch die Niederlassung zahlreicher aus Frankreich geflohener *Hugenotten* (Refugiés) kräftige Impulse. Im Jahr 1692 gab es in der Friedrichstadt bereits 300 Häuser. Johann Arnold *Nering* und Michael Matthias Smids leiteten die Bauarbeiten. Sein repräsentatives Zentrum erhielt der Stadtteil durch den Ausbau des Friedrichstädter Marktes, des späteren

Gendarmenmarktes, insbesondere durch den Bau des *Französischen* und *Deutschen Doms* ab 1701. Im Jahr 1709 wurde die Friedrichstadt mit Berlin, Cölln, Friedrichswerder und Dorotheenstadt zur Königsstadt Berlin administrativ zusammengeschlossen.

Friedrichstadtpalast

Im Jahr 1868 beendete Friedrich *Hitzig* die seit 1865 andauernden Bauarbeiten für die erste Markthalle Berlins. Schon 1874 wurde die Halle nahe dem Schiffbauerdamm am späteren Bertolt-Brecht-Platz für den Zirkus Salomonsky umgebaut. Später spielten hier der Zirkus Renz und der Zirkus Schumann. 1919 erfolgte ein weiterer Umbau durch Hans Poelzig, der das Haus für Max *Reinhardt* als Großes Schauspielhaus gestaltete. Ende der zwanziger Jahre, in der Zeit des Nationalsozialismus und nach der Reparatur von Kriegsschäden auch nach 1945 – jetzt mit dem Namen Friedrichstadtpalast – diente das Gebäude als Varietétheater mit 3000 Plätzen.

Im Jahr 1980 wurde das Haus wegen Baufälligkeit geschlossen. Ein Neubau an der Friedrichstraße mit 1800 Plätzen im Großen Saal, einer Kleinen Revue mit 250 Plätzen und einem Nachtklub wurde 1984 eröffnet.

Friedrichswerder

Bei der Befestigung Berlins, die Johann Gregor Memhardt seit 1658 leitete, entstand durch einen weiträumigen Verlauf der Festungsbauwerke westlich von Cölln der Werder, später Friedrichswerder genannt. Die Grenzen dieses Gebiets markieren heute das *Zeughaus* im Norden, der *Spittelmarkt* im Süden und der Verlauf der Ober- und Niederwallstraße im Westen. Die Bebauung begann im Jahr 1660. 1662 wurde die neue Siedlung durch einen kurfürstlichen Schutz- und Freibrief Burgfreiheit und bald dritte Residenzstadt. 1681 entstand das zeitweise namhafte Friedrich-Werdersche, später Werdersche Gymnasium. Friedrichswerder wurde 1709 mit Berlin und Cölln sowie den jüngeren Gründungen

Friedrich-Werdersche Kirche, erbaut von Karl Friedrich Schinkel. Kupferstich von Carl Friedrich Thiele, um 1830.

Dorotheen- und Friedrichstadt zur Königsstadt Berlin zusammengeschlossen, die eine einheitliche Verwaltung erhielt.

Friedrich-Werdersche Kirche

Die in den Jahren 1824 bis 1830 von Karl Friedrich *Schinkel* erbaute Kirche, ein einschiffiger Backsteinbau, der neugotische und klassizistische Züge vereint, wendet sich mit ihrer Südfront zum Werderschen Markt. Diese Südfront bilden zwei helmlose Türme, die aus aufeinandergesetzten würfelförmigen Elementen bestehen. Sie schließen ein großes Fenster über zwei spitzbogigen Portalen ein. Die Kirche erhält ihre charakteristische Silhouette durch die Spitzen der Strebepfeiler, die das sehr flache Dach über dem Gewölbe überragen. 1981 begann die Restaurierung der Kirche, die an den Staat verpachtet und von diesem für ein Schinkel-Museum ausersehen wurde, in dem ab 1987 wechselnde Ausstellungen gezeigt werden.
Vom Dach der Friedrich-Werderschen Kirche hat Eduard *Gaertner* 1834 ein sechsteiliges Panorama Berlins gemalt, das einen sehr detaillierten Überblick über den seinerzeitigen architektonischen Bestand bietet.

Friedrich-Wilhelms-Universität

Die Berliner Universität wurde auf Initiative Wilhelm von *Humboldts,* der 1809 zum Leiter des Kultus- und Unterrichtswesens im preußischen Innenministerium berufen worden war, gegründet. Sie nahm am 15. Oktober 1810 im *Prinz-Heinrich-Palais* den Vorlesungsbetrieb auf. Am 28. Juni 1828 erhielt sie den Namen Friedrich-Wilhelms-Universität zu Ehren des Stifters König Friedrich Wilhelm III.
Die Berliner Universität hatte 1810 ihre Tätigkeit mit vier Fakultäten – der Theologischen, Juristischen, Medizinischen und Philosophischen – begonnen. Erster gewählter Rektor war 1811/12 der Philosoph Johann Gottlieb Fichte. Ihm folgte 1812/13 der Jurist Friedrich Karl von Savigny. Erster Dekan der Theologischen Fakultät und Rektor in den Jahren 1815/16 war Friedrich Daniel Ernst *Schleiermacher,* erster Dekan der Medizinischen Fakultät Christoph Wilhelm Hufeland. Die *Charité* wurde 1829 der Universität eingegliedert. 1814 wurden die ersten Ehrendoktortitel u. a. an die Militärs Gneisenau, Blücher und Yorck von Wartenburg verliehen. 1908 wurden erstmals Frauen offiziell zur Immatrikulation an der Friedrich-Wilhelms-Universität zugelassen.
Zu den bekanntesten Hochschullehrern zählen neben den schon genannten der Philosoph Georg Wilhelm Friedrich *Hegel,* der Historiker Theodor Mommsen, die Chemiker Emil Fischer, Walter Nernst und Otto *Hahn,* die Physiker Hermann von Helmholtz, Max *Planck,* Max von Laue, Albert *Einstein* und Max Born sowie die Mediziner Albrecht von Graefe, Rudolf *Virchow,* Robert *Koch* und Ferdinand *Sauerbruch.*
Nach dem Zweiten Weltkrieg wurde die Berliner Universität am 12. November 1945 (offiziell: 29. Januar 1946) wiedereröffnet. Am 8. Februar 1949 wurde sie in *Humboldt-Universität* umbenannt.
LITERATUR: W. Paszkowski, Berlin und seine Universität. 1914.

Funkturm

Der ohne Antennenmast 138 m hohe Funkturm gilt als eines der Wahrzeichen Berlins. Die Stahlkonstruktion weist in 55 m Höhe ein Restaurant und in 125 m Höhe eine Aussichtsplattform auf, die beide mit einem Aufzug erreichbar sind. Der Turm wurde nach einem Entwurf von Heinrich Straumer ab 1924 erbaut und im September 1926 in Betrieb genommen.

Wilhelm **Furtwängler**

Dirigent und Komponist, *25. Januar 1886 Berlin, †30. November 1954 Baden-Baden.
Wilhelm Furtwängler wurde 1886 als Sohn des Archäologen Adolf Furtwängler, der seit 1880 an den Berliner Museen wirkte und 1884 Professor geworden war, geboren. Er studierte in München und wirkte als Dirigent in Straßburg, Lübeck, Mannheim, Wien und Frankfurt. 1922 übernahm er als Nachfolger von Arthur *Nikisch* die Leitung der Berliner Philharmoniker und – bis 1928 – des

Leipziger Gewandhausorchesters. Zeitweise leitete er auch die Wiener Philharmoniker. 1931 wurde er musikalischer Leiter der Bayreuther Festspiele und 1933 Direktor der Berliner Staatsoper. Ab 1937 wirkte er auch bei den Festspielen in Salzburg mit. Neben Konzertreisen mit den Berliner und Wiener Philharmonikern, u. a. auch nach Amerika, und Auftritten als Gastdirigent in aller Welt behielt Furtwängler die Leitung der Berliner Philharmoniker – abgesehen von einer Unterbrechung in den Jahren 1945 bis 1947 wegen seiner Entnazifizierung – bis zu seinem Tod.
Furtwänglers Interesse galt besonders der Musik des 19. Jahrhunderts von Beethoven über Wagner bis zu Brahms und Bruckner. Er war der repräsentative deutsche Dirigent seiner Zeit. Als Komponist wirkte er im spätromantischen Stil.
LITERATUR: E. Furtwängler, Über Wilhelm Furtwängler. Wien 1979. – R. Hauert, Wilhelm Furtwängler. Genf 1955. – C. Riess, Furtwängler. Musik und Politik. 1953.

Eduard Gaertner

*Maler und Graphiker, *2. Juni 1801 Berlin, †22. Februar 1877 Zechlin (Mark).*
Der bedeutendste Maler der biedermeierlichen Architektur- und Vedutenmalerei Berlins erhielt nach erstem Zeichenunterricht beim Hofmaler Franz Hubert Müller (* 1784, † 1835) in Kassel, wo er einen Teil seiner Kindheit verbrachte, in den Jahren 1814 bis 1820 eine gründliche malerische Ausbildung an der Königlich-Preußischen Porzellan-Manufaktur. Er vervollkommnete seine Ausbildung im Berliner Atelier des Hoftheatermalers Carl Wilhelm Gropius (* 1793, † 1870), durch den er auch Karl Friedrich Schinkel kennenlernte, und nach dem Verkauf des 1824 entstandenen Gemäldes »Das Innere der Charlottenburger Schloßkapelle« an König Friedrich Wilhelm III. in den Jahren 1825 bis 1827 im Pariser Atelier von Jean Victor Bertin (* 1775, † 1842). Seit 1828 entstanden dann zahlreiche Gemälde und Zeichnungen der Straßen, Plätze und Bauwerke Berlins, vor allem der Straße *Unter den Linden* und des *Berliner Schlosses* (»Schlüterhof« und »Eosander-

hof« 1830 und 1831). 1833 wurde Gaertner zum ordentlichen Mitglied der Akademie der Künste gewählt.
1834 entstand Gaertners Hauptwerk, das sechsteilige »Panorama Berlins vom Dach der Friedrich-Werderschen Kirche«, das im Schinkel-Pavillon im Park von *Schloß Charlottenburg* ausgestellt ist. Auf den Teilen mit Blickrichtung Norden reicht die Darstellung von der heutigen *Sankt-Hedwigs-Kathedrale* und der Oper über *Zeughaus* und *Lustgarten* bis zum Schloß. Im Vordergrund erklärt auf dem Dach Alexander von *Humboldt* einem Paar das Stadtbild (S. 103). Im Süden gleitet der Blick von der unvollendeten Bauakademie bis zum *Gendarmenmarkt*. Hier hat sich Gaertner selbst an der Brüstung des Dachs mit seiner Zeichenmappe ins Bild gebracht.
In den späteren Jahrzehnten hat Gaertner, unterbrochen von Arbeitsperioden in St. Petersburg, Moskau, Prag, Breslau, Süddeutschland und Österreich, immer wieder Ansichten Berlins gemalt, die von höchstem dokumentarischem Wert für die Wiedergabe der Stadt in der Zeit vor der raschen Entwicklung und allgemeinen Verbreitung der Fotografie sind. Dabei verband er zeichnerische Exaktheit mit zunehmend reifendem Empfinden für Atmosphäre, Licht und Farbe. Für die letzten Jahre seines Lebens zog sich Gaertner nach Zechlin in die Mark zurück.
LITERATUR: U. Cosmann, Eduard Gaertner. 1982. – I. Wirth, Eduard Gaertner. 1979.

Gedenkstätte Plötzensee

Im ehemaligen Zuchthaus Plötzensee, im Norden des Bezirks Charlottenburg gelegen, das heute als Jugendstrafanstalt dient, wurde die Baracke, in der zwischen 1933 und 1945 etwa 1800 Menschen aus politischen Gründen hingerichtet wurden, im Jahr 1952 auf Beschluß des Berliner Senats als Gedenkstätte für den Widerstand gegen den Nationalsozialismus eingerichtet. Unter den Hingerichteten befanden sich allein 89, die im Zusammenhang mit dem Attentat auf Hitler vom 20. Juli 1944 verurteilt wurden. Ein Gedenkstein vor dem Bau ist »Den Opfern der Hitlerdiktatur der Jahre 1933–1945« gewidmet. In einer großen Steinurne ist Erde aus allen Konzentrationslagern der NS-Diktatur gesammelt.

Geheimes Staatsarchiv

1282 wurde erstmals ein markgräflich-brandenburgisches Archiv urkundlich erwähnt. Aus ihm ging das Zentralarchiv des Staates Preußen hervor, das 1803 den Namen Geheimes Staatsarchiv erhielt. Bis 1874 war es im *Berliner Schloß* untergebracht, danach im *Hohen Haus* in der Klosterstraße. 1924 bezog es ein neues Gebäude in der Dahlemer Archivstraße. Während des Zweiten Weltkrieges waren die Bestände größtenteils nach Westdeutschland verlagert worden. Sie wurden nach dem Krieg nach Westberlin zurückgeführt und 1963 der *Stiftung Preußischer Kulturbesitz* übergeben. Das Archiv enthält neben Urkunden und Akten zur Geschichte der Mark Brandenburg und Preußens auch Dokumente des Heiligen Römischen Reichs, Sammlungen von Urkunden, Orden, Wappen und Siegeln des deutschen Ostens, eine Spezialbibliothek von 80000 Bänden und eine Sammlung von 50000 historischen Karten und Plänen. Die Archivmaterialien können, vor allem zu Forschungszwecken, im Lesesaal des Archivs eingesehen und benutzt werden.

Gendarmenmarkt

Auf dem Friedrichstädter Markt, einem zentralen Platz in der seit 1688 angelegten *Friedrichstadt*, in der sich auch zahlreiche *Hugenotten* angesiedelt hatten, wurden in den Jahren ab 1701 der *Deutsche Dom* im Süden und der *Französische Dom* im Norden errichtet. Der Platz erhielt den Namen Gendarmenmarkt, da zwischen 1736 und 1773 das Gendarmenregiment seine Hauptwache und die Ställe im Gebiet um den Deutschen Dom hatte. 1774 bis 1776 entstand zwischen den beiden Kirchen das Französische Komödien- bzw. *Schauspielhaus*, dem später weitere Theaterbauten von *Langhans* und *Schinkel* folgten. Ab 1777 wurde der Platz mit dreistöckigen Häusern umbaut, die ihm zusammen mit den in den Jahren nach 1780 errichteten monumentalen Kuppeln der beiden Kirchen einen Charakter großer Geschlossenheit gaben.

Im Zweiten Weltkrieg erlitt das Gebiet um den Platz schwere Schäden. In einem 1901 errichteten Gebäude gegenüber dem Schauspielhaus erhielt die 1946 neugegründete *Akademie der Wissenschaften* ihren Sitz. In diesem Zusammenhang wurde der Platz aus Anlaß des 250jährigen Bestehens der Akademie 1950 in Platz der Akademie umbenannt. Die Wiederherstellung des Französischen Doms und des Schauspielhauses wurde 1983 bzw. 1984 abgeschlossen, der Wiederaufbau des Deutschen Doms soll zur 750-Jahr-Feier Berlins 1987 beendet sein. Zu diesem Zeitpunkt soll auch das marmorne Schillerdenkmal von Reinhold *Begas* aus dem Jahr 1868, das von 1871 bis 1935 vor dem Schauspielhaus und 1951 bis 1985 im Charlottenburger Lietzenseepark stand, neu aufgestellt sein. Das Denkmal wurde am 3. April 1986 den Ostberliner Behörden übergeben. Eine Bronzekopie steht seit 1941 im Schillerpark im Wedding.

Heinrich **Gentz**

Baumeister, *5. Februar 1766 Breslau, †3. Oktober 1811 Berlin.
Der jüngere Bruder des später einflußreichen österreichischen Politikers Friedrich Gentz war Schüler von Karl von *Gontard*. Nach Studienaufenthalten in Rom, Paris und London war er als Hofbauinspektor und Professor an der Berliner Akademie ein bedeutender Vertreter des Frühklassizismus. Er errichtete 1798 bis 1802 die Berliner Münze, die 1886 abgerissen wurde. In den Jahren 1801 bis 1803 baute er in Weimar das großherzogliche Schloß um. Ab 1804 errichtete Gentz auf der Grundlage von Plänen Friedrich *Gillys* für den Kabinettsrat Karl Friedrich von Beyme in Steglitz ein schloßartiges Gutshaus, das später den Namen *Wrangelschlößchen* erhielt. Kurz vor seinem Tod begann Gentz 1810 den Bau des von *Schinkel* entworfenen *Mausoleums* für Königin Luise im Park von *Schloß Charlottenburg* sowie 1811 die Erweiterung des *Prinzessinnenpalais* Unter den Linden.
Literatur: A. Doebber, Heinrich Gentz. 1916.

Heinrich George

*Schauspieler, *9. Oktober 1893 Stettin,
†26. September 1946 sowjetisches KZ
Sachsenhausen.*
Heinrich George, eigentlich Georg
Heinrich Schulz, hatte in Dresden,
Frankfurt a. M. und Wien gespielt, bevor
er 1922 nach Berlin kam. Hier wirkte er
am *Deutschen Theater* unter Max *Reinhardt* und an anderen Bühnen. Von 1938
bis 1945 leitete er als Intendant das *Schiller-Theater.*
Neben seiner Bühnentätigkeit war George auch Darsteller von Helden- und
Charakterrollen in vielen Filmen (»Berlin Alexanderplatz«, 1931; »Der Postmeister«, 1940). Weil er, obwohl er persönlich nicht politisch aktiv war, auch in
nationalsozialistischen Propagandafil-
men (»Jud Süß«, 1940; »Kolberg«, 1945)
mitgewirkt hatte, wurde er 1945 von der
sowjetischen Militärregierung verhaftet
und interniert.
LITERATUR: B. Drews, Heinrich George.
Ein Schauspielerleben. 1959.

Georg-Kolbe-Museum

An der Sensburger Allee in Charlottenburg entstand 1949 aufgrund einer testa-
mentarischen Verfügung des Bildhauers
Georg *Kolbe* aus seinem Nachlaß das
Georg-Kolbe-Museum. Das Museum ist
im Atelierhaus des Künstlers untergebracht, das ebenso wie das benachbarte
Wohnhaus 1928/29 von Ernst Rentsch
erbaut wurde und dem Paul Linder 1932
das Glas- und Tonatelier und 1935 den
Skulpturenhof anfügte. Das Museum
besitzt als Stiftung neben zahlreichen
Original-Gipsmodellen, Aktzeichnun-
gen und Ideenskizzen des Bildhauers
etwa 170 Bronzen – überwiegend Werke,
die nach 1920 entstanden sind. Im nahegelegenen Georg-Kolbe-Hain wurde
seit 1957 fünf monumentale Bronzeab-
güsse aus dem Bestand der Georg-
Kolbe-Stiftung aufgestellt.

Paul Gerhardt

*Evangelischer Pfarrer und Kirchenlieddich-
ter, *12. März 1607 Gräfenhainichen bei
Wittenberg, †27. Mai 1676 Lübben.*
Nach seinem Studium in Wittenberg war

Paul Gerhardt 1642 als Hauslehrer nach
Berlin gegangen. 1657 wurde er Pfarrer
an der *Nikolaikirche.*
In Berlin war es schon lange vorher, besonders nach dem Bildersturm von 1615,
zu unversöhnlichen Gegensätzen zwischen den reformierten Geistlichen des
Hofes und den lutherischen Stadtpfarrern gekommen. Bemühungen des Großen Kurfürsten, den Streit zu schlichten,
scheiterten nicht zuletzt an der starren
Haltung Paul Gerhardts, die sich besonders in den Religionsgesprächen
1662/63 zeigte. 1664 hatte der Kurfürst
ein Toleranzedikt erlassen, das dazu ver-
pflichten sollte, die gegenseitigen Beschimpfungen einzustellen. Paul Gerhardt hatte die Unterzeichnung dieses
Edikts verweigert und war daraufhin
vom Kurfürsten 1666 suspendiert worden. Dank seines Rückhalts in der Bevölkerung war er zwar wenig später wieder
in sein Amt eingesetzt worden, doch
ging er 1669 als Archidiakon nach Lübben, da ihm seine Stellung in Berlin zu
unsicher erschien.
Paul Gerhardt war neben Luther einer
der bedeutendsten Kirchenlieddichter
der evangelischen Kirche. Zu seinen bekanntesten Liedern gehören »Nun ruhen
alle Wälder« (1647), »Befiehl du deine
Wege« (1653), »Geh' aus, mein Herz,
und suche Freud« (1653) und »O Haupt
voll Blut und Wunden« (1656).

Gertraudenbrücke

Die Gertraudenbrücke ist die wichtigste
Brücke über die Friedrichsgracht. Sie
verbindet das Zentrum des alten Cölln
mit dem *Spittelmarkt.* Friedrichsgracht
heißt der südliche Teil des Spreearms,
der Alt-Cölln im Westen und Süden um-
fließt und ab 1681 von holländischen
Wasserbaufachleuten neu kanalisiert
wurde.
Auf einem der neuromanischen Pfeiler
der 1894/95 an der Stelle der alten Stadt-
brücke errichteten Gertraudenbrücke
steht die von Rudolph Siemering 1896
geschaffene Bronzeplastik der heiligen
Gertraude (Gertrud). Die Heilige der
Reisenden reicht einem Wanderbur-
schen einen Trank. Am Sockel kriechen
Mäuse an einer Pflanze hoch. Sie weisen
die Stadtheilige als Beschützerin der Äk-
ker aus, während der Spinnrocken ihre

Rolle als Fürsorgerin der Armen zeigen soll. Dies wird durch eine Inschrift am Sockel erläutert.
Wesentlich älter als die Gertraudenbrücke ist die nördlich benachbarte, 150 m entfernte Jungfernbrücke (früher Spreegassenbrücke), eine eiserne Zugbrücke aus dem Jahr 1798. Südöstlich der Gertraudenbrücke überspannen noch drei weitere Brücken die Friedrichsgracht und verbinden den Fischerinsel genannten Südteil der Spreeinsel mit dem Märkischen Ufer.

David **Gilly**

Baumeister, *7. Januar 1748 Schwedt, †5. Mai 1808 Berlin.
Der bedeutende Vertreter des Frühklassizismus schuf als preußischer Baudirektor, zunächst von Pommern, seit 1788 in Berlin, zahlreiche Werke des Hafen-, Brücken- und Kirchenbaus sowie einige Schlösser in der Umgebung Berlins. Von bleibender Bedeutung waren neben theoretischen Schriften seine Bemühungen um den Zusammenschluß der Lehrkurse des Oberbaudepartements und der architektonischen Abteilung der Akademie der Künste, die 1799 zur Gründung der Bauakademie führten.
Sein Sohn Friedrich (* 16. Februar 1772 Altdamm bei Stettin, † 3. August 1800 Karlsbad) gehörte zu den größten Begabungen des deutschen Klassizismus. Der Schüler von *Langhans* und Erdmannsdorff wurde nach Studienreisen in England und Frankreich Professor an der Bauakademie und Lehrer *Schinkels*. Von seinen Werken, darunter mehrere inzwischen zerstörte oder abgetragene Palais in Berlin, ist wenig erhalten. Die wichtigsten, z. B. der Entwurf des Denkmals für Friedrich den Großen (1796) und die Entwürfe für ein Nationaltheater (1800), blieben unausgeführt.
Literatur: M. Lammert, David Gilly. 1964. – A. Onken, Friedrich Gilly. 1935. – A. Rietdorf, Gilly – Wiedergeburt der Architektur. 1940.

Adolf **Glaßbrenner**

Journalist und Berliner Volksschriftsteller, Pseudonym Adolf Brennglas, *27. März 1810 Berlin, †25. September 1876 Berlin.

Glaßbrenner besuchte bis zu seinem 14. Lebensjahr das Friedrich-Werdersche Gymnasium, mußte es aus wirtschaftlichen Gründen verlassen und begann eine kaufmännische Lehre. Daneben hörte er *Hegels* Vorlesungen an der Universität. In Moritz Gottlieb Saphirs »Berliner Courier« wurden seine Artikel veröffentlicht. 1841 ging er nach Neustrelitz und wurde dort 1853 wegen politischer Aktivitäten des Landes verwiesen. Er zog nach Hamburg, kehrte aber 1858 nach Berlin zurück. Von 1862 bis zu seinem Tod gab er eine sehr beliebte humoristische Wochenzeitung, das »Berliner Montagsblatt«, heraus.
Glaßbrenner stellte in seinen Mundartgedichten wie in seiner Prosa auf humorvolle Art den Alltag der einfachen Leute in Berlin dar. Er übernahm die Figur des »Eckenstehers Nante« von Karl von Holtei und machte sie zu einem populären Berliner Original.
Besonders beliebt war die Reihe von 32 Heften, die 1832 bis 1850 unter dem Titel »Berlin, wie es ist und – trinkt« erschien. Theodor Hosemann hat sie mit treffsicherem Humor illustriert. In 15 Heften erschien »Buntes Berlin« (1837 bis 1841), und von 1846 bis 1867 war der »Komische Volkskalender« ein großer Erfolg. 1863 erschien »Berliner Leben«.

Karl von **Gontard**

Baumeister, *13. Januar 1731 Mannheim, †23. September 1791 Grüneiche bei Breslau.
Nachdem er schon als Achtzehnjähriger markgräflicher Hofbaumeister in Bayreuth geworden war, studierte Gontard bei Jacques François Blondel (*1705, †1774) in Paris und bildete sich durch Reisen in Frankreich und Italien weiter. Seit 1765 war er für Friedrich den Großen tätig, zunächst vor allem in Potsdam (Neues Palais, Freundschaftstempel im Park Sanssouci, Militärwaisenhaus, Marmorpalais). In Berlin schuf Gontard die Pläne für die Spittel- und die *Königskolonnaden*, die ab 1776 bzw. 1777 ausgeführt wurden, und für die zwischen 1780 und 1785 errichteten Kuppeltürme des *Französischen Doms* und des *Deutschen Doms* auf dem *Gendarmenmarkt*. Die Königskolonnaden befinden sich seit 1910 im Kleistpark an der Potsdamer

Straße in Schöneberg; die Spittelkolonnaden wurden 1979 am Dönhoffplatz an der Leipziger Straße in Ostberlin wieder aufgebaut.
LITERATUR: P. Wallé, Leben und Wirken Karl von Gontards. 1891.

Graues Kloster

Der Franziskanerorden, der etwa 1245 in Berlin ein Kloster gründete, erhielt 1271 von den askanischen Markgrafen ein Grundstück nahe dem markgräflichen Hofbesitz, der »Aula Berlin«, zwischen heutiger Kloster-, Gruner- und Littenstraße, auf dem die Franziskanerkirche und das Graue Kloster errichtet wurden. Genau Daten des Kirchenbaus sind nicht bekannt. Vermutlich entstanden das dreischiffige, aus Ziegeln errichtete Langhaus zwischen 1280 und 1290, der schmale, einschiffige Chor mit polygonalem Abschluß zwischen 1290 und Anfang des 14. Jahrhunderts. Das Graue Kloster dürfte ebenfalls zwischen 1280 und 1300 erbaut worden sein. Bei einer Restaurierung der Bettelordenskirche zwischen 1838 und 1845 wurde ihr Charakter durch zwei zusätzliche schlanke Türme und eine Vorhalle verändert. 1926 bis 1930 wurden diese Ergänzungen wieder abgerissen. Die 1945 zerstörte Kirche ist nur als konservierte Ruine erhalten. Dagegen wurde die Ruine des Klosters abgetragen.
Das Kloster war mit dem Tod des letzten Fraters im Jahr 1571 verwaist. Kurfürst Johann Georg überließ in diesem Jahr einen Teil der Räume seinem aus der Schweiz stammenden Leibarzt Leonhard Thurneysser zur Einrichtung eines alchimistisch-pharmazeutischen Laboratoriums, in dem Thurneysser nicht nur Gold herzustellen versuchte, sondern auch um Pharmazeutika und Kosmetika bemüht war. Darüber hinaus richtete er im Grauen Kloster eine Druckerei ein, in der er unter anderem seine eigenen naturwissenschaftlichen, alchimistischen und astrologischen Abhandlungen vervielfältigen ließ. In der angeschlossenen Schriftgießerei wurden Typen zahlreicher europäischer und asiatischer Schriften hergestellt. Insgesamt beschäftigte Thurneysser in seinem vielseitigen Unternehmen etwa 200 Menschen.
1574 wurde dann das »Berlinische Gymnasium zum Grauen Kloster« gegründet, in dem die bisherigen Schulen der Nikolai- und der Marienkirche vereinigt wurden. Diese allgemeine Landesschule nahm nicht nur die Söhne Berliner Bürger, sondern auch Kinder aus der ganzen Mark auf und hatte bereits nach zwei Jahren 600 Schüler. Heute wird die Tradition der Schule in Westberlin weitergeführt.

Gropiusstadt

Auf der Grundlage einer ursprünglich von Walter Gropius entwickelten städtebaulichen Planung aus dem Jahr 1960, ausgeführt von mehreren Architekten und Baugesellschaften von 1964 bis 1975, entstand die offiziell seit 1972 Gropiusstadt genannte Großsiedlung Berlin-Buckow in früher ländlichem Gebiet im Süden des Bezirks *Neukölln*. Zunächst erfolgte die städtebauliche Maßnahme unter dem Arbeitstitel »Britz-Buckow-Rudow«. Als Entwicklungsachse diente die U-Bahn-Linie 8 mit den vier Stationen Johannisthaler Chaussee, Lipschitzallee, Wutzkyallee und Zwikkauer Damm. Insgesamt entstanden in dem neuen Stadtviertel über 18 000 Wohnungen in Einfamilienhäusern, mehrstöckigen Mietshäusern und Hochbauten, die bis zu 31 Stockwerke bzw. 90 m Höhe erreichen, ferner Schulen, Kirchen, Einkaufszentren und öffentliche Einrichtungen.

Grunewald

Das Waldgebiet im Südwesten Berlins zwischen der *Havel* im Westen, der Heerstraße im Norden, der Clayallee im Osten sowie Großem *Wannsee* und Schlachtensee im Süden bedeckt - von der *Avus* durchschnitten - eine Fläche von etwa 32 km². Es diente bis 1903 als königliches Jagdrevier. Bis ins 19. Jahrhundert hieß das Gebiet offiziell Spandauer Forst. Der Name »Zum grünen Wald« wurde ursprünglich dem Jagdschloß gegeben, das ab 1542 für Kurfürst Joachim II. gebaut wurde, und dann auf das Waldgebiet übertragen.
Am Nordostrand des Grunewalds legte die *Kurfürstendamm* AG seit 1889 am südwestlichen Ende des Kurfürsten-

damms eine Villenkolonie an, die sich rasch zu einem bevorzugten Wohngebiet entwickelte und die heute zum Bezirk *Wilmersdorf* gehört.
Seit Ende des 19. Jahrhunderts wurde der Grunewald zum Naherholungsgebiet der Berliner Bevölkerung. Besonders beliebt sind das neun Kilometer lange Havelufer, die eingestreuten Seen (Hundekehle- und Grunewaldsee, Krumme Lanke), der nach 1945 aus Trümmerschutt 115 m hoch aufgeschüttete *Teufelsberg*, die Halbinsel Schildhorn, der Grunewaldturm und das *Jagdschloß Grunewald.*
Der Grunewaldturm hieß früher Kaiser-Wilhelm-Turm. Er ist 56 m hoch und bietet eine vorzügliche Aussicht. In der Halle des 1897/98 erbauten Turmes steht ein Marmorstandbild Wilhelms I.
In der Nachkriegszeit und während der Blockade wurde der Grunewald zu 70% abgeholzt. Seither wurde er wieder aufgeforstet. Den Wald durchzieht eine eiszeitliche Schmelzwasserrinne mit kleinen Seen und Moorflächen, um die insgesamt 111 Hektar als Naturschutzgebiete ausgewiesen sind: Post- und Teufelsfenn, Teufels-, Pech-, Bars- und Grunewaldsee, Langes Luch.

Gustav-Adolf-Kirche

Im nördlichen Charlottenburg, südlich des S-Bahnhofs Jungfernheide, steht im Winkel zwischen Brahe- und Herschelstraße die Gustav-Adolf-Kirche. Sie gilt als der bedeutendste moderne Kirchenbau Berlins aus dem ersten Drittel des 20. Jahrhunderts und wurde 1932 bis 1934 von Otto Bartning errichtet. Der gleiche Architekt leitete nach schweren Kriegsbeschädigungen auch den Wiederaufbau bis 1951.
Die Kirche hat entsprechend der Lage an der Straßenkreuzung im Grundriß die Form eines Viertelkreises, mit dem Altar, der Kanzel und dem darüber aus dem Kirchenraum herauswachsenden Turm an der Spitze im Süden. Die tragenden Pfeiler und Joche, zwischen denen die nichttragenden Wände aus gelben und braunen Klinkern gemauert sind, bestehen aus Beton und sind mit Muschelkalk verkleidet. Der rückwärtige Emporenring und das Gestühl sind konzentrisch auf Altar und Kanzel ausgerichtet.

Gutshaus Dahlem

Dahlem wird bereits im Jahr 1450 als Rittergut genannt, das im Laufe der Jahrhunderte mehrmals den Besitzer wechselte, bis es 1671 durch Kauf an die Familie von Wilmestorff (Wilmersdorf) kam. Das bis heute erhaltene Herrenhaus, wie die *Dorfkirche* (St.-Annen-Kirche) an der Dahlemer Königin-Luise-Straße am Nordrand des Dorfangers gelegen, ließ Cuno Hans von Wilmestorff, dessen Epitaph von 1720 sich in der Dorfkirche befindet, 1679/80 in schlichtem Barockstil errichten. Dabei wurde ältere Bausubstanz, u. a. eine spätgotische Kapelle, einbezogen. 1913 erfolgte eine Erweiterung des Herrenhauses nach Westen.
1841 ging das Rittergut durch Kauf in den Besitz des preußischen Staates über. Ab 1845 wurde die Domäne an Landwirte verpachtet. Einer der Pächter ließ um 1888 Landarbeiterhäuser an der Südseite des Dorfangers, wo auch der Dorfkrug steht, und an der Thielallee errichten, die heute unter Denkmalschutz stehen. Die Ländereien der Domäne wurden ab 1901 für den Aufbau eines Villenortes erschlossen.
Die Gebäude der Domäne stehen heute teilweise dem Institut für Veterinärmedizin der *Freien Universität* zur Verfügung, teilweise werden sie vom 1976 gegründeten Förderverein der »Freunde der Domäne Dahlem« unterhalten, der hier die traditionelle landwirtschaftliche Nutzung aufrechterhält und ein agrarhistorisches Museum eingerichtet hat.

Otto **Hahn**

Chemiker, *8. März 1879 Frankfurt a. M., †28. Juli 1968 Göttingen.
Hahn, der sich zunächst mit Fragen der organischen Chemie befaßt hatte, wandte sich in den Jahren 1904 bis 1906 in London bei William Ramsay und in Montreal bei Ernest Rutherford radioaktiven Vorgängen zu. Von 1907 bis zu ihrer erzwungenen Emigration 1938 arbeitete er eng mit der österreichischen Physikerin Lise Meitner zusammen. Er entdeckte mehrere radioaktive Elemente und Isotope.
1910 bis 1934 war Hahn Professor an der Berliner Universität. Er wurde 1912

Mitarbeiter des Kaiser-Wilhelm-Instituts für Chemie in Berlin, das er von 1928 bis 1945 als Direktor leitete. Nach Vorstudien mit Lise Meitner entdeckte Hahn im alten Chemischen Institut an der Thielallee in Dahlem 1938 gemeinsam mit Fritz Straßmann den bei Bestrahlung mit Neutronen erfolgenden Zerfall des Urans in mittelschwere Elemente, wobei große Energiemengen frei werden. Damit waren die wissenschaftlichen Grundlagen für die Nutzung der Kernenergie gelegt. Für diese Entdeckung wurde Hahn 1945 mit dem Chemie-Nobelpreis für 1944 ausgezeichnet.

Hahn-Meitner-Institut für Kernforschung

Der Name dieser Forschungsstätte erinnert an Otto *Hahn* und Lise Meitner, zwei Personen, die maßgeblichen Anteil an der Entdeckung und Deutung der atomaren Kernspaltung hatten. Das Hahn-Meitner-Institut ist eine mit Bundesbeteiligung unterhaltene Einrichtung der Grundlagenforschung und gliedert sich in die vier Forschungsbereiche Kern- und Strahlenphysik, Strahlenchemie, Kernchemie und Reaktor sowie Datenverarbeitung und Elektronik. Zum Institut gehören der Forschungsreaktor BER II mit einer Leistung von 5 MW sowie eine Reihe von Teilchenbeschleunigern. Das Institut wurde 1956 gegründet und nahm 1959 die Arbeit in seinen seit 1957 errichteten Gebäuden an der Glienicker Straße im Zehlendorfer Ortsteil *Wannsee* auf.

Hansaviertel

Das südliche Hansaviertel, begrenzt im Süden von den Grünanlagen des westlichen *Tiergartens* an der Straße des 17. Juni und im Westen und Norden von der S-Bahn zwischen den Bahnhöfen Tiergarten und Bellevue, war ein beliebtes Wohngebiet, das im Zweiten Weltkrieg fast völlig zerstört wurde. Im Rahmen der *Internationalen Bauausstellung (Interbau) 1957* wurde das Viertel ab 1955 in lockerer Bauweise, die von 16- bis 17stöckigen Hochhäusern bis zu Einfamilienhäusern reicht, von insgesamt 54

Architekten aus 13 Ländern wiederaufgebaut.
Das Viertel bietet auf diese Weise einen außerordentlich eindrucksvollen Querschnitt der internationalen Architektur der Nachkriegszeit.
Den Mittelpunkt bildet der U-Bahnhof Hansaplatz mit Einkaufszentrum, Volksbücherei und der katholischen St.-Ansgar-Kirche, die 1956/57 nach einem Entwurf von Willy Kreuer errichtet wurde.
Während die *Akademie der Künste* den östlichen Rand des Hansaviertels markiert, liegt die evangelische *Kaiser-Friedrich-Gedächtnis-Kirche* etwas abgesetzt im Süden zwischen Händelallee und Straße des 17. Juni.

Hasenheide

Die Hasenheide im Bezirk *Neukölln* erhielt ihren Namen von einem Hasengehege, das hier um 1678 angelegt worden war.

1811 eröffnete Friedrich Ludwig *Jahn*, u. a. Lehrer am Grauen Kloster, gemeinsam mit Karl Friedrich Friesen einen Turnplatz, weil sie an den bewußtseinsbildenden Einfluß der Leibesübungen auf die Jugend glaubten, die sie für den Kampf gegen Napoleon und für die deutsche Einheit gewinnen wollten. 1819 wurde der Turnplatz wieder geschlossen, da Jahns politische Ziele den preußischen Behörden mißfielen. Zeitweise diente das Gelände als Garnisonsschieß-

platz. Ab 1838 gestaltete es Peter Joseph *Lenné* als Park.

1872 wurde im Nordosten des Parks das von Erdmann Encke 1869 entworfene Bronzedenkmal des »Turnvaters« Jahn aufgestellt. In den Jahren 1936 bis 1939 wurde der »Jahn-Ehrenhain« errichtet. 1950 bis 1954 erfolgte die Umwandlung der Hasenheide in einen Volkspark. Die Anlage wurde erweitert und mit Naturlehrpfad, Tiergehege, Spielplätzen und Naturtheater neu gestaltet. Dabei wurde die 69,5 m hoch aus Trümmern aufgeschüttete Rixdorfer Höhe einbezogen, auf der seit 1954 die Muschelkalkfigur einer sitzenden Frau von Katharina Singer an die »Trümmerfrauen« erinnert.

Die Hasenheide ist auch nach Jahns Ak-

Turnplatz in der Hasenheide. Federlithographie aus dem Jahr 1818.

tivitäten häufig Schauplatz politischer Massenkundgebungen gewesen. Das war zur Zeit Bismarcks der Fall, ganz besonders lebhaft in der Weimarer Republik und erneut in den Jahren nach 1945.

Gerhart Hauptmann

Schriftsteller, *15. November 1862 Obersalzbrunn, Schlesien, †6. Juni 1946 Haus Wiesenstein in Agnetendorf, Schlesien, beigesetzt in Kloster auf der Insel Hiddensee.
Der Gastwirtssohn Gerhard (das d wechselte er erst in Berlin gegen das t aus) Hauptmann hatte nach einigen Jahren den Besuch der Realschule in Breslau abgebrochen, danach eine landwirtschaftliche Lehre begonnen und 1880 bis 1882 die Kunstschule in Breslau besucht, um Bildhauer zu werden. 1882/83 belegte er philosophische Vorlesungen in Jena bei Eucken und Haeckel. Er unternahm 1883/84 Reisen in die Schweiz, nach Spanien und Italien und ging 1884 an die Kunstakademie nach Dresden. 1885 heiratete er die Tochter eines wohlhabenden Großkaufmanns und erreichte damit finanzielle Sicherheit. Im gleichen Jahr zog er in die Ortschaft Erkner südöstlich von Berlin. Hier hatte Hauptmann viele Kontakte zu einfachen Leuten, deren Leben er beobachtete. Sie wurden Vorbilder für die Figuren seiner Werke. In Berlin pflegte Hauptmann enge Beziehungen zum *Friedrichshagener Dichterkreis* und zum literarischen Verein »Durch«. In dieser Zeit fand er seine eigene naturalistische Ausdrucksform. Seit 1891 lebte er in Berlin und Schreiberhau in Schlesien. 1894 trennte er sich wegen der jungen Schauspielerin Margarete Marschalk von seiner Familie und bezog in Berlin ein möbliertes Zimmer. Nach seiner Scheidung 1904 heiratete er sie und wohnte seitdem in Haus Wiesenstein in Agnetendorf im Riesengebirge. Hier starb er vor der Aussiedlung nach Berlin. 1912 hatte Gerhart Hauptmann den Literatur-Nobelpreis erhalten. Mit seinem dramatischen Werk hat Hauptmann für die Durchsetzung des Naturalismus in Deutschland einen entscheidenden Beitrag geleistet. Seine Erfolge errang er in Berlin, aber sein Werk wirkte über Berlin hinaus, wurde in viele Sprachen übersetzt und überall in Europa aufgeführt. In der Wahl seiner Stoffe war er sehr vielseitig, ebenso in der Ausdrucksform, die sich sowohl der Mundart und der Alltagssprache als auch der Versdichtung bediente. Mit naturalistischer Härte gestaltete er Milieuschilderungen und Konfliktsituationen und zeigte soziale Mißstände auf. Neben den sozialkritischen Themen beschäftigten ihn auch mythische, religiöse, historische sowie literarische Stoffe. Er wechselte zwischen Naturalismus und Neuromantik. Sein erzählerisches Werk steht im Schatten seiner dramatischen Leistungen.
Als die *Freie Bühne* am 20. Oktober 1889 das sozialkritische Drama »Vor Sonnenaufgang« im Lessing-Theater zur Uraufführung brachte, kam es zu einem handfesten Theaterskandal. Nur der erste Akt ging ruhig über die Bühne, danach schaukelten sich Anhänger und Gegner mit Radauflöten und Stiefelabsätzen zu immer lauterem Tumult hoch, und schließlich flog während einer Entbindungsszene eine Geburtszange auf die Bühne. Die Kritik schwankte in der Beurteilung Hauptmanns zwischen dem »Dramatiker des Häßlichen« und dem »Erlöser der Dichtung«. Der Verein Freie Bühne konnte sich über einen Mitgliederzuwachs freuen.
Am 26. Februar 1892 wurden »Die Weber« in einer Sondervorstellung der Freien Bühne im Neuen Theater uraufgeführt. Dieses Drama, das das soziale Elend der schlesischen Weber darstellt, mißfiel dem Kaiser und den Zensurbehörden. Als die erste öffentliche Aufführung im *Deutschen Theater* am 25. September 1894 in der Inszenierung von Otto Brahm nicht mehr zu verhindern war, kündigte der Kaiser seine Loge in diesem Theater. Die Aufführung wurde ein großer Erfolg, nicht zuletzt als Gegenreaktion auf des Kaisers Kunstdiktat. »Der Biberpelz« wurde am 21. September 1893 im Deutschen Theater uraufgeführt, und am 14. November 1893 war die Uraufführung von »Hanneles Himmelfahrt« im *Schauspielhaus* am Gendarmenmarkt. Auch diese beiden Stücke sorgten für Diskussionsstoff. Es folgten im Deutschen Theater die Uraufführungen von »Florian Geyer« am 4. Januar 1896 und von »Rose Bernd« am 31. Oktober 1903. Am 13. Januar 1911 wurde im Lessing-Theater das Drama »Die

Ratten« uraufgeführt, dessen Handlung in Berlin spielt, und am 16. Februar 1932 fand die Uraufführung der Tragödie »Vor Sonnenuntergang« im Deutschen Theater statt, in der Werner Krauss die Hauptrolle spielte. Diese Auswahl der Uraufführungen läßt erkennen, welche Bedeutung Berlin als Theaterstadt für das Werk Gerhart Hauptmanns hatte. Im *Märkischen Museum* befindet sich eine Gerhart-Hauptmann-Gedächtnis- und Forschungsstätte. In den Grünanlagen gegenüber dem *Bundeshaus* steht ein Bronzebildnis Gerhart Hauptmanns, das 1966 als Neuguß des 1920 von Fritz Klimsch geschaffenen Werkes aufgestellt wurde.
LITERATUR: C. F. W. Behl und F. A. Voigt, Chronik von Gerhart Hauptmanns Leben und Schaffen. 1957. - H. Daiber, Gerhart Hauptmann. 1971. - H. Mayer, Gerhart Hauptmann. 1967. - H. Schrimpf (Hrsg.), Gerhart Hauptmann. 1976.

Haus der Ministerien

Der umfangreiche, fast 300 m lange und 100 m tiefe Gebäudekomplex des ehemaligen Reichsluftfahrtministeriums wurde 1935/36 als erster nationalsozialistischer Großbau von Ernst Sagebiel entworfen und errichtet. Er liegt an der Kreuzung der Leipziger und der Otto-Grotewohl-Straße, der früheren Wilhelmstraße, und beherbergt nach Behebung einiger Kriegsschäden heute mehrere DDR-Ministerien. Die einzelnen Flügel des mit Muschelkalk verkleideten, äußerlich schmucklosen Stahlbetonskelettbaus sind fünf- bis siebengeschossig. Benachbart liegt der in die Nutzung einbezogene Komplex des 1851 errichteten ehemaligen Preußischen Herrenhauses, das 1871 bis 1875 erweitert wurde, als hier der provisorische Sitz des Reichstags entstand.

Haus des Rundfunks

Das Funkhaus an der Masurenallee in Charlottenburg wurde 1929 bis 1931 nach Plänen von Hans Poelzig errichtet. Es war damals das erste Funkhaus Deutschlands. Nach dem Zweiten Weltkrieg stand es bis Mitte 1956 unter so-

wjetischer Verwaltung. Am 1. Dezember 1957 wurde es vom Sender Freies Berlin in Betrieb genommen. Hinter den 150 m langen Front bilden zwei zurückgebogene Seitenflügel einen dreieckigen Grundriß, dessen Innenraum durch drei trapezförmige Studios in vier dreieckige Innenhöfe gegliedert ist. Sowohl die Schmalseiten der Studiogebäude wie die Spitzen der Höfe sind auf die große zentrale Eingangshalle ausgerichtet, die durch fünf Geschosse reicht. Die Klinkerfassade gliedern senkrecht zwischen den Fenstern verlaufende prominente Streifen aus farbigen Keramikplatten. Nordwestlich an das Haus des Rundfunks schließen sich zum Theodor-Heuss-Platz hin die Fernsehstudios des Senders Freies Berlin an, die 1963 bis 1971 erbaut wurden. Der Gebäudekomplex gipfelt in einem 14stöckigen Hochhaus.

Havel

Der 343 km lange Hauptfluß der Mark Brandenburg hat seine Quelle auf der Mecklenburgischen Seenplatte nordwestlich von Neustrelitz, etwa 110 km nordnordwestlich des Berliner Stadtzentrums. Auf ihrem Lauf nach Berlin durchfließt die Havel zahlreiche Seen. Sie ist durch verschiedene Kanäle, die zum Teil nur noch historische Bedeutung haben, mit anderen Gewässern verknüpft. Am wichtigsten ist der für Schiffe mit 1000 t Tragfähigkeit befahrbare, 1906 bis 1914 erbaute Oder-Havel-Kanal von Oranienburg zur Oder bei Hohensaaten. In Spandau nimmt die Havel ihren wichtigsten Nebenfluß, die *Spree*, auf. Bei der Glienicker Brücke verläßt sie Berlin und fließt in vorwiegend westlicher Richtung, zum Teil seenartig erweitert, nach Potsdam und Brandenburg. Danach wendet sich der Fluß nach Nordwesten, durchfließt das Havelländische Luch und mündet unterhalb von Havelberg in die Elbe. Die Havel erreicht Westberliner Gebiet beim Ortsteil Heiligensee im Bezirk *Reinickendorf*. Sie bildet als Niederneuendorfer See zunächst die Grenze zur DDR. Auf Höhe der *Jungfernheide* zweigt nach Nordosten der 4,1 km² große Tegeler See ab. Vorbei an der Zitadelle fließt die Havel nach *Spandau* hinein, wo sie gegenüber der Altstadt die Spree aufnimmt. Danach ist sie bis zum Verlassen Westberlins fast immer mindestens 400 bis 600 m breit. Am westlichen, rechten Ufer liegen die ländlichen Ortsteile Gatow – mit dem britischen Militärflugplatz – und Kladow. Am östlichen Ufer erstreckt sich der *Grunewald* mit einigen Hauptanziehungspunkten des Naherholungsverkehrs – Schildhorn, Lindwerder, Schwanenwerder. Anschließend verbreitert sich die Havel zum Großen *Wannsee* mit dem Strandbad. Von der Höhe der Nordspitze der *Pfaueninsel* an bildet die auch hier seenartig verbreiterte Havel wieder die Grenze zur DDR mit dem Potsdamer Ortsteil Sacrow auf dem Westufer.

Die Havel ist ein sehr beliebtes und belebtes Wassersportgebiet für Segler, Ruderer und Surfer. Sie ist aber auch eine viel befahrene Wasserstraße, die ebenso dem Ausflugsverkehr der Personenschiffahrt, für die in Berlin etwa 50 Schiffe eingesetzt werden, wie dem Transport von Massengütern durch die *Binnenschiffahrt* dient.

Georg Wilhelm Friedrich Hegel

*Philosoph, *27. August 1770 Stuttgart, †14. November 1831 Berlin.*
Hegel studierte 1788 bis 1793 in Tübingen Theologie und Philosophie. In dieser Zeit entstand die Freundschaft mit Hölderlin und Schelling, die wie er am Tübinger Stift waren. Danach wurde er Hauslehrer in Bern (1793 bis 1796) und Frankfurt (1797 bis 1800). 1801 ging er als Privatdozent nach Jena, wo Schelling seit 1797 Professor war. Mit ihm zusammen gab er 1802/03 das »Kritische Journal der Philosophie« heraus. Nach der verlorenen Schlacht gegen Napoleon bei Jena 1806 wurde die Stadt stark verwüstet, und Hegel nahm 1807 eine Stelle als Redakteur bei der »Bamberger Zeitung« an. 1808 bis 1816 war er Rektor eines Nürnberger Gymnasiums, und 1816 folgte er einer Berufung als Professor an die Heidelberger Universität. Seit 1818 lehrte Hegel an der Universität in Berlin als Nachfolger Fichtes. Hier genoß er das Wohlwollen der preußischen Regierung, entwickelte eine fruchtbare

Tätigkeit und begründete eine einflußreiche Schule (Hegelianismus). Er nahm an den anregenden Treffen in den *literarischen Salons* teil, vor allem an denen bei Rahel *Varnhagen von Ense*, und war mit *Zelter* befreundet. Mit seiner idealistischen Philosophie wurde Hegel zum einflußreichsten deutschen Denker nach Kant. Er schrieb u. a. »Phänomenologie des Geistes« (1807), »Logik« (1812 bis 1816), »Enzyklopädie der philosophischen Wissenschaften« (1817; 1827 und 1830 erweiterte Neuauflagen), »Naturrecht und Staatswissenschaft im Grundrisse: Grundlinien der Philosophie des Rechts« (1821). Nach seinem Tod wurden seine Vorlesungen über Philosophiegeschichte, Religionsphilosophie, Geschichtsphilosophie und Ästhetik von seinen Freunden und Schülern herausgeben und verbreitet.
LITERATUR: T. W. Adorno, Drei Studien zu Hegel. In: Adorno, Gesammelte Schriften. Band 5. 1971. – I. Fetscher, Hegel in der Sicht der neueren Forschung. 1973. – H. Glockner, Hegel. 2 Bände. ⁴1964. – R. Kroner, Von Kant bis Hegel. 2 Bände. 1921–1924, ²1961. – K. Rosenkranz, Hegels Leben. 1844, Nachdruck 1962.

Heiliggeist-Kapelle

Die Kapelle des 1272 erstmals urkundlich erwähnten Heiliggeistspitals nahe dem ehemaligen Spandauer Tor am Nordwestrand der Berliner Altstadt wurde ihrerseits zuerst 1313 genannt. Der Backsteinbau auf Feldsteinsockel mit seinem reich gegliederten Ostgiebel und dem 1476 eingebauten Sterngewölbe diente bis 1905 gottesdienstlichen Zwecken. Danach wurde die Heiliggeist-Kapelle als Hörsaal der Handelshochschule genutzt. Nach Kriegsschäden wiederhergestellt, ist sie jetzt Mensa des Wirtschaftswissenschaftlichen Instituts der *Humboldt-Universität*.

Henriette Herz

5. September 1764 Berlin, †22. Oktober 1847 Berlin.
Henriette Herz war die Tochter des Arztes Benjamin de Lemos, der das jüdische Krankenhaus in Berlin leitete und dem

portugiesischen Judentum entstammte. Sie heiratete 1779 den Arzt und Philosophen Marcus Herz (* 1747, † 1803), der mit Kant befreundet war. Noch vor Rahel *Varnhagen von Ense* führte sie einen Salon, in dem sich Intellektuelle, Künstler und Literaten trafen. Besonders auf die Frühromantik hatte ihr Salon großen Einfluß. Zu ihren Gästen gehörten u. a. die Brüder *Humboldt* und *Schlegel, Zelter,* Fichte, *Schleiermacher,* Jean Paul, Börne, Prinz Louis Ferdinand von Preußen und *Schadow,* der eine Büste von ihr anfertigte. Auch Schiller, Madame de Staël und Mirabeau waren bei ihrem Aufenthalt in Berlin Gäste von Henriette Herz. Mit Schleiermacher war sie sehr eng befreundet, lehrte ihn Italienisch und las Shakespeare mit ihm. Auch Wilhelm von *Humboldt,* den sie Hebräisch lehrte, fühlte sich ihr sehr stark verbunden. Auf Ludwig Börne, der sie leidenschaftlich verehrte, hatte sie einen großen Einfluß. In ihrem Salon lernten sich Friedrich *Schlegel* und Dorothea Veit, die Tochter von Moses *Mendelssohn,* kennen, die nach der Scheidung von Dorothea Veit 1804 heirateten, ebenso Karl August *Varnhagen von Ense* und Rahel Levin, die 1814 heirateten, 1817 trat Henriette Herz zum christlichen Glauben über.
LITERATUR: L. Geiger (Hrsg.), Briefwechsel des jungen Börne und der Henriette Herz. 1906. – H. Landsberg, Henriette Herz. Ihr Leben und ihre Zeit. 1913. – R. Schmitz (Hrsg.), Henriette Herz in Erinnerungen, Briefen und Zeugnissen. 1984.

Georg Heinrich Friedrich **Hitzig**

*Architekt, *8. April 1811 Berlin, †11. Oktober 1881 Berlin.*
Der Schinkelschüler Hitzig war seit 1837 in Berlin tätig. Er stand zwischen Klassizismus und Gründerzeit und ließ sich bei seinen Entwürfen oft von Formen der italienischen Renaissance anregen. Zu seinen bekanntesten, in der Mehrzahl nicht mehr erhaltenen Bauten in Berlin gehören die Börse an der Burgstraße östlich der Spree (1859 bis 1864), die erste Markthalle Berlins (der spätere *Friedrichstadtpalast,* 1865 bis 1868), die Reichsbank (1869 bis 1876) und das Hauptgebäude der *Technischen Universität* (ab 1878). Hitzig leitete auch den inneren Umbau des *Zeughauses* zum Museum des brandenburgisch-preußischen Militärwesens (1877 bis 1880). Außerdem gestaltete er Wohngebäude, Grabkapellen u. a.

Ernst Theodor Amadeus (E. T. A.) **Hoffmann**

*Schriftsteller, Musiker, Maler und Jurist, *24. Januar 1776 Königsberg, †25. Juni 1822 Berlin.*
Hoffmann, getauft auf die Namen Ernst Theodor Wilhelm, ging mit dem aus Verehrung zu Mozart 1815 gewählten dritten Vornamen Amadeus, vor allem aber mit seinen Initialen E. T. A. in die Literaturgeschichte ein.
1792 bis 1795 studierte Hoffmann in Königsberg Jura. Er ging 1796 nach Glogau und legte dort 1798 das Referendarexamen ab. 1798 bis 1800 war er Kammergerichtsreferendar in Berlin, machte hier 1800 das Assessorexamen und ging anschließend als Regierungsassessor nach Posen. Karikaturen, in denen er die Spießer seiner Umgebung bloßstellte, hatten 1802 seine Strafversetzung nach Płock zur Folge.
Im Jahr 1804 kam er dann als Regierungsrat nach Warschau, das damals zu Preußen gehörte. Hier, wie auch schon in Posen, pflegte er seine vielseitigen Talente als Schriftsteller, Maler und Musiker und ebenso sein exzentrisches Wesen. Nachdem Napoleon in Warschau einmarschiert war, ging Hoffmann 1807 nach Berlin, fand hier aber keine Anstellung. 1808 nahm er die Stelle eines Theaterkapellmeisters in Bamberg an und betätigte sich hier nebenbei als Musikkritiker, Bühnenbildner und Komponist. Als Musikdirektor der Theatertruppe J. Secondas war er 1813 in Dresden und Leipzig, ging aber 1814 als Beamter im Justizministerium nach Berlin. 1816 wurde er Kammergerichtsrat. Später war er Mitglied der Kommission, die im Rahmen der »Demagogenverfolgung« zur Unterdrückung der Aktivitäten der Burschenschaften und der Turnerbewegung eingesetzt worden war, und versuchte, den Betroffenen zu helfen. Er protestierte gegen die Verhaftung Friedrich Ludwig *Jahns* und geriet so in Gegensatz zum Polizeidirektor. Ein gegen ihn ein-

geleitetes Disziplinarverfahren wurde durch seinen Tod hinfällig.

In Berlin begann in Hoffmanns Leben die Phase, in der er sich intensiver der schriftstellerischen Tätigkeit zuwandte. Hier verstärkte sich auch die Zwiespältigkeit seiner Doppelexistenz als Beamter und als exzentrischer Künstler. Er war ein gern gesehener Gast in den Berliner Salons. Der geniale Sohn eines Alkoholikers und einer psychisch kranken Mutter war Mittelpunkt so mancher Zecherrunde. In vielen seiner Erzählungen ist ein Stück vom Berlin seiner Zeit enthalten, so z. B. in »Ritter Gluck« und in »Des Vetters Eckfenster«.

Hoffmann war ein Meister der phantastischen Erzählung, in der es ihm gelang, das Geheimnisvolle und Zwiespältige im Wesen des Menschen zu gestalten. Er bewegte sich in seinem Werk zwischen Realität und Phantasie, zwischen dem alltäglichen Geschehen und der Unheimlichkeit des Magischen und der Geisterwelt. Er repräsentierte auf diese besondere Weise die deutsche Romantik und beeinflußte die Weltliteratur (u. a. Hans Christian Andersen, Balzac, Hugo, Poe, Dickens, Kafka, Gogol, Dostojewskij). Zu E. T. A. Hoffmanns Hauptwerken gehören u. a. »Phantasiestücke in Collot's Manier« (4 Bände, 1814/15), »Die Elixiere des Teufels« (1815/16), »Nachtstücke« (1817), »Die Serapionsbrüder« (4 Bände, 1819 bis 1821), »Prinzessin Brambilla« (1821), »Meister Floh« (1822) und »Lebensansichten des Katers Murr« (Fragment, 2 Bände, 1820 bis 1822).

Zahlreiche Erzählungen E. T. A. Hoffmanns dienten als Vorlagen für musikalische Bearbeitungen, z. B. beruht das Libretto der Oper »Hoffmanns Erzählungen« von Jacques Offenbach auf den drei Erzählungen »Der Sandmann«, »Die Abenteuer einer Silvesternacht« und »Rat Krespel«. Auch Robert Schumann, Gustav Mahler und Paul Hindemith griffen auf Stoffe von E. T. A. Hoffmann zurück.

Hoffmanns eigenes musikalisches Werk umfaßt Sinfonien, Sonaten, Kammermusik, Singspiele und die Oper »Undine« (nach Friedrich de la Motte-Fouqué, 1816), für deren Uraufführung am 3. August 1816 im *Schauspielhaus Karl Friedrich Schinkel* das Bühnenbild entwarf. Als Musikkritiker setzte sich Hoffmann für Beethoven und Bach ein, der inzwischen fast vergessen war. Hoffmanns Begabung als Maler und Zeichner wurde besonders auf dem Gebiet der Karikatur deutlich.

LITERATUR: K. Günzel (Hrsg.), E. T. A. Hoffmann, Leben und Werk in Briefen, Selbstzeugnissen und Dokumenten. 1979. – W. Harich, E. T. A. Hoffmann. Das Leben eines Künstlers. 2 Bände. ³1922. – U. Helmke, E. T. A. Hoffmann. Lebensbericht mit Bildern und Dokumenten. 1974. – E. Roters, E. T. A. Hoffmann. 1984. – G. Wittkop-Menardeau, E. T. A. Hoffmanns Leben und Werk in Daten und Bildern. 1968.

Hohes Haus

Der älteste landesherrliche Besitz in Berlin befand sich an der nordöstlichen Stadtmauer nahe dem Oderberger Tor, dem späteren Georgentor. Hier wurde als markgräflicher Wohnsitz die »Aula Berlin« errichtet, die 1261 erstmals urkundlich erwähnt wird. Um 1295 wurde an der gleichen Stelle das Hohe Haus erbaut, eine dreischiffige Halle mit 20 m breiter Front, die bis zum Bau des Schlosses auf der Cöllner Spreeinsel Sitz der askanischen und wittelsbachischen Markgrafen blieb. Später verlor das Haus seine Bedeutung. Es diente verschiedenen Funktionen und wurde mehrfach umgebaut.

Unter dem Namen »Lagerhaus« wurde das Gebäude 1713 Sitz einer Tuchmanufaktur. 1874 bis 1924 beherbergte es das *Geheime Staatsarchiv*. 1931 wurde es für den Bau eines Kaufhauses abgerissen. Dabei wurden gotische Reste des Hohen Hauses freigelegt.

Horizonte – Festival der Weltkulturen

Die Veranstaltung »Horizonte – Festival der Weltkulturen« findet seit 1979 alle drei Jahre in Westberlin statt. Sie ist jeweils einem außereuropäischen Kulturraum gewidmet, dessen Autoren zu Wort kommen und dessen Künstler in musikalischen, theatralischen und filmischen Darbietungen ihr Schaffen vorstellen, begleitet von Colloquien und Ausstellungen. Neben der Förderung des Wissens um fremde Kulturen, des Dialogs zwischen den Kulturen und der Intensivierung der kulturellen Beziehungen wird die Absicht herausgestellt, als Folge der Begegnungen in Berlin auch außerhalb Europas Resonanz zu erreichen und Gespräche zu ermöglichen.

Horizonte 1 hatte 1979 Afrika südlich der Sahara zum Gegenstand. 1982 befaßte sich Horizonte 2 mit Lateinamerika, wobei die Ausstellung »Mythen der Neuen Welt - Zur Entdeckungsgeschichte Lateinamerikas« auch den Wirkungen nachging, die die Entdeckung Lateinamerikas auf die Kultur Europas hatte.

Ost- und Südostasien waren vom 7. bis 30. Juni 1985 Thema von Horizonte 3. Mehr als 500 Künstler und 30 Autoren der Region stellten in Veranstaltungen mit über 100000 Besuchern ihre Arbeit in Musik, Musiktheater - dem Mittelpunkt des Festivals -, Puppentheater, Literatur und Film vor.

Im *Martin-Gropius-Bau* sahen im Sommer 1985 fast 400000 Besucher die Ausstellungen »Palastmuseum Peking: Schätze aus der Verbotenen Stadt« und »Europa und die Kaiser von China 1240-1816«.

Horizonte 4 findet 1988 statt. Sein Motto wird »ex oriente lux« sein. Es verweist auf die Hinterlassenschaft Arabiens und Kleinasiens in Europa und ist im Zusammenhang mit einem für dieses Jahr geplanten Weltkongreß der Archäologie zu sehen.

Hugenotten

Nachdem Ludwig XIV. die Glaubensfreiheit der Hugenotten in Frankreich aufgehoben hatte, sicherte Friedrich Wilhelm, der Große Kurfürst, durch das Edikt von Potsdam vom 29. Oktober 1685 seinen reformierten Glaubensgenossen nicht nur Religionsfreiheit zu, wenn sie sich in seinem Land niederlassen wollten.

Da der Kurfürst sich eine wirtschaftliche Belebung seines noch unter den Folgen des Dreißigjährigen Krieges leidenden Landes erhoffte, versprach er den Einwanderungswilligen das Bürgerrecht, die Aufnahme in die Zünfte, Steuervergünstigungen und Subventionen beim Aufbau von Manufakturen. Sie erhielten kostenlos Grundstücke, leerstehende Häu-

ser und Baumaterial für erforderliche Aufbau- und Instandsetzungsarbeiten.

Bis zur Jahrhundertwende kamen rund 6000 Hugenotten nach Berlin. Diese Refugiés stellten damit ein Fünftel der Bewohnerschaft. Sie konnten ihre eigenen Gerichts- und Verwaltungsorgane einrichten, eine eigene Kirche, den sogenannten *Französischen Dom*, erbauen und ein eigenes Gymnasium unterhalten. Erst durch die Städteordnung von 1808 verloren die Hugenotten ihre weitgehende Selbständigkeit. Sofern sie Hauseigentümer waren oder über ein Jahreseinkommen von mehr als 200 Talern verfügten, mußten sie - oft gegen ihren Willen - das mit Kosten verbundene Berliner Bürgerrecht erwerben.

Die Refugiés führten die Strumpfwirkerei und die Bandweberei in Berlin ein. Sie gründeten zahlreiche Manufakturen der Woll-, Baumwoll-, Leinen- und Seidenverarbeitung. Besonders erfolgreich waren die Hugenotten als Goldschmiede und Juweliere.

Im Jahr 1700 zählte die französische Gemeinde bereits über 100 Kaufleute, 45 Schuhmacher, 42 Goldschmiede, 41 Schneider, 36 Perückenmacher, 26 Bäcker, 25 Ärzte und Wundärzte, je 20 Tischler und Posamentierer, 19 Tapezierer, je 18 Schlosser, Gerber, Gastwirte und Sänftenträger, 16 Hutmacher, 11 Lichtzieher, 10 Apotheker, 9 Knopfmacher und 6 Maler. Hinzu kamen jeweils noch ihre Gehilfen. Weniger erfolgreich als in anderen Gewerben waren die Hugenotten im Bankgeschäft, wo es zu einem heftigen Wettbewerb mit den *Juden* kam, in dem sich die Juden auf längere Sicht überlegen zeigten.

Die Tradition der Hugenotten wird bis heute von ihren Nachkommen gepflegt. In beiden Teilen Berlins gibt es französische reformierte Gemeinden. Auch das Französische Gymnasium existiert noch als teilweise zweisprachige Schule in Westberlin.

LITERATUR: B. Botta u.a. (Hrsg.), Die Hugenotten in Berlin-Brandenburg. 1981. - S. Jersch-Wenzel, Juden und »Franzosen« in der Wirtschaft des Raumes Berlin-Brandenburg zur Zeit des Merkantilismus. 1978. - H. Krum, Preußens Adoptivkinder. Die Hugenotten - 300 Jahre Edikt von Potsdam. 1985. - E. Muret, Geschichte der französischen Kolonie in Brandenburg-Preußen unter

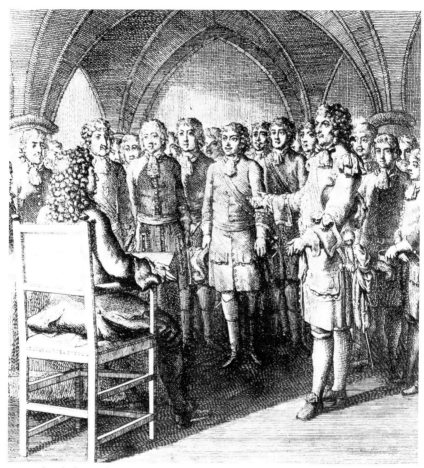

*Daniel Nikolaus Chodowiecki, Der Große Kurfürst empfängt die Réfugiés in seinen
Staaten. Der Kupferstich aus dem Jahr 1782 zeigt, wie General von Schomberg um
1685 dem Großen Kurfürsten französische Offiziere vorstellt, die in
brandenburgische Dienste getreten sind. Aus: Jean Pierre Erman, Mémoires pour
servir à l'histoire des Réfugiés Français dans les états du roi, Memoiren zur Geschichte
der französischen Réfugiés in den Staaten des Königs, Band I, 1782.*

besonderer Berücksichtigung der Berliner Gemeinde. 1985.

Alexander von **Humboldt**

Naturforscher, *14. September 1769 Berlin, †6. Mai 1859 Berlin.
Als zweiter Sohn des friderizianischen Majors Alexander Georg von Humboldt und seiner Frau Marie Elisabeth Colomb, der Tochter eines hugenottischen Fabrikanten und einer Engländerin, wurde Alexander von Humboldt in einem Haus am Gendarmenmarkt geboren. Er studierte Jura und Volkswirtschaft in Frankfurt an der Oder und Göttingen sowie – nach einer Englandreise mit Georg Forster – 1791/92 Bergbauwissenschaft in Freiberg an der Bergakademie. Von 1792 bis 1797 war er als Bergassessor und Oberbergmeister in

Franken tätig. Seine Reisen in Mittel- und Südamerika 1799 bis 1804 gemeinsam mit dem französischen Botaniker Bonpland wertete er anschließend in Paris aus, wo er bis 1827 – von kurzen Unterbrechungen abgesehen – lebte. 1805 wurde Alexander von Humboldt Mitglied der Berliner Akademie der Wissenschaften. Er begleitete 1822 König Friedrich Wilhelm III. zu einem Kongreß in Verona. 1827 verlegte er seinen Wohnsitz nach Berlin. Er bereiste 1829 Rußland und Sibirien und unternahm im königlichen Auftrag zwischen 1830 und 1847 noch zahlreiche diplomatische Reisen, vor allem nach Paris, aber auch nach London und Kopenhagen. Ab 1827 hielt Alexander von Humboldt in der Singakademie seine »Kosmos«-Vorlesungen, aus denen später sein Hauptwerk, der »Kosmos«, hervorging, das 1845 bis 1862 erschien und das naturwissenschaftliche Wissen seiner Zeit zusammenfaßt. Humboldt wurde 1840 Mitglied des Preußischen Staatsrats. Als 1844 der *Zoologische Garten* eröffnet wurde, war er Mitglied in dessen Verwaltungskommission. Er nahm – später als sein Bruder Wilhelm – regen Anteil am gesellschaftlichen Leben, war allen modernen Strömungen aufgeschlossen und kannte alle wichtigen Vertreter des geistigen Lebens seiner Zeit. 1848 folgte er dem Trauerzug der sogenannten Märzgefallenen. 1856 wurde er Ehrenbürger Berlins. 1859 starb er in seiner Wohnung in der Oranienburger Straße und wurde im Familiengrab im Tegeler Park beigesetzt. Im Jahr 1869 begannen zu seinem hundertsten Geburtstag die Arbeiten an dem nach ihm benannten *Humboldthain*. 1883 wurde vor der Universität Unter den Linden sein Denkmal von Reinhold *Begas* aufgestellt. Humboldts wissenschaftliches Lebenswerk weist ihn als Begründer der physischen Geographie und vielseitigsten Naturforscher seiner Zeit aus. LITERATUR: H. Beck, Alexander von Humboldt. 2 Bände. 1959/61. – K. R. Biermann, Alexander von Humboldt. 1983. – D. Botting, Alexander von Humboldt. 1974. – A. Meyer-Abich, Alexander von Humboldt in Selbstzeugnissen und Bilddokumenten. 1985. – K. Schleucher, Alexander von Humboldt. 1985. – H. Scurla, Alexander von Humboldt. [11]1985.

Wilhelm von **Humboldt**

*Gelehrter und Staatsmann, *22. Juni 1767 Potsdam, †8. April 1835 Tegel.*
Nach dem Jurastudium in Frankfurt an der Oder und Göttingen, Reisen nach Frankreich und in die Schweiz und erstem diplomatischem Dienst lebte der ältere der Humboldt-Brüder von 1794 bis 1797 in Weimar, wo ihn Freundschaften mit Goethe, Schiller und den Brüdern *Schlegel* verbanden. 1797 bis 1799 hielt er sich in Paris und Spanien auf. 1801 bis 1808 war er preußischer Ministerresident (Botschafter) in Rom. 1809 wurde er auf Empfehlung des Freiherrn vom Stein zum Leiter des Kultus- und Unterrichtswesens im preußischen Innenministerium berufen. In dieser Funktion initiierte er die Gründung der Berliner Universität, seit 1828 *Friedrich-Wilhelms-Universität*, und schuf die Schulform des humanistischen Gymnasiums. Ab 1810 war er Gesandter in Österreich und vertrat Preußen gemeinsam mit Hardenberg auf dem Wiener Kongreß. Anschließend ging er als Gesandter nach London. 1819 war er vorübergehend Minister für ständische und kommunale Angelegenheiten, wurde jedoch wegen seiner Ablehnung der antiliberalen Karlsbader Beschlüsse bald wieder entlassen. Wilhelm von Humboldt zog sich danach für die letzten 15 Jahre seines Lebens weitgehend auf *Schloß Tegel* zurück, das ihm seit 1802 allein gehörte. Er widmete sich dort vielseitigen sprachwissenschaftlichen Arbeiten, starb dort und wurde im Familiengrab im Park beigesetzt. Sein Denkmal von Paul Otto steht seit 1883 vor der Universität. Posthum erschien 1851 Wilhelm von Humboldts Schrift »Ideen zu einem Versuch, die Grenzen der Wirksamkeit des Staates zu bestimmen«, in der er sich für die Entwicklung der freien Persönlichkeit und gegen die Bevormundung durch den absoluten Staat ausspricht. LITERATUR: S. A. Kaehler, Wilhelm von Humboldt und der Staat. [2]1963. – H. Scurla, Wilhelm von Humboldt. Leben und Wirken. 1976.

Humboldthain

In der Nähe des Gesundbrunnens im *Wedding* wurde 1869 bis 1875 nach Plänen des Gartenbaudirektors Gustav Meyer der nach Alexander von *Humboldt* benannte Humboldthain angelegt. Er war nach dem *Friedrichshain* der zweite große Volkspark, den Gustav Meyer in einem dicht besiedelten Wohngebiet schuf. Im Zweiten Weltkrieg wurden 1941 im Park zwei Flaktürme und ein Tiefbunker errichtet. Da diese Betonkolosse nach 1945 nicht gesprengt werden konnten, ließ man sie weitgehend unter Trümmerschutt verschwinden und gestaltete den Park neu. Die neuen Berge überragen das natürliche Relief um etwa 50 bzw. 20 m.

Humboldt-Universität

Nach dem Zweiten Weltkrieg begannen an der Berliner Universität am 3. September 1945 Vorkurse zur Vorbereitung auf das am 29. Januar 1946 offiziell beginnende erste Nachkriegssemester. Einschränkungen der akademischen und demokratischen Freiheiten standen jedoch im Widerspruch zur Tradition der *Friedrich-Wilhelms-Universität*, so daß 1948 in Westberlin die *Freie Universität* gegründet wurde. Die Ostberliner Universität erhielt am 8. Februar 1949 den Namen Humboldt-Universität.
Heute gliedert sich die Humboldt-Universität in 28 Sektionen und zwei Institute sowie den Bereich Medizin (Charité) mit 13 Kliniken, der Sektion Stomatologie, 5 Polikliniken, 16 Instituten u. a. Die vier heutigen Fakultäten – Gesellschaftswissenschaftliche, Mathematisch-Naturwissenschaftliche, Agrarwissenschaftliche und Medizinische – sind von jeweils einem Dekan geleitete Beratungsorgane. Die Universität hat 13 800 Direkt- und 7000 Fernstudenten, einen Lehrkörper von 400 Professoren und 500 Dozenten sowie 3500 wissenschaftliche Mitarbeiter.

August Wilhelm Iffland

Schauspieler, Theaterleiter und Bühnenschriftsteller, *19. April 1759 Hannover, †22. September 1814 Berlin.
Iffland begann seine Theaterlaufbahn als Schauspieler in Gotha, ging dann nach Mannheim und kam 1796 als Direktor des Königlichen Nationaltheaters nach Berlin. 1811 wurde er Generaldirektor der Königlichen Schauspiele.
Iffland pflegte die natürliche, lebensnahe Darstellung anstelle des pathetischen Stils, er bevorzugte bürgerliche Stücke (*Lessing,* Goethe, Schiller) und aufwendige Inszenierungen, in denen er oft die Hauptrolle übernahm. Unter seiner Leitung erlangte Berlin Anerkennung als Theaterstadt. Er verfaßte 65 oft gefühlsbetonte Dramen, mit denen er sehr erfolgreich war.
LITERATUR: E. Kliewer, Iffland. Ein Wegbereiter in der deutschen Schauspielkunst. 1937. – K. H. Klingenberg, Iffland und Kotzebue als Dramatiker. 1962.

Ernst Eberhard von Ihne

Architekt, *23. Mai 1848 Elberfeld, †21. April 1917 Berlin.
Ernst Eberhard Ihne wurde 1888 von Kaiser Friedrich III. zum Hofarchitekten berufen und 1906 von Wilhelm II. geadelt. Als Vertreter einer englisch und italienisch beeinflußten Neurenaissance baute er neben zahlreichen Villen und Schlössern u. a. den Neuen *Marstall* (1896 bis 1902), das Kaiser-Friedrich-Museum – heute Bode Museum – auf der *Museumsinsel* (1897 bis 1904) und die Königliche Bibliothek Unter den Linden (1903 bis 1914), die spätere *Preußische Staatsbibliothek.*

Industrie

Die Industrie entwickelte sich in Berlin nach Anfängen im 17. Jahrhundert vor allem seit der Regierungszeit Friedrich Wilhelms I. Sie orientierte sich an den Bedürfnissen des Hofes, vor allem des Militärs, und erfuhr staatliche Förderung durch Privilegien und Subventionen.
Im sogenannten »Lagerhaus«, dem ehemaligen Fürstensitz *Hohes Haus* an der Klosterstraße, entstand seit 1713 eine Tuchfabrik – die größte Manufaktur ihrer Art in Deutschland. Sie verarbeitete heimische Wolle zu Uniformstoffen, auch für den Export, und beschäftigte 500 Fabrikationsarbeiter sowie 5000 Heimarbeiter.
Bereits seit 1686 bestand eine Gold- und

Silbermanufaktur, die Tressen, Borten und weitere Verzierungen für Hofkleider und Uniformen produzierte. Beide Unternehmen leitete zeitweise Johann Andreas (von) Kraut, der auch königlicher Minister war. Sein Schwager Severin Schindler, dem die Gold- und Silbermanufaktur ab 1702 gehörte, gründete das Schindlersche Waisenhaus, das 1746 von seinem Gut Schöneiche an die Wilhelmstraße verlegt wurde.

Die 1712 gegründete Firma von David Splitgerber und Gottfried Adolf Daum hatte seit 1719 das im königlichen Besitz befindliche Industriegebiet am Finowkanal bei Eberswalde gepachtet, das Betriebe der Metallerzeugung, die Eisen, Messing und Kupfer herstellten und verarbeiteten, umfaßte. 1722 richtete sie Gewehr- und Waffenfabriken in Spandau und Potsdam ein. Später betrieb sie u. a. auch mehrere Zuckersiedereien. Darüber hinaus besaß sie als internationales Großhandelsunternehmen eine eigene Seehandelsflotte.

Neben *Hugenotten*, die Baumwoll- und Leinenmanufakturen betrieben und Seidenwaren erzeugten, war seit 1723 auch der Zürcher Wilhelm Caspar Wegely in der Textilindustrie (Spinnerei und Weberei) tätig. 1751 gründete er die erste Porzellanmanufaktur in Berlin. Sie ging 1761 auf Johann Ernst Gotzkowsky über, der auch eine Seidenfabrik besaß, und wurde 1763 vom König selbst übernommen, der sie unter dem Namen Königliche Porzellan-Manufaktur *(KPM)* als staatlichen Monopolbetrieb weiterführte.

Wenn Berlin auf diese Weise auch zu einem bedeutenden Industriestandort und vor allem zum wichtigsten Zentrum der deutschen Textilindustrie des 18. Jahrhunderts mit 15 000 Arbeitern in der Woll- und 5000 in der Seidenproduktion geworden war, so prägte die Industrie doch zu diesem Zeitpunkt das Stadtbild noch kaum. Das sollte sich im 19. Jahrhundert ändern. Kennzeichnend und fast symbolisch war, daß im Jahr 1800 die erste deutsche Dampfmaschine in der Porzellanmanufaktur in Betrieb genommen wurde, obwohl die Anwohner gegen den Lärm protestierten. Im Vorjahr war bereits die Hummelsche Maschinenbauanstalt gegründet worden, und 1803 wurde die königliche Eisengießerei in der Invalidenstraße eröffnet. Bald weitete sich die industrielle Tätigkeit in nördlicher Richtung zum *Wedding* und Gesundbrunnen aus, wo genug Gelände verfügbar war. 1821 wurde in der Chausseestraße die Eisengießerei und Maschinenfabrik von Egells eingerichtet. Unweit davon gründete August Borsig 1837 seine Maschinenbauanstalt. Als im Oktober 1838 die erste *Eisenbahn*linie von Berlin nach Potsdam eingeweiht wurde, waren Gleise und Lokomotiven noch aus England importiert worden, aber die Wagen stammten bereits aus Berlin, und 1841 lieferte Borsig seine erste Lokomotive. Rasch folgten weitere Betriebe des Maschinenbaus – Schwartzkopff, Wöhlert, Hoppe, Gruson, Loewe, Bergmann, Orenstein & Koppel sind nur eine Aus-

Orientiert an den Bedürfnissen der höfischen Gesellschaft, entwickelte sich das Bekleidungsgewerbe früh zu einem führenden Berliner Industriezweig. Daniel Nikolaus Chodowiecki, Berliner Moden. Kupferstich um 1780.

wahl der bekannten Namen, die im Laufe des Jahrhunderts zu Bedeutung kamen. Bereits 1848 beschäftigte der Maschinenbau 11 000 Arbeiter.

Einen anderen wichtigen Industriezweig begründeten Werner *Siemens* und Johann Georg Halske 1847 mit ihrer Telegraphenbauanstalt an der Schöneberger Straße nahe dem Anhalter Bahnhof. Später verlagerte das Unternehmen seinen Sitz nach *Spandau*. Ein zweites Großunternehmen der Elektroindustrie entstand unter Leitung Emil *Rathenaus* mit der AEG in den achtziger Jahren.

An der Müllerstraße im Wedding rief der Apotheker Ernst Schering 1864 mit seiner chemischen Fabrik, die 1871 in eine Aktiengesellschaft umgewandelt wurde, einen weiteren bedeutenden Berliner Industriezweig ins Leben.

Sehr wichtig für die Entwicklung der Berliner Industrie war die Förderung der technischen Ausbildung und der Forschung. Peter Christian Wilhelm Beuth hatte 1821 den Verein zur Förderung des Gewerbefleißes und eine technische Schule gegründet, die 1827 den Namen Königliches Gewerbeinstitut erhielt und 1866 zur Gewerbeakademie erhoben wurde. 1879 wurde sie mit der Bauakademie zur Königlichen Technischen Hochschule vereinigt.

Am Ende des 19. Jahrhunderts waren etwa 400 000 Menschen in der Berliner Industrie tätig. 341 Betriebe beschäftigten 1895 jeweils über 100 Personen. Sie konzentrierten sich auf den Maschinenbau, das Baugewerbe, die Bekleidungs-, Textil- und Nahrungsmittelindustrie sowie das Druckgewerbe. Im Jahr 1907 zählte die Industrie in den Gemeinden, die ab 1920 Groß-Berlin bildeten, über 750 000 Arbeiter.

Nach dem Ersten Weltkrieg gab es 1922 in 25 000 Betrieben mit mehr als 10 Arbeitnehmern insgesamt 580 000 Beschäftigte, davon 252 800 in Maschinenbau und Elektrotechnik, 71 100 in der Bekleidungsindustrie, 50 600 in der Metallverarbeitung, 41 100 im Druckgewerbe, 39 600 in der Nahrungs- und Genußmittelindustrie und 36 800 in der Holzverarbeitung.

Der Zweite Weltkrieg und seine Folgezeit hatten tiefgreifende Auswirkungen auf die Berliner Industrie. Durch direkte Kriegseinwirkung wurden rund 25% der Anlagen zerstört. Hinzu kam die De-

montage, mit der die sowjetische Besatzungsmacht unmittelbar nach Kriegsende in allen Sektoren Berlins begonnen hatte und die sie in den Westsektoren besonders intensiv betrieb, da deren Produktion nicht zur Deckung sowjetischer Reparationsforderungen dienen sollte. So wurden Ende des Jahres 1945 in den Westsektoren Kapazitätsverluste in Höhe von 85%, im Ostsektor dagegen in Höhe von 33% gegenüber dem Stand bei Kriegsende registriert.

Nach Abschluß von Wiederaufbau und teilweiser Neustrukturierung war Berlin als Ganzes um 1960 mit rund 700 000 Beschäftigten wieder Deutschlands größter Standort von Industrie und Gewerbe. Auf die Industrie allein entfielen in Westberlin etwa 305 000 und in Ostberlin 175 000 Beschäftigte. In beiden Teilen stand die Elektroindustrie an erster Stelle (Westberlin 35,5%, Ostberlin 35%). Dabei waren die bedeutendsten Betriebe im Westen Siemens, AEG-Telefunken, Osram und DeTeWe, im Osten die VEB Elektro-Apparate-Werke, Berliner Glühlampenwerke und Kabelwerke Oberspree.

An dieser Spitzenstellung hat sich bis in die Gegenwart nichts geändert. Bei noch etwa 157 000 Industriebeschäftigten in Westberlin (1983) führt die Elektroindustrie mit 33,8%. Es folgen die Nahrungs- und Genußmittelindustrie (10,6%), zu der die recht umfangreiche Zigarettenindustrie (2,7%) hinzukommt, der Maschinenbau (10,3%), die chemisch-pharmazeutische Industrie (7,1%), der Fahrzeugbau (6,4%), die Textil- und Bekleidungsindustrie (4,6%) und die stark zurückgegangene graphische Industrie (3,6%). In Ostberlin stehen Maschinen- und Fahrzeugbau an zweiter Stelle nach der Elektroindustrie.

Die Zahl der im produzierenden Gewerbe (Industrie und Handwerk) tätigen Arbeitskräfte ging in Westberlin von 1964 bis 1984 von 450 000 auf unter 250 000 zurück. Das hängt nur zum Teil mit dem Bevölkerungsrückgang zusammen, denn der Anteil in Prozent sank in dieser Zeit von 44% auf 31%. Während Land- und Forstwirtschaft sowie Fischerei mit 0,7% und Handel, Verkehr sowie Nachrichtenübermittlung mit 20% etwa ihren Anteil hielten, stieg der Bereich der sonstigen Dienstleistungen in diesem Zeitraum von 34,5% auf 48%.

LITERATUR: C. Matschoß, Die Berliner Industrie einst und jetzt. 1906. – H. Rachel, Das Berliner Wirtschaftsleben im Zeitalter des Frühkapitalismus. 1931.

Insulaner

Im Süden des Bezirks Schöneberg entstand nach dem Zweiten Weltkrieg der Insulaner, ein Trümmerberg mit einer Höhe von 75 m über NN. Ursprünglich befand sich an dieser Stelle eine Gruppe von Endmoränenkuppen, die maximal knapp 60 m über NN erreicht hatten, aber durch Sandabbau erniedrigt worden waren.
Auf dem Insulaner wurde 1962/63 die Wilhelm-Foerster-Sternwarte errichtet, die als Volkssternwarte Sternführungen und Fernrohrbeobachtungen veranstaltet. 1963 bis 1965 wurde am Westrand des Insulaners ein Planetarium erbaut und der Wilhelm-Foerster-Sternwarte angeschlossen. Es ersetzt ein 1926 in der Nähe des Zoologischen Gartens errichtetes und im Zweiten Weltkrieg zerstörtes Planetarium.

Internationale Bauausstellung (IBA) 1987

Die Internationale Bauausstellung 1987 wurde vom Berliner Senat 1978 beschlossen. Sie steht unter dem Motto »Die Innenstadt als Wohnort« und geht von dem Faktum aus, daß in weiten Teilen Berlins wie auch anderer europäischer Städte die Bewohnbarkeit nicht nur durch die Zerstörungen des Zweiten Weltkriegs, sondern auch durch überbetonte Straßenplanung, leichtfertige Abrißpolitik und lieblose Neubauten gelitten hat. Dem setzt sie die Zielvorstellung entgegen, »für die in verschiedenen Stadtbereichen ganz unterschiedlichen Planungsprobleme differenzierte Lösungsvorschläge zu erarbeiten«.
Dabei unterscheidet die IBA Stadtneubaugebiete, deren Rekonstruktion nach Kriegszerstörung, Abriß, technologischer Verkehrsplanung und isolierter Neubautätigkeit ansteht, und Stadterneuerungsgebiete, bei denen es um Reparatur, d. h. Erhaltung und behutsame Erneuerung nach langer, teilweise spekulativer Vernachlässigung, geht.

Die Bemühungen konzentrieren sich auf das südliche Tiergartenviertel und den Norden des Bezirks Kreuzberg zwischen der Sektorengrenze und dem Landwehrkanal sowie auf einzelne Projekte in anderen Stadtteilen.
Einer der Schwerpunkte unter den Stadtneubaugebieten ist die südliche *Friedrichstadt* in *Kreuzberg*, früher ein Teil des Berliner Stadtzentrums und Sitz bedeutender Pressehäuser (heute Springer-Hochhaus). An die historische Bedeutung erinnern nur noch das ehemalige Kammergericht, heute *Berlin-Museum*, der *Martin-Gropius-Bau* des ehemaligen Kunstgewerbemuseums und die Ruine des Portals des Anhalter Bahnhofs. In diesem Viertel entstehen und entstanden – z.T. bereits seit 1983 bezogen – die Wohnbauten an der Ritterstraße, der Wohnhof an der Jerusalems- und Neuen Kirche, der Wohnpark »Victoria« zwischen Linden- und Alte Jakobstraße, der an barocke Formen anknüpfende »Schmuckgarten am Berlin-Museum«, Wohn- und Geschäftshausbauten an der Kochstraße, der Atelierturm an der Charlottenstraße und die Wohnanlage Bernburger und Dessauer Straße.
Im westlich anschließenden Stadtneubaugebiet des südlichen *Tiergarten*viertels, einst Sitz diplomatischer Vertretungen, wichtiger Behörden und großer Hotels, gehören zu den bedeutendsten Demonstrationsobjekten der IBA nördlich des Landwehrkanals die Stadtvillen an der Rauchstraße sowie in der Nähe des *Kulturforums* das Wissenschaftszentrum, das drei bisher verstreut liegende Institute zusammenbringt, und anschließende Wohnbauten an der Hitzigallee/ Sigismundstraße. Hinzu kommen südlich des Landwehrkanals die Wohnanlagen am Lützowplatz, sogenannte Stadthäuser an der Lützowstraße, fünf sechsgeschossige sogenannte Energiesparhäuser am Lützowufer und die Wohnanlage »Am Karlsbad«, u. a. mit einem zehngeschossigen Haus.
Weitere Neubauvorhaben sind ein »Wohnen und Freizeit am Wasser« genanntes Projekt in *Tegel*, zu dem neben 340 Wohnungen ein Kultur- und Freizeitzentrum sowie eine 1985 in Betrieb genommene Phosphateliminationsanlage, die zur Verbesserung der Wasserqualität des Tegeler Sees beiträgt, gehören, ferner die Wiederherstellung des

Prager Platzes in *Wilmersdorf,* ein Projekt, das erst nach 1987 fertiggestellt wird. Als modellhaftes Stadterneuerungsgebiet wurden die Luisenstadt und weitere Teile des früheren Postzustellbezirks SO 36 ausgewählt. Hier ging es um eine Konzeption, die die vernachlässigte Bausubstanz sichert, ohne daß durch erhebliche Mietsteigerungen, die der Modernisierungsaufwand bedingen würde, die bisherigen Bewohner zur Abwanderung veranlaßt würden. Das Ziel ist also vor allem eine maßvolle Sanierung, verbunden mit der Schließung bzw. Nutzung von Baulücken durch Wohnbauten und soziale Einrichtungen. Modellhafte Beispiele werden am Fraenkelufer, an der Reichenberger/Mariannenstraße, an der Dresdener Straße, an der Kreuzung Adalbert-Straße/Bethaniendamm, an der Ecke Schlesische Straße/Falckensteinstraße, an der Cuvrystraße und an der Ecke Paul-Lincke-Ufer/Forster Straße gezeigt. Weitere Stadterneuerungsmaßnahmen betreffen u. a. den Chamissoplatz in *Kreuzberg,* den Klausenerplatz in *Charlottenburg* und ein Gebiet an der Brunnenstraße in *Wedding.* Parallel zur IBA führt das Land Berlin einige Baumaßnahmen zur Vorbereitung der 750-Jahr-Feier durch, die in diesem Zusammenhang zu erwähnen sind. Hier seien der Neubau des *Kammermusiksaals* mit 950 Plätzen im *Kulturforum* am Kemperplatz (Entwurf von Hans *Scharoun,* Bearbeitung durch Edgar Wisniewski), die völlige Wiederherstellung des *Martin-Gropius-Baus,* der Wiederaufbau der *Kongreßhalle* und die Restaurierung des Hamburger Bahnhofs (*Verkehrs- und Baumuseum*) genannt.
LITERATUR: V. Magnago Lampugnani (Hrsg.), Modelle für eine Stadt. Schriftenreihe zur Internationalen Bauausstellung. Band 1, 1984.

Internationale Bauausstellung (Interbau) 1957

Der Interbau waren in der ersten Hälfte unseres Jahrhunderts bereits zwei große Bauausstellungen in Berlin vorausgegangen, bei denen vor allem in Zeichnungen und Modellen die jeweiligen Städtebau- und Architekturauffassungen präsentiert und in Zeiten städtebaulicher Umbrüche wichtige Impulse ausgelöst wurden. 1910

ging es um Fragen der Organisation einer Millionenstadt, 1931 um den sozialen Bezug im Wohnungsbau, ein Feld, auf dem im Berlin der zwanziger Jahre viel Vorbildliches geleistet wurde. 1957 war nun der Wiederaufbau einer zerstörten Stadt das Thema. Dabei ermöglichte die Interbau auch die bauliche Realisierung des konzeptionell Erdachten. Als Ausstellungsgebiet wurde das fast völlig zerstörte *Hansaviertel* am Nordwestrand des *Tiergartens* gewählt. Aufgrund eines 1953 ausgeschriebenen Wettbewerbs entstand der Plan für die städtebauliche Neuordnung als weitläufige, durchgrünte Siedlung, der dann von 54 Architekten aus 13 Ländern, darunter Alvar Aalto, Walter Gropius, Oscar Niemeyer und Pierre Vago, verwirklicht wurde.
Außer dem Hansaviertel entstand das *Le-Corbusier-Haus* (unité d'habitation), und Hugh A. Stubbins errichtete unter Mitarbeit von Werner Düttmann die *Kongreßhalle.* Im Rahmen der Interbau fanden auch einige kurz vorher fertiggestellte Bauwerke, z. B. die *Amerika-Gedenkbibliothek,* der Henry-Ford-Bau und die Mensa der *Freien Universität,* das wiederaufgebaute *Schiller-Theater* und das 15stöckige Wohnhochhaus am Roseneck, als beispielhafte Lösungen Beachtung.

Internationale Filmfestspiele Berlin

Die Internationalen Filmfestspiele Berlin, auch Berlinale genannt, finden seit 1951 alljährlich in Westberlin statt. Das Festival kann nach den Festspielen von Cannes als größte Veranstaltung seiner Art in der Welt gelten. Es wird in der Regel in der zweiten Februarhälfte veranstaltet. Dabei werden durchschnittlich 250 Filme gezeigt. Die Aufführungen sind größtenteils öffentlich. Besondere Beliebtheit beim Publikum genießen Retrospektiven, die Künstlern vergangener Jahrzehnte gewidmet sind (1986 waren es z. B. die Schauspielerin Henny Porten und aus Wien stammende US-amerikanische Regisseur Fred Zinnemann). Im Rahmen der Berlinale findet seit 1971 auch das Internationale Forum des Jungen Films statt.
Eine internationale Jury vergibt als Hauptpreis den Goldenen Bären für den

besten Spielfilm. Silberne Bären werden vergeben für die beste Regie, die beste Darstellerin und den besten Darsteller sowie als Spezialpreis der Jury und als Sonderpreise. Dazu kommen Goldene und Silberne Bären für Kurzfilme und zahlreiche Preise von Organisationen und Institutionen.

Internationales Congress Centrum (ICC)

Das größte Einzelbauwerk Berlins – 320 m lang, 85 m breit, 40 m hoch mit insgesamt etwa 800 000 m³ umbautem Raum – entstand in den Jahren 1973 bis 1979 nach Entwürfen der Architekten Ralf Schüler und Ursula Schüler-Witte. Das ICC liegt in *Charlottenburg* zwischen dem Westring der S-Bahn und dem Messedamm. Es ist durch ein mehrstöckiges Brückenbauwerk über den Messedamm unmittelbar mit den Ausstellungshallen am Funkturm verbunden und kann mit dem Auto von der Avus und der Stadtautobahn aus direkt angesteuert werden. Das ICC enthält auf verschiedenen Ebenen 80 variierbare Säle und Sitzungsräume, die bei maximaler Auslastung 20 000 Personen aufnehmen können, sowie alle erforderlichen Service-Einrichtungen. Der größte Raum, Saal 1, kann über 5000 Personen Platz bieten, davon 3500 im Parkett und 1500 auf dem Rang. Saal 2 hat als Auditorium 2200 und als Bankettsaal 4000 Plätze. In der als »Boulevard« bezeichneten Eingangshalle gibt es Bank, Post und Geschäfte. Das Parkhaus bietet 650 Autos Platz.
Das Gebäude erhält optisch seinen besonderen Charakter durch eine die Konstruktion weitgehend verhüllende, silberfarbig eloxierte Außenverkleidung.

Jagdschloß Grunewald

Am Grunewaldsee ließ sich Kurfürst Joachim II. ab 1542 ein Jagdschloß errichten. Unter seinem Nachfolger Johann Georg erbaute bzw. erneuerte Rochus Guerini Graf zu Lynar die Nebengebäude und fügte dem Schloß die zum See hin gerichteten Erker an. 1669 begann ein barocker Umbau, der unter Friedrich I. nach Unterbrechungen 1707 zum Abschluß kam. An das damals entstandene äußere Bild mit dem weißen Putz wurde bei Renovierungsarbeiten in den sechziger und siebziger Jahren dieses Jahrhunderts weitgehend angeknüpft, während im Innern, insbesondere im Großen Saal, dekorative Elemente der Renaissancezeit zutage traten und wieder restauriert wurden.
Nach dem Ersten Weltkrieg wurde das Schloß mit Stücken aus verschiedenen Epochen möbliert und seit 1932 mit zahlreichen Gemälden aus Depotbeständen der preußischen Schlösserverwaltung ausgestattet.
Daraus entstand nach dem Zweiten Weltkrieg eine Gemäldegalerie, die Werke aus dem 16. bis 19. Jahrhundert unter lokalgeschichtlichen Aspekten zeigt. Besonders bemerkenswert sind mehrere Gemälde von Lukas Cranach dem Älteren und dem Jüngeren sowie aus deren Werkstätten. Auch die niederländische Barockmalerei ist gut vertreten. Hinzu kommen aus dem 18. Jahrhundert Werke von Antoine *Pesne* und Anton Graff sowie aus dem 19. Jahrhundert von Franz *Krüger*.
In einem besonderen Gebäude, das um 1770 für Friedrich den Großen errichtet wurde, ist seit 1977 das Jagdzeugmuseum untergebracht, in dessen Mittelpunkt neben künstlerischen und kunstgewerblichen Jagddarstellungen sowie Geweihen vor allem Waffen aus der Sammlung des Prinzen Karl von Preußen stehen.
LITERATUR: H. Börsch-Supan, Die Gemälde im Jagdschloß Grunewald. 1964.

Friedrich Ludwig Jahn

Pädagoge und Politiker, *11. August 1778 Lanz, Mecklenburg, †15. Oktober 1852 Freyburg (Unstrut).
Als Lehrer am Gymnasium zum *Grauen Kloster* wurde Jahn zum Begründer der deutschen Turnbewegung (»Turnvater Jahn«). Er legte 1811 in der Hasenheide den ersten Turnplatz an und versuchte, durch turnerische Ausbildung den Willen und die Fähigkeit der Jugend zum Kampf gegen Napoleon zu fördern. In den Befreiungskriegen versuchte er sich ohne Erfolg als Bataillonskommandeur im Lützowschen Freikorps. Nach 1815 hatte er mit seinen Reden und Veröffentlichungen, in denen er nicht widerspruchsfreie demokratische und natio-

nale Ideen vertrat, u. a. Einfluß auf die politische Orientierung der Burschenschaften. Er geriet in Gegensatz zu der restaurativen Politik Friedrich Wilhelms III. Im Zusammenhang mit der Verfolgung der sogenannten Demagogen wurde er nach der Schließung der Turnplätze im Juli 1819 festgenommen und bis 1825 in der Spandauer Zitadelle inhaftiert, dann aber freigesprochen, allerdings bis 1840 unter Polizeiaufsicht gestellt. Als Abgeordneter der Frankfurter Nationalversammlung 1848/49 setzte er sich erfolglos für eine demokratische Erbmonarchie ein und zog sich dann verbittert nach Freyburg zurück. LITERATUR: H. Pröhle, Friedrich Ludwig Jahns Leben. 1872. – H. Ueberhorst (Hrsg.), Friedrich Ludwig Jahn 1778/1978. 1978.

Joachimsthalsches Gymnasium

In der 1603 gegründeten Stadt Joachimsthal in der Schorfheide nördlich von Berlin, heute Kreis Eberswalde, errichtete Kurfürst Joachim Friedrich eine fürstliche Gelehrtenschule, die 1607 eröffnet wurde und einen betont reformierten Charakter hatte. In den Wirren des Dreißigjährigen Krieges wurde sie 1636 vorübergehend geschlossen. 1647 wurde die Schule mit der Reformiertenschule in Cölln vereinigt und erlangte bald große Bedeutung. 1688 wurde sie nach Berlin verlegt, wo sie ihren Sitz zunächst in der Heiliggeiststraße und dann von 1717 bis 1880 in der Burgstraße an der Spree nördlich der Rathausbrücke hatte. Zwischen 1876 und 1880 wurde für die Schule ein Neubau an der Wilmersdorfer Kaiserallee, der heutigen Bundesallee, errichtet, ein spätklassizistischer Bau in der Schinkel-Nachfolge. 1912 wurde das Joachimsthalsche Gymnasium nach Templin in der Uckermark verlegt, wo es bis 1945 bestand.

Juden

Im Jahre 1295 werden erstmals Juden in Berlin urkundlich erwähnt. Die rechtlose Gemeinde mußte sich regelmäßig den Schutz des Landesherrn erkaufen und wurde immer wieder verfolgt und mehrmals vertrieben, vor allem, wenn Seuchen ausbrachen, für die die Juden vom abergläubischen Volk verantwortlich gemacht wurden. So kam bei einer Pestepidemie 1348/49 das Gerücht auf, die Juden hätten die Brunnen vergiftet, was zur ersten Judenverfolgung in Berlin und der Mark Brandenburg führte. Ähnliches geschah 1446. Im Jahr 1510 kam es zu einem Pogrom nach einem Prozeß, in dem mehr als hundert Juden angeklagt waren, Hostienschändung und Ritualmorde an Christenkindern begangen zu haben. 38 Juden und ein Christ, der ihnen angeblich die Hostien verkauft hatte, wurden am 19. Juli 1510 auf dem Neuen Markt verbrannt, nachdem sie unter der Folter »gestanden« hatten. Zwei Juden, die an der Ermordung von sieben Kindern beteiligt gewesen sein sollten, erlitten den weniger qualvollen Tod durch das Schwert, weil sie sich zuvor taufen ließen. Im Anschluß an den Prozeß wurden alle Juden aus der Mark vertrieben, ihr Vermögen wurde eingezogen. Um 1550 rief Kurfürst Joachim II. die Juden zurück. Er hatte nach dem Bau des Berliner Schlosses und des Jagdschlosses Grunewald einen großen Finanzbedarf, den das Steueraufkommen nicht deckte. Deshalb waren ihm die Schutzgelder der Juden willkommen. Darüber hinaus ernannte der Kurfürst den Juden Lippold zum Kämmerer und Münzmeister. Als Joachim II. 1571 schwer verschuldet verstorben war, kam es zu einer neuen Katastrophe für die Juden. Ihre Häuser wurden geplündert, sie selbst wurden 1572 erneut vertrieben. Lippold wurde der Prozeß gemacht; er »gestand« unter der Folter, durch Zauberei die Schuldenwirtschaft des Kurfürsten bewirkt und ihn schließlich vergiftet zu haben. Am 28. Januar 1573 wurde er geviertelt. Handfeste finanzielle Interessen standen auch hinter zwei Maßnahmen des Kurfürsten Friedrich Wilhelm im Jahr 1671. Er gestattete durch ein Edikt vom 21. Mai, daß sich 50 aus Wien vertriebene Juden in Berlin und der Mark niederließen, und erlaubte ihnen die freie Religionsausübung. Durch ein Privileg vom 10. September wurde die Wiederansiedlung allgemein zugelassen und die Gründung einer Gemeinde ermöglicht. Aus dem Jahr 1672 stammt der älteste jüdische Friedhof Berlins an der Großen Hamburger Straße. Im Jahr 1714 wurde die älteste – nicht erhaltene – Synagoge an der Heidereutergasse errichtet. König Friedrich Wilhelm I. setzte am 29. September 1730 durch ein General-Privilegium und Reglement die Zahl der Schutzjudenfamilien auf 120 fest, während Friedrich der Große 1750 durch ein neues General-Reglement ordentliche und außerordentliche Schutzjuden unterschied. Er verpachtete nach der Schlacht von Torgau 1760 die Berliner Münze für sieben Millionen Taler an die jüdischen Bankiers Veit (Veitel Heine) Ephraim und Daniel Itzig und veranlaßte sie, zur weiteren Finanzierung des Siebenjährigen Krieges minderwertiges Geld zu prägen, so daß der Wert des Talers bis 1763 auf 28% sank. Der König übernahm allerdings selbst die Verantwortung für die Manipulationen und schützte seine Münzmeister gegen alle Angriffe. Indessen war 1743 Moses *Mendelssohn* aus Dessau nach Berlin gekommen, der zum Vorkämpfer der Judenemanzipation und einem der Hauptvertreter der Aufklärung in Berlin wurde. Der Arzt Aaron Salomon Gumpertz (* 1723 in Berlin, † 1769), ein Freund Mendelssohns und *Lessings*, promovierte als erster deutscher Jude 1751 in Frankfurt/Oder. 1791 wurde erstmals einer jüdischen Familie, der des Bankiers Daniel Itzig, das Berliner Bürgerrecht verliehen. Gemäß der Steinschen Städteordnung vom 19. November 1808 konnten dann Juden, die Hauseigentümer waren oder über ein Jahreseinkommen von mehr als 200 Talern verfügten, das Berliner Bürgerrecht erwerben. Durch das Emanzipationsedikt vom 11. März 1812 wurden alle Juden grundsätzlich gleichberechtigte Staatsbürger Preußens. Der jüdische Physiker Peter Theophil Rieß (* 1805, † 1883) wurde 1842 als erster Jude Mitglied der Preußischen Akademie der Wissenschaften, was Mendelssohn wegen des Einspruchs Friedrichs des Großen nicht gelungen war. Schon vorher hatten die *literarischen Salons* der jüdischen Damen Henriette *Herz* und Rahel *Varnhagen von Ense* Mittelpunkte des gesellschaftlichen und kulturellen Lebens in Berlin gebildet, während Enkel Moses Mendelssohns in verschiedenen Künsten bekannt wurden – der Komponist Felix *Mendelssohn Bartholdy* und die zur Schule der Nazarener gehö-

renden Maler Johannes (Jonas) und Philipp Veit, Söhne des Bankiers Simon Veit und der Mendelssohn-Tochter Brendel, der späteren Dorothea Schlegel. Ihr Vetter Moritz Veit (* 1808, † 1864), ein Verleger, war ein führender Vertreter der Berliner Kommunal- und der jüdischen Gemeindepolitik; er gehörte zu den jüdischen Abgeordneten der Nationalversammlung von 1848 auch im Preußischen Abgeordnetenhaus. Im 19. Jahrhundert nahm die Zahl der Juden in Berlin und ihr Gewicht in Öffentlichkeit, Wirtschaft und Kultur stark zu. Ihre Zahl betrug 1890 79 286 (5% der Gesamtbevölkerung). Nach der Bildung Groß-Berlins wurden 1925 172 672 Juden gezählt (4,3%). Bis 1933 ging ihre Zahl auf 160 564 zurück – das entsprach einem Bevölkerungsanteil von nur noch 3,8%. Während der Zeit des Nationalsozialismus teilte die Berliner Gemeinde, die größte Deutschlands, das Schicksal aller übrigen Juden im Reich. Einerseits gelang dem größeren Teil die Auswanderung, andererseits strömten aus kleineren Orten viele Juden nach Berlin, weil sie glaubten, sich hier den Verfolgungen besser entziehen zu können. Ab 1941 wurde der überwiegende Teil der noch in Berlin lebenden Juden in die Vernichtungslager transportiert, wo etwa 55 000 jüdische Berliner starben. In einer Villa am Wannsee wurde am 20. Januar 1942 die »Endlösung der Judenfrage« beschlossen. 1945 lebten beim Einmarsch der Roten Armee noch etwa 1400 Juden in Berlin, meist jüdische Partner sogenannter »privilegierter Mischehen«, einige auch, die von ihren Mitbürgern verborgen worden waren. Ihre Zahl erhöhte sich in den folgenden Monaten durch die Rückkehr von Überlebenden der Lager auf etwa 7000. Heute hat die jüdische Gemeinde in Westberlin, wo 1959 an der Stelle der 1911/12 errichteten und in der sogenannten Reichskristallnacht 1938 ausgebrannten Synagoge in der Fasanenstraße ein neues Gemeindehaus eingeweiht wurde, etwa 6100 Mitglieder und verfügt über vier Synagogen, zwei Altenheime, ein Krankenhaus und eine Kindertagesstätte. In Ostberlin leben 500 Juden.
LITERATUR: S. Jersch-Wenzel, Juden und »Franzosen« in der Wirtschaft des Rau-

mes Berlin-Brandenburg zur Zeit des
Merkantilismus. 1978. – W. Wippermann, Steinerne Zeugen. Stätten der Judenverfolgung in Berlin. 1982.

Jüdisches Gemeindezentrum

Das Haus der jüdischen Gemeinde
Westberlins an der Charlottenburger
Fasanenstraße steht an der Stelle der im
November 1938 in der sogenannten
Reichskristallnacht zerstörten Synagoge, die Ehrenfried Hessel 1911/12
erbaut hatte. Es wurde 1957 bis 1959 von
Dieter Knoblauch und Heinz Heise errichtet. Dabei wurde das Portal der alten
Synagoge vor dem Haupteingang wieder
aufgestellt. Hinter dem Haus befindet
sich ein Säulenhof, dessen eine Wand zu
einer Gedenkstätte für die jüdischen
Berliner, die Opfer des Nationalsozialismus wurden, gestaltet worden ist.
Im Innern des Jüdischen Gemeindezen-
trums finden sich Gottesdienst- und Ver-
sammlungsräume, Bibliothek und Restaurant. Die über die NS-Zeit hinweg
gerettete und dabei beschädigte Büste
Moses *Mendelssohns* von Jean Pierre Antoine Tassaert aus dem Jahr 1785 ist in
der Eingangshalle aufgestellt, ebenso Vi-
trinen mit Dokumenten und historischen
Kultgeräten.

Jungfernheide

Im Norden von *Charlottenburg*, nördlich
der Großsiedlung *Siemensstadt*, liegt der
Volkspark Jungfernheide. Er wurde von
Erwin Barth entworfen und ab 1920 angelegt. Im Juli 1923 wurde ein erster Teil
eröffnet, 1930 war die Gesamtanlage fertig.
Der um eine west-östlich gerichtete
Achse weitgehend symmetrisch angeordnete Park enthält im Westen dieser
Achse einen künstlichen See mit zentraler Insel, außerdem Sporteinrichtungen,
Spielwiesen, Wildgehege, Kindererho-
lungsstätten, Badeanstalt und Freilichtbühne.

Kaiser-Friedrich-Gedächtnis-Kirche

Als einziges Gebäude des *Hansaviertels*
steht diese Kirche an der Stelle eines

Vorgängerbaus, der 1893 bis 1895 in
neugotischem Stil von Johannes Vollmer
errichtet worden war und dem Bombenkrieg zum Opfer fiel. Die neue Kirche
baute Ludwig Lemmer zur *Internationalen Bauausstellung (Interbau) 1957* als einschiffigen Stahlbetonbau mit 65 m hohem, sehr luftig wirkendem Turm. Bemerkenswert sind die Glasfenster von
Georg Meistermann und Ludwig Peter
Kowalski sowie die drei Aluminiumguß-
türen von Gerhard Marcks.

Kaiser-Wilhelm-Gedächtnis-Kirche

Die alte Kaiser-Wilhelm-Gedächtnis-
Kirche war 1891 bis 1895 auf dem *Charlottenburger* Auguste-Victoria-Platz,
dem späteren Breitscheidplatz, von
Franz Schwechten erbaut worden. Dabei
hatte der Architekt an Formen der rhei-
nischen Spätromanik angeknüpft. Das
vieltürmige Gotteshaus, dessen massive
Westfront von einem 113 m hohen Mit-
telturm beherrscht war, wurde bei einem
Luftangriff im November 1943 und
durch Artilleriefeuer in den letzten
Kriegstagen schwer beschädigt.
Über die Frage, ob und wieweit die Ruine in einen Neubau einbezogen werden
solle, kam es nach dem Krieg zu ebenso
lebhaften wie lang anhaltenden Diskussionen. Die nach einem Wettbewerb von
Egon Eiermann gefundene Lösung, ausgeführt in den Jahren 1959 bis 1961, gab
Westberlin ein neues Wahrzeichen. Der
Gebäudekomplex erhebt sich auf dem
Breitscheidplatz auf einer als Fußgän-
gerbereich gestalteten Plattform. Westlich der konservierten Ruine des Turm-
stumpfs stehen das achteckige Hauptgebäude und der rechteckige, um einen Innenhof angeordnete Sakristeibau. Auf
der gegenüberliegenden Seite ist die
Turmruine mit einer Kapelle und dem
sechseckigen neuen Turm durch einen
gedeckten Gang verbunden. Der neue
Turm hat ein Geläut von 6 Glocken,
während der alte Turm ein Glockenspiel
trägt, das eine Melodie von Prinz Louis
Ferdinand, dem Kaiserenkel und Chef
des Hauses Hohenzollern, spielt.
Die Gedächtnishalle in der Turmruine
enthält Mosaiken und Marmorreliefs.
Sie machen den Reichtum der Ausstattung der alten Kirche deutlich, zeigen
aber auch viel vom Geist der Zeit ihrer

Entstehung, wenn biblische und neutestamentliche Szenen bildlichen Darstellungen aus dem Leben und der militärischen Laufbahn Wilhelms I. gegenübergestellt werden. Ihr Eindruck vertieft den Mahnmalcharakter dieses Kirchenbaus.

Kaiser-Wilhelm-Gesellschaft

Die »Kaiser-Wilhelm-Gesellschaft zur Förderung der Wissenschaften«, die Vorläuferin der heutigen Max-Planck-Gesellschaft, wurde am 11. Januar 1911 gegründet. Den Vorsitz der Gründungsversammlung hatte der preußische Minister der geistlichen, Unterrichts- und Medizinalangelegenheiten August von Trott zu Solz, in dessen Haus die Idee entstanden war, eine unabhängige Grundlagenforschung durch eine Kombination der Förderung von staatlicher Seite und durch eine Vielzahl privater Spender zu ermöglichen. Die Idee hatte der Theologe Adolf (seit 1914: von) Harnack in einer Denkschrift vom 21. November 1909 aufgegriffen, die den Kaiser, der auch bei der Gründung anwesend war, bewog, im Oktober 1910 bei der Hundertjahrfeier der Berliner Universität einen Gründungsaufruf an die Wirtschaft zu erlassen. Harnack wurde dann auch erster Präsident der Gesellschaft und blieb es bis 1930. Ihm folgten Max *Planck* (1930 bis 1937) und dann zwei Männer aus der Wirtschaft, der Chemiker Carl Bosch (1937 bis 1940) und der Stahlindustrielle Albert Vögler (1941 bis 1945). 1945/46 übernahm nochmals Planck die Präsidentschaft; ihm folgte Otto *Hahn* (1946 bis 1960), in dessen Zeit die Neugründung als Max-Planck-Gesellschaft und der Wiederaufbau fiel.
Die Kaiser-Wilhelm-Gesellschaft verwendete ihre Mittel für die Gründung und Unterhaltung wissenschaftlicher Institute. Als erste wurden am 23. Oktober 1912 in Dahlem in Anwesenheit Kaiser Wilhelms II. die Institute für Chemie unter Leitung von Ernst Otto Beckmann und für physikalische Chemie und Elektrochemie unter Fritz Haber eingeweiht. Am 28. Oktober 1913 folgte, ebenfalls in Dahlem, das Institut für experimentelle Therapie, geleitet von dem Bakteriologen und Serologen August von Wasser-mann. Erster Direktor des Kaiser-Wilhelm-Instituts für Biologie, das nach Ausbruch des Ersten Weltkriegs im Frühjahr 1915 seine Arbeit aufnahm, war Carl Correns. Weitere Institute, die im ersten Jahrzehnt des Bestehens der Gesellschaft in Berlin gegründet wurden und denen danach noch mehrere andere folgten, waren die Institute für Physik, dessen Direktor 1914 Albert Einstein wurde, für Arbeitsphysiologie, für Deutsche Geschichte und für Hirnforschung.
An den Instituten oder als Präsident der Kaiser-Wilhelm-Gesellschaft arbeiteten fünfzehn Wissenschaftler, die bis 1945 den Nobelpreis erhielten, sieben für Chemie (1915 Richard Willstätter, 1918 Fritz Haber, 1931 Carl Bosch, 1936 Petrus Debye, 1938 Richard Kuhn, 1939 Adolf Butenandt, 1944 Otto *Hahn*), fünf für Physik (1914 Max von Laue, 1918 Max *Planck*, 1921 Albert *Einstein*, 1925 James Franck, 1932 Werner Heisenberg) und drei für Medizin (1922 Otto Meyerhof, 1931 Otto Warburg, 1935 Hans Spemann).
Literatur: R. Gerwin, 75 Jahre Max-Planck-Gesellschaft. In: Naturwissenschaftliche Rundschau, H. 1-3, 1986. – Ders. u.a. (Hrsg.), Forschung im Spannungsfeld von Politik und Gesellschaft. Zum 75jährigen Bestehen der Kaiser-Wilhelm-/Max-Planck-Gesellschaft. 1986.

Kammermusiksaal

Im Berliner *Kulturforum* am Kemperplatz wird 1987 der Kammermusiksaal eröffnet. Das von Hans *Scharoun* entworfene und von Edgar Wisniewski gestaltete Bauwerk, auch »Kleine Philharmonie« genannt, bietet 950 Zuhörern Platz und steht in unmittelbarer Nachbarschaft von *Philharmonie* und *Musikinstrumentenmuseum*. Die miteinander verbundenen Foyers der drei Gebäude bieten für Musikdarbietungen zusätzliche räumliche Möglichkeiten. Zudem kann der offene Raum zwischen dem Komplex und der *Matthäuskirche* für Freiluftkonzerte genutzt werden. Im Konzertsaal selbst ist das Podium der Musiker noch deutlicher als in der Philharmonie ins Zentrum gerückt, um das die Publikumsränge angeordnet sind. Die Nebenräume des Gebäudes sind für die Proben der Philharmoniker gedacht.

Herbert von **Karajan**

Dirigent, *5. April 1908 Salzburg. Der Schüler des Salzburger Mozarteums war schon in jungen Jahren sehr erfolgreich. Er wirkte von 1927 bis 1934 in Ulm und dann bis 1941 in Aachen als Opernkapellmeister. Daneben dirigierte er ab 1938 auch in Berlin (Staatsoper, Staatskapelle, Philharmoniker). Seit 1947 war er überwiegend in Wien tätig, wurde 1949 Direktor der Wiener Gesellschaft der Musikfreunde und war 1956 bis 1964 Leiter der Wiener Staatsoper. Inzwischen war er 1955 als Nachfolger *Furtwänglers* Chefdirigent auf Lebenszeit bei den Berliner Philharmonikern geworden. 1964 wurde er Mitglied des Direktoriums der Salzburger Festspiele. 1967 gründete er dort die Osterfestspiele, die er seither regelmäßig inszeniert. Daneben wirkte er u.a. in Bayreuth, an der Mailänder Scala und bei den Luzerner Festspielen. Karajan gilt als der führende Dirigent des deutschen Kulturraums der Nachkriegszeit. LITERATUR: H. Häussermann, Herbert von Karajan. Neuausgabe 1978.

Anna Luise **Karsch**

Dichterin, genannt die »Karschin«, *1. Dezember 1722 bei Schwiebus, †12. Oktober 1791 Berlin. Anna Luise Karsch, geborene Dürbach, war die Tochter eines leibeigenen Bauern und Dorfgastwirts. Sie hatte als Kuhmagd gearbeitet und in zweiter Ehe den trunksüchtigen Schneider Karsch geheiratet, sich aber auch aus dieser Ehe bald gelöst. 1761 zog sie mit ihrer Tochter nach Berlin. Als Autodidaktin schrieb sie Gedichte über ihre märkische Heimat und über Ereignisse ihrer Zeit, ferner verfaßte sie Hymnen auf Friedrich den Großen und seine Schlachten. Sie erreichte Anerkennung und Förderung, besonders durch *Lessing* und Gleim, aber auch durch adlige Kreise und den Hof. Gleim veröffentlichte 1764 eine Sammlung ihrer »Auserlesenen Gedichte«. Man feierte sie als die »deutsche Sappho«. Bei seinem einzigen Aufenthalt in Berlin, bei dem er den Großherzog Carl August von Weimar als Legationsrat begleitete, besuchte Goethe am 18. Mai 1778 die »Karschin«, die mit ihm drei Jahre in Briefwechsel gestanden hatte. Friedrich Wilhelm II. schenkte der Dichterin 1789 ein Haus. LITERATUR: E. Hausmann (Hrsg.), Die Karschin, ein Leben in Briefen. 1933.

Heinrich von **Kleist**

Dichter, *18. Oktober 1777 Frankfurt (Oder), †21. November 1811 Berlin. Zwischen 1788 und 1798 lebte Kleist in Berlin und Potsdam. Er besuchte das Französische Gymnasium und trat 1792 in das Garderegiment in Potsdam ein. 1799 gab er die militärische Laufbahn auf. Im gleichen Jahr begann er ein Studium in Frankfurt an der Oder, das er aber nach kurzer Zeit wieder abbrach. Sein unstetes Leben führte ihn wiederholt nach Frankreich und in die Schweiz. Er hielt sich in Weimar, Königsberg und Dresden auf, zwischendurch aber auch immer wieder für kürzere Zeit in Berlin. Hier gab er zusammen mit Adam Müller von Oktober 1810 bis März 1811 die »Berliner Abendblätter« heraus. Kleist war der literarische Erfolg zu Lebzeiten versagt. Keines seiner dramatischen Werke war in Berlin aufgeführt worden. Seine finanzielle Situation war bedrückend. Seine Familie verübelte ihm den Abbruch der militärischen Laufbahn. Der Patriot Kleist litt unter dem elenden Zustand des preußischen Staates, der unter Napoleons Fremdherrschaft stand. All dies mag dazu geführt haben, daß er sich zusammen mit seiner unheilbar kranken Geliebten Henriette Vogel am Kleinen *Wannsee* erschoß. Zu Kleists meistgespielten Werken gehört »Der zerbrochene Krug« (1808). Sein Preußendrama »Prinz Friedrich von Homburg« (1809 bis 1811) wurde posthum herausgegeben. Seiner Novelle »Michael Kohlhaas« (1810/11) liegt die Geschichte des Cöllner Kaufmanns Hans Kohlhase zugrunde, der 1540 in Berlin hingerichtet wurde, nachdem er im Kampf um sein Recht zum Räuber geworden war. LITERATUR: C. Hohoff, Heinrich von Kleist in Selbstzeugnissen und Bilddokumenten. 1974. – J. Maass, Kleist. Die Geschichte seines Lebens. 1978. – H. Sembdner (Hrsg.), Heinrich von Kleists Lebensspuren. Dokumente und Berichte der Zeitgenossen. Neuausgabe 1977.

Georg Wenzeslaus von **Knobelsdorff**

Baumeister, Maler und Offizier, *17. Februar 1699 Kuckädel bei Crossen,* †16. *September 1753 Berlin.*
Knobelsdorff war ursprünglich Offizier und nahm 1729 seinen Abschied. Er gehörte zum Rheinsberger Freundeskreis des Kronprinzen Friedrich (des Großen), nachdem er als Maler beim preußischen Hofmaler Antoine *Pesne* studiert und auch eine architektonische Ausbildung begonnen hatte. Auf Reisen nach Italien und Frankreich nahm er frühklassizistische Einflüsse auf. 1737 bis 1739 baute Knobelsdorff Schloß Rheinsberg aus.
Nach dem Regierungsantritt Friedrichs II. 1740 wurde er zum Oberintendanten der Königlichen Schlösser und Gärten ernannt. Neben dem Bau von Schloß Sanssouci (1745 bis 1747) und den Aus- bzw. Umbauten der *Schlösser Charlottenburg* (1740 bis 1747) und Potsdam (1745 bis 1751) war das nach seinen Plänen errichtete Opernhaus (1741 bis 1743), die spätere *Deutsche Staatsoper,* sein Hauptwerk. Knobelsdorff war auch ein bedeutender Gartenarchitekt, wie er in Rheinsberg, Potsdam, Sanssouci und ab 1745 im Berliner *Tiergarten* zeigte.
Der Hauptmeister des preußischen Rokoko fiel gegen Ende seines Lebens bei seinem König in Ungnade, da er sich gelegentlich autoritäre Eingriffe in seine Baupläne verbat.
LITERATUR: H. J. Kadatz, Georg Wenzeslaus von Knobelsdorff. 1983. – A. Streichhan, Knobelsdorff und das friderizianische Rokoko. 1932.

Robert **Koch**

Mediziner und Bakteriologe, *11. Dezember 1843 Clausthal,* †27. *Mai 1910 Baden-Baden.*
Robert Koch war seit 1872 Arzt und Kreisphysikus in Wollstein (Provinz Posen). Dort klärte er 1876 die Lebensweise des 1849 von Pollender entdeckten Milzbrandbazillus und wies mit ihm erstmals einen lebenden Mikroorganismus als spezifischen Krankheitserreger nach.
1880 kam Koch nach Berlin und arbeitete im Kaiserlichen Gesundheitsamt. Er wurde 1885 Professor und war 1891 bis 1901 Leiter des Instituts für Infektionskrankheiten.
Am 24. März 1882 gab Koch die Entdeckung der Tuberkulosebakterien in der Berliner Physiologischen Gesellschaft bekannt, 1883 entdeckte er die Choleraerreger. Außerdem erforschte er u. a. Pest, Malaria und Schlafkrankheit. Er gilt als der Begründer der modernen Bakteriologie sowie der vorbeugenden Bekämpfung und Verhütung der Infektionskrankheiten. Für seine Tuberkuloseforschung erhielt er 1905 den Medizin-Nobelpreis.
Das aus dem Institut für Infektionskrankheiten hervorgegangene Robert-Koch-Institut ist seit 1952 ein Teil des Bundesgesundheitsamtes. Auf dem Robert-Koch-Platz an der *Charité* in Ostberlin steht ein Denkmal des bedeutenden Mediziners, ein marmornes Sitzbild von Louis Tuaillon (1916).
LITERATUR: W. Genschorek, Robert Koch. 1975. – A. Ignatius, Robert Koch. 1965. – J. Kathe, Robert Koch und sein Werk. 1961. – W. Quednau, Robert Koch. 1955.

Georg **Kolbe**

Bildhauer, *15. April 1877 Waldheim, Sachsen,* †20. *November 1947 Berlin.*
Georg Kolbe hatte seine Ausbildung als Maler in Leipzig, Dresden und München genossen. Als er 1897 in Paris war, fühlte er sich von den Arbeiten Rodins besonders angesprochen. Von 1898 bis 1901 hielt er sich in Rom auf und wandte sich in dieser Zeit, beeinflußt von Louis Tuaillon, der Bildhauerei zu. Er schuf hauptsächlich Bronzeplastiken und bevorzugte Aktfiguren, in erster Linie weibliche, in anmutiger Bewegung. In seinem Werk fühlte er sich dem klassischen Schönheitsideal verpflichtet. Die »Tänzerin« (1912) steht in der Nationalgalerie auf der *Museumsinsel,* ebenso »Klage« (1921), »Kniende« (1926), »Junges Weib« (1938) und »Hüterin« (1938). Weitere Plastiken stehen in Parks und Anlagen, hauptsächlich in Westberlin. In

Kolbes Atelierhaus ist heute das *Georg-Kolbe-Museum* untergebracht.
LITERATUR: L. Justi, Georg Kolbe. 1931. – W. R. Valentiner, Georg Kolbe. Plastik und Zeichnung. 1922.

Käthe Kollwitz

Graphikerin und Bildhauerin, *8. Juli 1867 Königsberg, †22. April 1945 Moritzburg bei Dresden.
1884 bis 1886 studierte Käthe Kollwitz, geborene Schmidt, in Berlin, 1886 bis 1888 in Königsberg. Anschließend ging sie für ein Jahr nach München, wo sie Schülerin von Max Klinger war. 1891 kam sie nach Berlin. Im gleichen Jahr heiratete sie den Arzt Karl Kollwitz, der seine Praxis im späteren Bezirk Prenzlauer Berg in der Weißenburger Straße, der heutigen Kollwitzstraße, hatte. Hier wurde ihr das Elend der Arbeiter in bedrückender Weise vor Augen geführt. Diese Eindrücke bestimmten ihr Werk, mit dem sie die Not der Menschen darstellen und Veränderungen bewirken wollte.
Käthe Kollwitz war Mitglied der *Berliner Sezession.* 1919 wurde sie Professorin und Mitglied der Akademie der Künste, der sie bis 1933 angehörte. Sie lebte bis zur Zerstörung ihres Ateliers 1943 in Berlin. Der Stil ihres Werkes wandelte sich vom naturalistischen Anfang – es entstanden die Radierungszyklen »Ein Weberaufstand« (1895 bis 1898) und »Bauernkrieg« (1903 bis 1908) – zu großzügiger Vereinfachung der Formen und erreichte teilweise eine Annäherung an den Expressionismus. Ihr bildhauerisches Werk wurde zum großen Teil im Zweiten Weltkrieg zerstört. Vor ihrem Haus Kollwitzstraße 25 steht seit 1951 eine Kopie ihrer Plastik »Die Mutter« von Fritz Diederich, und auf ihrem Grab auf dem Zentralfriedhof Berlin-Lichtenberg findet sich ihr Relief »Ruht im Frieden seiner Hände« (1936). In der Nationalgalerie auf der *Museumsinsel* ist ihr Bild »Mutter mit zwei Kindern« (1935) zu sehen.
In der Charlottenburger Fasanenstraße wurde 1986 ein Kollwitz-Museum eröffnet.
LITERATUR: R. Hinz (Hrsg.), Käthe Kollwitz. Druckgraphik, Plakate, Zeichnungen. 1980. – H. Kollwitz (Hrsg.), Käthe Kollwitz. Das plastische Werk. 1967. – Käthe Kollwitz, Zeichnungen. Ausstellungskatalog Wallraf-Richartz-Museum Köln 1973. – O. Nagel, Käthe Kollwitz. 1963. – Ders. (Hrsg.), Käthe Kollwitz. Die Handzeichnungen. 1972. – F. Schmalenbach, Käthe Kollwitz. 1965.

Komische Oper

Die Behrenstraße 55–57 ist ein traditionsreicher Berliner Theaterstandort. Im Jahr 1764 wurde in der Behrenstraße 55 das erste deutsche Theater Berlins eröffnet. 1767 wurde hier Shakespeares »Romeo und Julia« aufgeführt und 1768 *Lessings* »Minna von Barnhelm«, die wegen des großen Erfolgs 16mal wiederholt wurde.
Goethes Schauspiel »Götz von Berlichingen«, das 1774 auf dem Spielplan stand, wurde Gegenstand der ersten Theaterkritik in der »Vossischen Zeitung«. 1783 fand die Uraufführung von Lessings »Nathan der Weise« statt. Der Theaterdirektor Carl Theophil Doebbelin spielte die Titelrolle.
König Friedrich Wilhelm II. erhob das Theater in der Behrenstraße am 5. Dezember 1786 zum Deutschen Nationaltheater und wies ihm das Gebäude des seit 1778 nicht mehr bespielten Französischen Komödien- bzw. *Schauspielhauses* zu. 1789 wurde es nach dem Ausscheiden Doebbelins in Königliches Nationaltheater umbenannt. 1796 übernahm *Iffland* die Leitung der Bühne.
Ferdinand Fellner und Hermann Helmer errichteten dann 1891/92 an der Behrenstraße 55–57 das »Theater unter den Linden«, das später unter dem Namen Metropoltheater das führende Operettentheater Berlins wurde.
Nach dem Zweiten Weltkrieg wurde in dem Haus am 23. Dezember 1947 mit der Aufführung der »Fledermaus« von Johann Strauß die Komische Oper eröffnet, die unter der Leitung von Walter *Felsenstein* zu einer der führenden Musikbühnen wurde.
Das viergeschossige Vordergebäude an der Straßenfront wurde im Zweiten Weltkrieg stark beschädigt und 1966/67 völlig neu gestaltet. Es ist bis auf das Erdgeschoß fensterlos. Ein vorgezogener und über das Dach hinausragender Eingangsbau ist mit Kupfer verkleidet.

Kongreßhalle

Als US-amerikanischer Beitrag zur *Internationalen Bauausstellung (Interbau) 1957* wurde die Kongreßhalle 1957/58 von Hugh A. Stubbins unter Mitarbeit von Werner Düttmann erbaut. Sie steht unweit der Spree nahe der Stelle, an der sich früher die Ausflugslokale »In den Zelten« und das 1842 bis 1844 errichtete Kroll-Etablissement (später *Kroll-Oper*) befanden. Das kühn gewölbte, 18 m hohe Dach stürzte wegen Materialfehlern am 21. Mai 1980 zu einem großen Teil ein. Der Wiederaufbau soll eine Neueröffnung des Gebäudes, dessen großer Saal 1250 Personen Platz bietet, im Jahr 1987 ermöglichen.

Königskolonnaden

Nach Entwürfen von Karl von *Gontard* errichtete Georg Friedrich Boumann 1777 bis 1780 die Königskolonnaden. Die Säulengänge standen ursprünglich am Ende der Königstraße (heute Rathausstraße), die vom Rathaus zum späteren *Alexanderplatz* führte, unmittelbar bevor sie einst den zur Memhardtschen Stadtbefestigung gehörenden Festungsgraben überquerte. Die Königskolonnaden wurden 1910 wegen des zunehmenden Verkehrs in der Königstraße abgetragen und im ehemaligen *Botanischen Garten* an der Potsdamer Straße in Schöneberg, der 1911 den Namen Kleistpark erhielt, wiederaufgestellt. Die aus Sandstein hergestellten Kolonnaden tragen reichen figürlichen Schmuck – Putten auf den Endpavillons und den Postamenten der Balustraden und Götterfiguren (Pomona, Hermes u. a.) zwischen den Doppelsäulen des Mittelpavillons. Bei Restaurierungen in den fünfziger Jahren wurden die Götterfiguren durch Kopien ersetzt. Die jetzt auch »Kleistkolonnaden« genannten Säulengänge bilden den Zugang von der Potsdamer Straße zum Kleistpark.

Köpenick

Im Süden der heutigen Schloßinsel Köpenick an der Mündung der Dahme in die *Spree* entstand um 825 eine slawische Burg. Die Anlage wurde mehrfach, u. a.

durch Brände, zerstört und wiederaufgebaut. Im 12. Jahrhundert war sie Sitz des Sprewanenfürsten Jaxa von Köpenick. Nachdem die Askanier um 1230 die Gebiete östlich der Havel erworben hatten, wurde 1245 ein askanischer Vogt auf der Burg erwähnt. Zu dieser Zeit dürfte die Besiedlung der heutigen Altstadtinsel nördlich der Schloßinsel begonnen haben. Die Bewohner der slawischen Siedlung, die sich auf der Schloßinsel gebildet hatte, wurden nach Überschwemmungen südöstlich der Altstadtinsel am Dahmeufer angesiedelt, so daß der Kietz entstand. Über die Verleihung der Stadtrechte existieren keine schriftlichen Zeugnisse. Köpenick wird allerdings 1298 als oppidum und 1325 als civitas bezeichnet. 1387 erwarb Berlin die Burg und die Stadt Köpenick als Pfandbesitz und behielt das Pfand, bis Friedrich VI. es 1413 auslöste. *Schloß Köpenick* geht auf ein Jagdschloß zurück, das Kurfürst Joachim II. ab 1558 im Norden der Schloßinsel errichten ließ und das 1677 bis 1681 durch einen Neubau für Prinz Friedrich, den späteren Kurfürst Friedrich III. und König Friedrich I., ersetzt wurde. Nachdem Köpenick im Dreißigjährigen Krieg von kaiserlichen und schwedischen Truppen verwüstet worden war und einen erheblichen Bevölkerungsrückgang hatte hinnehmen müssen, kam es Ende des 17. Jahrhunderts durch staatliche Förderungsmaßnahmen zu einer wirtschaftlichen Erholung und zu einem Anstieg der Einwohnerzahl. Unter dem Einfluß der *Hugenotten* entwickelte sich Köpenick im 18. Jahrhundert zu einem bedeutenden Standort der Textilindustrie, insbesondere der Seidenspinnerei. Im 19. Jahrhundert wuchs es rasch über die Grenzen der Altstadt hinaus. Aufgrund der günstigen Lage zwischen den Flüssen Spree und Dahme wurde das Wäschereigewerbe in den Gründerjahren zu einem bedeutenden Wirtschaftszweig. In der reizvollen Umgebung von Köpenick ließen sich viele Berliner nieder. Am 16. Oktober 1906 ereignete sich in Köpenick der mehrfach literarisch behandelte Skandal um den vorbestraften Schuster Wilhelm Voigt, der in der Uniform eines Hauptmanns mit 12 Grenadieren das Rathaus besetzte, den Bürgermeister verhaftete und die Stadtkasse be-

schlagnahmte. Der Vorfall diente auch Carl Zuckmayer als Vorlage für seine Tragikomödie »Der Hauptmann von Köpenick«.
Bei der Eingemeindung 1920 hatte Köpenick bereits den Charakter eines Wohnvorortes von Berlin. Als bisher selbständige Stadt war es namengebend für den 16. Verwaltungsbezirk, zu dem es mit den Landgemeinden Bohnsdorf, Friedrichshagen, Grünau, Müggelheim, Rahnsdorf und Schmöckwitz zusammengeschlossen wurde und der den äußersten Südosten des Berliner Stadtgebiets bildet. Bohnsdorf wurde 1938 im Tausch gegen Oberschöneweide, das ab 1896 als Industrieansiedlung nordwestlich von Köpenick entstanden war, an den Bezirk *Treptow* abgegeben.
Rahnsdorf am Ostufer des *Müggelsees* und Schmöckwitz im äußersten Süden des seit 1945 zum sowjetischen Sektor gehörenden Bezirks Köpenick sind alte Fischerdörfer, die beide 1375 im Landbuch Karls IV. erstmals urkundlich erwähnt wurden. Müggelheim, Grünau und Friedrichshagen gehen auf die Zeit Friedrichs des Großen zurück. Protestantische Familien aus der Pfalz gründeten 1747 südlich des Müggelsees Müggelheim und 1749 am Westufer der Dahme südlich von Köpenick Grünau. Friedrichshagen entstand 1753 als Ansiedlung für 100 Familien von Baumwollspinnern am Nordwestufer des Müggelsees. Gegen Ende des 19. Jahrhunderts ließen sich hier Künstler und Literaten nieder, und es entstand der *Friedrichshagener Dichterkreis*.
LITERATUR: J. Herrmann, Köpenick – Ein Beitrag zur Frühgeschichte Groß-Berlins. 1962. – A. Jaster, Geschichte Cöpenicks. 1926.

KPM

1751 gründete Wilhelm Caspar Wegely die erste Porzellanmanufaktur in Berlin. Sie ging 1757 in Konkurs, wurde aber 1761 auf Wunsch Friedrichs des Großen von Johann Ernst Gotzkowsky wiedereröffnet, dem es gelang, aus Meißen erfahrene Fachleute zu gewinnen, u. a. den Kändler-Schüler Friedrich Elias Meyer. 1763 verkaufte Gotzkowsky die Manufaktur mit Personal, Modellen und Lagerbeständen an Friedrich den Großen,

der sie als staatlichen Monopolbetrieb unter dem Namen Königliche Porzellan-Manufaktur weiterführte und ihr das blaue kurbrandenburgische Zepter als Schutzmarke verlieh.
Nach dem Ende der Monarchie 1918 erhielt die Manufaktur den Namen Staatliche Porzellan-Manufaktur (KPM). 1943 wurden bei Bombenangriffen große Teile der Fabrikationsstätten zerstört. Die Produktion wurde in Selb fortgesetzt und nach dem Zweiten Weltkrieg allmählich nach Berlin zurückgeführt. Die Rückführung wurde am 22. November 1955 mit der Eröffnung eines Neubaus an der Wegelystraße am S-Bahnhof Tiergarten abgeschlossen. 1982 erhielt die Staatliche Porzellan-Manufaktur aus Ostberlin ihr Archiv mit Mustern und Entwürfen früherer Produkte zurück. Die Manufaktur erzeugt bis heute ein qualitätvolles, künstlerisch hochwertiges Porzellan. Produkte der ersten Jahrzehnte zeigt das Museum Berliner Porzellans im 1788 von Carl Gotthard *Langhans* erbauten Belvedere im Park von *Schloß Charlottenburg*.

Kreuzberg

Kreuzberg heißt ein 66 m über NN aufsteigender Hügel in dem heute nach ihm benannten Stadtbezirk. Der Berg hieß früher Templower oder Tempelhofer Berg. Um 1300 befand er sich im Besitz des Franziskanerordens. Bis 1740 wurde an seinen Hängen Weinbau betrieben. 1968 wurde diese Tradition vom Gartenbauamt des Bezirks Kreuzberg wiederaufgenommen.
In den Jahren 1818 bis 1821 wurde nach einem Entwurf *Schinkels* auf der Spitze der Erhebung das Nationaldenkmal zur Erinnerung an die Befreiungskriege 1813 bis 1815 errichtet. Das 19 m hohe, gußeiserne Denkmal erinnert an einen gotischen Turmhelm. Es hat einen dem eisernen Kreuz nachempfundenen Grundriß, der den Anlaß zur Umbenennung des Hügels gab. An der figürlichen Ausgestaltung des Denkmals, die zwölf wichtige Schlachten der Befreiungskriege zum Thema hat, waren Christian Daniel *Rauch*, Friedrich Tieck und Ludwig Wichmann beteiligt.
Zur Zeit seiner Errichtung war das Denkmal weithin sichtbar, da das umlie-

gende Gebiet noch wenig bebaut war. Dies änderte sich bald. Deshalb wurde das Denkmal 1878 durch einen Unterbau um 8 m erhöht.
Die Parkanlage auf dem Kreuzberg, der Viktoriapark, entstand in den Jahren 1888 bis 1894 nach Entwürfen von Hermann Mächtig. Dabei bildete ein Wasserfall zwischen künstlichen Felsen einen besonderen Effekt.

Kreuzberg (Bezirk)

Bei der Eingemeindung 1920 wurde aus dem südlichen Teil des zu diesem Zeitpunkt bereits bestehenden Stadtgebietes der 6. Verwaltungsbezirk von Berlin gebildet, der den Namen Hallesches Tor erhielt. 1921 wurde er nach dem in seinem Südwesten gelegenen Kreuzberg umbenannt. Seit 1945 gehört er zum amerikanischen Sektor.
Die nördlichen Teile des heutigen Bezirks gehörten seit 1734 zu dem von der *Akzisemauer* eingeschlossenen Berliner Stadtgebiet, der nordwestliche Teil zur *Friedrichstadt* und der nordöstliche Teil zur Köpenicker Vorstadt, der späteren Luisenstadt, deren Bebauung im 17. bzw. 18. Jahrhundert eingesetzt hatte. Anfang des 19. Jahrhunderts erreichte die Ausdehnung Berlins die Gebiete südlich der Akzisemauer, die 1867 bis 1869 abgerissen wurde.
Im letzten Drittel des 19. Jahrhunderts wurden im Bereich des heutigen Bezirks Kreuzberg zahlreiche *Mietskasernen* errichtet. In den Hinterhöfen siedelten sich vielfach Klein- und Mittelbetriebe verschiedener Branchen an. Die Berliner *Presse* konzentrierte sich vorwiegend in der südlichen Friedrichstadt, im sogenannten Zeitungsviertel. Im Zweiten Weltkrieg wurden fast 50% der Wohnungen des Bezirks Kreuzberg zerstört. Nachdem zunächst der Wiederaufbau die vordringliche Aufgabe war, sollen nun Projekte der *Internationalen Bauausstellung (IBA) 1987* zu einer Verbesserung der Wohnqualität führen. In der jüngeren Vergangenheit war die Situation des Bezirks durch Hausbesetzungen und einen überdurchschnittlichen Ausländeranteil gekennzeichnet.
Literatur: G. Geissler u. P. Langner, *Werden und Wachsen des Bezirks Kreuzberg.* 1953.

Kreuzkirche

Am Hohenzollerndamm in Schmargendorf, Bezirk Wilmersdorf, erbaute Ernst Paulus, der mit seinen Partnern Dinklage und Lilloe schon vor dem Ersten Weltkrieg mehrere Kirchen in Berlin errichtet hatte, 1927 bis 1929 mit seinem Sohn Günther die Kreuzkirche. Das Gotteshaus gehört zu den auffallendsten modernen Kirchenbauten Berlins aus dem ersten Drittel des 20. Jahrhunderts. Besonders bemerkenswert sind die aus der Formensprache des Expressionismus stammenden spitzen, gezackten und geschwungenen Ornamente und die gedrehten Säulen aus Klinkern. Diesem Stil entsprechen das Portal und die Säulenfiguren von Felix Kupsch mit ihrer blauglasierten Keramik sowie die von Max Esser geschaffenen Evangelistenfiguren im Innern der Kirche. Der unregelmäßige achteckige Bau enthält unter dem Gottesdienstraum einen Gemeindesaal und im massigen dreispitzigen Turm über einer »Brauthalle« Konfirmandenräume und Küsterwohnung.

Kroll-Oper

Das auf Anregung Friedrich Wilhelms IV. eingerichtete Kroll-Establissement am Königsplatz wurde 1842 bis 1844 erbaut. In den Festsälen des Gebäudes wurden Konzerte und Bälle veranstaltet. Sehr bald genoß das Haus den Ruf, das Zentrum der Prostitution in Berlin zu sein. Nach einem Brand im Jahr 1851 wurde es wiederaufgebaut. 1898 wurde das Kroll-Establissement »Neues Königliches Opernhaus«.
Nach dem Brand des *Reichstagsgebäudes* am 27. Februar 1933 diente die Kroll-Oper dem Reichstag als provisorischer Sitzungssaal, bis sie 1944 ausbrannte. Am 27. März 1951 wurde die Ruine gesprengt.

Kronprinzenpalais

Aus einem 1664 errichteten und 1687 von Johann Arnold *Nering* umgebauten Privathaus entstand 1732 nach Plänen von Philipp Gerlach das zweistöckige barocke Kronprinzenpalais. Es wurde später von Prinz August Wilhelm, dem

Bruder Friedrichs des Großen, und ab
1793 von Kronprinz Friedrich Wilhelm
und seiner Frau Luise bewohnt. 1811
wurde es von Heinrich *Gentz* mit dem
Prinzessinnenpalais durch eine Überbrük-
kung verbunden und 1856/57 durch Johann Heinrich Strack für den späteren
Kaiser Friedrich III. aufgestockt. Ab
1919 beherbergte das Gebäude die Neue
Abteilung der Nationalgalerie, die 1937
von den Nationalsozialisten geschlossen
wurde.
Das im Zweiten Weltkrieg zerstörte Gebäude wurde 1968/69 in seinem äußeren
Bild nach alten Stichen rekonstruiert. Es
trägt seither den Namen Berlin-Palais
und dient als Gästehaus des Ostberliner
Magistrats.

Franz **Krüger**

*Maler, *3. September 1797 Großradegast
bei Köthen, †21. Januar 1857 Berlin.*
Der bekannteste und erfolgreichste Maler des Biedermeier in Berlin war seit
1825 Hofmaler und Akademieprofessor.
Er arbeitete auch häufig am russischen
Hof für Zar Nikolaus I., den Schwiegersohn Friedrich Wilhelms III. Krüger
schuf zahlreiche Reiterbilder und Porträts von Mitgliedern des Königshauses,
des Hofes und der Gesellschaft. Von er-
heblichem historischem Interesse sind
dank ihrer Detailgenauigkeit die großen
offiziellen Paradegemälde (u.a.»Parade
auf dem Opernplatz«, 1829, Nationalgalerie auf der *Museumsinsel*), auf denen
man viele Zeitgenossen erkennen kann,
die aber auch ein exaktes Bild der Gebäude bieten. Bilder Krügers findet man
außer in der Ostberliner Nationalgalerie
im *Märkischen Museum*, im *Schloß Charlottenburg* sowie im Schinkel-Pavillon im
dortigen Schloßpark, im *Jagdschloß Grunewald*, im *Schloß Tegel*, im *Berlin-Museum* und in der *Neuen Nationalgalerie*.
LITERATUR: W. Weidmann, Franz Krüger. 1928.

Kulturforum

Der Gedanke einer Konzentration kultureller Einrichtungen im Stadtviertel
zwischen *Tiergarten* und Landwehrkanal
entstand schon in der ersten Nachkriegszeit, als Hans *Scharoun* Stadtbaurat im

Groß-Berliner Magistrat war, und er
tauchte wieder auf, als der gleiche Architekt 1958 seinen Beitrag zum Wettbewerb »Hauptstadt Berlin« lieferte. Damals war von einem Band kultureller
Standorte die Rede, das sich von der alten City am Tiergarten entlang zum
Schloß Charlottenburg ziehen sollte.
Als dann für Scharouns Philharmonie
der Standort am südlichen Tiergarten-
rand nahe dem Kemperplatz gewählt
wurde, kam die Idee eines »Kulturzen-
trums« in diesem auch unter Gesamtber-
liner Aspekt zentralen Gebiet auf. Später
trat an dessen Stelle der Begriff »Kulturforum« im Sinne eines gestalteten Ensembles, konzipiert zuerst von Scharoun.
Zum Komplex des Kulturforums gehören neben der wiederaufgebauten *Matthäuskirche*, dem im Rahmen der *Internationalen Bauausstellung (IBA) 1987* errichteten Wissenschaftszentrum mit benachbarten Wohnbauten an der Hitzigallee die *Philharmonie* mit dem *Musikinstrumentenmuseum* und dem *Kammermusiksaal*, die *Neue Nationalgalerie* und die
Staatsbibliothek Preußischer Kulturbesitz
sowie die erst begonnene Gruppe von
fünf Museen der *Stiftung Preußischer
Kulturbesitz*, die Rolf Gutbrod entworfen hat. Von diesen fünf Museen wurde
das *Kunstgewerbemuseum* bereits fertiggestellt; ihm werden Gemäldegalerie,
Skulpturengalerie und Kupferstichkabinett, die sich jetzt noch im Komplex der
Museen in Dahlem befinden, sowie die
Kunstbibliothek folgen.
Für die Gesamtgestaltung des Kulturforums liegt seit 1983 ein Plan des Wiener
Architekten Hans Hollein vor, über dessen Verwirklichung das letzte Wort noch
nicht gesprochen ist.

Kunstbibliothek

Die in der Jebensstraße in Charlottenburg direkt am Bahnhof Zoologischer
Garten seit 1954 untergebrachte Kunstbibliothek ging aus der Bibliothek des
Kunstgewerbemuseums hervor, die 1894
verselbständigt wurde. Neben ihrem
Charakter als kunstwissenschaftliche Bibliothek gewann die Einrichtung, die
heute zu den Staatlichen Museen *Stiftung Preußischer Kulturbesitz* gehört, besondere museale Züge durch den Erwerb

und die Schenkung von graphischen Sammlungen, Gebrauchsgraphik, Plakaten, architektonischen und kunstgewerblichen Entwürfen und Zeichnungen, von illustrierten und druckgraphisch interessanten Büchern des 15. bis 18. Jahrhunderts, von Stichen und illustrierten Büchern zur Kulturgeschichte, besonders zur Mode, u. a. Außerdem wird ein Bildarchiv unterhalten. Das Gebäude der Kunstbibliothek beherbergt seit 1975 auch die *Berlinische Galerie*.

Kunstgewerbemuseum

Das Deutsche Gewerbe-Museum zu Berlin, eine private Einrichtung, wurde 1867 gegründet. 1879 erhielt es den heutigen Namen. 1881 wurde ein seit 1877 von Martin Gropius und Heino Schmieden errichtetes eigenes Museumsgebäude *(Martin-Gropius-Bau)* in der Prinz-Albrecht-Straße bezogen, und 1885 wurde das Museum eine Abteilung der Staatlichen Museen. Dadurch erfuhr es eine wesentliche Bereicherung der Bestände, denn in der Königlichen Kunstkammer und seit 1830 im Alten Museum waren umfangreiche Sammlungen von Metallarbeiten, Glas und Keramik zusammengetragen worden. Unter der Leitung von Direktor Julius Lessing, der von 1872 bis 1908 amtierte, wurden ebenso wertvolle Neuerwerbungen möglich wie nach dem Umzug des Museums ins *Berliner Schloß* (1921). Nach erheblichen Kriegsverlusten sind die in Ostberlin verbliebenen Bestände im *Schloß Köpenick* ausgestellt, die Westberliner Anteile waren zunächst seit 1963 provisorisch im Knobelsdorff-Flügel des *Schlosses Charlottenburg* untergebracht, wo sie bis 1984 blieben.
Im Mai 1985 wurde der im Rahmen des Berliner *Kulturforums* am Kemperplatz im Bezirk Tiergarten von Rolf Gutbrod errichtete Neubau eröffnet. Das Museum gliedert sich historisch in die Bereiche Mittelalter (überwiegend ab 11. Jahrhundert), Renaissance, Barock und Rokoko, Rokoko bis Jugendstil, Jugendstil und Art Déco sowie Kunsthandwerk der Gegenwart und umfaßt Keramik, Porzellan und Glas, Gold-, Emaille-, Silber- und andere Metallarbeiten, Uhren und wissenschaftliche Instrumente, Möbel und Textilien, insbesondere Sticke-

reien, aus Deutschland und ganz Europa sowie einige Beispiele aus China. Besonders bekannt ist der sogenannte Welfenschatz, Gold- und Silberarbeiten aus dem Besitz des Hauses Braunschweig-Lüneburg.
Das älteste Stück des Kunstgewerbemuseums ist ein reich mit Edelsteinen und Perlen besetztes, teils goldenes, teils silbernes Bursenreliquiar aus dem Schatz der Stiftskirche St. Dionysius in Enger bei Herford, die als Grabstätte Widukinds gilt. Das Reliquiar wird auf das 3. Viertel des 8. Jahrhunderts datiert und gehört möglicherweise zu den Geschenken, die Karl der Große dem Sachsenherzog bei dessen Taufe im Jahr 785 machte.
LITERATUR: F. A. Dreier u. a., Kunstgewerbemuseum Berlin. Bildführer. 1985.

Kurfürstendamm

Rund 600 Einzelhandelsgeschäfte und Dienstleistungsbetriebe, Cafés, Bars und Restaurants, Kinos und Theater machen den 3,5 km langen Kurfürstendamm zwischen der Gedächtniskirche und Halensee zumindest in seinem oberen, östlichen Teil zum belebtesten Boulevard Westberlins.
Ursprünglich als Reitweg zum kurfürstlichen *Jagdschloß Grunewald* angelegt, das Joachim II. ab 1542 hatte errichten lassen, und später als Bohlendamm befestigt, wurde die Straße in der zweiten Hälfte des 19. Jahrhunderts vor allem auf Betreiben Bismarcks Gegenstand einer 1873 gegründeten Kurfürstendamm AG, die sich ihrer Entwicklung annahm. Nach einer kaiserlichen Kabinettsorder vom 2. Juni 1875 wurde der Kurfürstendamm zwischen 1880 und 1886 gepflastert und zu einer 53 m breiten Promenierstraße mit Reitweg in der Mitte ausgebaut. Zwischen 1890 und 1905 entstanden die meisten der flankierenden Wohnhäuser gehobenen Standards mit Jugendstilfassaden, von denen nur noch wenig erhalten ist.
Nach dem Ersten Weltkrieg wurden die Vorgärten beseitigt, die Erdgeschoßwohnungen zu Läden, Cafés und Bars ausgebaut – der Kurfürstendamm wurde zum Weltstadtboulevard der »Goldenen zwanziger Jahre« mit berühmten Hotels, Luxusgeschäften, Kunstgalerien und Re-

staurants. Doch der Zweite Weltkrieg ließ von alldem nicht viel übrig. 1945 waren noch 43 von 235 Häusern der Straße bewohnbar, viele davon nur nach notdürftigen Reparaturen. Der Wiederaufbau ließ den Kurfürstendamm rasch zu einer ähnlichen Funktion aufsteigen, wie er sie vor dem Zweiten Weltkrieg hatte, diesmal aber vor einem völlig neuen Hintergrund: Hatte er zwischen den Kriegen in Konkurrenz zu den »Linden« und der Friedrichstraße im historischen Zentrum Berlins gestanden, so war er nun Mittelpunkt des geschäftlichen und gesellschaftlichen Lebens in Westberlin.
LITERATUR: E. Bohm, Kurfürstendamm. Entstehung und Entwicklung. In: W. Ribbe (Hrsg.), Von der Residenz zur City. 275 Jahre Charlottenburg. 1980.

Landwehrkanal

Der Landwehrkanal wurde in den Jahren 1845 bis 1850 nach Plänen von Peter Joseph *Lenné* angelegt. Die etwa 10 km lange Wasserstraße mit zwei Schleusen verbindet die Oberspree oberhalb des Schlesischen Tors mit der Unterspree in Charlottenburg. Sie verläuft durch Kreuzberg nahe dem Kottbusser und dem Halleschen Tor, dann in den Bezirk Tiergarten, wo sie die Potsdamer Straße unterquert und durch den südwestlichen Tiergarten nach Charlottenburg hineinzieht. Dort mündet sie unterhalb der Dovebrücke. Insgesamt überspannen 25 Brücken den Kanal.

Carl Gotthard Langhans

Baumeister, *15. Dezember 1732 Landeshut, Schlesien, †1. Oktober 1808 Grüneiche bei Breslau.
Carl Gotthard Langhans war nach Studienreisen, die ihn u. a. 1768/69 nach Italien führten, zunächst seit 1775 als Oberbaurat für Schlesien tätig, wo er vor allem Schlösser und Kirchen errichtete. 1786 kam er nach Berlin und wurde 1788 Leiter des Oberhofbauamtes. Er begann in diesem Jahr sein bekanntestes Werk, das 1791 fertiggestellte *Brandenburger Tor*. Zwischen 1787 und 1791 schuf er das Theater im *Schloß Charlottenburg*, das Belvedere oder Teehaus im Schloßpark Charlottenburg, die Friedrichs-

brücke, die Mohrenkolonnaden, den Turmaufsatz der *Marienkirche* u. a. Von 1800 bis 1802 entstand unter seiner Leitung das *Schauspielhaus* am *Gendarmenmarkt*. Wichtig sind auch seine Beiträge zur Innenausstattung einiger Gebäude, u. a. die Neugestaltung der Inneneinrichtung des Opernhauses (1787), der späteren *Deutschen Staatsoper*, und der Festsaal im *Schloß Bellevue* (1791). 1791 bis 1793 baute er die Straße von Berlin nach Potsdam zur Chaussee aus.
Sein Sohn und Schüler Carl Ferdinand (*14. Januar 1782 Breslau, †22. November 1869 Berlin), der auch stark von Friedrich *Gilly* beeinflußt wurde, war vor allem in zahlreichen Städten als Theaterarchitekt tätig. In Berlin leitete er den Neubau des abgebrannten Knobelsdorffschen Opernhauses in den Jahren 1843/44. Außerdem erbaute er das Palais des Prinzen Wilhelm, des späteren Kaisers Wilhelm I. (1834 bis 1836).
LITERATUR: W. T. Hinrichs, Carl Gotthard Langhans. 1909.

Le-Corbusier-Haus

Als »Wohneinheit« – unité d'habitation – hat Le Corbusier seinen von ihm vorher bereits in Marseille und Nantes realisierten Haustyp bezeichnet, den er 1956 bis 1958 in *Charlottenburg* südlich des Olympiastadions als Beitrag zur *Internationalen Bauausstellung (Interbau)* 1957 errichtete. Das auf Stützen ruhende 17stöckige Gebäude enthält 557 Wohnungen mit – außer Nebenräumen – einem, zwei oder drei Wohn- und Schlafräumen. Dabei ist das Besondere, daß sich die Mehrraumwohnungen mit Innentreppen jeweils über zwei Geschosse erstrecken. Sie werden von »Straßen« aus erschlossen, wobei wegen dieser Gliederung für die 17 Geschosse 9 Straßen ausreichen. Äußerlich kennzeichnen massive Balkonbrüstungen und kräftige Farben das Haus.

Gottfried Wilhelm von Leibniz

Philosoph, *1. Juli 1646 Leipzig, †14. November 1716 Hannover.
Leibniz war ein Universalgelehrter im besten Sinne des Wortes. Er veröffentlichte mit 17 Jahren seine erste Abhand-

Karl Blechen, Das Innere des Palmenhauses auf der Pfaueninsel.
Öl auf Leinwand, 1832.
Berlin (West), Staatliche Museen Preußischer Kulturbesitz, Nationalgalerie.

Walter Leistikow, Grunewaldsee.
Öl auf Leinwand, um 1895.
Berlin (Ost), Staatliche Museen,
Nationalgalerie (oben).
Lesser Ury, Nächtliche Straßenszene
am Kurfürstendamm im Regen.
Öl auf Leinwand.
Berlin (West), Berlin-Museum (rechts).

Adolph Menzel, Die Aufbahrung der
Märzgefallenen des Jahres 1848 auf
den Stufen des Deutschen Domes.
Öl auf Leinwand, unvollendet, 1848.
Hamburg, Kunsthalle (links oben).
Adolph Menzel, Die Berlin-Potsda-
mer Bahn. Öl auf Leinwand, 1847.
Berlin (West), Staatliche Museen
Preußischer Kulturbesitz, National-
galerie (links unten).

*C. Saltzmann, Die erste elektrische Straßenbeleuchtung
am Potsdamer Platz in Berlin im Jahre 1884. Öl auf Leinwand.
Frankfurt a. M., Postmuseum.*

lung und schrieb bis an sein Lebensende zahlreiche Arbeiten über philosophische, mathematische, physikalische, technische, juristische, historische und philologische Themen. Hinzu kamen auch politische Schriften, die oft anonym oder unter Pseudonym erschienen.

Vom 15. Lebensjahr an studierte er in Leipzig und Jena Philosophie und Jura, promovierte mit 20 Jahren in Altdorf bei Nürnberg, lehnte eine angetragene Professur ab und trat mit 22 Jahren als Protestant in die Dienste des Mainzer Kurfürsten und Erzbischofs. In dessen Auftrag unternahm er seine ersten Reisen nach Paris und London, bei denen er diplomatische Aufgaben wahrnahm, vor allem aber die bedeutendsten Mathematiker und Physiker seiner Zeit kennenlernte. Er wurde auch Mitglied der gelehrten Royal Society in London, die ihn später zum Vorschlag der Akademiegründung in Berlin anregte. Auf seinen Reisen sammelte er einen großen Bekanntenkreis, der die bedeutendsten Geister der Epoche einschloß. Daraus entwickelte sich ein umfangreicher, auch wissenschaftlich ergiebiger Briefwechsel. Mehr als 15000 Briefe an über 1000 Partner sind erhalten.

Nach einer erneuten Paris-Reise 1675 besuchte Leibniz 1676 nochmals London. Im gleichen Jahr wurde er Hofrat und Bibliothekar am Hof des Herzogs Johann Friedrich von Braunschweig-Lüneburg in Hannover. Ab 1685 arbeitete er als Hofhistoriker an der Geschichte des Welfenhauses seit dem Jahr 1005. Ziel dieser Bemühungen war es, Erbansprüche des Hauses historisch-rechtlich abzusichern. Das gelang zwar letzten Endes nicht, doch wird Leibniz' juristischen Arbeiten erheblicher Anteil daran zugeschrieben, daß Hannover 1692 Kurfürstentum wurde. Indessen war Leibniz 1691 Leiter der Bibliothek in Wolfenbüttel geworden. Er hatte auch anderthalb Jahre in Wien gelebt und zu anderen Höfen Beziehungen angeknüpft. Zar Peter der Große, dem Leibniz 1697 begegnete, ernannte ihn 1712 zum Justizrat, und der Kaiser erhob ihn 1713 in den Reichsfreiherrenstand und zum Hofrat.

Mit der hannoverschen Kurfürstin Sophie von der Pfalz und ihrer Tochter Sophie Charlotte, der brandenburgischen Kurfürstin und späteren preußischen Königin, durfte er sich eng befreundet

gelten. Sophie Charlotte hielt ihm in Schloß Lietzenburg, dem späteren *Schloß Charlottenburg*, eine Wohnung bereit, so oft er am Berliner Hof verweilte. Aus dieser Beziehung zur Gemahlin des Kurfürsten Friedrich III. ging die Gründung der Kurfürstlichen Societät der Wissenschaften, der späteren Preußischen *Akademie der Wissenschaften* – der ältesten und angesehensten Einrichtung dieser Art in Deutschland –, deren erster Präsident Leibniz wurde, hervor. Die Finanzierung der Akademie war zunächst allerdings wenig gesichert. Leibniz verfolgte die Idee einer Lotterie, der Kurfürst setzte auf die Seidenraupenzucht. Beides erwies sich als unzulänglich, und nach einer Zeit der Vernachlässigung unter Friedrich Wilhelm I. fand die Akademie erst unter Friedrich dem Großen eine ausreichende Förderung.

Leibniz' Arbeiten waren grundlegend für die Philosophie (Logistik), Mathematik (Differential- und Integralrechnung), Psychologie (Begriff der unbewußten Vorstellungen), Sprachwissenschaft, Erdgeschichte u.a. Er erfand auch eine Rechenmaschine zum Multiplizieren. Sein philosophisches Hauptwerk, die zweibändige »Theodizee«, erschien 1710. Es war ursprünglich der Kurfürstin und Königin Sophie Charlotte zugedacht, die er als seine Schülerin ansah, die jedoch bereits 1705 – nur 36 Jahre alt – verstorben war. Leibniz' Philosophie, das letzte große philosophische System des Barock, zeichnet sich durch Pluralismus und Rationalismus, vor allem aber durch Optimismus aus: Die von Gott geschaffene Welt ist die beste aller möglichen Welten.

LITERATUR: G. Krüger (Hrsg.), Gottfried Wilhelm Leibniz. Die Hauptwerke. ⁵1967. – K. Müller u. G. Krönert (Bearb.), Leben und Werk von Gottfried Wilhelm Leibniz. 1969. – W. Seidel, Gottfried Wilhelm Leibniz. Eine Bild-Biographie. 1976.

Walter **Leistikow**

*Maler und Graphiker, *25. Oktober 1865 Bromberg, †24. Juli 1908 Berlin.*
Leistikow, der unter dem Einfluß des Impressionismus stand, malte die märkische Landschaft um Berlin, der er sich stark verbunden fühlte. Seelandschaften

sind ein bevorzugtes Thema. 1895 entstand das Gemälde »Grunewaldsee«, das in der Nationalgalerie auf der *Museumsinsel* hängt.

Die traditionelle, akademische deutsche Malerei lehnte Leistikow ab, deshalb war er auch ein vehementer Kämpfer für die Sache der *Berliner Sezession*, die er 1898 zusammen mit Max *Liebermann* und anderen Malern gründete. Er und der Kunsthändler Paul *Cassirer* organisierten Ausstellungen mit Werken von Manet und Monet, Cézanne und Gauguin, van Gogh und anderen noch unverstandenen Künstlern. 1907 wurde er zum Akademieprofessor ernannt.

Peter Joseph Lenné

*Gartenarchitekt, *29. September 1789 Bonn, †23. Januar 1866 Potsdam.*

Der zeitweise auch in Frankreich ausgebildete rheinländische Gartenbaumeister galt als letzter bedeutender Vertreter des englischen Landschaftsgartenstils in Deutschland. Er war seit 1816 in Potsdam tätig. 1823 war er Mitgründer der ersten deutschen Gärtner-Lehranstalt in Schöneberg und Potsdam. 1824 wurde er Gartendirektor in Potsdam und 1854 Generaldirektor der Königlichen Gärten in Preußen.

Insgesamt gestaltete er etwa 150 Gärten und Parks, nicht nur in Potsdam (Neuer Garten, Erweiterung des Parks von Sanssouci, Charlottenhof, Fasanerie, Marlygarten, Babelsberg u. a.) und Berlin, sondern auch in vielen anderen Städten (z. B. Magdeburg, Dresden und Leipzig). In Berlin sind die *Pfaueninsel* (1822), die *Schloßparke* von *Glienicke*, *Charlottenburg* und *Bellevue*, der *Lustgarten* (1832), die Neugestaltung des *Tiergartens* (1833 bis 1839), die *Hasenheide* (1838), die Anlage des *Zoologischen Gartens* (1841 bis 1844) und des *Friedrichshains* (1846 bis 1848) zu nennen.

Außerdem beschäftigte sich Lenné mit dem Ausbau der Wasserstraßen in und um Berlin (*Landwehrkanal*, 1845 bis 1850; Spandauer Schiffahrtskanal, 1848 bis 1859).

LITERATUR: H. Günther, Peter Joseph Lenné. Gärten, Parke, Landschaften. 1985. – G. Hinz, Peter Joseph Lenné und seine bedeutendsten Schöpfungen in Berlin und Potsdam. 1937.

Gotthold Ephraim Lessing

*Dichter und Kritiker, *22. Januar 1729 Kamenz, Sachsen, †15. Februar 1781 Braunschweig.*

Lessing, der Sohn eines Pfarrers, hatte nach dem Besuch der Fürstenschule St. Afra in Meißen Theologie und Medizin in Leipzig studiert. 1748 bis 1751 hielt er sich in Berlin auf. Seit Dezember 1751 war er in Wittenberg. Nachdem er hier im April 1752 die Magisterwürde erhalten hatte, kehrte er im November 1752 nach Berlin zurück, wo er bis 1755 blieb. Zwei weitere Aufenthalte 1758 bis 1760 und 1765 bis 1767 folgten.

Lessing arbeitete in Berlin als Journalist und Kritiker vor allem für die »Berlinische Privilegierte Zeitung«. Zusammen mit dem Verleger Christoph Friedrich *Nicolai* und dem Philosophen Moses *Mendelssohn* repräsentierte er die Berlinische Aufklärung, mit ihnen gab er die »Briefe, die neueste Literatur betreffend« heraus. Er war auch Mitarbeiter der ab 1765 ebenfalls bei Nicolai erscheinenden »Allgemeinen Deutschen Bibliothek«. Mendelssohn, mit dem Lessing freundschaftlich verbunden war, war das Vorbild für die Figur des Nathan in seinem Drama »Nathan der Weise«.

Am 21. März 1768 wurde Lessings Drama »Minna von Barnhelm« im Theater in der Behrenstraße mit großem Erfolg aufgeführt. Im gleichen Theater fand am 14. April 1783 die Aufführung von »Nathan der Weise« statt. Die Hauptrolle spielte der Theaterdirektor Carl Theophil Doebbelin.

In den Jahren 1760 bis 1765 arbeitete Lessing als Sekretär für den Grafen Tauentzien in Breslau. Von 1767 bis 1770 hielt er sich in Hamburg auf, wo er als Dramaturg am neuen Nationaltheater tätig war, bis es im November 1768 wieder geschlossen werden mußte (»Hamburgische Dramaturgie«, 1767 bis 1769). Danach ging er als Bibliothekar nach Wolfenbüttel.

LITERATUR: R. Daunicht (Hrsg.), Lessing im Gespräch. Berichte und Urteile von Freunden und Zeitgenossen. 1971. – G. Drews, Gotthold Ephraim Lessing in Selbstzeugnissen und Bilddokumenten. 1970. – E. Dvoretzky, Gotthold Ephraim Lessing. Dokumente zur Wirkungsgeschichte (1755–1968). 2 Bände. 1972. – K. S. Guthke, Gotthold Ephraim Lessing. ³1979. – D. Hildebrandt, Lessing. Biographie einer Emanzipation. 1979. – R. Petsch (Hrsg.), Lessings Briefwechsel mit Mendelssohn und Nicolai über das Trauerspiel. 1910, Nachdruck 1967. – G. Schulz (Hrsg.), Lessing und der Kreis seiner Freunde. 1981.

Lichtenberg

Das östlich von Berlin gelegene Dorf Lichtenberg wurde 1288 erstmals urkundlich erwähnt. Ab 1771 wurden unter Friedrich dem Großen der Friedrichsberg und das Vorwerk Boxhagen in der Umgebung Lichtenbergs mit böhmischen und pfälzischen Kolonisten besiedelt. 1878 erwarb Berlin ein Gelände im westlichen Teil Lichtenbergs, auf dem 1881 der kommunale Zentralvieh- und Schlachthof eröffnet wurde, der heute zum Bezirk *Prenzlauer Berg* gehört. Die Ausdehnung Berlins im 19. Jahrhundert hatte auch die Einwohnerzahl Lichtenbergs rasch ansteigen lassen, von 450 im Jahr 1801 auf 55 400 im Jahr 1905. 1907 erhielt es die Stadtrechte, und 1912 schloß es sich dem Zweckverband Groß-Berlin an. Im gleichen Jahr wurde Boxhagen-Rummelsburg, das 1889 zur Gemeinde erhoben worden war, nach Lichtenberg eingemeindet. Bei der Bildung Groß-Berlins im Jahr 1920 war Lichtenberg als bisher selbständige Stadt namengebend für den 17. Verwaltungsbezirk, zu dem es mit den Gemeinden Biesdorf, Friedrichsfelde, Hellersdorf, Karlshorst, Kaulsdorf, Mahlsdorf und Marzahn zusammengeschlossen wurde. Gebiete des ehemaligen Vorwerks Boxhagen wurden 1938 an den Bezirk *Friedrichshain* abgegeben. Seit 1945 gehört Lichtenberg zum sowjetischen Sektor von Berlin. Friedrichsfelde, das bis 1699 Rosenfelde hieß, wurde 1288 erstmals urkundlich erwähnt. Das östlich von Lichtenberg liegende Dorf befand sich bis 1601 größtenteils im Besitz der Berliner Patrizierfamilie Ryke. Südöstlich des Dorfes wurde 1820 in der Feldmark Friedrichsfelde das Vorwerk Karlshorst angelegt, das ab 1895 zu einer Gartenstadt ausgebaut wurde. Im sowjetischen Hauptquartier in einer Karlshorster Villa wurde in der Nacht vom 8. auf den 9. Mai 1945 die bedingungslose Kapitulation der deutschen Wehrmacht unterzeichnet. Am 10. Juni 1945 wurde Karlshorst Sitz der Sowjetischen Militäradministration Deutschlands. Östlich schließen an Karlshorst Biesdorf (Ersterwähnung 1375), Kaulsdorf (Ersterwähnung 1347) und Mahlsdorf (Ersterwähnung 1345) an. Im Norden des Bezirks liegen Marzahn (Ersterwähnung 1300) und Hellersdorf (Ersterwähnung 1375). Marzahn, in dessen Umgebung ab 1978 ein Neubaugebiet mit 35 000 Wohnungen entstand, wurde 1979 unter Einbeziehung von DDR-Gebiet zum Bezirk erhoben. Da im Londoner Abkommen die Stadtgrenzen entsprechend dem Groß-Berlin-Gesetz festgelegt sind, stellte diese Neugründung eine Verletzung des Viermächtestatus dar. Hellersdorf, wo bis 1990 33 000 Wohnungen entstehen sollen, wurde 1985 ebenfalls als Bezirk von Lichtenberg abgetrennt. LITERATUR: E. Unger, Geschichte Lichtenbergs bis zur Erlangung der Stadtrechte. 1910.

Max **Liebermann**

*Maler und Graphiker, *20. Juli 1847 Berlin, †8. Februar 1935 Berlin.*

Liebermann, der Sohn wohlhabender jüdischer Bürger, sollte eigentlich Philosophie studieren, folgte aber seinen Neigungen und besuchte die Malschule von Karl Steffeck in Berlin. 1868 ging er nach Weimar und studierte dort an der Kunstschule bei Ferdinand Pauwels und Paul Thumann. Er reiste nach Paris und Holland und lernte bei einem Aufenthalt in Düsseldorf den ungarischen Maler Mihály Munkácsy kennen, der ihn stark beeinflußte. Das wird besonders in seinem naturalistischen Bild »Gänserupferinnen« (1872, Nationalgalerie auf der *Museumsinsel*) deutlich. Es wurde 1874 in Paris ausgestellt und bewundert und verschaffte Liebermann Anerkennung. Die Anhänger der akademischen Malerei in Deutschland bezeichneten ihn allerdings als »Apostel der Häßlichkeit«, denn er malte Bilder in dunklen Tönen, die den Menschen in seiner Funktion innerhalb des Arbeitsprozesses zeigten. Von 1873 bis 1878 lebte Liebermann in Paris. In dieser Zeit hatte er intensive Kontakte zur Schule von Barbizon. Seine Begegnungen mit Jean-Baptiste-Camille Corot, Charles-François Dau-

bigny und besonders Jean François Millet blieben nicht ohne Wirkung auf seine Arbeit. Auch die Werke Frans Hals' beeindruckten Liebermann, und er studierte sie in Holland. Nachdem er sich 1878 bis 1884 in München aufgehalten hatte, kehrte er nach Berlin zurück, wo seine Arbeiten auf starken Widerspruch stießen. Er wohnte am Pariser Platz direkt neben dem Brandenburger Tor und dem Tiergarten. Unter dem Einfluß der französischen Impressionisten wandte sich Liebermann der Freilichtmalerei zu. Etwa ab 1890 ging er von der dunkeltonigen Malweise ab und experimentierte mit Lichtwirkungen und Bewegungselementen. Ein Beispiel dafür ist das Gemälde »Das Gartenlokal in Brandenburg« (1893).
Liebermanns Porträtmalerei, die besonders in seiner Berliner Zeit einen breiten Raum in seinem Schaffen einnahm, zeichnet sich durch zurückhaltende Sachlichkeit aus: Wilhelm Bode (1890), Emil Rathenau (1907) und Richard Strauß (1918) in der Nationalgalerie auf der *Museumsinsel*, Gerhart Hauptmann (1912) und Emil Warburg im *Berlin-Museum*. Als einer der bedeutendsten deutschen Impressionisten hatte Liebermann einen starken Einfluß auf die Malerei in Deutschland am Ende des 19. Jahrhunderts, besonders aber auf das Kunstgeschehen in Berlin. Hier gründete er zusammen mit Walter *Leistikow* und anderen Malern 1898 die *Berliner Sezession*, deren erster Präsident er wurde. Von 1920 bis 1932 war er Präsident der Akademie der Künste, die er am 10. Mai 1933 aus Protest gegen die antisemitische Propaganda der Nationalsozialisten verließ.
In Berlin sind zahlreiche bedeutende Werke Liebermanns ausgestellt, neben den oben bereits genannten u. a. »Getreideernte« (um 1900) im Museum für Deutsche Geschichte im *Zeughaus* in Ostberlin, »Flachsspinnerinnen« (1886/87) und »Amsterdamer Waisenhausmädchen« in der Nationalgalerie auf der *Museumsinsel* und »Selbstbildnis« (1925) in der *Neuen Nationalgalerie*.
LITERATUR: G. Josten, Max Liebermann. 1973. - Max Liebermann, Ausstellungskatalog Nationalgalerie, Berlin, und Haus der Kunst, München. 1979. - G. Meißner, Max Liebermann. 1974. - K. Scheffler, Max Liebermann. ⁴1953.

Paul **Lincke**

*Operettenkomponist, Dirigent und Musikverleger, *7. November 1866 Berlin, †4. September 1946 Clausthal-Zellerfeld.*
Paul Lincke, der Sohn einer Berliner Weißnäherin, war bereits mit 18 Jahren Dirigent leichter Bühnenmusik. Nachdem er anfangs eine Zeitlang in Paris gearbeitet hatte, kehrte er nach Berlin zurück und eroberte das Publikum mit seinen Operetten, die der Berliner Mentalität entsprachen und deshalb eine große Volkstümlichkeit erreichten: »Frau Luna« (1899), »Lysistrata« (1902), »Grigri« (1911), »Casanova« (1913). Er schrieb auch Tänze, Märsche und Couplets.
Viele seiner Melodien sind bis heute beliebte Evergreens, z. B. der Marsch von der »Berliner Luft« und das Glühwürmchenlied. 1901 bis 1906 war Lincke Kapellmeister am Apollo-Theater in der Friedrichstadt. Er wurde Ehrenbürger Berlins.
LITERATUR: E. Nick, Paul Lincke. 1953.

Literarische Salons und Gesellschaften

Im 19. Jahrhundert spielten die literarischen Salons und Gesellschaften im Kultur- und Geistesleben Berlins eine wichtige Rolle. In ihnen traf sich die Elite der Künste und Wissenschaften zu Vorträgen und Diskussionen, zu Gedankenaustausch und Kritik. Die Anfänge derartiger Zusammenkünfte reichen in die letzten beiden Jahrzehnte des 18. Jahrhunderts zurück. Persönlichkeiten wie Moses *Mendelssohn* und Christoph Friedrich *Nicolai* zogen die aufgeschlossenen Zeitgenossen an und versammelten sie in ihren Häusern.
Der Arzt und Philosoph Marcus Herz hielt in seinem Haus neben medizinischen auch philosophische Vorlesungen, vor allem über Kant, mit dem er befreundet war. Er heiratete 1779 Henriette de Lemos, die bald einen literarischen Salon führte, der u. a. für die *Berliner Romantiker* zum Treffpunkt wurde. Börne, Jean Paul, Fichte, die Brüder *Humboldt* und *Schlegel, Schleiermacher, Schadow, Zelter*, Prinz Louis Ferdinand von Preußen, Dorothea Veit (geb. Mendelssohn), die spätere Frau Friedrich *Schlegels*, und Caroline von Dacheröden, die später Wil-

helm von *Humboldt* heiratete, gehörten zu den Gästen von Henriette *Herz.*

Rahel Levin, die 1814 den Diplomaten und Schriftsteller Karl August *Varnhagen von Ense* heiratete, hatte schon in der Zeit, als sie noch im Hause ihrer Mutter wohnte, am Anfang des letzten Jahrzehnts des 18. Jahrhunderts, einen Salon begründet. Ihr Salon war einer der berühmtesten und einflußreichsten in Berlin. Er wurde nach ihrem Tode von ihrem Mann weitergeführt. Hier traf sich, was in Berlin Bedeutung hatte oder glaubte, Bedeutung zu haben – Adel, Gelehrte, Dichter, Künstler, Politiker und Journalisten. Einige Namen seien hier genannt: *Chamisso,* Heine, *Kleist, Schleiermacher,* Fichte, *Hegel,* Jean Paul, die Brüder *Humboldt, Schlegel* und *Tieck,* Fürst Pückler, Achim und Bettina von *Arnim,* Julius Eduard Hitzig, die Mendelssohns, Prinz Louis Ferdinand von Preußen.

Von einiger Bedeutung war auch der Salon der Herzogin Dorothea von Kurland. Auch hier versammelte sich, was Rang und Namen hatte, z. B. Wilhelm von *Humboldt,* August Wilhelm *Schlegel,* Prinz Louis Ferdinand von Preußen, Madame de Staël, Prinzessin Radziwill, Rahel *Varnhagen von Ense,* Elisabeth von der Recke, Carl Friedrich *Zelter.*

Neben diesen gab es noch eine Reihe anderer literarischer Salons, wie den der Klara Kugler, den der Caroline von Humboldt, der Frau Wilhelm von *Humboldts,* oder den der Bettina von *Arnim.* In der ersten Hälfte des 19. Jahrhunderts bildeten sich außerdem literarische Gesellschaften, die sich oft nach dem Wochentag nannten, an dem sie ihre Zusammenkünfte hatten, so z. B. die »Mittwochsgesellschaft«, die der Verleger, Schriftsteller und Kammergerichtsrat Julius Eduard Hitzig 1824 gegründet hatte. Zu ihr gehörten u. a. *Chamisso,* Eichendorff und Willibald Alexis. 1827 gründete Moritz Gottlieb Saphir den »Berliner Sonntagsverein«, der sein Treffen jeden Sonntagnachmittag veranstaltete. Ein Jahr später wurde er umbenannt in »Tunnel über der Spree«. Diese bedeutendste Berliner Literaten- und Künstlervereinigung bestand bis 1897. Zu ihr gehörten u. a. Felix Dahn, Theodor *Fontane,* Emanuel Geibel, Paul Heyse, Theodor Hosemann, Franz Kugler, Adolph *Menzel* und Theodor Storm.

Ernst Theodor **Litfaß**

Drucker, **1816,* †*27. Dezember 1874 Wiesbaden.*
Der Hofbuchdruckermeister und Werbeleiter des Zirkus Renz wurde durch die nach ihm benannten Anschlagsäulen für Werbeplakate wohlhabend. 1851 war das Ankleben von Plakaten an Hauswänden und Mauern verboten worden. Nach langen Verhandlungen erhielt Litfaß am 5. Dezember 1854 vom Polizeipräsidenten Hinckeldey die Konzession zur Errichtung von Anschlagsäulen, wie sie der Engländer Harris 1825 erfunden hatte, die er zu Werbezwecken verpachten konnte und an denen er öffentliche Bekanntmachungen kostenlos anzubringen hatte. Die Säulen sollten ursprünglich gleichzeitig als Brunneneinfassungen und Pissoirs dienen, wie Litfaß versprach, waren aber dann hohl. Am 7. Juli 1855 wurden die ersten aufgestellt. Sie hatten eine Höhe von 2,50 bis 3,60 m und einen Durchmesser von 1 bis 1,15 m. Ihre Zahl war in der Konzession von 1854 auf 150 begrenzt, nahm dann aber in den nächsten Jahrzehnten rasch zu, so daß die Litfaßsäulen bald das Stadtbild mitbestimmten.

Lübars

Das Dorf Lübars, das im Kern seinen ländlichen Charakter erhalten hat, liegt an der äußersten Nordostgrenze Westberlins im Bezirk *Reinickendorf.* Die Besonderheiten der Grenzziehung, die sich aus der Eingemeindung von 1920 und der Sektorenteilung von 1945 ergaben, haben dazu geführt, daß Lübars das einzige Dorf der Mark Brandenburg wurde, in dem noch selbständige Bauern die Felder und Wiesen bewirtschaften.

Den Dorfanger mit Kirche und Krug umstehen teilweise unveränderte einstöckige Bauernhäuser mit klassizistischen Stuckfronten. Das 1247 erstmals urkundlich erwähnte Dorf befand sich vermutlich bereits zu diesem Zeitpunkt im Besitz des Spandauer *Benediktinernenklosters Sankt Marien,* in dem es bis zur Reformation blieb. Die Dorfkirche wurde nach einem Brand 1790 im Jahr 1793 neu errichtet. Ihr Stil knüpft an das relativ strenge Barock an, wie es siezig Jahre früher unter Friedrich Wilhelm I.

Berlins erste Litfaßsäule. Lithographie von F. G. Nordmann, 1854.

üblich war. 1956 erhielt die Kirche einen Kanzelaltar, den Friedrich Wilhelm I. 1739 für die Gertraudenkirche am Spittelmarkt gestiftet hatte, die 1881 abgerissen wurde.

Lustgarten

Im Jahr 1573 erhielt der Gärtner Corbianus den Auftrag, im sumpfigen Nordteil der Cöllner Spreeinsel einen Lustgarten anzulegen, der allerdings ursprünglich mehr den Charakter eines Küchen- und Nutzgartens für das südlich benachbarte *Berliner Schloß* hatte. Ab 1645 erneuerte Michael Hanff den während des Dreißigjährigen Krieges verwilderten Garten, in dem 1649 die ersten Kartoffeln Preußens angepflanzt worden sein sollen, der aber zunehmend den Charakter eines Zier- bzw. botanischen Gartens erhielt. 1714 ließ Friedrich Wilhelm I. den Lustgarten in einen Exerzierplatz umwandeln, zwischen dessen Nordost-

flanke und der Spree 1747 der *Dom* erbaut wurde. Seit 1829 begrenzt das Alte Museum im Nordwesten den Lustgarten, den Peter Joseph *Lenné* 1832 zu einem geometrisch geordneten Park umgestaltete.

1935 wurde der größte Teil des Lustgartens gepflastert. Durch den Abriß des Schlosses 1950/51 wurde der Platz erheblich vergrößert. Er erhielt den Namen Marx-Engels-Platz und wird seither zu Aufmärschen und Paraden genutzt. Von der Spree wird er durch den 1973 bis 1976 errichteten *Palast der Republik* getrennt. Im Süden wurde als Begrenzung 1962 bis 1964 zwischen Breiter Straße und Mühlengraben das Staatsratsgebäude erbaut, in dessen Fassade eine Nachbildung des von *Eosander* entworfenen Portals IV vom Lustgartenflügel des Schlosses eingelassen wurde. Karl Liebknecht hielt vom Balkon dieses Portals aus am 9. November 1918, dem Tag der Ausrufung der Republik, eine Rede.

Maria Regina Martyrum

Diese katholische »Gedenkkirche zu Ehren der Blutzeugen für Glaubens- und Gewissensfreiheit 1933-1945«, ab 1960 von den Architekten Hans Schädel und Friedrich Ebert erbaut, wurde 1963 geweiht. Zur Kirche gehört ein offener Feierhof, der 10000 Gläubigen Platz bietet. An der östlichen Hofmauer stehen sieben abstrakte Bronzeskulpturen von Otto Herbert Hajek, die die 14 Kreuzwegstationen zum Thema haben. Der Glockenturm dient zugleich als Eingangstor zu diesem Hof. Die Kirche selbst gliedert sich in eine Oberkirche und eine Unterkirche, die einer Krypta ähnlich ist. Über dem Portal, durch das man die Unterkirche betritt, hängt eine vergoldete Skulptur von Fritz König, die den Namen der Kirche deutet. In der Unterkirche befinden sich vor einer Pietà des gleichen Künstlers die Gräber des in nationalsozialistischer Haft verstorbenen Domprobstes Bernhard Lichtenberg und des 1934 beim sogenannten Röhm-Putsch ermordeten Zentrumspolitikers und Vorsitzenden der Katholischen Aktion Berlin Erich Klausener sowie ein drittes Grab, das »allen Blutzeugen, denen das Grab verwehrt wurde, allen Blutzeugen, deren Gräber unbekannt sind«, symbolisch geweiht ist. Die Altarwand der Oberkirche nimmt ein Fresko von Georg Meistermann ein, das die apokalyptische Vision des Johannes vom Himmlischen Jerusalem und dem Lamm zeigt.

Marienkirche

Bei der Erweiterung Berlins um 1270 wurde am Neuen Markt eine zweite Pfarrkirche angelegt und der Jungfrau Maria geweiht. Sie wurde im frühgotischen Stil aus Granitquadern errichtet. 1294 fand sie in einem Ablaßbrief erstmals urkundliche Erwähnung. 1335 wurde vor der Kirche ein steinernes Sühnekreuz und in der Kirche ein Gedächtnisaltar für den von den Berliner Bürgern erschlagenen Propst Nikolaus von Bernau errichtet – das Kreuz, das heute vor der Kirche steht, ist allerdings jüngeren Datums. Beim Großbrand von 1380 wurde die Marienkirche in ihrer frühgotischen Form zerstört. Sie wurde Anfang des 15. Jahrhunderts unter Einbeziehung der ursprünglichen Granitmauern als spätgotische dreischiffige Hallenkirche aus Backsteinen wiederaufgebaut. Erst zwischen 1659 und 1663 entstand der einschiffige Chor mit der zweigeschossigen Gruftkapelle. Den neugotischen Turmhelm nach einem Entwurf von Carl Gotthard *Langhans* erhielt die Marienkirche 1789/90.

Der Innenraum der Marienkirche ist geprägt von der klaren Konstruktion des Kreuzrippengewölbe des Langhauses und des Sterngewölbe des Chores, die über schmucklosen Kapitellen auf achteckigen Bündelpfeilern ruhen. Das bronzene Taufbecken im Chor stammt aus dem Jahr 1437 und ist somit das älteste Stück in der Ausstattung der Kirche. Nach der Pestepidemie von 1484 entstand in der Turmhalle eine 2 m hohe und 22,6 m lange Totentanzdarstellung mit 12 mittelniederdeutschen Versen. Sie ist das älteste Freskogemälde Berlins und eine der ältesten Totentanzdarstellungen Deutschlands. Bei Restaurierungsarbeiten wurde sie im Jahre 1860 freigelegt und wiederhergestellt. In den letzten Jahren ist es allerdings durch Umwelteinflüsse zu Beschädigungen gekommen.

Die barocke Marmorkanzel im Langhaus wurde 1703 von Andreas *Schlüter* geschaffen. Sie war während des Zweiten Weltkriegs ausgelagert und ist später statt an ihrer ursprünglichen Stelle in Richtung auf den Chor versetzt neu aufgebaut worden. Der Orgelbauer Joachim Wagner schuf 1723 die Orgel der Marienkirche. Sie wurde 1742 mit einem Prospekt von Johann Georg Glume und Paul de Ritter ausgestattet. Die barocke Altarwand mit Gemälden von Christian Bernhard Rode stammt aus den Jahren 1758 bis 1762.

Im Gegensatz zu den beiden anderen Berliner Pfarrkirchen des 13. Jahrhunderts, der *Nikolaikirche* und der *Petrikirche*, hielt sich das Ausmaß der Beschädigungen durch den Zweiten Weltkrieg bei der Marienkirche in Grenzen, so daß sie schon bald nach 1945 wiederhergestellt war. Sie beherbergt einen Teil der während des Krieges ausgelagerten Kunstschätze anderer Berliner Kirchen, u. a. aus der Nikolaikirche und der Klosterkirche. Die Marienkirche ist heute Predigtkirche des evangelischen Bi-

schofs von Berlin-Brandenburg. Außerdem wird sie für Kirchenkonzerte, insbesondere Orgelkonzerte, genutzt.
LITERATUR: M. Tosetti, St. Marien zu Berlin. ²1974.

Märkisches Museum

Das Märkische Museum wurde 1874 als Heimatmuseum für Berlin und die Mark Brandenburg gegründet. Es vergingen einige Jahrzehnte, bis die Sammlungen ihren festen Platz fanden. Zunächst waren sie 1874/75 im Roten Rathaus, 1875 bis 1880 im ehemaligen Palais Podewils in der Klosterstraße (erbaut 1701 bis 1704 nach Plänen von de Bodt, seit 1732 im Besitz des Staatsministers Podewils, heute »Haus der Jungen Talente«), 1880 bis 1899 im Cöllnischen Rathaus und 1899 bis 1908 in der Sparkasse an der Zimmerstraße untergebracht.
Nach einem Wettbewerb wurde dann das Museumsgebäude von Ludwig Hoffmann in den Jahren 1899 bis 1907 errichtet und am 10. Juni 1908 eröffnet. Der Bau strebt eine gewisse Einheit von architektonischer Form und Gegenstand der Sammlung an, indem er nach heimatlichen Vorbildern Stilelemente von der Gotik bis zur Renaissance nebeneinanderstellt. So folgt der Turm der Bischofsburg in Wittstock, und die durchbrochenen Giebel sind der Katharinenkapelle in Brandenburg entlehnt. Neben dem Eingang an der Wallstraße steht eine Kopie des Brandenburger Roland von 1474 und im Köllnischen Park der 1893 hierhin versetzte Wusterhausensche Bär, ein Turm der Memhardtschen Stadtbefestigung von 1658 bis 1683, der früher weiter westlich stand.
Das Museum, das im Zweiten Weltkrieg erhebliche Verluste erlitt, gliedert sich in zwei Abteilungen, die die Geschichte Berlins von der Steinzeit bis 1849 bzw. nach 1849 darstellen. Darüber hinaus zeigen Sonderräume das Wirken einzelner Personen, z. B. Gerhart *Hauptmanns*, Heinrich *Zilles* und *Theodor Fontanes*, bzw. die Erzeugnisse bestimmter Teilgebiete der Kunst und des Kunstgewerbes, so etwa Berliner Fayencen des 18. Jahrhunderts, brandenburgische Gläser, Berliner Porzellan, Eisenkunstguß, märkische Skulptur der Gotik u. a. Breiten Raum nimmt Bauplastik verschiedener

Epochen ein, und viele Gemälde zeigen Personen, Bauwerke und Szenen aus der Berliner Geschichte.
LITERATUR: H. J. Beeskow u. a., Das Märkische Museum und seine Sammlungen. 1974. – Berliner Kunst vom Barock bis zur Gegenwart. Märkisches Museum. 1963.

Märkisches Viertel

Als Trabantenstadt für etwa 50 000 Bewohner entstand das Märkische Viertel im Norden Westberlins (Bez. *Reinickendorf*, Ortsteil Wittenau). Auf einem ehemaligen Kleingartengelände von 280 Hektar Fläche wurden zwischen 1963 und 1974 etwa 20 300 Wohnungen errichtet, meist in bunt angemalten Hochhäusern, die sich auf eine Höhe von bis zu 16 Stockwerken staffeln.
Trotz eines großen Angebots an Schulen, Kindertagesstätten und anderen Gemeinschaftseinrichtungen hat das Märkische Viertel viel Kritik erfahren. Vor allem wurden das Freizeitangebot, die Grünflächen und insbesondere auch die Verkehrsanbindung des direkt an der Sektorengrenze liegenden Gebietes als ungenügend empfunden. Die zu hohen Bauten, organisatorische Mängel, z. B. die verspätete Fertigstellung sozialer Einrichtungen, wenig Kommunikation und statt dessen viel Isolation bei hoher Baudichte waren weitere Kritikpunkte, die das Viertel zu einem Muster fragwürdiger Stadtplanung machten. Dabei hatte es durchaus eine städtebauliche Konzeption gegeben, die beachtlich war: Sie basiert vor allem im Ersatz einer gleichmäßigen Flächenbebauung durch geschlossene Ketten unterschiedlich hoher Wohnbauten, die Grünflächen, aber auch größere Zonen bereits vorhandener oder neu angelegter Einfamilienhausbebauung einschließen.

Marstall

Nach dem Brand eines Vorgängerbaus wurde in den Jahren 1665 bis 1670 an der Breiten Straße nach Plänen des Baumeisters Michael Matthias Smids das heute als Alter Marstall bekannte frühbarocke Bauwerk errichtet. Beim Wiederaufbau nach Kriegszerstörungen wurde das Relief des flachen Mittelgiebels nicht restauriert.

An den Alten Marstall schließt sich rechts das Ribbeckhaus an, das älteste Bürgerhaus Berlins, ein Renaissancebau mit vier Giebeln und einem reich verzierten Sandsteinportal im sogenannten Knorpelstil. Es wurde vom kurfürstlichen Kammerrat Hans Georg von Ribbeck 1624 erbaut und ging 1628 in den Besitz der Herzogin Anna Sophie von Braunschweig-Lüneburg über. In deren Auftrag gab der Dresdener Baumeister Balthasar Benzelt dem Haus die heutige, nach Kriegszerstörungen 1964 bis 1966 restaurierte Gestalt.

Nach links zum ehemaligen Schloß hin (heute zum Palast der Republik) schließt sich an den Alten der 1896 bis 1902 von Ernst Eberhard von *Ihne* errichtete neubarocke Neue Marstall an, der sich architektonisch an die Gestaltung des Schlosses anlehnt. Auch dieses Gebäude wurde nach Kriegsschäden bis 1968 rekonstruiert. Bis zu seiner Erbauung gab es einen anderen Marstall auf dem Gelände der späteren *Preußischen Staatsbibliothek* Unter den Linden. Er war nach Plänen von Johann Arnold *Nering* 1687 bis 1706 erbaut worden und beherbergte zeitweise die *Akademien der Wissenschaften* und *der Künste*. Im Roten Saal dieses Gebäudes hielt Johann Gottlieb Fichte 1807/08 die »Reden an die deutsche Nation«.

Martin-Gropius-Bau

Das 1877 bis 1881 von Martin Gropius und Heino Schmieden errichtete ehemalige Gebäude des *Kunstgewerbemuseums* an der Niederkirchnerstraße, der früheren Prinz-Albrecht-Straße, direkt an der Mauer, ist ein bedeutendes Beispiel der noch von Schinkel beeinflußten Architektur der zweiten Hälfte des 19. Jahrhunderts. Der dreigeschossige quadratische Ziegelbau mit Granitsockel knüpft an Villenformen der Renaissance an. Eine friesartige Zone von Majolikaplatten schmückt das dritte Geschoß.

Das im Zweiten Weltkrieg stark beschädigte Gebäude war als Ruine konserviert worden, bis es in den Jahren 1977 bis 1981 wiederhergestellt wurde. Es wird heute für große Sonderausstellungen genutzt, z. B. im Jahr 1985 für die beiden großen China-Ausstellungen »Palastmuseum Peking« und »Europa und die Kaiser von China«, die im Rahmen der Veranstaltung *Horizonte* durchgeführt wurden. Im Jubiläumsjahr 1987 wird die zentrale historische Ausstellung »750 Jahre Berlin« ebenfalls im Martin-Gropius-Bau stattfinden.

Marx-Engels-Forum

Auf dem Platz zwischen Spree und Spandauer Straße, Karl-Liebknecht-Straße und neu errichtetem *Nikolaiviertel* fand am 4. April 1986 als vorgezogener Beitrag zur 750-Jahr-Feier und rechtzeitig vor dem XI. Parteitag der SED die feierliche Einweihung des Marx-Engels-Forums statt. Der SED-Generalsekretär und Staatsratsvorsitzende Erich Honekker widmete das »städtebauliche und künstlerische« Ensemble den – wie er sagte – »größten Söhnen des deutschen Volkes« und »Vätern des wissenschaftlichen Sozialismus«, Karl Marx und Friedrich Engels.

Die doppelt lebensgroßen kupfernen Figuren – Marx sitzend, Engels leicht in den Hintergrund gerückt und stehend – sind das Werk eines Kollektivs unter Leitung des Bildhauers Ludwig Engelhardt, der seit 1974 an der Konzeption und 1977 an der Ausführung gearbeitet hat. Für das Monument war bereits in den sechziger Jahren ein Wettbewerb ausgeschrieben worden; 1973 hatte das SED-Politbüro die Errichtung beschlossen, und 1980 teilte dann Honecker vor dem X. Parteitag mit, das Werk werde im Herzen Berlins vom »Sieg der Idee von Marx und Engels« auch auf deutschem Boden künden.

Das Denkmal steht auf einer Kreisfläche von 60 m Durchmesser mit dem Rücken der Figuren zum *Palast der Republik*. Im Blickfeld der Gründerväter zeigen dunkle doppelseitige Bronzereliefs der Bildhauerin Margret Middell »glückliches menschliches Dasein im Sozialismus, das individuelle Erfüllung ermöglicht«, während außerhalb des Kreises und im Rücken der »Klassiker« die »unmenschlichen Zustände in der alten, kapitalistischen Welt« auf leuchtend weißen Marmorreliefs von Werner Stötzer dargestellt sind. Das künstlerische Angebot ergänzen vier silbern polierte, stählerne Doppel-Stelen, die in Augenhöhe kleine Dokumentarfotos – meist im Postkartenformat – von Szenen aus der Geschichte der Arbeiterbewegung tragen.

Matthäuskirche

Nach den Zerstörungen des Bombenkriegs ist die Matthäuskirche nahe der Potsdamer Straße im Bezirk *Tiergarten* eines der wenigen wiederaufgebauten Gebäude im sogenannten Alten Westen Berlins, dem Diplomatenviertel der Reichshauptstadt. Die Kirche wurde im Geist Schinkels als teilweise romanisierender dreischiffiger gelber Ziegelbau mit großer Mittelapsis und niedrigen Seitenapsiden 1844 bis 1846 von Friedrich August *Stüler* errichtet. Nach starken Kriegsbeschädigungen wurde sie 1956 bis 1960 äußerlich getreu, aber mit moderner Innenausstattung wiederaufgebaut.

Mausoleum

Im Park von Schloß Charlottenburg steht das Mausoleum, das König Friedrich Wilhelm III. für seine Frau Luise (*1776, †1810) errichten ließ. Nach einem Entwurf von *Schinkel* begann Heinrich *Gentz*, auf den vor allem die Gestaltung des Inneren zurückgeht, bereits wenige Wochen nach dem Tode der Königin den Bau, der in seiner ersten Form 1812 vollendet wurde.
Die Front des Mausoleums hat die Gestalt eines dorischen Tempels. Die Säulen waren ursprünglich aus Sandstein; sie wurden 1828/29 auf die *Pfaueninsel* verbracht und durch neue Säulen aus rötlichem märkischem Findlingsgranit ersetzt. Die beiden Kandelaber wurden 1812 von Schinkel entworfen und von Christian Daniel *Rauch* bzw. Christian Friedrich Tieck ausgeführt.
Nach dem Tod Friedrich Wilhelms III. im Jahr 1840 und Wilhelms I. (1888) erfolgten 1841/42 bzw. 1890/91 Anbauten und Erweiterungen des Mausoleums, das heute die Sarkophage Luises (aufgestellt 1815) und Friedrich Wilhelms III. (aufgestellt 1846) von Christian Daniel Rauch enthält sowie die von Erdmann Encke geschaffenen Sarkophage Wilhelms I. und seiner Frau Augusta (†1890), die 1894 aufgestellt wurden.

Moses **Mendelssohn**

*Philosoph, *6. September 1729 Dessau, †4. Januar 1786 Berlin.*
Der Sohn eines Toraschreibers kam im Jahr 1743 nach Berlin. Hier vertiefte er das Studium der Bibel bei dem ebenfalls aus Dessau nach Berlin gekommenen Oberlandesrabbiner David Fränkel und erwarb als Autodidakt breite Kenntnisse der Literatur, Philosophie und Mathematik. Er wurde 1750 Hauslehrer beim Seidenhändler Isaak Bernhard, der ihn ab 1754 als Buchhalter in seiner 1752 gegründeten Seidenfabrik beschäftigte, wo er ab 1756 nur noch halbtags arbeiten mußte. Bernhard machte ihn nach seinem Tod 1768 zum Teilhaber seines Geschäftes.
1754 lernte Mendelssohn *Lessing* kennen, durch den er bald auch mit dem Verleger und Schriftsteller Christoph Friedrich *Nicolai* bekannt wurde. Die Freundschaft dieser drei Männer wurde die Basis der Aufklärung in Berlin. In Nicolais Zeitschriften betätigte sich Mendelssohn als Literaturkritiker.
In seinen philosophischen Veröffentlichungen wandte er sich an Nichtjuden und Juden. Er schrieb »Über die Wahrscheinlichkeit« (1756) und »Von den Quellen und Verbindungen der schönen Künste und Wissenschaften« (1757). Später behandelte er in der Tradition von Christian Wolff, Gottfried Wilhelm *Leibniz* und Baruch Spinoza Fragen der Ästhetik (»Philosophische Schriften«, 1761) und der Unsterblichkeit der Seele (»Phaedon«, 1767). Als Vertreter von Toleranz und Humanität wurde er zum Vorbild für Lessings »Nathan«. Seine Arbeit »Abhandlung über die Evidenz in den metaphysischen Wissenschaften« erhielt 1763 bei einem Wettbewerb der Akademie der Wissenschaften den Preis (den zweiten erhielt Immanuel Kant). Mendelssohns Aufnahme in die Akademie verhinderte allerdings Friedrich II. 1771, indem er ihn von der Vorschlagsliste strich.
Mit der Übersetzung der Tora, der fünf Bücher Mose (1780 bis 1783), sowie der Psalmen (1783) ins Deutsche erschloß er seinen jüdischen Landsleuten die deut-

sche Sprache und schuf damit ebenso wie durch andere Schriften wichtige Voraussetzungen ihrer Emanzipation. Die Angriffe auf das Judentum durch den schweizerischen Schriftsteller Johann Kaspar Lavater, der ihn 1769 zu bekehren versuchte, hatten ihn schon zuvor veranlaßt, seine Religion zu verteidigen. Dies gipfelte in dem Werk »Jerusalem oder über religiöse Macht und Judentum« (1783). Hier ging es ihm auch um bürgerliche Rechte. Zu diesem Zweck stellte Mendelssohn die Vereinbarkeit, ja, die Übereinstimmung von jüdischem Glauben und rationaler Erkenntnis Gottes dar. Damit wurde das Judentum für ihn und seine Leser zur Vernunftreligion der Aufklärung, da nur das Gesetz offenbart sei und seine Einhaltung, die den Juden geboten sei, vor dem Einbruch des Aberglaubens in die Religion schütze.

Für die Gleichberechtigung seiner jüdischen Mitbürger, die noch sehr begrenzt war – er selbst hatte erst 1763 den Status eines »außerordentlichen Schutzjuden« erhalten –, setzte sich Mendelssohn, der durch seine Geschäftstätigkeit einigen Wohlstand erworben hatte, auch praktisch ein, indem er sich 1781 an der Gründung der ersten Schule für jüdische Kinder beteiligte.

Mendelssohn hatte zehn Kinder, von denen vier in frühem Kindesalter starben. Seine älteste überlebende Tochter Brendel (*1764, †1839) war als Frau des Bankiers Simon Veit Mutter der Maler Johannes (Jonas) und Philipp Veit, die zu den Nazarenern gehörten, nannte sich 1798 Dorothea, trennte sich im gleichen Jahr von ihrem Mann und heiratete 1804 Friedrich *Schlegel*, mit dem sie 1808 zum katholischen Glauben übertrat, nachdem sie bereits 1804 protestantisch getauft worden war. Tochter Henriette (*1775, †1831), die 1812 ebenfalls zum katholischen Glauben übertrat, lebte von 1802 bis 1824 in Paris und verkehrte dort mit Madame de Staël, den Brüdern *Humboldt* und *Schlegel* sowie *Chamisso* und *Zelter*. Sohn Abraham (*1776, †1835), der seinen jüdischen Glauben behielt, war Bankier. Er war der Vater des Komponisten Felix *Mendelssohn Bartholdy*.

LITERATUR: H. Knobloch, Herr Moses in Berlin. ²1980. – G. Nador, Moses Mendelssohn. 1969. – J. H. Schoeps, Moses Mendelssohn. 1979.

Felix **Mendelssohn Bartholdy**

*Komponist, *3. Februar 1809 Hamburg, †4. November 1847 Leipzig.*

Felix Mendelssohn Bartholdy, der Enkel von Moses *Mendelssohn*, wurde u. a. von Carl Friedrich *Zelter* in Berlin ausgebildet. Als er neun Jahre alt war, trat er zum ersten Mal öffentlich als Pianist auf, und im Alter von siebzehn Jahren komponierte er die Ouvertüre zu Shakespeares »Ein Sommernachtstraum«. Mit Zelters Unterstützung brachte er 1829 mit der Berliner Singakademie Johann Sebastian Bachs Matthäus-Passion zur Wiederaufführung, der ersten nach Bachs Tod, und trug damit zur Wiederentdeckung dieses Komponisten bei.

Mendelssohn Bartholdy machte viele Konzertreisen durch Deutschland, Italien, Frankreich, England und die Niederlande. 1833 bis 1835 war er städtischer Musikdirektor in Düsseldorf. 1835 wurde er Leiter der Gewandhauskonzerte in Leipzig, wo er 1843 an der Gründung des Konservatoriums mitwirkte, dessen erster Direktor er war. 1841 bis 1844 arbeitete er auch häufig in Berlin, und 1842 wurde er zum Preußischen Generalmusikdirektor ernannt.

LITERATUR: C. Dahlhaus (Hrsg.), Das Problem Mendelssohn. 1974. – F. Krummacher, Mendelssohn – der Komponist. 1978. – E. Werner, Mendelssohn. 1980. – H. C. Worbs, Felix Mendelssohn Bartholdy in Selbstzeugnissen und Bilddokumenten. 1974.

Adolph von **Menzel**

*Maler, Zeichner und Graphiker, *8. Dezember 1815 Breslau, †9. Februar 1905 Berlin.*

Adolph Menzel kam 1830 mit seinem Vater nach Berlin. In dessen Werkstatt, die er später übernahm, erlernte er die Lithographie. 1833 machte er mit sechs lithographierten Federzeichnungen zu Goethes Gedicht »Künstlers Erdenwallen« auf sich aufmerksam. Mit seinen 400 Federzeichnungen als Vorlagen für Holzschnitte zur »Geschichte Friedrichs des Großen« von Franz Kugler schuf Menzel einen neuen malerischen Holzschnittstil.

Als Zeichner war Menzel unermüdlich bestrebt, das Geschehen in seiner Umwelt realistisch wiederzugeben, und so hinterließ er ein umfangreiches zeichnerisches Werk.

Um 1836 wandte sich Menzel der Malerei zu, die er überwiegend als Autodidakt betrieb, denn die Akademie hatte er nur kurze Zeit besucht. Er wählte zum Teil anspruchslose Motive, aber auch für seine Zeit ungewöhnliche Themen wie »Berlin-Potsdamer Bahn« (1847, *Neue Nationalgalerie*) oder »Eisenwalzwerk« (1875, Nationalgalerie auf der *Museumsinsel*), das erste Bild in Deutschland, das ein Industriewerk darstellt. Menzels malerisches Werk gewann um 1845 an Bedeutung. Er war mit seiner Malweise seiner Zeit weit vorausgeeilt und zu einem Vorläufer des deutschen Impressionismus geworden. Die Stoffe seiner historischen Gemälde wählte er ab 1850 bevorzugt aus der friderizianischen Zeit. Um 1860 wandte sich Menzel der zeitgenössischen Geschichte zu und wählte Themen aus dem Berliner Hofleben.

Menzel war eine hochgeehrte und gefeierte Persönlichkeit. Er wurde Professor und Mitglied der Akademie der Künste, erhielt den Schwarzen Adlerorden, die höchste preußische Auszeichnung, wurde 1898 geadelt und mit dem Titel Exzellenz geehrt. Als der Künstler 1905 starb, geleitete Kaiser Wilhelm II. ihn zu Grabe.

Die *Neue Nationalgalerie* zeigt Menzels Werke »Das Balkonzimmer« (1845), »Bauplatz mit Weiden« (1846), »Das Schlafzimmer des Künstlers« (1847), »Die Berlin-Potsdamer Bahn« (1847), »Das Flötenkonzert« (1852), »Théâtre du Gymnase« (1856) und »Ballsouper« (1878). In der Nationalgalerie auf der *Museumsinsel* hängen »Der Gerichtstag« (1839), »Park des Prinzen Albrecht« (1846), »Schlafender Mann mit Vollbart« (1855), »Friedrichsgracht« (um 1855-1860), »Friedrich des Großen Begegnung mit Kaiser Joseph II. in Neiße 1769« (1857), »Nach dem Fackelzug« (1858), »Friedrich der Große in Lissa« (1858) und »Eisenwalzwerk« (1875). Im *Märkischen Museum* befindet sich das Bild »Am Kreuzberg« (1847). Das Kupferstichkabinett der Ostberliner Staatlichen Museen verwaltet den zeichnerischen Nachlaß Menzels (6000 Arbeiten).

LITERATUR: W. Hütt, Adolf Menzel. 1981. - J. C. Jensen, Adolph Menzel.

1982. - M. Jordan, Das Werk Adolf Menzels. Faksimile-Ausgabe der Auflage von 1895. 1979. - G. Kirstein, Das Leben Menzels. 1920. - I. Wirth, Mit Adolf Menzel in Berlin. 1965.

Messegelände

Das Ausstellungs- und Messegelände am Messedamm in Charlottenburg zu Füßen des *Funkturms* bietet in 24 Hallen etwa 90 000 m² Ausstellungsfläche. Hinzu kommen 40 000 m² Freigelände. Die erste Halle wurde ab 1913 errichtet und 1921 eingeweiht. In den zwanziger Jahren erfolgte ein Ausbau des Geländes. Diese Anlagen fielen jedoch überwiegend einem Großbrand 1935 und den Zerstörungen des Bombenkriegs zum Opfer. Um 1930 entstand der noch existierende ovale Sommergarten. Die meisten heutigen Hallen wurden zwischen 1950 und Anfang der siebziger Jahre erbaut. Sie sind sämtlich untereinander verbunden, so daß auch bei Regen ein »trockener« Rundgang möglich ist.

Zu den wichtigsten Messen und Ausstellungen, die regelmäßig stattfinden, gehören: die Internationale Funkausstellung (jedes zweite Jahr), die Internationale Grüne Woche, die Internationale Tourismus-Börse, die Ausstellung Pharmazeutischer und Medizinischer Technik sowie die Übersee-Import-Messe »Partner des Fortschritts« (sämtlich jährlich).

Michaelkirche

Im Südosten des Berliner Bezirks *Mitte*, nahe der Grenze zum Westberliner Bezirk Kreuzberg und nahe dem Heinrich-Heine-Platz, steht die Michaelkirche. Der Schinkel-Schüler August Soller erbaute sie 1849 bis 1856 als zweite katholische Kirche Berlins. Charakteristisch für das Bauwerk, das italienischen Renaissance-Vorbildern folgt, ist vor allem die Vierungskuppel. Sie beherrscht den nach Kriegszerstörungen teilweise wiederaufgebauten Chor- und Querschiffbereich. Die Fassade ist durch einen dreifenstrigen Glockengiebel über einer hohen Rundbogennische gekennzeichnet. Den Giebel krönt die Figur des namengebenden Erzengels.

Mietskasernen

Berlin war in seiner Geschichte stets sehr dicht besiedelt. Als im 19. Jahrhundert seine Bevölkerung rasch anwuchs, bildete sich eine Erscheinung heraus, die sein Bild stärker beherrschte – vor allem in den Arbeiterwohnbezirken –, als dies bei den meisten deutschen und europäischen Großstädten der Fall war: die Mietskaserne.

Um 1820 gab es zwar noch nicht den Begriff, aber bereits das Phänomen, vor allem in den nördlichen Vorstädten Berlins vor dem Oranienburger und Hamburger Tor, wo die Industrialisierung einsetzte. Besonders stark entwickelte sich diese Bauweise nach 1862. In diesem Jahr trat der von James Hobrecht geschaffene Generalbebauungsplan für das 1861 durch Eingemeindung kräftig vergrößerte *Stadtgebiet* in Kraft. Er legte weit über das bereits bebaute Gebiet hinaus ein relativ weitmaschiges Straßennetz fest, das häufig zu überdimensionierten Baublöcken führte. Besonders schwerwiegend wirkte sich aus, daß die Anzahl der Stockwerke und die Bebauung der Grundstücksteile, die der Straße abgewandt waren, nicht geregelt wurden. Dies führte hinter den Straßenfronten zur Anlage von bis zu sechs Hinterhöfen, die von Quergebäuden und Seitenflügeln umbaut waren. Für die Hinterhöfe zwischen diesen oft sechsstöckigen Bauwerken war eine Mindestgröße von nur 28 m² festgelegt worden, was gerade zum Wenden einer Feuerspritze ausreichte. Die Folge war eine extreme Lichtarmut der Höfe und Wohnungen. Häufig waren die Hinterhöfe Standort kleiner Industrie- bzw. Gewerbebetriebe, was die Wohnqualität oft zusätzlich beeinträchtigte.

Da die Bevölkerung Berlins zwischen 1861 und 1910 von 548000 auf 2076000 Menschen, also um 279% wuchs, breiteten sich die Mietskasernen immer mehr aus. Obwohl es auch durchaus lose bebaute Ortsteile gab, lebten 1910 auf den rund 26000 Grundstücken der Stadt durchschnittlich 80 Menschen, in den heutigen Bezirken *Prenzlauer Berg* und *Wedding* sogar über 100. In einem Häuserblock an der Ackerstraße in Wedding wurden bereits 1895 1074 Bewohner gezählt. Im Kern von Prenzlauer Berg wohnten nach 1925 auf einem Hektar

bebauter Fläche durchschnittlich 948 Menschen. Eine neue Bauordnung vom 3. November 1925 führte endlich insofern zu einem Wandel, als sie die Anlage neuer Mietskasernen unterband, während die bestehenden, soweit sie nicht den Bomben des Zweiten Weltkrieges zum Opfer fielen, erst in der Nachkriegszeit weitgehend saniert wurden.

LITERATUR: W. Hegemann, Das steinerne Berlin. Geschichte der größten Mietskasernenstadt der Welt. 1930. Neudruck 1976, 1984.

Mitte

Bei der Eingemeindung 1920 wurde aus dem zentralen Teil des zu diesem Zeitpunkt bereits bestehenden Stadtgebietes der 1. Verwaltungsbezirk von Berlin gebildet, der den Namen Mitte erhielt und seit 1945 zum sowjetischen Sektor gehört.

Die Bezirksgrenzen entsprechen im Westen und Nordosten etwa dem Verlauf der *Akzisemauer* von 1734. Im Norden und Nordwesten umfassen sie auch jüngeres Stadtgebiet, während im Osten und Süden altes Stadtgebiet den Bezirken *Friedrichshain* und *Kreuzberg* zugeordnet wurde. Im Bezirk Mitte befindet sich das historische Kerngebiet Berlins mit der Cöllner Spreeinsel und Alt-Berlin am gegenüberliegenden Spreeufer, dessen nordöstliche Grenze heute ungefähr durch den Verlauf der S-Bahn markiert ist.

Bis zur Spaltung der Stadt war der Bezirk Mitte das uneingeschränkte Zentrum Berlins mit der repräsentativen Straße *Unter den Linden*, den Hauptgeschäftsstraßen Friedrich- und Leipziger Straße und zahlreichen kulturellen Einrichtungen, die sich hier konzentrierten. Im Südwesten des Bezirks entwickelte sich nach der Reichsgründung 1871 das Gebiet der Wilhelmstraße durch Ansiedlung zahlreicher Ministerien und Behörden zum politischen Zentrum Deutschlands und blieb es bis 1945.

Im Zweiten Weltkrieg wurden im Bezirk Mitte 60% der Wohngebäude und zahlreiche historische Bauwerke zerstört. Zudem wurden viele beschädigte Gebäude in der Nachkriegszeit zugunsten einer Neugestaltung der Innenstadt abgerissen. So wurde z. B. 1950/51 das *Berliner Schloß* gesprengt.

Heute ist der Bezirk Mitte Sitz der wichtigsten Regierungsorgane der DDR, die seit ihrer Gründung im Jahr 1949 von Ostberlin aus verwaltet wird. So entstanden z. B. am Marx-Engels-Platz 1962 bis 1964 das Staatsratsgebäude und 1973 bis 1976 der *Palast der Republik*, dessen Kleiner Saal der Volkskammer als Plenarsaal dient. Mehrere Ministerien der DDR sind im früheren Gebäude des Reichsluftfahrtministeriums an der Kreuzung der Leipziger Straße und der Wilhelmstraße, heute Otto-Grotewohl-Straße, untergebracht, das deshalb als *Haus der Ministerien* bezeichnet wird.

Molkenmarkt

Dieser Platz, der zunächst Alter Markt genannt wurde, liegt im Süden des *Nikolaiviertels*, der mittelalterlichen Altstadt Berlins. Er ist gewissermaßen die Keimzelle der Stadt. Von hier aus führte der Weg über den ältesten Spreeübergang, den Mühlendamm, hinüber auf die Cöllner Spreeinsel. An der Westseite des Platzes steht die *Nikolaikirche*, das wohl älteste Bauwerk Berlins. Am Alten Markt befand sich vermutlich auch das erste *Rathaus*. Auf dem Platz stand im Mittelalter eine Rolandsfigur. Nach 1600 erhielt er den Namen Molkenmarkt, weil hier die Milch einer damals vor dem Teltower Tor errichteten Meierei verkauft wurde.

Am Molkenmarkt entstand 1935 das Gebäude der Berliner Reichsmünze. In den Gebäudekomplex, heute Ministerium für Kultur der DDR, wurde das 1704 von Jean de Bodt errichtete Palais Schwerin einbezogen, das reichen plastischen Schmuck, vor allem in den Rundbögen über den Fenstern des ersten Stocks, aufweist. Am Münzgebäude ist eine Kopie des Frieses angebracht, den Johann Gottfried *Schadow* nach Friedrich *Gillys* Entwurf für die um 1800 erbaute ehemalige Münze am Werderschen Markt geschaffen hatte. Im Zusammenhang mit dem Bau der Reichsmünze wurden in den dreißiger Jahren die alten Gebäude der düsteren Gasse am Krögel, die zur Spree hinunterführte und an der das Gefängnis der Stadtvogtei lag, abgerissen.

Müggelsee

Der 7,4 km² große und bis 8 m tiefe Müggelsee im Süden Ostberlins im Bezirk *Köpenick* ist der größte See im Ostteil der Stadt. Am Nordwestufer liegt der Ortsteil Friedrichshagen, wo ein 120 m langer Tunnel, der 1926 angelegt wurde, die Spree unterquert. Friedrichshagen wurde 1753 unter Friedrich dem Großen als Ansiedlung für 100 Familien von Baumwollspinnern gegründet. Ende des 19. Jahrhunderts ließen sich hier zahlreiche Künstler und Literaten nieder, und es entstand der *Friedrichshagener Dichterkreis*. Das alte Fischerdorf Rahnsdorf am Ostufer des Sees wurde 1375 im Landbuch Karls IV. erstmals urkundlich erwähnt. Hier befindet sich die 1931 errichtete ausgedehnte Anlage des Strandbads Müggelsee.

Das unbebaute Südufer wird von Wald gesäumt, der zu den 115 m Höhe erreichenden Müggelbergen aufsteigt und ein beliebtes Ausflugsgebiet bildet. An der Stelle eines hölzernen Aussichtsturms vom Ende des 19. Jahrhunderts, der 1958 abbrannte, wurde 1960/61 ein weithin sichtbarer 30 m hoher Stahlbetonturm mit angebauten Restaurants errichtet.

Museen in Dahlem

Der Gebäudekomplex in Dahlem zwischen Arnimallee, Fabeck-, Lans- und Takustraße beherbergt mit der Gemälde- und der Skulpturengalerie, dem Kupferstichkabinett und den Museen für Indische, Islamische und Ostasiatische Kunst sowie für Völkerkunde große Teile der Westberliner Bestände der Staatlichen Museen. Der an der Arnimallee gelegene Gebäudeteil wurde auf Betreiben des Generaldirektors der Berliner Museen Wilhelm von Bode in den Jahren 1914 bis 1921 von Bruno Paul errichtet. Zunächst sollte hier das Asiatische Museum untergebracht werden. Deshalb wurde auch ein Saal geplant, der geeignet war, die 45 m lange Fassade des Omajjadenschlosses Mschatta aus dem 8. Jahrhundert aufzunehmen. Diese Fassade wurde dann allerdings im Vorderasiatischen Museum auf der *Museumsinsel* aufgestellt, wo sie nach Zerstörung und Wiederaufbau heute noch zu sehen ist.

Das Gebäude an der Arnimallee war dann bis zum Zweiten Weltkrieg Magazin des Museums für Völkerkunde. Seit den fünfziger Jahren diente es der zunächst provisorischen Unterbringung und öffentlichen Ausstellung der nach Westdeutschland ausgelagerten und nach Westberlin zurückgeführten Bestände der Staatlichen Museen. In den sechziger Jahren erfolgten umfangreiche Erweiterungsbauten um zwei Innenhöfe und bis zur Lansstraße. Wenn die geplanten Museumsneubauten im Rahmen des *Kulturforums* am Kemperplatz im Bezirk *Tiergarten* fertiggestellt sind, werden in Dahlem nur das Völkerkundemuseum und die Museumsbestände aus den asiatischen und amerikanischen Hochkulturen verbleiben.

Die Gemäldegalerie
zeigt die Malerei vom Mittelalter bis zum 18. Jahrhundert. Bedingt durch die unterschiedlichen Auslagerungsorte, enthält die Sammlung überwiegend mittel- und kleinformatige Bilder. Besonders stark sind die italienische, deutsche und niederländische Malerei des Mittelalters und der Renaissance sowie die niederländische Barockmalerei vertreten. Eines der Prunkstücke hat an Glanz verloren, seitdem »Der Mann mit dem Goldhelm« nicht mehr Rembrandt zugeschrieben wird.

Die Skulpturengalerie
wird auch heute noch als bedeutendste Sammlung ihrer Art in Deutschland bezeichnet. Sie zeigt Werke von der frühchristlich-byzantinischen Zeit (3. bis 7. Jahrhundert) bis zum ausgehenden 18. Jahrhundert mit Schwergewicht auf italienischen Skulpturen vom Mittelalter bis zum Barock und deutschen Objekten bis etwa 1550.

Das Kupferstichkabinett
enthält fast alle wichtigen Bestände der Sammlung der Vorkriegszeit: Zeichnungen, Druckgraphik, Holzschnitte und Kupferstiche des 15. bis 18. Jahrhunderts. Unter den 22000 Zeichnungen sind 125 Arbeiten Dürers und 150 von Rembrandt besonders zu nennen. Im Bereich der Druckgraphik (300000 Blätter) sind zahlreiche Künstler mehr oder weniger komplett vertreten. Außerdem werden etwa 1500 illustrierte Bücher der

Zeit von 1460 bis 1550 und aus dem Mittelalter über 100 illustrierte Handschriften und 400 Einzelminiaturen aufbewahrt.

Das Museum für Indische Kunst
wurde 1963 aus dem Museum für Völkerkunde ausgegliedert. Es gilt als bedeutendste Sammlung indischer Kunst in Deutschland. Neben Indien sind Hinterindien und Indonesien mit Bronzearbeiten, Schnitzereien und anderem Kunstgewerbe, Malereien und Steinskulpturen vertreten. Die umfangreichen Funde aus Zentralasien, u. a. die Fresken aus Turfan, gehen größtenteils auf vier Expeditionen der Zeit zwischen 1902 und 1914 zurück.

Das Museum für Islamische Kunst
enthält überwiegend kleinformatige Stücke aus Beständen der Vorkriegszeit. Die Sammlung wurde nach 1945 durch Ankäufe erheblich erweitert. Neben Kunst und Kunstgewerbe aus Metall, Elfenbein, Keramik und Glas, Teppichen und anderen Textilien, Miniaturmalereien, Büchern und Möbeln aus verschiedenen islamischen Ländern vom 7. bis etwa zum 17. Jahrhundert werden auch Zeugnisse vorislamischer Kulturen aus Südarabien und Persien gezeigt.

Das Museum für Ostasiatische Kunst
enthält nur einen sehr kleinen Teil der vor 1945 in Berlin vorhandenen Bestände aus Japan, Korea und China, nämlich etwa 300 von 7000 Exponaten. Auch in Ostberlin ist nur wenig erhalten geblieben. Das meiste blieb verschollen, nachdem es sowjetischen Truppen im Flakturm am Zoo in die Hände gefallen war; einiges war schon vorher zerstört worden. Aus diesen Gründen sind die Bestände des Museums trotz umfangreicher Neuerwerbungen durchaus lückenhaft und nicht für alle Epochen und Gebiete repräsentativ. Einen deutlichen Schwerpunkt der Sammlung bilden die chinesische und japanische Malerei.

Das Museum für Völkerkunde
gliedert sich in die Abteilungen Alt-Amerika (amerikanische Hochkulturen), Südsee, Afrika, Südasien und Ostasien. Es besitzt etwa 500000 einzelne Sammlungsgegenstände und gehört zu den führenden Museen dieser Art. Seine Tä-

tigkeit geht auf den Großen Kurfürsten zurück, der bereits ostasiatische Antiquitäten sammelte. 1829 wurde in Berlin eine »Ethnographische Sammlung« eingerichtet, deren Direktor Leopold Freiherr von Ledebur 1862 durch Ankauf eines Museumsbestandes die Basis für die Alt-Amerika-Abteilung schuf. Sein Nachfolger Adolf Bastian, der als Begründer der Völkerkunde gilt und selbst auf zahlreichen Reisen wertvolles Material zusammentrug, machte 1873 aus der Sammlung ein eigenes Museum, das 1886 ein Gebäude an der Prinz-Albrecht-Straße bezog. Bastian sorgte auch für die Organisation und Finanzierung von Expeditionen. Der Erwerb deutscher Kolonien seit 1884 wirkte sich ebenfalls günstig für das Museum aus, das seine Forschungstätigkeit bis in die Gegenwart fortsetzt.

Der Zweite Weltkrieg brachte vor allem den Abteilungen Ostasien und Afrika schwere Verluste, danach wuchsen die Bestände durch Ankäufe wieder an. Nur ein Bruchteil kann ausgestellt werden; dies geschieht allerdings, besonders in den neuen Museumsteilen, in sehr eindrucksvoller Form.

Sammlungsschwerpunkte sind im Bereich Alt-Amerika Keramik und Textilien aus Peru, in der Südsee-Abteilung Häuser und Boote von verschiedenen Inseln sowie in der Afrika-Abteilung Bronzen und Elfenbeinschnitzereien aus Benin.

LITERATUR: M. Brisch u. a., Museum für Islamische Kunst. 1971. – D. Eisleb, Alt-Amerika. 1974. – V. H. Elbern, Ikonen. Aus der Frühchristlich-Byzantinischen Sammlung. 1970. – Gemäldegalerie. Katalog der ausgestellten Gemälde des 13.–18. Jh. 1975. – H. Härtel u. a., Museum für Indische Kunst. 1971. – G. Koch, Südsee. 1969. – K. Krieger, Westafrikanische Plastik. 3 Bände. 1965–1969. – B. v. Ragué, Ausgewählte Werke Ostasiatischer Kunst. ²1970.

Museumsinsel

In den ersten Jahrzehnten des 19. Jahrhunderts fand der Gedanke, die bisher hauptsächlich in den königlichen Schlössern oder in Privathäusern gesammelten Kunstschätze in Museen der Öffentlichkeit zugänglich zu machen, auch in Berlin immer mehr Fürsprecher. Zu ihnen gehörten u. a. Staatsmänner und Wissenschaftler wie Staatskanzler Fürst Hardenberg und die Brüder Wilhelm und Alexander von Humboldt sowie Künstler wie Schinkel und Rauch. Sie konnten den König auf das Vorbild anderer Hauptstädte und Residenzen verweisen. Bereits 1753 hatte das Parlament in London die Gründung des British Museum beschlossen. Die Einrichtung des Museums im Louvre in Paris 1792 war ein Ergebnis der Französischen Revolution. 1815 entstand das Museum im Prado in Madrid, und 1816 begann Leo von Klenze in München den Bau der Glyptothek, des ersten eigens als Museum entworfenen Gebäudes.

Als zweites Gebäude dieser Art in Europa – sonst nutzte man vorhandene Schlösser und Palais, und auch in Berlin war neben Schloß Monbijou zunächst der Marstall ins Auge gefaßt worden – errichtete dann Schinkel in den Jahren 1823 bis 1829 den heute als Altes Museum bezeichneten Bau. Zur Vorbereitung hatte Friedrich Wilhelm III. 1820 eine von Hardenberg geleitete Kommission berufen, die aus den königlichen Schlössern geeignete Kunstwerke auswählte und den Ankauf von Privatsammlungen betrieb. Besonders wichtig war der Erwerb der 3000 Gemälde umfassenden Sammlung des in Danzig lebenden britischen Kaufmanns Edward Solly. Aus ihr stammten zum Zeitpunkt der Eröffnung 1830 mehr als die Hälfte – 677 von etwa 1200 – der im Obergeschoß des Museums ausgestellten Werke. Im Erdgeschoß waren zunächst antike Skulpturen, im Souterrain Kupferstiche, Münzen und antike Kleinkunst untergebracht.

Den Bauplatz an der Nordseite des Lustgartens gegenüber dem Schloß auf der Cöllnischen Spreeinsel hatte Schinkel durch Zuschütten eines Kanals zwischen Spree und Kupfergraben gewonnen. Das Alte Museum ist ein zweistöckiger klassizistischer Bau mit 87 m langer Front hinter 18 ionischen Säulen und einer vorgelagerten Freitreppe. Über dem zentralen Kuppelsaal erhebt sich ein erhöhter Mittelbau, dessen vier Ecken Kolossalgruppen aus Eisen- und Zinkguß tragen, vorn die Dioskuren als Rossebändiger von Christian Friedrich Tieck (1827/28), hinten Grazie und Muse mit Pegasus

Die Museen auf der Museumsinsel:
1 Altes Museum, 2 Neues Museum,
3 Nationalgalerie, 4 Bode-Museum,
5 Pergamon-Museum.

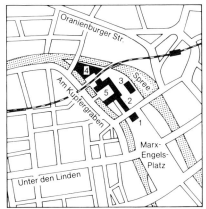

von Hugo Hagen und Hermann Schie-velbein (1861). Die Freitreppe flankieren eine Amazone von August Kiß (1842) und ein Löwenbändiger von Albert Wolff (1856).

Das Alte Museum erwies sich bald als zu klein. Deshalb entstand schon kurze Zeit nach dem Regierungsantritt Friedrich Wilhelms IV. (1840) in ersten Umrissen die Konzeption der Umwandlung des ganzen Hafengeländes im Norden der Spreeinsel zu einem Museumsbezirk, der heute als Museumsinsel bezeichnet wird.

Der Gesamtentwurf stammte von Fried-rich August *Stüler*, der 1843 bis 1855 das Neue Museum erbaute, das u.a. das *Ägyptische Museum* aufnahm. Nach Stü-lers Entwurf errichtete dann Johann Heinrich Strack 1866 bis 1876 die Natio-nalgalerie. Sie hat die Gestalt eines ko-rinthischen Tempels auf hohem Unter-

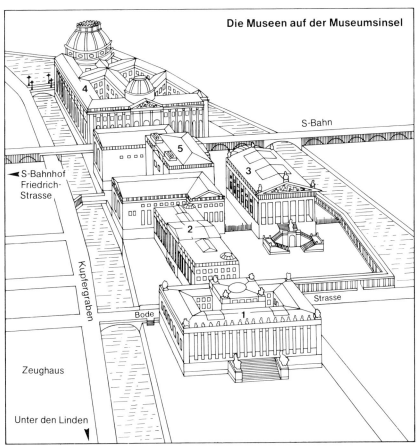

Die Museen auf der Museumsinsel

bau und sollte ursprünglich einen großen Festsaal aufnehmen, wurde aber dann für die Unterbringung der Kunst des 19. Jahrhunderts bestimmt. Auf der doppelläufigen Freitreppe zum Obergeschoß steht ein bronzenes Reiterstandbild Friedrich Wilhelms IV. von Alexander Calandrelli nach einem Entwurf von Gustav Blaeser (1886).

In der Amtszeit Richard Schönes als Generaldirektor der Königlichen Museen (1878 bis 1905), in der bereits sein Nachfolger Wilhelm von Bode (1905 bis 1920) großen Einfluß gewann, die Sammelgebiete erweitert wurden und die Mittel reichlich flossen, erbaute Ernst Eberhard von *Ihne* 1897 bis 1904 das Kaiser-Friedrich-Museum. Das dreieckige neubarocke Gebäude mit markanter Kuppel, seit 1958 Bode-Museum genannt, nutzt den Raum an der Nordspitze der Museumsinsel. Es wird im Innern durch mehrere Quertrakte und einen Diagonaltrakt so gegliedert, daß fünf Innenhöfe entstehen, die die Beleuchtung verbessern.

Als fünftes Museum wurde zwischen dem Neuen Museum und der die Museumsinsel querenden S-Bahn das Pergamon-Museum errichtet, an einer Stelle, an der seit 1901 ein provisorischer Museumsbau für den Pergamonfries gestanden hatte. Die ursprünglichen Baupläne für die dreiflügelige Anlage hatte Alfred Messel seit 1907 entworfen. Nach seinem Tod im Jahr 1909 leitete Ludwig Hoffmann den Bau, den er stark veränderte und der, bedingt durch Unterbrechungen während des Ersten Weltkriegs und in der Inflationszeit, erst 1930 fertig wurde, genau hundert Jahre nach dem Alten Museum.

In diesem Jahrhundert hatten sich die Sammelgebiete und die Bestände der Berliner Museen kontinuierlich erweitert. Mit dem Ankauf der Sammlung Suermond 1874 kam es zur umfangreichsten Erweiterung der Gemäldegalerie seit 1830. Wilhelm von Bode kaufte allein 13 Gemälde Rembrandts und zwischen 1882 und 1899 sieben Bilder von Dürer.

Der Antikensammlung kamen die Ergebnisse von Ausgrabungen in Olympia (1875 bis 1880), Pergamon (1878 bis 1886), Magnesia (1891 bis 1893), Priene (1895 bis 1899), Baalbek (1898 bis 1905) und Milet (1899 bis 1914) zugute. 1883

trennte Wilhelm von Bode die Abteilung »Bildwerke der christlichen Epochen« von der antiken Skulpturensammlung ab. Daraus entstand später die Frühchristlich-Byzantinische Sammlung, deren Grundstock bereits die 1840 von Friedrich Wilhelm IV. erworbene Sammlung Pajaro bildete. Zu ihr kam im Jahr 1904 auch das Apsismosaik aus San Michele in Affricisco in Ravenna, das 1844 ebenfalls von Friedrich Wilhelm IV. erworben worden war.

Nach Grabungen in Babylon und im Gebiet des ehemaligen Hethiterreiches in der südlichen Türkei wurde 1899 unter Leitung von Friedrich Delitzsch das Vorderasiatische Museum gegründet. Es folgten 1904 das Islamische Museum, zu dem Bode durch seine private Teppichsammlung viel beitrug und dessen auffälligstes Ausstellungsstück die etwa 45 m breite Fassade des omajjadischen Wüstenschlosses Mschatta (frühes 8. Jahrhundert) aus dem heutigen Jordanien ist, sowie 1907 die Ostasiatische Sammlung.

Die Aufgabe der Nationalgalerie war es, vor allem die zeitgenössische deutsche Malerei und Plastik zu sammeln. Den Grundstock bildete die Privatsammlung von 262 Gemälden, die Joachim Heinrich Wilhelm Wagner 1861 König Wilhelm I. schenkte. Besonders nach Fertigstellung des Neubaus 1876 erfolgten umfangreiche Ankäufe von Werken lebender Künstler, wobei der Zeitgeschmack eine große Rolle spielte. Unter dem Direktorat von Hugo von Tschudi (1896 bis 1909) gab es heftige Auseinandersetzungen um die Erweiterung der Sammlung durch ausländische Werke, vor allem von französischen Impressionisten. Erst nach dem Ersten Weltkrieg, nachdem 1919 im ehemaligen *Kronprinzenpalais* die Neue Abteilung der Nationalgalerie eingerichtet worden war, wurden in größerem Umfang ausländische Gemälde erworben. Weitere Zweigstellen der Nationalgalerie bildeten dann seit 1930 das Rauch-Museum in der Orangerie von *Schloß Charlottenburg* und seit 1931 das Schinkel-Museum im ehemaligen *Prinzessinnenpalais.*

Nach dem Ersten Weltkrieg traf die Berliner Museen ein schwerer Verlust, der einen ersten Vorgeschmack der erheblichen Einbußen darstellte, die sie später durch Nationalsozialismus und Zweiten

Weltkrieg erlitten: Aufgrund des Versailler Vertrages mußte die Gemäldegalerie die Flügel des Genter Altars der Brüder van Eyck und des Löwener Altars von Dirk Bouts an Belgien ausliefern. Eine Rechtsgrundlage für die belgischen Forderungen gab es nicht, der Genter Altar war 1818 von Edward Solly, der Löwener Altar 1834 von Gustav Waagen, dem ersten Direktor der Gemäldegalerie, ordnungsgemäß erworben worden. 1937 wurden 164 Gemälde, 27 Skulpturen sowie 326 Zeichnungen und Aquarelle als »entartete Kunst« aus der Nationalgalerie entfernt und zum Teil ins Ausland verkauft, zum Teil vernichtet. Durch den Zweiten Weltkrieg gingen rund 900 Gemälde verloren, darunter auch Werke von Blechen, Böcklin, Feuerbach, Friedrich, *Menzel* und *Schinkel.* Noch schwerwiegender waren die Verluste der Gemäldegalerie, die über 400 großformatige Gemälde vor allem flämischer und italienischer Maler verlor, als es nach der Besetzung Berlins zu einem Brand im Flakbunker *Friedrichshain* kam, wo die Gemälde untergebracht waren. Auch die anderen Sammlungen der Berliner Museen hatten mehr oder weniger erhebliche Verluste zu verzeichnen. Der größere Teil der Bestände konnte aber durch Auslagerung gerettet werden. Soweit sie in Gebiete verlagert worden waren, die nach der Kapitulation von den Westmächten besetzt wurden, befinden sie sich heute in Westberlin in den Staatlichen Museen der *Stiftung Preußischer Kulturbesitz.* Was in Berlin verblieben bzw. in die spätere Sowjetische Besatzungszone ausgelagert worden war, bildet heute – zum Teil nach vorübergehender Verbringung in die Sowjetunion – den Bestand der Staatlichen Museen in Ostberlin. Die Gebäude auf der Museumsinsel erlitten im Bombenkrieg, vor allem beim Angriff am 3. Februar 1945, schwere Schäden. Das Alte Museum wurde 1951 bis 1966 mit moderner Innenraumgestaltung wiederaufgebaut. 1980/81 erfolgte dann teilweise eine Wiederherstellung des Originalzustands. Inzwischen steht vor der Freitreppe auch wieder die von *Schinkel* entworfene und aus einem mächtigen Findling der Rauenschen Berge von Christian Gottlieb Cantian geschliffene Granitschale, die 1834 eingeweiht worden war. Sie hat bei einem Durchmesser von 6,90 m ein Gewicht von 76 Tonnen und stand vorübergehend nördlich des Doms.

Während das Neue Museum noch restauriert wird und einstweilen zum Teil als Magazin dient, wurde die Nationalgalerie teilweise schon 1949 wiedereröffnet und bis 1955 ganz wiederaufgebaut. Das Kaiser-Friedrich-Museum wurde 1953 wiedereröffnet und trägt seit 1958 den Namen Bode-Museum. Das Pergamon-Museum schließlich, 1953 bis 1955 ebenfalls wiederhergestellt, wurde in den 80er Jahren weitgehend restauriert.

Das Alte Museum
enthält heute die Abteilung 20. Jahrhundert der Nationalgalerie, das Kupferstichkabinett und die Sammlung der Zeichnungen sowie das Archiv der Nationalgalerie. Dabei umfaßt die Abteilung 20. Jahrhundert im wesentlichen die sogenannte proletarisch-revolutionäre Kunst der Zeit um 1930, die sogenannte Kunst des antifaschistischen Widerstands sowie die Kunst der Nachkriegszeit und der DDR bis zur Gegenwart. Das Kupferstichkabinett besitzt etwa 135000 Druckgraphiken deutscher und ausländischer Künstler des 15. bis 20. Jahrhunderts sowie rund 1000 Zeichnungen alter Meister des 15. bis 18. Jahrhunderts; die Sammlung der Zeichnungen umfaßt etwa 40000 Zeichnungen und Aquarelle aus der Zeit um 1800 bis zur Gegenwart. Eine besondere Attraktion des Kupferstichkabinetts bilden 57 Zeichnungen Botticellis zu Dantes »Göttlicher Komödie«. Aus der Sammlung der Zeichnungen seien die Nachlässe *Menzels* (6000 Blätter), Blechens (1500 Blätter) und *Schadows* (1200 Blätter) genannt.

Die Nationalgalerie
beherbergt die Abteilung 19. Jahrhundert und aus der Abteilung 20. Jahrhundert die Bereiche Expressionismus, Bauhauskunst, Verismus und Neue Sachlichkeit. Die Abteilung 19. Jahrhundert umfaßt etwa 1400 Gemälde und 1500 bildhauerische Arbeiten vom Ende des 18. Jahrhunderts einsetzenden Klassizismus bis zum Impressionismus. Die Plastiken reichen von Canova und Thorvaldsen, *Schadow* und *Rauch* bis zu *Begas,* Rodin, und Maillol. Die Malerei setzt mit Graff, Tischbein, Weitsch, Goya u. a. ein. Wei-

tere Schwerpunkte sind die Nazarener, das Biedermeier, die Düsseldorfer Schule, die Spätromantik und der Realismus. Namentlich seien besonders die in Berlin tätigen Franz *Krüger*, Karl Blechen und *Adolph Menzel* hervorgehoben, ferner Wilhelm Leibl, Hans Thoma, Arnold Böcklin, Anselm Feuerbach und Hans von Marées. Am Ende des Jahrhunderts steht der Impressionismus mit Max *Liebermann*, Max *Slevogt*, Lovis *Corinth* u. a. sowie einer Reihe ausländischer Zeitgenossen mit Cézanne an der Spitze. Der Expressionismus ist besonders mit Werken der Brücke-Maler vertreten, darüber hinaus sind aus dem 20. Jahrhundert besonders der junge Kokoschka, Muche, Dix und Nagel sowie mit plastischen Werken Rudolf Belling, Ernst Barlach und Wilhelm Lehmbruck zu nennen.

Das Bode-Museum
enthält das Ägyptische Museum mit der Papyrussammlung, die Frühchristlich-Byzantinische Sammlung, die Skulpturensammlung, die Gemäldegalerie, das Münzkabinett und das Museum für Ur- und Frühgeschichte. Das *Ägyptische Museum*, dessen früher spektakulärste Stücke heute in Westberlin zu sehen sind, bietet einen interessanten Abriß der gesamten altägyptischen Geschichte. Die Papyrussammlung umfaßt außer etwa 15 000 ägyptischen Papyri koptische, griechische, lateinische, persische, nubische, äthiopische, syrische, hebräische, aramäische und arabische Schriftzeugnisse.
In der Frühchristlich-Byzantinischen Sammlung sind Porträt-, Bau- und Grabplastik, Textilkunst, Keramik, Ikonen und andere Malereien des 3. bis 18. Jahrhunderts aus dem byzantinischen Reich, dem langobardischen Reich, dem mittelalterlichen Venedig und weiteren von Byzanz aus beeinflußten Gebieten ausgestellt. Schwerpunkte der Skulpturensammlung sind Plastiken aus Deutschland, den Niederlanden, Venedig und Florenz vom 13. bis 18. Jahrhundert. Im Vordergrund steht die Spätgotik. Die Gemäldegalerie zeigt in erster Linie italienische, niederländische und deutsche Arbeiten des 15. bis 18. Jahrhunderts. Außerdem gibt es französische und englische Beispiele aus dem 17. und 18. Jahrhundert.

Das Pergamon-Museum
ist Unterbringungsort der Antikensammlung, des Vorderasiatischen und des Islamischen Museums, der Ostasiatischen Sammlung sowie des weniger bedeutenden Museums für Volkskunde. Besonders auffallend sind in der Antikensammlung die Westseite des Altars von Pergamon (etwa 180 bis 160 v. Chr.) und das Markttor von Milet (um 165 v. Chr.), beide aus griechischen Städten in Kleinasien, sowie weitere Funde aus Pergamon. Den Mittelpunkt des Vorderasiatischen Museums bilden die Prozessionsstraße und das Ischtar-Tor aus Babylon (6. Jahrhundert v. Chr.) mit ihren farbigen Reliefziegeln, ferner die Funde aus Assur und dem Hethiterreich. LITERATUR: E. Hühns u. a., Schätze der Weltkultur – Staatliche Museen zu Berlin. ²1982.

Musikinstrumentenmuseum

Die 1888 gegründete Sammlung ist ein Teil des Staatlichen Instituts für Musikforschung der *Stiftung Preußischer Kulturbesitz*. Sie war von 1961 bis 1984 im ehemaligen Gebäude des *Joachimsthalschen Gymnasiums* untergebracht und bezog Ende 1984 einen Neubau nach Plänen von Hans *Scharoun* im *Kulturforum* am Kemperplatz (Tiergartenstraße) am Rand des Tiergartens.
Das Museum besitzt Instrumente des 16. bis 20. Jahrhunderts aus Europa und Übersee. Prunkstücke sind Tasteninstrumente der Renaissance und des Barock. Daneben wird die Geschichte der Musikinstrumente in Bild und Text dokumentiert. Außerdem werden Tonträger mit Aufnahmen historischer Instrumente gesammelt. Unter den Gemälden und Plastiken bedeutender Komponisten befinden sich das Porträt Richard Wagners von Franz von Lenbach und die Büste Carl Friedrich *Zelters* von Christian Daniel *Rauch*.

Neptunbrunnen

Der von Reinhold *Begas* entworfene und 1888 bis 1891 entstandene Neptunbrunnen stand früher auf dem Schloßplatz zwischen Schloß und Marstall. Er trägt die Figuren des Meeresgottes und seines

Hofstaates. Weibliche Figuren auf dem Brunnenrand symbolisieren die vier deutschen Ströme der damaligen Zeit: Rhein, Elbe, Oder und Weichsel. Der im Zweiten Weltkrieg stark beschädigte Brunnen wurde restauriert und 1969 zwischen *Marienkirche* und Rotem *Rathaus* neu aufgestellt.

Johann Arnold Nering

Baumeister, getauft 17. März 1659 Wesel, †21. Oktober 1695 Berlin.
Nering, der seit 1678 in Berlin tätig war, ging zunächst von der niederländischen Architektur aus, die damals stark von Palladio beeinflußt war. In Berlin entwickelte er den relativ schmucklosen Stil des sogenannten Märkischen Barock. Er wurde 1691 kurfürstlich-brandenburgischer Oberbaudirektor.
Nerings erstes Werk in Berlin war die Vollendung des von Memhardt begonnenen Festungsbaus mit dem Bau des Leipziger Tors (1683). Daneben schuf er die Kapelle von *Schloß Köpenick* (1684/85), ab 1688 die *Friedrichstadt* mit etwa 300 Häusern und die Lange Brücke (1692). Außerdem errichtete er einen Flügel des Potsdamer Schlosses (1683) und leitete den Umbau von Schloß Oranienburg (ab 1688) und wohl auch von Schloß Niederschönhausen (ab 1691). Seine letzten Entwürfe galten dem *Zeughaus*, Schloß Lietzenburg (dem späteren *Schloß Charlottenburg*) und der *Parochialkirche*. Die Arbeiten an allen drei Bauten begannen in Nerings Todesjahr 1695; sie wurden von Martin Grünberg weitergeführt und von anderen Baumeistern abgeschlossen.

Neue Nationalgalerie

In Westberlin bestanden nach dem Zweiten Weltkrieg zwei Sammlungen neuerer Kunst. Zum einen waren es diejenigen Bestände der Nationalgalerie auf der *Museumsinsel*, die vor 1945 nach Westdeutschland verlagert und danach nach Westberlin gekommen waren. Sie wurden ab 1959 in der Orangerie von *Schloß Charlottenburg* provisorisch ausgestellt und umfaßten vor allem Werke aus der Zeit von der Romantik bis zum Impressionismus, da die moderne Kunst den

Aussonderungsaktionen des Nationalsozialismus zum Opfer gefallen war. Zum anderen bestand seit 1954 die städtische »Galerie des 20. Jahrhunderts«, die in der Jebensstraße in Charlottenburg untergebracht war und sich bemühte, durch Ankäufe mit zunächst begrenzten Mitteln einen Querschnitt der Moderne aufzubauen.
Beide Sammlungen wurden 1968 im Neubau der Nationalgalerie an der Kreuzung der Potsdamer Straße mit dem Landwehrkanal im *Kulturforum* am Kemperplatz (Bezirk Tiergarten) zusammengeführt. Das Gebäude war nach Plänen von Ludwig Mies van der Rohe in den Jahren 1965 bis 1968 errichtet worden. Zwei große Freitreppen führen auf die mit Granitplatten bedeckte, einige Skulpturen (u. a. von Calder und Moore) tragende Plattform des Sockelbaus. Darauf erhebt sich die 50 × 50 m messende, 8,5 m hohe Glas-Stahl-Konstruktion der Haupthalle. Im Sockel befindet sich das über zwei Treppen erreichbare Museumsgeschoß, dessen verglaste Westwand den offenen, von einer Mauer umgebenen Skulpturenhof abtrennt.
Insgesamt ist der Raum in dem Museum für eine repräsentative Darbietung der deutschen und internationalen Kunst des 19. und 20. Jahrhunderts nicht ausreichend. Deshalb können von den meisten Künstlern nur einzelne Bilder gezeigt werden.
Da sich die Ankaufstätigkeit in letzter Zeit verstärkt hat, kommt es häufig zum Umbau der Exponate. Insgesamt überwiegen auch heute noch die – allerdings nicht ganz lückenlose – deutsche Kunst des 19. Jahrhunderts und die »klassische Moderne«.
In der oberen Halle werden Sonderausstellungen durchgeführt oder größere Neuerwerbungen ausgestellt.

Neue Sezession

Die Maler der 1905 in Dresden gegründeten Künstlervereinigung »Brücke« waren bis 1911 einer nach dem anderen nach Berlin übergesiedelt. Sie hatten sich von der *Berliner Sezession* eine Förderung versprochen, die jedoch nicht in ausreichendem Maße gewährt wurde. So gründete Max *Pechstein*, der 1908 nach Berlin gekommen war, 1910 zusammen mit anderen expressionistischen Malern die Neue Sezession. Ihr gehörten Hekkel, Kirchner, Mueller, *Schmidt-Rottluff* und andere Berliner Brücke-Maler an. Sie wurde besonders von Herwarth *Walden* unterstützt, der mit der Zeitschrift »*Der Sturm*« und der »Sturm-Galerie« für die Anerkennung der expressionistischen Malerei eintrat.

Neue Wache

Als Wachgebäude an der Stelle der früheren Königswache erbaute Karl Friedrich *Schinkel* 1817/18 die Neue Wache, einen klassizistischen würfelartigen Backsteinbau mit vorgelagerter dorischer Säulenhalle. Im Giebelfeld, das 1842 bis 1846 von August Kiß nach Schinkels Entwurf ausgeführt und nach Kriegszerstörungen 1956/57 in Zinkguß restauriert wurde, finden sich Darstellungen von Kampf und Sieg, Flucht und Niederlage.

1930/31 wurde die Neue Wache zum Ehrenmal für die Gefallenen des Ersten Weltkriegs umgestaltet. Auf einem schwarzen Granitblock lag ein Eichenlaubkranz aus Gold und Silber. Nach Zweitem Weltkrieg und Wiederaufbau wurde das Gebäude 1960 »Mahnmal für die Opfer des Faschismus und Militarismus«. 1969 erfolgte ein Umbau. Jetzt brennt eine ewige Flamme in einem Glasprisma, vor dem Urnen mit der Asche unbekannter Widerstandskämpfer und des Unbekannten Soldaten aufgestellt sind.

Vor dem Gebäude knüpft die Nationale Volksarmee mit einer Ehrenwache an preußische Traditionen an. Der stündliche Wachwechsel und der tägliche Kleine bzw. – mittwochs und an Feiertagen – Große Wachaufzug um 14.30 Uhr bilden vielbeachtete touristische Schauspiele.

Neukölln

Archäologische Untersuchungen im Bereich des heutigen Bezirks Neukölln erbrachten Spuren menschlicher Besiedlung von der Steinzeit bis ins 7. Jahrhundert n. Chr. Funde aus slawischer Zeit konnten jedoch nicht gemacht werden. Der Rixdorfer Horizont, eine geologi-

sche Schicht mit Knochenresten eiszeitlicher Tiere, benannt nach dem ursprünglichen Namen Neuköllns, wurde 1882 hier freigelegt.

Die Gründung Rixdorfs im Jahr 1360 ist die einzige urkundlich belegte mittelalterliche Dorfgründung im Berliner Raum. Der Tempelhofer Johanniterorden wandelte zu diesem Zweck einen älteren Ordenshof südöstlich von Berlin in ein Bauerndorf um. 1435 verkaufte er es zusammen mit anderen Dörfern an Berlin und Cölln, die jedoch für diese Erwerbungen nicht die landesherrliche Zustimmung eingeholt hatten. Die Dörfer wurden daraufhin vorübergehend (bis 1442) vom Landesherrn beschlagnahmt.

Unter Friedrich Wilhelm I. entstand 1737 Böhmisch-Rixdorf durch Ansiedlung protestantischer böhmischer Weber nördlich des alten Dorfes, das künftig Deutsch-Rixdorf genannt wurde. Im 19. Jahrhundert wuchs die Bevölkerung der beiden Dörfer, die 1874 zu einer Gemeinde vereinigt wurden, rasch an. Ab 1880 entstanden zahlreiche *Mietskasernen*, die von Berliner Arbeitern bewohnt wurden. Verbesserte Verkehrsverbindungen führten seit der zweiten Hälfte des 19. Jahrhunderts zur Ansiedlung von Industriebetrieben verschiedener Branchen. 1899 wurden Rixdorf die Stadtrechte verliehen. Zu diesem Zeitpunkt war die Einwohnerzahl bereits auf 80 000 angestiegen.

Am 27. Januar 1912 erfolgte mit Genehmigung des Kaisers die Umbenennung Rixdorfs in Neukölln. Im gleichen Jahr schloß es sich dem Zweckverband Groß-Berlin an. Bei der Eingemeindung 1920 war Neukölln als bisher selbständige Stadt namengebend für den 14. Verwaltungsbezirk von Berlin, zu dem es mit den Dörfern Britz, Buckow und Rudow zusammengeschlossen wurde. Seit 1945 gehört dieser Bezirk zum amerikanischen Sektor.

Britz, südlich von Neukölln gelegen, dürfte Ende des 12. Jahrhunderts von der Familie von Britzke gegründet worden sein, in deren Besitz es bis ins 17. Jahrhundert blieb. 1925 bis 1931 wurde hier von Bruno Taut und Martin Wagner die Hufeisensiedlung mit rund 2500 Wohnungen angelegt. Südlich von Britz liegt das 1375 im Landbuch Karls IV. erstmals erwähnte Buckow, in dessen

östlichem Bereich 1964 bis 1975 die Großsiedlung *Gropiusstadt* entstand. Südöstlich schließt sich an Buckow Rudow an, das 1373 erstmals urkundlich erwähnt wurde.
LITERATUR: F. Escher, Britz. Geschichte und Geschichten. 1984. – W. Kohn u. R. Schneider, Neukölln. 1984. – J. Schultze, Rixdorf–Neukölln. Die geschichtliche Entwicklung eines Berliner Bezirks. 1960.

Christoph Friedrich Nicolai

Schriftsteller und Verlagsbuchhändler, *18. März 1733 Berlin, †8. Januar 1811 Berlin.
Nach einer Buchhändlerlehre in Frankfurt an der Oder von 1749 bis 1752 trat Christoph Friedrich Nicolai in die von seinem Vater Christoph Gottlieb Nicolai 1713 gegründete Verlagsbuchhandlung ein, übernahm 1758 die Leitung und machte das Unternehmen zum führenden Verlag der deutschen Aufklärung. Er war mit Moses *Mendelssohn*, Gotthold Ephraim *Lessing* und Carl Friedrich *Zelter* befreundet. Zusammen mit Lessing und Mendelssohn gab er die Zeitschriften »Bibliothek der schönen Wissenschaften und der freyen Künste« (1757 bis 1760) und »Briefe, die neueste Literatur betreffend« (1759 bis 1765) heraus. Von 1765 bis 1806 erschien in seinem Verlag die Zeitschrift »Allgemeine Deutsche Bibliothek«. Nicolai war ein scharfer Verfechter der Aufklärung, er richtete sich mit dem Roman »Das Leben und die Meinungen des Herrn Magisters Sebaldus Nothanker« (3 Bände, 1773 bis 1776) gegen Schwärmerei, orthodoxen Glauben und Pietismus. Die Dichtung des Sturm und Drang, der Klassik und der Romantik griff er heftig an und geriet so in Gegnerschaft zu deren Vertretern. Als Parodie auf Goethes »Die Leiden des jungen Werthers« schrieb Nicolai »Die Freuden des jungen Werthers« (1775). Auf ähnliche Weise zog er auch gegen Schiller, Kant und Herder zu Felde. Seine Gegner taten es ihm gleich, und so wurde er von Goethe, Schiller, Tieck, Brentano, Herder und Fichte angegriffen und verspottet. Nicolais präzise Beobachtungsgabe wird in seiner »Beschreibung der Königlichen Residenzstädte Berlin und Potsdam«

(1769, Neudruck 1968) deutlich. 1787 erwarb Nicolai ein Bürgerhaus in der Brüderstraße, das seither als *Nicolai-Haus* bezeichnet wird. Als er 1811 starb, war keines seiner acht Kinder mehr am Leben, und so übernahm sein Schwiegersohn Gustav Parthey den Verlag.
LITERATUR: B. Fabian (Hrsg.), Friedrich Nicolai. 1983. – H. Heckmann, Friedrich Nicolai. 1983. – H. Möller, Aufklärung in Preußen. Der Verleger, Publizist und Geschichtsschreiber Friedrich Nicolai. 1974.

Nicolai-Haus

Das barocke Bürgerhaus in der Ostberliner Brüderstraße wurde Anfang des 18. Jahrhunderts zweistöckig erbaut und um 1710 auf drei Stockwerke aufgestockt und mit einer mehrläufigen Treppe mit reich geschnitztem Geländer versehen. 1787 erwarb der Schriftsteller und Verlagsbuchhändler Christoph Friedrich *Nicolai* das Haus und ließ es von dem Maurermeister und späteren Komponisten Carl Friedrich *Zelter* umbauen. Bis 1892 befand sich die Nicolaische Verlagsbuchhandlung in diesem Haus. Nicolai versammelte in diesem Haus bedeutende Vertreter des Berliner Kulturlebens um sich. Zu seinen Gästen gehörten die Dichterin Anna Luise *Karsch*, der Zeichner Daniel Nikolaus *Chodowiecki* und der Bildhauer Johann Gottfried *Schadow*. Im Jahr 1811, kurz nach Nicolais Tod, wohnte Theodor Körner einige Zeit in diesem Haus.

Martin Niemöller

Evangelischer Theologe, *14. Januar 1892 Lippstadt, †6. März 1984 Wiesbaden.
Martin Niemöller, im Ersten Weltkrieg U-Boot-Kommandant, nahm nach Kriegsende das Studium der Theologie in Münster auf. In dieser Zeit sympathisierte er mit dem Kapp-Putsch und beteiligte sich am Kampf gegen die Kommunisten im Ruhrgebiet. Von 1924 bis 1931 war er Geschäftsführer der Inneren Mission in Münster. 1931 wurde er Pfarrer in Berlin-Dahlem. Nach der Machtübernahme wurde Niemöller zum Gegner der Nationalsozialisten. Gegen die Tendenzen der Deutschen Christen, Ver-

kündigung und kirchliche Organisation nach NS-Grundsätzen auszurichten, organisierte er den innerkirchlichen Widerstand.
Im September 1933 gründete er den Pfarrernotbund, aus dem später die Bekennende Kirche hervorging, die auf der Synode vom 29. Mai 1934 das Barmer Bekenntnis formulierte – Leitsätze für die Auseinandersetzung mit dem nationalsozialistischen Kirchenregiment und dem Anspruch des totalen Staates. Am 6. September 1933 hatte die Generalsynode der Evangelischen Kirche der Altpreußischen Union, die von den Deutschen Christen beherrscht wurde, im »Kirchengesetz betreffend die Rechtsverhältnisse der Geistlichen und Kirchenbeamten« den »Arier-Paragraphen« verankert, der Juden und mit Juden Verheiratete vom kirchlichen Dienst ausschloß. Dies geschah, obwohl die 7000 Mitglieder von Niemöllers Pfarrernotbund den Verpflichtungssatz unterzeichnet hatten, »daß eine Verletzung des Bekenntnisstandes mit der Anwendung des Arier-Paragraphen im Raum der Kirche Christi geschaffen ist«. Auf diese Weise setzte sich die Bekennende Kirche, wenigstens wo und solange es möglich war, für die kleine Zahl betroffener Christen jüdischer Abstammung ein.
Martin Niemöller war durch diese Aktivitäten als Mitglied des Altpreußischen Bruderrates und des Reichsbruderrates der Bekennenden Kirche zur Symbolfigur des Widerstandes gegen die nationalsozialistische Einflußnahme auf die Kirche geworden. Er wurde am 1. Juli 1937 verhaftet und am 2. März 1938 zu sieben Monaten Festungshaft verurteilt. Nach seiner Freilassung – die Strafe war durch die Untersuchungshaft verbüßt – sofort wieder festgenommen, befand sich der Pour-le-mérite-Träger des Ersten Weltkriegs fortan als »persönlicher Gefangener« Hitlers im KZ Sachsenhausen, ab 1941 im KZ Dachau und kurz vor Kriegsende in Südtirol.
Kurz nach seiner Befreiung wurde er Mitglied des Rates der Evangelischen Kirche in Deutschland. Da er auch im Ausland als Gegner des Nationalsozialismus bekannt war, schien er geeignet, als Präsident des Kirchlichen Außenamtes die internationalen Beziehungen der Kirche wieder anzuknüpfen. 1947 bis 1964 war er auch Kirchenpräsident der

Evangelischen Kirche in Hessen und Nassau und 1961 bis 1968 einer der sechs Präsidenten des ökumenischen Rates der Kirchen. Der rigorose Pazifismus, den Niemöller im Laufe seines Lebens entwickelt hatte, ließ ihn auch Bündnisse nicht scheuen, die vielen bedenklich erschienen, sofern die Partner sich nur verbal zum Frieden bekannten (1967 nahm er den Lenin-Friedenspreis der UdSSR an). Die Aufstellung von Streitkräften in der Bundesrepublik Deutschland kritisierte er kompromißlos. Seine nicht nur in der politischen Öffentlichkeit, sondern auch in der Kirche umstrittene Position machte seine Stellung im Kirchlichen Außenamt unhaltbar, was ihn 1956 zum Rücktritt aus diesem Amt veranlaßte. Der Entschiedenheit seines Engagements tat das keinen Abbruch.

Arthur **Nikisch**

*Dirigent, *12. Oktober 1855 Lébényi Szent Miklos, †23. Januar 1922 Leipzig.*
Der aus Ungarn gebürtige Dirigent wirkte von 1889 bis 1893 in Boston und war 1893 bis 1895 Operndirektor in Budapest. Im Jahr 1895 übernahm Nikisch die Leitung des Leipziger Gewandhausorchesters und der Berliner Philharmoniker. In Leipzig war er außerdem 1902 bis 1907 Direktor des Konservatoriums.
Nikisch leitete die beiden Orchester auch auf ausgedehnten Gastspielreisen. Er galt als der bedeutendste Konzertdirigent seiner Zeit und setzte sich besonders für Bruckner und Tschaikowskij, aber auch für Wagner, Brahms und die Komponisten der Romantik ein.

Nikolaikirche

Die Nikolaikirche, die Kirche der Berliner Kaufmannschaft, entstand als ältestes Bauwerk Berlins, von dem noch Reste erhalten sind, wohl um 1220. Auf dieses Jahr werden jedenfalls Fundamente einer romanischen Basilika datiert, die 1982 bei Grabungen freigelegt wurden. Die Kirche wurde, zum Teil nach Bränden, mehrmals umgebaut, insbesondere zwischen 1380 und 1470 als dreischiffige spätgotische Hallenkirche. Am 2. November 1539 empfingen Rat und Bürgerschaft von Berlin und Cölln hier erstmals öffentlich das Abendmahl nach evangelischem Ritus, so daß dieser Tag als Datum der Reformation in Berlin gilt. Die Nikolaikirche war in der Zeit der Auseinandersetzung zwischen Lutheranern und Reformierten die lutherische Hochburg, vor allem 1657 bis 1669, als Paul *Gerhardt* Pfarrer an der Nikolaikirche war. 1817 nahm *Schinkel* eine Renovierung der Kirche vor.

Im Zweiten Weltkrieg wurde das Gotteshaus stark beschädigt. Die ehemals reiche Innenausstattung ging, soweit sie nicht ausgelagert war, weitgehend verloren. Einige Stücke befinden sich heute in der *Marienkirche*, im *Märkischen Museum* bzw. in Westberliner Kirchen. Das von *Schlüter* im Jahr 1700 geschaffene Grabmal des Goldschmieds Daniel Männlich wurde 1965 aus der Ruine ausgebaut und ins Bode-Museum gebracht.

Die über mehrere Jahrzehnte als Ruine konservierte Kirche erhielt seit 1983 wieder ihre schlanken Turmspitzen und ihr Dach.

Bis 1987 ist auch der Abschluß der Restaurierung im Innern vorgesehen. Danach soll die Nikolaikirche für Konzerte genutzt werden und dem *Märkischen Museum* als Ausstellungsraum zur Verfügung stehen.

LITERATUR: E. Reinbacher, Die älteste Baugeschichte der Nikolaikirche in Alt-Berlin. 1963.

Nikolaikirche in Spandau

Die Nikolaikirche in Spandau dürfte bereits Ende des 12. Jahrhunderts bestanden haben. 1240 wird sie als Marktkirche urkundlich erwähnt. Der heutige Bau, eine dreischiffige Hallenkirche aus Backstein, wird auf die Zeit zwischen 1410 und 1450 datiert. Der 1468/69 erbaute Westturm wurde nach Brand- und Kriegsschäden mehrfach erneuert, u.a. 1740 bis 1744. Damals entstanden die barocke Haube und Laterne, die von *Schinkel* 1839 restauriert wurden.

Im Zweiten Weltkrieg brannte das Innere aus, der Turm erhielt Bombentreffer. Beim Wiederaufbau wurde dem Turm zunächst nur ein provisorischer pyramidenförmiger Aufsatz gegeben. 1985 wurde bekanntgemacht, daß der Turmaufsatz bis 1989 wiederhergestellt

wird. Der Turm wird dann wieder 73 m hoch sein, statt gegenwärtig 54 m.

Der Hochaltar wurde 1581 geweiht. Er ist eine Stiftung des Grafen Lynar, der seit 1578 den Bau der *Zitadelle Spandau* leitete, und dient zugleich als Epitaph. Auf der Rückseite ist der Zugang zum Lynarschen Erbbegräbnis. Der bronzene Taufkessel im Chorraum stammt nach seiner Inschrift aus dem Jahr 1389.

Vor dem Hauptportal steht die Bronzestatue Joachims II. von Erdmann Encke, die am 1. November 1889 zur Erinnerung an den 350. Jahrestag der Reformation in Brandenburg aufgestellt wurde. Damals, am 1. November 1539, fand in der Spandauer Nikolaikirche die erste öffentliche Abendmahlsfeier nach evangelischem Ritus für den Adel des Teltow, des Barnim und des Havellandes statt. Kurfürst Joachim II. hat jedoch entgegen der Überlieferung an dieser Abendmahlsfeier nicht teilgenommen.

Nikolaiviertel

Der im Krieg weitgehend zerstörte Kern der Berliner Altstadt, das Viertel um die Nikolaikirche zwischen Rotem *Rathaus* und Spree, wird unter Leitung von Günter Stahn, der 1979 mit seinem Projektvorschlag einen Wettbewerb des Ostberliner Magistrats gewann, wiederaufgebaut. Die Planung sieht die Fertigstellung bis 1987 vor.

Das Viertel umfaßt, teilweise in restaurierten Gebäuden, teilweise in Neubauten, die an historische Stilelemente anknüpfen, etwa 780 Wohnungen und schließt eine Reihe historischer Bauwerke ein, so z.B. neben der *Nikolaikirche* und dem *Ephraim-Palais* das ursprünglich barocke Knoblauchhaus gegenüber der Nikolaikirche an der Poststraße, das 1759 bis 1761 erbaut wurde und nach einer Familie benannt ist, die es bis 1928 besaß. In dem Gebäude soll eine Dokumentationsstätte der Berliner Aufklärung untergebracht werden. An *Lessing* erinnert ein schmales Bürgerhaus am Nikolaikirchplatz, in dem der Dichter während eines längeren Berlinaufenthalts wohnte. Die Wiederherstellung historischer Bauwerke schließt einige Gebäude ein, die ursprünglich an anderer Stelle standen. So gehört zu den etwa 20 Restaurantbetrieben des Viertels die historische Gaststätte »Zum Nußbaum«, eine der Lieblingskneipen Heinrich *Zilles*, die früher auf der Fischerinsel im Süden Cöllns stand. Ebenfalls eine Gaststätte birgt die alte Berliner Gerichtslaube aus dem 13. Jahrhundert mit gotischen Arkaden und Renaissancegiebel, die früher an der Ecke Rathaus- und Spandauer Straße neben dem alten Berliner *Rathaus* stand. Beim Bau des Roten Rathauses wurde sie abgerissen und 1871 im Park von Schloß Babelsberg bei Potsdam wiederaufgebaut.

Der heilige Georg als Drachentöter, ein Bronzestandbild von August Kiß aus dem Jahr 1855, das seit 1865 im Ersten Schloßhof stand und nach dem Zweiten Weltkrieg vorübergehend im *Friedrichshain* untergebracht war, fand am Spreeufer einen neuen Standort.

Nikolskoe

An der Havel südlich der Pfaueninsel ließ Friedrich Wilhelm III. im Jahr 1819 für seine Tochter Charlotte, die Gattin des späteren russischen Zaren Nikolaus I., das Blockhaus Nikolskoe – eigentlich Nikolskoje – in russischem Stil errichten. Sein erster Bewohner war der ehemalige russische Leibkutscher des Königs, Iwan Boskow, der das Haus als Gaststätte einrichtete. Heute ist das Blockhaus Nikolskoe ein beliebtes Ausflugslokal.

Novembergruppe

Unter dem Eindruck der revolutionären Ereignisse entstand am 3. Dezember 1918 in Berlin, angeregt durch Max *Pechstein*, die Novembergruppe. Sie vereinigte mehr oder weniger weit linksgerichtete Maler, Bildhauer, Architekten, Schriftsteller und Komponisten sowie Künstler von Theater und Film. Ihr Ziel war es, der Kunst und dem Künstler im zukünftigen Staat eine gebührende Stellung zu verschaffen, die Kunst dem Volk zugänglich zu machen und zwischen den verschiedenen Kunstrichtungen einen befruchtenden Ideenaustausch zu fördern. Zu diesem Zweck wurden Ausstellungen, Vorträge und Konzerte veranstaltet. Mitglieder der Novembergruppe waren

u. a. Lyonel Feininger, Wassilij Kandinsky, Erich Heckel, Ludwig Meidner, Otto Mueller, Conrad Felixmüller, Karl *Schmidt-Rottluff*, Otto Dix, George Grosz, Hans Arp, Walter Gropius, Ludwig Mies van der Rohe, Hans Poelzig und Hanns Eisler.

In den zwanziger Jahren ebbte der revolutionäre Elan ab, es kam zur Abspaltung politisch radikaler Gruppen. 1933 wurde die Novembergruppe verboten.

Öffentlicher Nahverkehr

Bereits zur Zeit des Großen Kurfürsten boten in Berlin Kutscher und Sänftenträger dem Publikum ihre Dienste an. König Friedrich Wilhelm I. regelte im Januar 1740 den Stadtverkehr neu, indem er 15 Fiakern die Konzession erteilte, an bestimmten Plätzen in der Stadt auf Fahrgäste zu warten, die nach einem genau festgelegten Tarif befördert wurden.

Im Laufe der Zeit nahm die Zahl der Pferdekutschen zu. 1846 griffen die Unternehmer Heckscher und Freyberg eine in der Luft liegende Idee auf und ließen sich die Konzession für fünf Pferdeomnibuslinien erteilen, die in verschiedene Richtungen durch das wachsende Stadtgebiet führten. Ihre Benutzung war nicht billig, und sie dienten überwiegend dem Ausflugsverkehr, während im Stadtinnern weiterhin Pferdedroschken bevorzugt wurden.

1865 wurde die Berliner Omnibus-Gesellschaft gegründet, die 1868 in der Allgemeinen Berliner Omnibus AG (ABOAG) aufging. Diese Gesellschaft spielte erst später eine größere Rolle, als sie sich auf Autobusse umstellte. Dagegen wurde die Pferdeeisenbahn rasch sehr erfolgreich. Die erste Linie vom Kupfergraben nach Charlottenburg wurde 1865 eingerichtet. Die Große Berliner Pferdeeisenbahn AG, 1871 gegründet, eröffnete 1873 die Linie vom Rosenthaler Tor zur Badstraße und errichtete rasch ein weitverzweigtes Netz (1890 242 km). Mit 1100 Wagen und 6300 Pferden beförderte sie 1896 rund 154 Millionen der insgesamt 191 Millionen Straßenbahnpassagiere.

Indessen war auch der innerstädtische Dampfeisenbahnverkehr in Gang gekommen. Seit 1851 verband bereits eine

Strecke für den Güterverkehr den Stettiner mit dem Schlesischen Bahnhof. Sie hatte Anschlußgleise zum Hamburger, Potsdamer, Anhalter und Görlitzer Bahnhof. Die ab 1867 erbaute und mit ersten Teilstrecken 1871 eröffnete Ringbahn diente dann bald auch dem Personenverkehr. Sie wurde überwiegend am Rand oder außerhalb des eigentlichen Stadtgebiets errichtet. Nach Fertigstellung waren der Nordring 34,5 km und der Südring 33,6 km lang. 1882 wurde die Stadtbahn eröffnet. Sie führte vom Schlesischen Bahnhof nach Charlottenburg über Jannowitzbrücke, *Alexanderplatz*, Börse, Friedrichstraße, Lehrter Bahnhof, Bellevue, Tiergarten, Zoologischer Garten und Savignyplatz und hatte eine Länge von 11,26 km. Bald folgten Vorortlinien des heutigen S-Bahn-Netzes, u.a. ab 1891 die Wannseebahn auf der Linie der Potsdamer Eisenbahn über Schöneberg und die Grunewaldbahn auf der Linie der Wetzlarer Fernbahn (über Nordhausen nach Frankfurt am Main), die von Charlottenburg über Westkreuz, Grunewald und Wannsee nach Potsdam führte.

In den Jahren 1897 bis 1902 entstand als erste Strecke der elektrisch betriebenen Hoch- und Untergrundbahn die Verbindung von der Warschauer Brücke zum Zoologischen Garten mit Abstecher zum Potsdamer Platz, die Keimzelle der heutigen U-Bahn.

Im Jahr 1901 gab es in Berlin etwa 8000 Pferdedroschken. Rund 700 Pferdeomnibusse beförderten etwa 80 Millionen Fahrgäste. Das Passagieraufkommen der Straßenbahn – sie wurde inzwischen durchweg elektrisch betrieben und hatte über 3300 Wagen – lag bei 330 Millionen und das der Stadt- und Ringbahn bei knapp 90 Millionen.

Im Jahr 1926 hatte sich die Struktur des Berliner Stadtverkehrs bei stark gestiegenem Gesamtvolumen weiter verändert. Es gab nur noch 300 Pferdedroschken, dafür 9500 »Kraftdroschken«, wie man die Taxis damals nannte. Die – noch dampfgetriebene – S-Bahn mit 12 Stationen der Stadtbahn, 27 Stationen der Ringbahn und 122 Stationen der Vorortstrecken beförderte über 193 Millionen Passagiere, die Hoch- und Untergrundbahn über 163 Millionen. Auf 89 Linien der Berliner Straßenbahn-Betriebs-GmbH mit 597 km Länge verkehrten 1920 Triebwagen und 2008 Beiwagen, die 813 Millionen Fahrgäste transportierten, auf 29 Autobuslinien der ABOAG mit 299 km Länge gab es 321 Wagen und ein Passagieraufkommen von 113 Millionen. Am 11. Juni 1928 wurde dann der erste elektrisch betriebene Stadtbahnzug in Dienst gestellt.

Auf Betreiben Ernst Reuters, des damaligen städtischen Dezernenten für das Verkehrswesen, erfolgte am 8. Dezember 1928 die Gründung der Berliner Verkehrs-Aktiengesellschaft (BVG), in der ab 1. Januar 1929 die Berliner Straßenbahn-Betriebs-GmbH, die ABOAG und die Hoch- und Untergrundbahn zusammengeschlossen wurden.

Im Zweiten Weltkrieg kam es zu teilweise erheblichen Beschädigungen der Anlagen des öffentlichen Nahverkehrs. Ihre Instandsetzung wurde nach Kriegsende mit besonderem Vorrang betrieben, so daß bereits im Mai 1945 die ersten Busse, U-Bahn-Züge und Straßenbahnen wieder den Verkehr aufnehmen konnten. Im Juni erfolgte die Wiedereröffnung des ersten Streckenabschnitts der S-Bahn, die jedoch in den folgenden Monaten hart von der Demontage durch die sowjetische Besatzungsmacht getroffen wurde.

Die Spaltung Berlins hatte tiefgreifende Auswirkungen auf den innerstädtischen Verkehr. Während die BVG gespalten wurde, blieb die S-Bahn für ganz Berlin unter der Verwaltung der Deutschen Reichsbahn in Ostberlin. Nach dem Bau der Mauer im August 1961 war nur noch am Bahnhof Friedrichstraße ein Übergang zwischen den beiden Teilen der Stadt mit öffentlichen Verkehrsmitteln möglich. Die übrigen Bahnhöfe der Ostberlin durchquerenden S- und U-Bahn-Linien mit Westberliner Ausgangs- und Zielbahnhöfen wurden geschlossen. Sie werden seither ohne Halt durchfahren. In Westberlin wurden bis 1967 alle Straßenbahnlinien eingestellt und durch zusätzliche Busstrecken ersetzt. Das Busnetz hat 83 Linien mit einer Länge von rund 1050 km, dazu 140 km Ausflugs- und Sonderlinien. Mit über 1500 Bussen werden jährlich rund 380 Millionen Fahrgäste befördert.

Die U-Bahn hatte 1939 ein Streckennetz von 80,3 km, davon rund 50 km im heutigen Westberlin. Seit 1953 wurden in Westberlin weitere Strecken gebaut, so

daß das Netz 1985 106,3 km lang war (einschließlich 7,9 km Durchfahrtsstrecke in Ostberlin). Mit knapp 1000 Wagen befördert die U-Bahn rund 350 Millionen Passagiere im Jahr. Das Netz wird weiter ausgebaut. Die S-Bahn hatte in Gesamtberlin 1960 ein Streckennetz von 325 km Länge und beförderte 417 Millionen Fahrgäste. Seit dem Bau der Mauer verlor sie in Westberlin weitgehend ihre Bedeutung. Zunächst wurde sie von einem großen Teil der potentiellen Benutzer aus politischen Gründen boykottiert. Auch als sich die Zahl der Passagiere in den siebziger Jahren wieder erhöhte, lag sie mit 25 Millionen nur bei einem Viertel der Zahl von 1960. Nach einem Streik der Westberliner S-Bahn-Bediensteten im Herbst 1980 stellte die Reichsbahn den verlustbringenden Betrieb mit Ausnahme der Linien vom Bahnhof Friedrichstraße über Grunewald nach Wannsee und von Frohnau nach Lichtenrade ein. Die Benutzerzahl ging weiter auf ungefähr 3 bis 5 Millionen im Jahr zurück. Am 30. Dezember 1983 vereinbarten der Senat und die Reichsbahn mit alliierter Zustimmung die Übernahme der S-Bahn in das Nahverkehrsnetz der Westberliner BVG am 9. Januar 1984. Zunächst wurden 23 km Strecke, seit dem Sommer 1984 dann wieder die zuletzt von der Reichsbahn betriebenen 53 km bedient. 1985 wurde der Verkehr auf der Wannseebahn ab Anhalter Bahnhof wieder aufgenommen, so daß das Netz etwa 71 km lang ist. Mittelfristig soll es wieder auf 117 km erweitert werden. Eine Neuheit ist die Magnet-Schwebebahn, von der zum Stadtjubiläum 1987 eine Versuchsstrecke vom U-Bahnhof Gleisdreieck zum Kulturforum am Kemperplatz (1,6 km) errichtet wird. In Ostberlin hat die S-Bahn weiterhin überragende Bedeutung, während die U-Bahn eine untergeordnete Rolle spielt. Im Gegensatz zu Westberlin ist hier die Straßenbahn nach wie vor in Betrieb.
LITERATUR: P. Bley, Berliner S-Bahn. ³1985. - A. Gottwaldt u.a., Die S-Bahn in Berlin. Ende und Neubeginn eines legendären Verkehrsmittels. 1984. - K. Hickethier u. E. Schachinger, Die Berliner S-Bahn. ²1984. - Lemke-Poppel, Berliner U-Bahn. 1985. - H. Schmidt u. E. M. Eilhardt, Die Stadtbahn. 1984.

Olympiastadion

Werner March, der zusammen mit seinem Bruder Walter 1934 bis 1936 das Reichssportfeld und das Olympiastadion erbaute, ersetzte mit seiner Sportanlage das 1912/13 von seinem Vater Otto March errichtete »Deutsche Stadion«, das seinerzeit als Austragungsplatz der Olympischen Spiele 1916 gedacht war. Das Olympiastadion, Stahlbeton mit Muschelkalkverkleidung, ursprünglich für 120000 Zuschauer entworfen, bietet heute etwa 90000 Plätze. Zum Reichssportfeld gehören außerdem das Maifeld, das 500000 Personen aufnehmen kann, der Reiterplatz, das Hockeystadion, das für die Weltmeisterschaften 1978 erneuerte Schwimmstadion und eine Freilichtbühne mit 20000 Plätzen, die »Waldbühne«. Der 78 m hohe Glockenturm, der 1945 gesprengt und 1962 wiederaufgebaut wurde, ermöglicht einen ausgezeichneten Rundblick über Berlin und seine Umgebung.

Palast der Republik

In den Jahren 1973 bis 1976 entstand an der Stelle des im Zweiten Weltkrieg stark beschädigten und 1950 unter heftigen Protesten aus Ost und West gesprengten Berliner Schlosses am Marx-Engels-Platz, dem früheren Lustgarten, der Palast der Republik nach einem Entwurf des Kollektivs Graffunder. Der 32 m hohe, von einer Stahlskelettkonstruktion getragene Repräsentativbau mit einer Grundfläche von 180 × 86 m beeindruckt durch die Gestaltung seiner Fassade mit weißen Marmorplatten und großen, von bronzefarbenen Aluminiumsprossen gegliederten Thermofensterflächen. Der Palast der Republik wurde als gesellschaftliches und kulturelles Zentrum Ostberlins konzipiert. Er gliedert sich optisch und funktionell in drei Bereiche: den Kleinen Saal, den Foyer-Bereich und den Großen Saal. Der Kleine Saal dient der Volkskammer der DDR als Plenarsaal. Der Große Saal ist in seiner Konstruktion variabel angelegt und faßt bis zu 5000 Besuchern Platz. Er wird für Kongresse, Tagungen und kulturelle Veranstaltungen genutzt. Zwischen Kleinem Saal und Großem Saal liegt der

Foyer-Bereich mit der »Galerie im Palast«, in der Werke zeitgenössischer Künstler der DDR ausgestellt werden. Im 4. Geschoß des Foyer-Bereichs ist das »Theater im Palast« (TiP) untergebracht. Hier finden Kleinkunstveranstaltungen verschiedener Art statt. Das Angebot des Palastes der Republik wird durch zahlreiche Konferenzräume und gastronomische Betriebe abgerundet.

Pankow

Das Angerdorf Pankow, südlich der Panke gelegen, geht möglicherweise auf eine slawische Gründung zurück. 1370 wurde es erstmals urkundlich erwähnt. Der Ausbau der Schönhauser Allee zur Chaussee 1824 und die Anlage der Eisenbahn Berlin-Bernau 1842 ließen Pankow und das südlich benachbarte Berlin zusammenwachsen. Es kam zu einem raschen Anstieg der Einwohnerzahl, die von 286 im Jahr 1801 auf 3019 im Jahr 1874 anwuchs und 1905 rund 29000 erreichte.
Bei der Eingemeindung 1920 war Pankow als einwohnerstärkster Ortsteil namengebend für den 19. Verwaltungsbezirk von Berlin, zu dem es mit Niederschönhausen, Buchholz, Heinersdorf, Rosenthal, Blankenfelde, Buch, Karow und Blankenburg zusammengeschlossen wurde und der seit 1945 zum sowjetischen Sektor gehört.
Niederschönhausen wurde vermutlich um 1220 nördlich von Pankow gegründet. Die erste urkundliche Erwähnung stammt aus dem Jahr 1350. Für die Gräfin Dohna aus dem Hause Holland-Brederode entstand hier 1664 Schloß Niederschönhausen. 1691 gelangte es in den Besitz des Kurfürsten Friedrich III., des späteren Königs Friedrich I., für den es vermutlich von Johann Arnold *Nering* umgebaut wurde. Weitere Umbauten nahmen Johann Friedrich *Eosander* 1704 und Johann *Boumann* 1764 vor. 1949 bis 1960 war Schloß Niederschönhausen Amtssitz des Staatspräsidenten der DDR Wilhelm Pieck und 1960 bis 1964 des Staatsrats der DDR. Seither dient es als Gästehaus der Regierung.
Nordöstlich von Niederschönhausen liegt Buchholz, das zuerst 1242 erwähnt wurde. Nach der Ansiedlung von *Hugenotten* im Jahr 1688 bekam der Ort den

Namen Französisch-Buchholz, den er bis 1913 behielt. Heinersdorf, ein kleines Straßendorf östlich von Pankow, wurde 1319 erstmals beurkundet. Um Buchholz gruppieren sich, beginnend im Westen nördlich von Niederschönhausen, im Uhrzeigersinn die Ortsteile Rosenthal, Blankenfelde, Buch, Karow und Blankenburg, die alle im Landbuch Karls IV. 1375 erstmals erwähnt wurden.
LITERATUR: R. Dörrier, Pankow – Chronik eines Berliner Stadtbezirks. 1971. – E. Schonert, Schloß Schönhausen und seine Geschichte. 1937.

Parochialkirche

Die erste bedeutende Barockkirche Berlins wurde von Johann Arnold *Nering* entworfen. Ihr Bau wurde im Jahr seines Todes 1695 begonnen. Der Oberlandbaudirektor Martin Grünberg vollendete den Zentralbau in vereinfachter Form, nachdem das Gewölbe über dem zentralen Quadrat 1698 eingestürzt war. Er verzichtete dabei auf eine Laterne als bekrönende Mitte. Statt dessen errichtete Philipp Gerlach 1713/14 nach Plänen de Bodts einen massiven, drei Achsen breiten Glockenturm, in das 1715 das Glockenspiel eingebaut wurde, das ursprünglich für den Schlüterschen Münzturm des Schlosses gedacht war. 1717 wurde es durch ein besseres mit 37 Glocken ersetzt (Abb. S. 218).
Die im Zweiten Weltkrieg schwer beschädigte Kirche wurde provisorisch wiederhergestellt. Sie enthält heute eine Sammlung kirchlicher Kunst. Nordöstlich der Kirche sind in der Waisenstraße im 16. Jahrhundert einige Häuser an die Reste der mittelalterlichen Stadtmauer (13. Jahrhundert) angebaut worden. Eines dieser Häuser enthält die historische Gaststätte »Zur letzten Instanz«, in der *Zille* oft verkehrte.

Max **Pechstein**

*Maler und Graphiker, *31. Dezember 1881 Zwickau, †29. Juni 1955 Berlin.*
Ab 1900 studierte Pechstein in Dresden an der Kunstgewerbeschule und anschließend 1902 bis 1906 an der Kunstakademie. 1906 wurde er Mitglied der Künstlervereinigung »Brücke«. 1908

Johann Georg Rosenberg, Klosterstraße mit Parochialkirche. Radierung, 1786.

kam er nach Berlin. Hier gründete er 1910 zusammen mit anderen expressionistischen Malern die *Neue Sezession*, nachdem seine Arbeiten, die er für die Frühjahrsausstellung der *Berliner Sezession* eingesandt hatte, abgelehnt worden waren. 1913 wurde er dann aber Mitglied der Berliner Sezession. 1914 unternahm Pechstein eine Reise zu den Palauinseln in der Südsee und geriet in japanische Kriegsgefangenschaft, aus der er ausbrach. Auf abenteuerlichen Wegen kehrte er 1915 nach Deutschland zurück und leistete Kriegsdienst an der Westfront.

1918 wurde Pechstein Mitglied des »Arbeiterrates für Kunst« und Mitbegründer der *Novembergruppe* in Berlin. 1922 wurde er Mitglied der Akademie der Künste und zum Professor ernannt. 1933 erhielt er Ausstellungsverbot, und 1934 schloß man ihn aus der Akademie der Künste aus. Er zog sich 1940 bis 1945 nach Pommern zurück. Nach Kriegsende kam er wieder nach Berlin und lehrte an der Hochschule für bildende Künste.

Zwischen 1909 und 1939 hielt sich Pechstein oft in Nidden auf der Kurischen Nehrung auf, wo zahlreiche Bilder entstanden.

LITERATUR: K. Lemmer, Max Pechstein und der Beginn des Expressionismus. 1949.

Antoine **Pesne**

Maler, *23. Mai 1683 Paris, †5. August 1757 Berlin.
Nach der Lehre bei seinem Vater und seinem Onkel arbeitete Pesne in Italien. Friedrich I. holte ihn 1710 nach Berlin und ernannte ihn 1711 zum Hofmaler. Pesne malte Genrebilder und Porträts der Mitglieder des preußischen Königshofes, des Adels und des Berliner Bürgertums. Daneben schuf er Wand- und

Deckengemälde in den königlichen Schlössern, u. a. in *Schloß Charlottenburg* (1742 bis 1745) und in Sanssouci (1747). Zahlreiche Werke Pesnes sind im Schloß Charlottenburg zu sehen, z. B. das Porträt der Tänzerin Barbara Campanini, genannt Barbarina, von 1745, das im Arbeitszimmer Friedrichs des Großen hing. Einige Porträts hängen auch im *Jagdschloß Grunewald* und im *Märkischen Museum.*
LITERATUR: E. Berckenhagen u. a., Antoine Pesne. Eingeleitet von G. Poensgen. 1958.

Petrikirche

Im Gegensatz zur *Marienkirche* und zur *Nikolaikirche* in Berlin erinnert an die dritte der mittelalterlichen Pfarrkirchen, die Cöllner Petrikirche, nur noch ein Platz an der Gertraudenstraße. Die wohl um 1230 erbaute Kirche, an die 1537 Johann Baderesch, der erste evangelische Prädikant in den Spreestädten, berufen worden war, brannte in ihrer Geschichte mehrmals aus. Nach einem Brand im Jahr 1730 soll von König Friedrich Wilhelm I. ein Neubau erwogen worden sein, dessen Turm als damals höchstes Bauwerk der Welt das Straßburger Münster überragt hätte. Der sumpfige Baugrund ließ das aber nicht zu. Nach einem weiteren Brand 1809 errichtete Johann Heinrich Strack in neugotischem Stil einen 1850 fertiggestellten Neubau. Die Ruine der im Zweiten Weltkrieg zerstörten Kirche wurden 1963 abgetragen.

Pfaueninsel

Die früher auch Pfauwerder oder Kaninchenwerder genannte, 98 Hektar große Havelinsel stellte der Große Kurfürst dem Alchimisten Johann Kunckel von Löwenstern zur Verfügung, der dort am Ostende der Insel 1685 eine Glashütte errichtete und Rubinglas erzeugte. Kunckel ging nach dem Tod des Großen Kurfürsten (1688) nach Stockholm. Die Glashütte brannte 1689 ab, ihre Überreste wurden 1974 ausgegraben. 1793 erwarb Friedrich Wilhelm II. die Insel. Er ließ 1794 bis 1797 vom Hofzimmermeister Johann Gottlieb Brendel ein Schlößchen für seine Geliebte Wilhel-

mine Encke, seit 1794 Gräfin Lichtenau, erbauen. Es wurde ganz im Sinne der Romantik als verfallenes römisches Landhaus gestaltet. Die hölzerne Brücke, die die beiden Türme verbindet, wurde 1807 durch eine Eisengußkonstruktion ersetzt.
Unter Friedrich Wilhelm III. wurde der dichte Baumbestand teilweise gerodet. Ab 1822 gestaltete Peter Joseph *Lenné* die Insel als englischen Landschaftsgarten. Es entstand ein reichhaltiger Tierpark, der Vorläufer des späteren Berliner *Zoologischen Gartens,* und exotische Bäume (Weymouth- und Zirbelkiefer, Mammutbaum, Gingko, Zeder) wurden angepflanzt, die noch heute auf der Insel zu finden sind, ebenso wie die Pfauen, die ihr den Namen gaben.
Neben dem Schloß, das 1974/75 renoviert wurde und heute als Museum eine weitgehend erhaltene Originalausstattung zeigt, finden sich auf der Insel weitere interessante Gebäude. Das auf ein Gutshaus von 1803/04 zurückgehende Kavaliershaus erhielt 1824 bis 1826 von *Schinkel* bei einem gotisierenden Umbau die sechsgeschossige Fassade eines in Danzig abgebrochenen Patrizierhauses aus dem 15. Jahrhundert. Die Meierei, eine künstliche Ruine mit gotischen Formen, entstand gleichzeitig mit dem Schloß um 1795 und wurde ebenfalls von Brendel gestaltet. Auf einem Entwurf von Schinkel basiert das Schweizerhaus von 1829/30.
1829 wurde der Gedächtnistempel für Königin Luise erbaut, für den die Sandsteinsäulen Verwendung fanden, die, ursprünglich für das *Mausoleum* in Charlottenburg geschaffen, dort Granitsäulen weichen mußten. Die Marmorbüste der Königin von Christian Daniel *Rauch* wurde durch einen Gipsabguß ersetzt und steht jetzt in Sanssouci.
29 Gipsreliefs, teils Kopien antiker Darstellungen, die J. P. Egtler für das Teezimmer des Schlosses hergestellt hatte und die im Zweiten Weltkrieg verlagert worden waren, wurden von der DDR im April 1986 aus Potsdam nach Westberlin zurückgebracht.

Philharmonie

Mit der Philharmonie, die Hans *Scharoun* 1960 bis 1963 schuf, entstand das

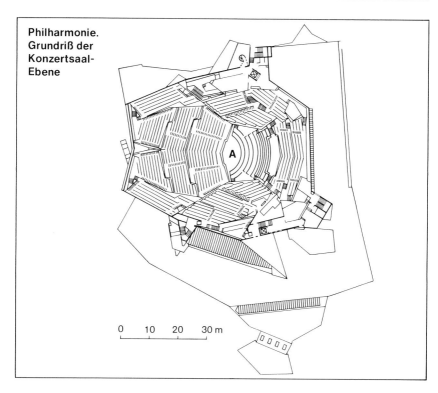

Philharmonie.
Grundriß der
Konzertsaal-
Ebene

0   10   20   30 m

Die Philharmonie am Kemperplatz. Grundriß des Konzertsaales, A Konzertpodium.

erste Gebäude des *Kulturforums* am Kemperplatz am südlichen Rand des *Tiergartens.* Ursprünglich sollte der Bau an anderer Stelle – hinter dem *Joachimsthalschen Gymnasium* an der Bundesallee – errichtet werden. Das im Umriß sehr unregelmäßige, im ganzen zeltförmig wirkende Bauwerk spiegelt in seinen äußeren Formen, die durch niedrige, ein- bis dreigeschossige Nebengebäude noch akzentuiert werden, die Vielfalt der im Innern untergebrachten Räume und Funktionen wider. Die von Anfang an vorgesehene Verblendung mit goldfarbenen Kunststoffteilen geschah nach mancherlei Experimenten erst 1979. Die 2200 Plätze des Konzertsaals sind in der Art eines Amphitheaters um das Musikerpodium angeordnet. Im oberen Foyer erinnern Bronzebüsten an die drei früheren Chefdirigenten der Berliner Philharmoniker Hans von Bülow, Arthur *Nikisch* und – von Alexander Archipenko – Wilhelm *Furtwängler.*

Mit der Philharmonie erhielt das 1882 gegründete Orchester ein eigenes repräsentatives Haus. 1884 bis 1944 diente der Konzertsaal in der Bernburger Straße 22 in Kreuzberg als Stammhaus. Die Hochschule für Musik, in der das Orchester nach dem Krieg seine Konzerte gab, hatte sich schon bald als zu kleines Provisorium erwiesen.

Max **Planck**

Physiker, *23. April 1858 Kiel, †4. Oktober 1947 Göttingen.
Max Planck war 1885 Professor in seiner Heimatstadt Kiel geworden, bevor er 1889 nach Berlin berufen wurde. Seit 1894 war er Mitglied, 1912 bis 1938 einer der vier »Beständigen Sekretäre« der Preußischen *Akademie der Wissenschaften* und 1930 bis 1937 Präsident der *Kaiser-Wilhelm-Gesellschaft.*
Plancks Hauptarbeitsgebiet war die

theoretische Thermodynamik. Sein Vortrag am 14. Dezember 1900 vor der Deutschen Physikalischen Gesellschaft in Berlin über die Ableitung des Strahlungsgesetzes aus Prinzipien der Physik gilt als Geburtsstunde der Quantentheorie. Planck selbst sah die volle Tragweite seiner Entdeckung erst später, *Einstein* aber verallgemeinerte sie bereits 1905 zur Lichtquantenhypothese. Er zeigte durch seine Erklärung der Lichtabsorption beim Photoeffekt die Gültigkeit auch für Atome. Die grundlegende Bedeutung der Einsteinschen Relativitätstheorie erkannte Planck seinerseits als einer der ersten und trug zu ihrer schnellen Anerkennung bei. Für seine Quantentheorie erhielt Max Planck 1918 den Physik-Nobelpreis. Aus Anlaß von Plancks 70. Geburtstag schuf die Deutsche Physikalische Gesellschaft 1928 die Max-Planck-Medaille, die Planck selbst und Einstein als ersten verliehen wurde. Planck hatte noch kurz vor Kriegsende seinen Sohn Erwin verloren, der 1932/33 letzter Staatssekretär in der Reichskanzlei vor Hitlers Machtergreifung gewesen war. Als Mitglied der konservativen Widerstandsbewegung wurde Erwin Planck nach dem 20. Juli 1944 verhaftet und am 23. Januar 1945 in Plötzensee hingerichtet.
Kurz nach Kriegsende wurde Max Planck nochmals Präsident der Kaiser-Wilhelm-Gesellschaft, bevor diese 1946 durch Verfügung des Alliierten Kontrollrats aufgelöst wurde. Planck hatte in Berlin seine Wohnung durch Bombenschaden verloren und war nach Göttingen gegangen, wo er 1947 starb. Als 1948 die Kaiser-Wilhelm-Gesellschaft neu gegründet wurde, erhielt sie seinen Namen.
Literatur: A. Hermann, Max Planck. ³1980.

Prenzlauer Berg

Bei der Eingemeindung 1920 wurde aus dem Nordostteil des zu diesem Zeitpunkt bereits bestehenden Stadtgebietes der 4. Verwaltungsbezirk von Berlin gebildet, der den Namen Prenzlauer Tor erhielt und 1921 in Prenzlauer Berg umbenannt wurde. Seit 1945 gehört er zum sowjetischen Sektor. Noch Anfang des 19. Jahrhunderts war das Gebiet des späteren Bezirks Prenzlauer Berg nur dünn besiedelt. Zu dieser Zeit wurden hier die Friedhöfe zahlreicher Berliner Kirchengemeinden angelegt. In den zwanziger Jahren des 19. Jahrhunderts setzte allmählich von Süden her die Bebauung ein und verstärkte sich, nachdem 1867 bis 1869 die *Akzisemauer* abgetragen worden war. Es entstanden insbesondere *Mietskasernen*, so daß sich das Gebiet zu einem typischen Arbeiterviertel entwickelte. Der 1881 eröffnete kommunale Zentralvieh- und Schlachthof, angelegt auf einem Gelände, das Berlin 1878 von der Gemeinde *Lichtenberg* erworben hatte, wurde 1920 in den Bezirk Prenzlauer Berg einbezogen.

Presse

Bereits um 1600 hatte der kurfürstliche Postmeister Christoph Frischmann, dem 1618 sein Bruder Veit folgte, in Berlin eine Zeitung herausgegeben, die auf 8 bis 12 Quartseiten wöchentlich Neuigkeiten aus Politik, Kunst, Wissenschaft und Wirtschaft mitteilte. Die ältesten erhaltenen Nummern dieser »Ordinari-Avisen« stammen aus dem Jahr 1617. Nachdem das Erscheinen dieses Blattes vorübergehend eingestellt worden war, ging die Zeitungskonzession im Jahr 1655 auf den Drucker und Verleger Christoph Runge und 1681 auf dessen Witwe über. Diese verkaufte Druckerei und Privileg 1704 an Johann Lorentz, der ab 1705 den »Relations-Postillon« mit dem Ergänzungsblatt »Relations-Mercurius« herausbrachte. In dieser Zeit begann sich das Zeitungsgeschäft durch die Aufnahme von Inseraten wirtschaftlich zu beleben.
1721 entzog König Friedrich Wilhelm I. Lorentz das Privileg und übertrug es auf den Buchhändler Johann Andreas Rüdiger, den das Blatt dreimal wöchentlich unter dem Titel »Berlinische Privilegierte Zeitung« herausgab. Wirtschaftlich entstand rasch eine starke Konkurrenz, da der König 1727 sogenannte Intelligenzblätter erscheinen ließ, die zunächst den Titel »Wöchentliche Berlinische Frage- und Anzeigungs-Nachrichten« trugen und das alleinige Recht der Inseratenveröffentlichung hatten. Nach einigem Hin und Her durfte Rüdigers

Zeitung wenigstens Inserate nachdrukken, die bereits im Intelligenzblatt gestanden hatten. Das staatliche Anzeigenblatt, das von bestimmten Kreisen zwangsweise abonniert werden mußte (Behörden, Geistliche, Gastwirte, Weinhändler, aber z. T. auch Juden), war sehr lukrativ für seine Pächter, die für die Konzession Ende des 18. Jahrhunderts jährlich 20000 Taler an das Potsdamer Waisenhaus abführten. Dieses staatliche Inseratengeschäft bestand bis 1849.

Rüdigers »Berlinische Privilegierte Zeitung« ging 1751 in den Besitz seines Schwiegersohns, des Buchhändlers Christian Friedrich Voß, über. Seitdem hieß das Blatt, das durch Erbschaft 1801 an die Familie des Breslauer Münzdirektors Lessing fiel, im Volksmund »Vossische Zeitung«. Es blieb lange Zeit das bekannteste Presseorgan Berlins und wurde 1911 an ein Frankfurter Bankhaus, 1914 an den Ullstein-Verlag verkauft. Seit 1910/11 hieß die Zeitung auch offiziell »Vossische Zeitung«. Sie galt damals als linksliberal. 1933 erhielten viele ihrer Mitarbeiter Berufsverbot, und am 30. April 1934 wurde das Blatt eingestellt. Sein langjähriger Mitarbeiter und Chefredakteur (1920 bis 1930) Georg Bernhard, der von 1928 bis 1933 auch Professor für Bank-, Börsen- und Geldwesen an der Berliner Handelshochschule war, emigrierte 1933 nach Paris, wo er das »Pariser Tageblatt« herausgab, und 1941 nach New York.

Eine zweite traditionsreiche Berliner Zeitung reicht ebenfalls in das 18. Jahrhundert zurück. Der Buchhändler Ambrosius Haude, der 1723 einen bereits 1614 von Hans und Samuel Kalle gegründeten Verlag übernommen hatte, erhielt von Friedrich II. die Erlaubnis, ab 30. Juni 1740 die »Berlinischen Nachrichten von Staats- und gelehrten Sachen« erscheinen zu lassen. Die Konzession war der Dank dafür, daß Haude dem Prinzen Friedrich heimlich die vom Vater verbotenen französischen Bücher nach Rheinsberg geliefert hatte. 1748 ging das Blatt an Haudes Schwiegersohn Johann Carl Spener und später an dessen Sohn Johann Carl Philipp über, der 1823 die erste Schnellpresse Deutschlands aufstellte. Die Zeitung wurde inoffiziell »Haude-Spenersche Zeitung« genannt. 1872 erhielt sie auch im Kopf den Namen »Spenersche Zeitung«, was aber den

Niedergang nicht aufhielt. 1874 wurde sie mit der 1848 gegründeten »National-Zeitung« vereinigt, die Ende der zwanziger Jahre an den Mosse-Verlag ging und 1938 eingestellt wurde.

Insgesamt entwickelte sich das Berliner Zeitungswesen im 18. und beginnenden 19. Jahrhundert recht langsam. Es wurde auch durch die Zensur, die Friedrich II. 1740 abgeschafft, aber bereits 1749 wieder eingeführt hatte, eingeengt. Daran änderte sich auch unter seinen Nachfolgern wenig. Staatskanzler Fürst Hardenberg scheiterte 1819 mit seinem Versuch, der Presse größere Freiheiten zu verschaffen, an den von Fürst Metternich initiierten antiliberalen Karlsbader Beschlüssen des Bundestags der deutschen Fürsten. Die »Vossische Zeitung« und die »Haude-Spenersche Zeitung« konnten zwar ab 1824 sechsmal wöchentlich erscheinen, waren aber inhaltlich völlig von der Regierung abhängig.

Erst die Verkündung der Pressefreiheit im März 1848 änderte die Verhältnisse schlagartig. Nun entstanden in rascher Folge Zeitungen, die sich zu Trägerinnen bestimmter politischer Ideen und damit oft zu Vertreterinnen politischer Parteien entwickelten. Die folgende Auswahl gibt einen Überblick.

1848: »National-Zeitung« (für ein starkes, einiges Deutschland, bürgerlich-liberal; der Geschäftsführer der »National-Zeitung«, Bernhard Wolff, gründete 1849 ein »Telegrafisches Bureau«, die erste deutsche Nachrichtenagentur); »Urwähler-Zeitung« (später »Volks-Zeitung«, kleinbürgerlich-demokratisch); »Neue Preußische Zeitung« (wegen des Eisernen Kreuzes im Titel meist »Kreuz-Zeitung« genannt, konservativ; Mitgründer und bis 1851 Mitarbeiter war Bismarck; ab 1932 hieß sie auch offiziell »Kreuz-Zeitung« und war im Besitz des Stahlhelm; 1939 wurde sie eingestellt). 1851: »Preußische (Adler-)Zeitung« (konservativ). 1853: »Publizist« (liberaler Mittelstand). 1855: »Berliner Börsen-Zeitung« (nationalliberal). 1859: »Berliner Allgemeine Zeitung«. 1861: »Norddeutsche Allgemeine Zeitung« (bald das Organ Bismarcks, später »Deutsche Allgemeine Zeitung«); »Berliner Fremdenblatt«. 1862: »Tribüne« (liberal-bürgerlich). 1866: »Post« (freikonservativ). 1871: »Germania« (Zentrumspartei). 1872: »Berliner Tageblatt« (liberal).

1873: »Reichsbote« (konservativ). 1877: »Berliner Zeitung«. 1881: »Berliner Neueste Nachrichten«; »Tägliche Rundschau«. 1883: »Berliner Lokal-Anzeiger«. 1884: »Berliner Volksblatt« (ab 1891 »Vorwärts«; sozialdemokratisch). 1885: »Freisinnige Zeitung«. 1894: »Deutsche Tageszeitung« (Landwirtschaftsinteressen). 1901: »Der Tag« (die erste Tageszeitung mit täglichem illustriertem Teil). Als radikale Parteiblätter kamen 1918 »Die Rote Fahne« (KPD) und 1927 »Der Angriff« (NSDAP) hinzu.

Soweit es sich nicht um reine Parteizeitungen handelte, erschien vor dem Ersten Weltkrieg und bis 1933 ein großer Teil der auflagenstärksten Blätter in drei größeren Konzernen, die im letzten Drittel des 19. Jahrhunderts entstanden waren.

Rudolf Mosse (*1843, †1920) begann 1867 mit einer Annoncen-Expedition. Er gründete 1872 das »Berliner Tageblatt«, 1889 die »Berliner Morgen-Zeitung« und 1904 die »Berliner Volks-Zeitung«. 1934 wurde sein Verlag von Beauftragten der NSDAP übernommen.

Leopold Ullstein (*1826, †1899) und seine Söhne schufen durch Gründung und Kauf das größte Zeitungs-Imperium. Hier erschienen u.a.: »Berliner Zeitung«/»BZ« (1877), »Neues Berliner Tageblatt« (1877), »Berliner Abendpost« (1877), »Berliner Illustrirte Zeitung« (1891), »Berliner Morgenpost« (1898) und »BZ am Mittag« (1904). 1914 wurde auch die »Vossische Zeitung« gekauft. Schon vor 1900 wurden auch Bücher herausgegeben. Die Firma wurde 1921 in eine AG umgewandelt und 1934 zwangsweise an ein von der NSDAP kontrolliertes Konsortium verkauft. 1952 erfolgte aufgrund eines Wiedergutmachungsbeschlusses des Landgerichts Berlin die Neugründung des Verlages, der von der Familie Ullstein zwischen 1956 und 1960 schrittweise an Axel Springer verkauft wurde.

Während diese beiden von jüdischen Eigentümern errichteten Verlagshäuser demokratisch und liberal orientiert waren, sprach der Verlag von August Scherl (*1849, †1921) vorwiegend deutsch-nationale Leser an. Scherl gründete den »Berliner Lokal-Anzeiger« (1883, ab 1885 Tageszeitung), die Illustrierte »Die Woche« (1899) und die illustrierte Tageszeitung »Der Tag« (1901). 1904 kaufte er »Die Gartenlaube«. Scherl schied 1914 aus seiner Firma aus, die 1916 an den Hugenberg-Konzern überging.

1925 bestanden in Berlin etwa 1500 Zeitungen und Zeitschriften (1875: 265; 1895: 750; 1910: 1100), davon 114 Zeitungen einschließlich 46 Vorort-Zeitungen. In der Zeit des Nationalsozialismus ging die Zahl und vor allem die Vielfalt der Organe stark zurück. Nach 1945 entwickelte sich die Presse in beiden Teilen der Stadt sehr unterschiedlich. Als erste Zeitung erschien, herausgegeben von der sowjetischen Besatzungsmacht, schon 1945 die »Tägliche Rundschau«, die nach der Gründung der DDR wieder eingestellt wurde.

Heute sind die wichtigsten Zeitungen in Ostberlin die Parteiorgane »Neues Deutschland« (SED), »Der Morgen« (LDPD), »Neue Zeit« (CDU), »National-Zeitung« (NDPD) und »Bauern-Echo« (DBD), die Gewerkschaftszeitung »Tribüne«, ferner »Berliner Zeitung«, »BZ am Abend«, die Sport-Tageszeitung »Deutsches Sport-Echo« und die FDJ-Zeitung »Junge Welt«.

In Westberlin erscheint keine Tageszeitung von größerer überörtlicher Bedeutung mehr. Die auflagenstärksten Zeitungen haben den Charakter von Boulevardblättern (Berliner Ausgabe der »Bild-Zeitung«, »BZ«). Daneben sind die wichtigsten Presseorgane »Der Tagesspiegel« (1945 gegründet) und die »Berliner Morgenpost«. Nur marginale Bedeutung hat die auch außerhalb Berlins von Interessenten gelesene linke »Tageszeitung«/»TAZ«, während als einziges ehemaliges Vorstadtblatt das »Volksblatt Berlin«, früher »Spandauer Volksblatt«, übriggeblieben ist. »Bild-Zeitung«, »BZ« und »Berliner Morgenpost« gehören zum Pressekonzern Axel Springer Verlag AG, der in Berlin eine durchaus marktbeherrschende Stellung hat. Das Unternehmen, das die Ullstein AG bis 1960 übernommen hatte, errichtete als zentralen Firmensitz in den Jahren 1961 bis 1966 ein Hochhaus an der Kochstraße im ehemaligen Berliner Zeitungsviertel, das sich einst zwischen Stresemannstraße und Moritzplatz im Norden von *Kreuzberg* erstreckte.

LITERATUR: P. Mendelssohn, Zeitungsstadt Berlin. 1959.

Preußische Staatsbibliothek

Erster Vorläufer der Preußischen Staatsbibliothek war die Kurfürstliche Bibliothek, die Friedrich Wilhelm 1661 im Apothekenflügel des Schlosses anlegen ließ. 1774 bis 1780 errichtete Georg Friedrich Boumann als viertes Gebäude des *Forum Fridericianum* mit Front zum heutigen Bebelplatz und zur *Deutschen Staatsoper* die Königliche Bibliothek. Die Pläne von Georg Christian Unger gehen auf einen älteren Entwurf von Joseph Emanuel Fischer von Erlach für den Michaeler Trakt der Wiener Hofburg zurück. Die Königliche Bibliothek, später als Alte Bibliothek bezeichnet, wird seit 1910 als Aula und Hörsaalgebäude der Universität genutzt. Nach Zerstörungen 1945 wurde sie in den Jahren 1967 bis 1969 wiederaufgebaut. Der äußerlich scheinbar viergeschossige Barockbau mit fünf Portalen, geschwungenem Grundriß und reichem plastischem Schmuck weist im Innern nur zwei hohe Geschosse auf.

Schräg gegenüber auf der Nordseite der Straße *Unter den Linden* errichtete Ernst Eberhard von *Ihne* 1903 bis 1914 einen Neubau für die Königliche Bibliothek. Der Gebäudekomplex zwischen Linden und Clara-Zetkin-Straße, Charlotten- und Universitätsstraße mißt 106 × 170 m und weist sechs Innenhöfe auf. Über einem Sockelgeschoß erheben sich zwei Hauptgeschosse, die in der Mitte von einem flachen Giebel gekrönt werden.

Die Königliche Bibliothek erhielt 1918 den Namen Preußische Staatsbibliothek. Am 1. Oktober 1946 wurde sie als »Öffentliche Wissenschaftliche Bibliothek« wiedereröffnet und 1954 in Deutsche Staatsbibliothek umbenannt. Der 1945 zerstörte Kuppellesesaal wurde Anfang der siebziger Jahre gesprengt.

Die Preußische Staatsbibliothek hatte 1939 einen Bestand von 3,82 Millionen Bänden, von denen im Zweiten Weltkrieg 700000 Bände verlorengingen. Von den in 30 Städte ausgelagerten Beständen ist der größere Teil heute in Westberlin in der *Staatsbibliothek Preußischer Kulturbesitz*. Trotzdem verfügt die Ostberliner Bibliothek heute über mehr als 5 Millionen Bände. Im nördlichen Trakt ist die Universitätsbibliothek mit etwa 4,1 Millionen Bänden, im Nord-westtrakt die Bibliothek der *Akademie der Wissenschaften* untergebracht.

Prinzessinnenpalais

Das Prinzessinnenpalais an der Straße *Unter den Linden* ist ein zweigeschossiger Barockbau, den Friedrich Wilhelm Diterichs in den Jahren 1733 bis 1737 errichtete. Das Gebäude ging durch verschiedene Hände – 1755 Markgraf Friedrich Heinrich von Brandenburg-Schwedt, 1788 Prinz Ludwig, der Bruder Friedrich Wilhelms III., 1796 Friedrich Wilhelm III., dessen Töchter darin bis zu ihrer Heirat wohnten, woher der Name rührt. 1811 verband Heinrich *Gentz* das Prinzessinnenpalais durch eine Überbrückung mit dem benachbarten *Kronprinzenpalais*. Er schuf auch die Fassade des Palais zu den Linden hin. 1962/63 wurde das im Zweiten Weltkrieg völlig zerstörte Palais äußerlich rekonstruiert und im Innern als Operncafé mit mehreren Restaurationsbetrieben neu gestaltet.

Seit 1964 stehen zwischen dem Prinzessinnenpalais und der *Deutschen Staatsoper* das von *Rauch* geschaffene Marmorstandbild von Scharnhorst (1819) – es stand mit seinem Pendant, das Bülow darstellte, bis 1950 vor der *Neuen Wache* – sowie die ebenfalls von Rauch errichteten Bronzestandbilder von Blücher (1828), Yorck und Gneisenau (beide 1855).

Prinz-Heinrich-Palais

In den Jahren 1748 bis 1766 errichtete Johann Boumann das dritte Gebäude des *Forum Fridericianum*, das Prinz-Heinrich-Palais, in dem seit 1810 die Berliner Universität, die spätere *Friedrich-Wilhelms-Universität*, ihren Sitz hatte. Der ursprüngliche Entwurf des Palais für den zweitältesten Bruder Friedrichs des Großen stammt von *Knobelsdorff*. Der klassizistische Charakter der großzügigen dreigeschossigen Dreiflügelanlage um einen breiten Ehrenhof vor dem Haupteingang wird durch die massige Putzquaderung und die sechs korinthischen Säulen beiderseits des Portals unterstrichen, durch die reiche Ornamentik aber auch etwas verwischt.

Beiderseits des Eingangs zum Ehrenhof wurden 1883 Marmordenkmäler der Brüder Humboldt aufgestellt; das Denkmal für Wilhelm von *Humboldt* wurde von Paul Otto geschaffen, das für Alexander von *Humboldt* von Reinhold *Begas*. Außerdem stehen an der Westseite (Universitätsstraße) Denkmäler des Historikers Theodor Mommsen (Adolf Brütt, 1909) und des Physikers Hermann von Helmholtz (Ernst Herter, 1899), im Norden auf dem Hegelplatz eine kolossale Büste des Philosophen Georg Wilhelm Friedrich *Hegel* (Gustav Blaeser, 1871) und im Osten das Bronzedenkmal des Chemikers Eilhard Mitscherlich (Ferdinand Hartzer, 1894). 1913 bis 1919 verbreiterte Ludwig Hoffmann die ursprünglich schmaleren Seitenflügel auf die Breite ihrer Stirnbauten und errichtete auf der rückwärtigen Nordseite ebenfalls zwei Flügel um einen Hof. Nach Zerstörungen im Zweiten Weltkrieg wurde der Gebäudekomplex zwischen 1949 und 1967 restauriert.

Samuel Freiherr von **Pufendorf**

Jurist, Rechtsphilosoph und Historiker, *8. *Januar 1632 Dorf-Chemnitz, Sachsen,* †26. *Oktober 1694 Berlin.*
Pufendorf lehrte Natur- und Völkerrecht seit 1661 in Heidelberg und seit 1670 im schwedischen Lund, bevor er 1677 als Hofgeschichtsschreiber und Staatssekretär an den schwedischen Königshof in Stockholm berufen wurde. Im Jahr 1688 rief der Große Kurfürst, der wenige Monate später starb, den Gelehrten als Hofhistoriographen nach Berlin. Hier verfaßte Pufendorf ein zweibändiges Werk über Leben und Wirken des brandenburgischen Herrschers.
Pufendorfs Rechtsphilosophie vom Naturrecht als Vernunftrecht wirkte wegbereitend für die Aufklärung. Sein Rechtssystem beeinflußte die Rechtsgestaltung seiner Zeit nachhaltig.
LITERATUR: H. Denzer, Moralphilosophie und Naturrecht bei Samuel Pufendorf. 1972.

Wilhelm **Raabe**

Schriftsteller, Pseudonym Jakob Corvinus, *8. *September 1831 Eschershausen bei* *Braunschweig,* †15. *November 1910 Braunschweig.*
Wilhelm Raabe, der 1849 in Magdeburg eine Buchhändlerlehre begonnen hatte, studierte ab 1854 in Berlin Philosophie. Er wohnte zunächst in der Spreegasse auf der Cöllner Spreeinsel. Hier begann er im November 1854 den Roman »Die Chronik der Sperlingsgasse« zu schreiben, der 1857 erschien. Auch in anderen Werken Raabes ist Berlin Ort der Handlung. Die Spreegasse erhielt später zu Ehren Raabes den Namen Sperlingsgasse.
1856 verließ Raabe Berlin und zog nach Wolfenbüttel. Als freier Schriftsteller hielt er sich hier bis 1862 auf und ging dann nach Stuttgart. Seit 1870 lebte er in Braunschweig.
Das Werk Raabes ist geprägt durch eine schwermütige, oft aber auch humorvolle Zeit- und Bildungskritik. Seine Erzählfreude gerät ihm oft zu weitschweifiger Breite. Mit seiner wirklichkeitsnahen Darstellungsweise ist Raabe einer der bedeutendsten deutschen Realisten. Zu seinem umfangreichen Werk gehören u.a. »Die Leute aus dem Walde« (3 Bände, 1863), »Der Hungerpastor« (3 Bände, 1864), »Abu Telfan« (1867), »Der Schüdderump« (3 Bände, 1870), »Stopfkuchen« (1891), »Die Akten des Vogelsangs« (1896), »Altershausen« (Fragment, posthum herausgegeben 1911). LITERATUR: H. Helmers, Wilhelm Raabe. ²1978. – H. Oppermann, Wilhelm Raabe in Selbstzeugnissen und Bilddokumenten. 1970.

Rathaus

Im 13. Jahrhundert waren Berlin und Cölln selbständige Städte und hatten eigene Rathäuser. Das Cöllner Rathaus stand am Fischmarkt, etwa an der Ostseite des heutigen Petriplatzes. Das Berliner Rathaus befand sich zunächst vermutlich am Alten Markt, dem späteren *Molkenmarkt*, wurde aber noch im 13. Jahrhundert durch einen Neubau an der Kreuzung der Spandauer Straße mit der heutigen Rathaus-(früher Oderberger, dann Georgen-, sodann Königs-)Straße ersetzt. Als sich Berlin und Cölln 1307 zu einer Bundesstadt zusammenschlossen, kam ein drittes, gemeinsames Rathaus »auf der neuen Brücke« hinzu – auf der

Neuen oder Langen Brücke, die nördlich des Mühlendamms eine zweite Verbindung über die Spree zwischen den beiden Städten herstellte. Dieses gemeinsame Rathaus wurde 1442 vom Landesherrn beschlagnahmt und zum Sitz des kurfürstlichen Gerichts gemacht. Im Jahr 1514 wurde das Gebäude abgerissen. Das Berliner Rathaus brannte dreimal nieder – 1380, 1484 und 1581 – und wurde jeweils in etwas veränderter und erweiterter Form wiederaufgebaut. Nach dem Zusammenschluß von Berlin und Cölln mit Friedrichswerder, Dorotheenstadt und Friedrichstadt zur Königsstadt Berlin durch königliches Rescript vom 17. Januar 1709 wurde das Cöllner Rathaus, von dem keine Gebäudereste erhalten sind, vom Jahr 1710 an vorübergehend Sitz der gemeinsamen Stadtverwaltung, während das Berliner Rathaus das Stadtgericht aufnahm. Mitte des 19. Jahrhunderts wurde das Bedürfnis nach einem Rathaus, das den Anforderungen einer Stadt von der Größe Berlins entsprach, immer unabweisbarer. Nach Abriß des alten Berliner Rathauses mit dem gesamten umgebenden Straßenviertel zwischen Königs-(heute Rathaus-)Straße, Jüdenstraße, Hinter dem Rathaus und Spandauer Straße erbaute Hermann Friedrich Waesemann in den Jahren 1861 bis 1869 das 99 m lange und 88 m breite viergeschossige Ziegelgebäude des nach seiner Farbe benannten Roten Rathauses. Es unterscheidet sich in seinen Stilelementen deutlich und betont vor der staatlichen und kirchlichen Architektur Berlins im 19. Jahrhundert und knüpft eher an italienische und anglonormannische Stadtpaläste des späten Mittelalters an. Die mehrflügelige Neorenaissanceanlage schließt drei Innenhöfe ein und wird über der Nordwestfassade und dem Haupteingang von einem weithin sichtbaren, das Gesamtbild beherrschenden, 74 m hohen Uhrturm (mit Antennenaufbau 97 m) überragt. Unter den Fenstern des ersten Obergeschosses umzieht ein Terrakottafries das Gebäude, auf dem die Stadtgeschichte von Otto Geyer, Rudolf Schweinitz, Alexander Calandrelli und Ludwig Brodwolf dargestellt wurde. Das gegen Kriegsende schwer beschädigte Rathaus wurde 1951 bis 1956 wie-

derhergestellt. Vor der Hauptfassade wurden 1958 die überlebensgroßen Bronzestandbilder »Aufbauhelfer« und »Trümmerfrau« von Fritz Cremer aufgestellt. In dem Gebäude, in dem schon 1865, vor der Fertigstellung, die erste Magistratssitzung stattfand, haben heute Oberbürgermeister, Magistrat und Stadtverordnetenversammlung von Ostberlin ihren Sitz. Im Zusammenhang mit dem Stadtjubiläum 1987 wird die rote Klinkerfassade renoviert. Da sich das Rote Rathaus schon bald als zu klein erwies, wurde 1902 bis 1911 zur Entlastung weiter südlich zwischen Parochial-, Jüden-, Stralauer und Klosterstraße das Stadthaus von Stadtbaurat Ludwig Hoffmann errichtet. Die mehrflügelige Anlage mit fünf Innenhöfen ist mit Muschelkalk verkleidet. Den Westflügel des barockisierenden Baus überragt auf quadratischem Sockel der 101 m hohe, runde Turm mit zwei Säulengeschossen und parabolischer Kuppel. Das 1960/61 umgebaute Stadthaus ist heute Haus des Ministerrats der DDR.

Rathaus Schöneberg

Seit der Spaltung der Berliner Stadtverwaltung 1948 ist das Rathaus des Bezirks *Schöneberg* vorläufiger Sitz des Oberbürgermeisters, des Magistrats und der Stadtverordnetenversammlung bzw. seit 1951 des Regierenden Bürgermeisters, des Senats und des Abgeordnetenhauses. Daneben beherbergt es weiterhin Teile der Schöneberger Bezirksverwaltung. Das 1911 bis 1914 errichtete und im Krieg schwer beschädigte und bis 1952 restaurierte Gebäude steht frei auf dem früheren Rudolf-Wilde-Platz (nach einem Schöneberger Bürgermeister), dem heutigen (seit 1963) John-F.-Kennedy-Platz. Der früher 81 m hohe Uhrturm des Rathauses wurde 1950 aus Anlaß des Einbaus der Freiheitsglocke umgestaltet und aus statischen Gründen auf 70,5 m erniedrigt. Die 10,2 t schwere und 2,25 m hohe Glocke, eine Nachbildung der Freiheitsglocke in Philadelphia, ist eine Stiftung von Bürgern der USA und wurde den Berlinern am 24. Oktober 1950 durch General Lucius D. Clay übergeben.

Emil **Rathenau**

*Industrieller, *11. Dezember 1838 Berlin,
†20. Juni 1915 Berlin.*
Emil Rathenau erwarb 1881 die Nut-
zungsrechte an Patenten Edisons und
gründete 1883 gemeinsam mit Oskar von
Miller die »Deutsche Edison-Gesellschaft für angewandte Elektricität«, die
1887 in »Allgemeine Elektricitäts-Gesellschaft« (AEG) umbenannt wurde. Die
AEG entwickelte sich zu einem der größten Konzerne der Elektroindustrie.
Bereits 1880 hatte Rathenau den Aufbau
eines Fernsprechnetzes in Berlin angeregt, und schon am 12. Januar 1881 war
das erste Teilnetz in Betrieb genommen
worden. Eine weitere Gründung von Rathenau und Miller war 1884 die »Aktiengesellschaft Städtische Elektricitäts-
Werke«, die in der Friedrichstraße die
erste Blockstation errichtete und in den
nächsten Jahren die Elektrizitätsversorgung Berlins aufbaute. Ab 1885 wurde
die Leipziger Straße, ab 1888 die Straße
Unter den Linden elektrisch beleuchtet.
Aus dieser Gesellschaft ging 1923 die
»Berliner Städtische Elektrizitätswerke
AG« (Bewag) hervor, die 1931 mit der
»Berliner Kraft- und Licht-AG« fusio-
nierte.
1903 gründete Emil Rathenau mit Wilhelm von *Siemens* auch die »Telefunken
Gesellschaft für drahtlose Telegraphie«.
Sein Sohn Walther, seit 1899 im Vor-
stand der AEG und nach Emil Rathenaus Tod 1915 deren Präsident, wurde
nach dem Ersten Weltkrieg als Politiker
bekannt. Als Reichsaußenminister
schloß er am 16. April 1922 mit der Sowjetunion den Vertrag von Rapallo,
durch den sich die beiden Staaten unter
Verzicht auf gegenseitige Ansprüche aus
dem Krieg mit der Aufnahme diplomatischer und wirtschaftlicher Beziehungen
gegenseitig aus der internationalen Isolation halfen. Zwei Monate später wurde
Walther Rathenau am 24. Juni 1922 in
Grunewald von nationalistischen, antise-
mitischen Freikorpsoffizieren ermordet.

Christian Daniel **Rauch**

*Bildhauer, *2. Januar 1777 Arolsen, †3.
Dezember 1857 Dresden.*
Rauch erhielt seine erste Ausbildung in
Kassel. Von 1797 bis 1804 war er königlicher Kammerdiener in Berlin. Er studierte seit 1802 bei *Schadow* und ging
1804 nach Rom, wo er Einflüsse von
Thorvaldsen und Canova empfing. Seit
1811 wirkte er wieder in Berlin, wo er
sich zum bedeutendsten Bildhauer des
Klassizismus neben Schadow entwik-
kelte. Rauchs Kunst vereinigt das Suchen nach klassischen Schönheitsidealen
mit dem Streben nach realistischen Dar-
stellungsformen.
Zu Rauchs Hauptwerken in Berlin zählen der Sarkophag der Königin Luise im
Mausoleum von Charlottenburg (1811
bis 1815) und das Reiterdenkmal Friedrichs des Großen (1839 bis 1851), das
nach dem Zweiten Weltkrieg im Park
von Sanssouci stand und im November
1980 wieder *Unter den Linden* aufgestellt
wurde. 1841 bis 1846 schuf er auch den
Sarkophag von Friedrich Wilhelm III.
Neben weiteren Standbildern, Büsten
und Sarkophagen in anderen Städten
(Kant-Denkmal in Königsberg, Goethe-
Büste in Leipzig, Büsten in der Walhalla
bei Regensburg u. a.) gehören zu Rauchs
wichtigsten Werken Marmorstandbilder
von Scharnhorst und Bülow (beide
1819), die in Berlin ursprünglich vor
Schinkels Neuer Wache aufgestellt wurden. Das Scharnhorst-Denkmal steht
seit 1964 auf der gegenüberliegenden
Seite der Straße Unter den Linden zwischen *Deutscher Staatsoper* und *Prinzessinnenpalais*, dem heutigen Operncafé,
wo auch Rauchs Bronzestandbilder von
Blücher (1828), Yorck und Gneisenau
(beide 1855) errichtet wurden.
LITERATUR: H. Mackowsky, Christian
Daniel Rauch. 1916.

Rehberge

Im nördlichen *Wedding* wurde in den
Jahren 1926 bis 1929 nach Plänen von
Erwin Barth und Rudolf Germer der
Volkspark Rehberge eingerichtet. Die
Anlage, die zu den größten ihrer Art in
Berlin gehört, enthält Sport- und Spiel-
plätze sowie Wildgehege. 1930 wurde
auf einem Hügel der von der Familie *Ra-
thenau* gestiftete Rathenau-Brunnen von
Georg *Kolbe* aufgestellt. Bronzene Bild-
nisplaketten am Treppenaufgang zeigten
Emil und Walther Rathenau. Die monu-
mentale bronzene Brunnenschale, über
der sich eine 4 m hohe Spirale erhob,

hatte einen Durchmesser von 6,65 m. Die Bronzeteile der an die jüdische Familie erinnernden Brunnenanlage wurden aus rassistischen Motiven 1934 abgebaut.

Reichstagsgebäude

Als Berlin nach der Proklamation des preußischen Königs zum deutschen Kaiser 1871 Reichshauptstadt geworden war, entstand das Bedürfnis nach einem repräsentativen Gebäude für das Parlament des Kaiserreichs. Paul Wallot erhielt den Auftrag für den Bau, der 1884 bis 1894 vor dem *Brandenburger Tor* am Königsplatz, dem heutigen Platz der Republik, ausgeführt wurde. Das monumentale, 137 m lange und 97 m breite Gebäude hat die Formen eines Renaissancepalastes. In der Mitte befindet sich der von zwei Lichthöfen flankierte Plenarsaal, über dem sich eine das Gesamtbild beherrschende Kuppel erhob. An der reichen äußeren und inneren Ausstattung des Reichstags war eine Vielzahl von Künstlern beteiligt. Der Reichstag, dessen Giebel die Inschrift »Dem Deutschen Volke« trägt, brannte am 27. Februar 1933. Dabei wurde vor allem der Plenarsaal zerstört.

Bei den Kämpfen kurz vor Kriegsende brannte das Gebäude dann völlig aus. 1957 bis 1961 erfolgten substanzerhaltende Maßnahmen. Dabei wurde der Rest der Kuppel gesprengt, die dann ebenso wie der figürliche Schmuck nicht wiederhergestellt worden ist, als 1961 bis 1972 das Innere wieder in einen gebrauchsfähigen Zustand gebracht wurde. Heute dient der Reichstag, dessen Plenarsaal nur provisorisch eingerichtet ist, vorwiegend Sitzungen von Fraktionen und Ausschüssen des Bundestages. Daneben finden Veranstaltungen und Ausstellungen statt (Dauerausstellung »Fragen an die deutsche Geschichte«).
LITERATUR: J. Schmädeke, Der Deutsche Reichstag. ³1981.

Max **Reinhardt**

*Schauspieler, Regisseur und Theaterleiter, *9. September 1873 Baden bei Wien, †30. Oktober 1943 New York.*
Max Reinhardt, eigentlich Max Goldmann, Sohn eines wenig erfolgreichen jüdischen Kaufmanns, begann zunächst eine Banklehre, die er aber abbrach, um zum Theater zu gehen. 1894 holte ihn Otto Brahm an das *Deutsche Theater*

Reichstagsgebäude. Getönte Lithographie von A. Brietz, um 1895.

nach Berlin. Hier trat er bis 1902 vor allem als Charakterdarsteller auf. 1901 war er Mitbegründer des literarischen Kabaretts »Schall und Rauch«. Von Otto Brahm trennte er sich 1902, als er Direktor des Kleinen Theaters wurde, gleichzeitig leitete er von 1903 bis 1906 das Neue Theater. Nun konnte er seinen eigenen Inszenierungsstil entwickeln. Erste Erfolge erzielte er mit der Inszenierung von Maxim Gorkijs »Nachtasyl« (1903).

Hatte Otto Brahm dem Naturalismus zum Durchbruch verholfen, so war es Max Reinhardts Ziel, den Naturalismus und seine Enge zu überwinden, der Phantasie freien Lauf zu lassen und mit allen verfügbaren Mitteln Illusionen zu schaffen. Er übernahm als Direktor 1905 von Otto Brahm, der sich ins Lessing-Theater zurückzog, das Deutsche Theater und gründete daneben 1906 die Kammerspiele. Mit der Inszenierung von Shakespeares »Sommernachtstraum« machte er seine Auffassung von Regie deutlich, indem er Lichteffekte, Farben, Formen, Musik und die Möglichkeiten, die die technische Neuerung einer Drehbühne bot, in den Dienst seiner Arbeit stellte. Dazu kam Reinhardts ausgeprägte Befähigung zur Menschenführung. Er entdeckte an seinen Schauspielern Fähigkeiten, die ihnen selber noch nicht klargeworden waren, und führte sie zu besonderen Leistungen.

So wie Reinhardt Berlin liebte, so liebten ihn die Berliner. Dagegen konnte auch die Kritik des mächtigen Alfred Kerr nichts ausrichten. Reinhardt-Premieren zogen die Berliner Elite an und nicht nur sie, Berlin war durch Otto Brahm und ihn zur führenden Theaterstadt des Deutschen Reichs geworden.

Ab 1913 zählte auch die *Freie Volksbühne* zu den Reinhardt-Bühnen. Aber Reinhardt strebte nach größerer Breitenwirkung, und so wurde 1919 im Gebäude des späteren *Friedrichstadtpalastes* mit der »Orestie« von Äschylus das Große Schauspielhaus eröffnet, in dem er allerdings mit akustischen Problemen zu kämpfen hatte. 1920 gehörte Reinhardt zu den Mitbegründern der Salzburger Festspiele und konnte hier mit der Inszenierung des »Jedermann« (1920) vor dem Dom und anderen erfolgreichen Inszenierungen glänzen und seinen Ruhm weiter mehren.

Max Reinhardt hatte sich auch für die moderne Literatur offen gezeigt. »Schall und Rauch« war zu einem Betätigungsfeld für Expressionisten *(Expressionismus in Berlin)* und Dadaisten *(Dada-Bewegung)* geworden, u. a. traten Walter Mehring und Klabund hier mit ihren Gedichten und Chansons auf. Zu seinen Mitarbeitern hatten Carl Zuckmayer und Bertolt *Brecht* gehört. Trotzdem wurde er von der jungen Generation zunehmend kritisiert, die politische Aussagen vermißte und die »entrückte Wirklichkeit« seines Theaters ablehnte. 1920 übergab er die Leitung seiner Berliner Theater vorübergehend an Felix Hollaender. 1923 war nach Reinhardts Plänen in Wien das Theater in der Josefstadt umgebaut worden. Hier übernahm er 1924 die Leitung. In den folgenden Jahren bis 1933 arbeitete er abwechselnd in Wien, Berlin und Salzburg. In Berlin gründete er 1924 am Kurfürstendamm die Komödie und eröffnete sie mit Goldonis Lustspiel »Der Diener zweier Herren«. 1925 bis 1932 leitete er erneut das Deutsche Theater.

Nach 1933 lebte Reinhardt in Österreich. Er emigrierte vor dessen Besetzung durch die Nationalsozialisten 1938 in die USA. In den dreißiger Jahren hatte er versucht, seine genialen Fähigkeiten von der Bühne auf den Film zu übertragen, was ihm aber mißlungen war. Ebenso hatte er mit der Leitung einer Schauspielschule in Hollywood wenig Erfolg. Max Reinhardt war seit 1932 mit der Schauspielerin Helene Thimig verheiratet.

LITERATUR: K. Boeser und R. Vatkova (Hrsg.), Max Reinhardt in Berlin. 1984. – L. M. Fiedler, Max Reinhardt in Selbstzeugnissen und Bilddokumenten. 1975. – H. Thimig-Reinhardt, Wie Max Reinhardt lebte. 1973.

Reinickendorf

Als Angerdorf wohl um 1230 gegründet, wurde Reinickendorf 1345 erstmals urkundlich erwähnt. Nachdem es 1852 selbständige Gemeinde geworden war, griffen bereits um 1870 die nordwestlichen Ausläufer Berlins auf Reinickendorfer Gebiet über. Die 1893 angelegte Eisenbahn Berlin–Kremmen förderte die industrielle Entwicklung.

Bei der Eingemeindung 1920 war Reinik-
kendorf als einwohnerstärkster Ortsteil
namengebend für den 20. Verwaltungsbezirk von Berlin, zu dem es mit Wittenau, Tegel, Heiligensee, Frohnau,
Hermsdorf und *Lübars* zusammengeschlossen wurde und der seit 1945 zum
französischen Sektor gehört.
Wittenau, das bis 1905 Dalldorf hieß,
liegt nördlich von Reinickendorf und
wurde 1322 zusammen mit dem westlich
benachbarten Tegel erstmals erwähnt.
Tegel bekam seit dem Ende des 19. Jahrhunderts zunehmende Bedeutung als Industriestandort, so daß die Bevölkerung
rasch zunahm. 1896 siedelten sich die
zuvor in Moabit ansässigen Borsigwerke
hier an, und ab 1898 entstand die Arbeitersiedlung Borsigwalde. Das *Schloß Tegel* geht auf ein Renaissance-Herrenhaus, das um 1558 errichtet wurde, zurück.
Heiligensee, nordwestlich von Tegel jenseits des Tegeler Forstes an der Havel
gelegen, wurde 1308 erstmals beurkundet. Östlich des Angerdorfs wurde 1754
die Kolonie Schulzendorf gegründet. Ab
1865 bzw. 1890 entstanden südlich von
Heiligensee zwischen Havel und Tegeler
See die Villenorte Konradshöhe und Te-
gelort. Im Nordosten schließt sich an
den Ortsteil Heiligensee die Gartenstadt
Frohnau an. Sie wurde ab 1909 auf einem 745 Hektar großen Waldgebiet angelegt und bildet den äußersten Norden
Westberlins.
Südöstlich von Frohnau liegt Hermsdorf, das zuerst 1349 erwähnt wurde,
und etwas weiter östlich Lübars. Um
Hermsdorf setzte nach der Erschließung
dieses Gebietes durch die Bahn Berlin-
Neustrelitz im Jahr 1877 eine intensive
Landhausbebauung ein. Südwestlich von
Lübars begann 1890 die Anlage der Ko-
lonie Waidmannslust.
In den Jahren 1964 bis 1974 entstand im
Ostteil von Wittenau das *Märkische Vier-
tel.* Der 1948 während der Blockade
Westberlins auf Reinickendorfer Gebiet
südlich von Tegel angelegte *Flughafen
Tegel* wurde 1969 bis 1974 ausgebaut.
Am 1. September 1975 wurde der ge-
samte zivile Flugverkehr Westberlins
nach Tegel verlegt. Der *Fernmeldeturm
Frohnau*, 1978 bis 1980 errichtet, nahm
am 16. Mai 1980 den Sendebetrieb auf.
LITERATUR: B. Schneider u. G. Koisch-
witz, Reinickendorf. 1985.

Fritz Reuter

*Schriftsteller, *7. November 1810 Staven-
hagen, Mecklenburg, †12. Juli 1874 Eisenach.*
Fritz Reuter hatte in Rostock und Jena
Jura studiert und gehörte der Jenaer Bur-
schenschaft Germania an. Als er 1833 in
Berlin studieren wollte, wurde er verhaftet und zunächst in der Stadtvogtei, ab
Jahresbeginn 1834 in der Hausvogtei in
einer feuchten, ungeheizten und dunklen Zelle gefangen gehalten. Ihm wurden
seine Beteiligung an den Aktivitäten der
Burschenschaften, Hochverrat und Ma-
jestätsbeleidigung vorgeworfen. Nach
drei Jahren Untersuchungshaft wurde er
1836 zum Tode verurteilt, dann zu 30
Jahren Festungshaft begnadigt und 1840
entlassen. Nachdem er zehn Jahre lang
als Landwirtschaftseleve gearbeitet
hatte, lebte er in *Treptow* und Neubran-
denburg als Privatlehrer und Schriftsteller und veröffentlichte 1853 sein erstes
Werk »Läuschen un Rimels«. 1863 zog
er nach Eisenach.
Reuter war ein realistischer, sozialkriti-
scher und humorvoller Erzähler, der in
der niederdeutschen Mundart schrieb.
Autobiographisch sind seine Werke »Ut
de Franzosentid« (1859), »Ut mine Fe-
stungstid« (1862) und »Ut mine Strom-
tid« (1863/64).
LITERATUR: H. C. Christiansen, Fritz
Reuter. 1978. – M. Töteberg, Fritz Reuter in Selbstzeugnissen und Bilddokumenten. 1978.

Sankt-Hedwigs-Kathedrale

Auf einem Gelände zwischen der heutigen *Deutschen Staatsoper* Unter den Linden und der Französischen Straße, das
Friedrich II. der katholischen Kirche geschenkt hatte, wurde 1747 mit dem Bau
der Sankt-Hedwigs-Kirche begonnen.
Die Namenswahl zeigt den deutlichen
Zusammenhang mit der kurz zuvor erfolgten Eroberung Schlesiens durch
Friedrich II. Die aus Tirol stammende
Heilige (*1174/78, †1243), Frau Herzog Heinrichs I. von Schlesien, ist die
Patronin Schlesiens, der ersten mehr-
heitlich katholischen Provinz Preußens.
Unter diesen Umständen war ein Akt religiöser Toleranz und Gunsterweisung
gegenüber einer Bevölkerungsgruppe,

die inzwischen 10 000 Gläubige in Berlin umfaßte, Ausdruck kluger Politik. Der König stellte nicht nur das Grundstück für den als zweites Gebäude des *Forum Fridericianum* vorgesehenen Bau, sondern lieferte eigenhändige Entwurfszeichnungen, die an das römische Pantheon anknüpfen sollten und von Georg Wenzeslaus von Knobelsdorff überarbeitet wurden. Die Bauleitung übernahm Johann *Boumann*. Die Arbeiten ruhten – u. a. wegen des Siebenjährigen Kriegs – von 1755 bis 1771. Am 1. November 1773 wurde die Kirche geweiht. Der kreisförmige Barockbau mit angebauter Rundkapelle erhielt anstelle eines roten Ziegeldachs 1886/87 eine Kupferbedeckung und eine Laterne. 1897 entstand das Giebelrelief mit der Anbetung der Könige von Nikolaus Geiger. Die Kirche, die 1929 Kathedrale des Bistums Berlin wurde, brannte 1943 aus. Sie wurde 1952 bis 1963 mit moderner Innenraumgestaltung und vereinfachter Kuppel wiederaufgebaut.

Kirche Sankt Peter und Paul

Nach »Entwürfen in russischem Stil« von *Schinkel* und Kronprinz Friedrich Wilhelm (IV.) wurde in den Jahren 1834 bis 1837 unmittelbar östlich von *Nikolskoe* nahe dem Havelufer die mit einem Zwiebelturm ausgestattete Kirche Sankt Peter und Paul von den Architekten Friedrich August *Stüler* und Albert Dietrich Schadow erbaut. Das Innere des einschiffigen kubischen Ziegelbaus mit halbrunder Apsis gilt als der einzige unverändert erhaltene Kirchenraum der Schinkelschule. In der Kanzel sind zwei Medaillons der Kirchenpatrone eingearbeitet, Mosaiken aus dem 18. Jahrhundert, die Papst Clemens XIII. Friedrich dem Großen geschenkt hatte. Am 1. Dezember 1985 wurde ein neu installiertes Glockenspiel mit 24 Glocken in Betrieb genommen, das in Anlehnung an die zerstörte Potsdamer Garnisonskirche »Üb' immer Treu und Redlichkeit« sowie Choräle spielt.

Ferdinand Sauerbruch

Mediziner, *3. Juli 1875 Barmen, †2. Juli 1951 Berlin.

Der Chirurg Ferdinand Sauerbruch war Professor in Marburg (ab 1908), Zürich (ab 1911) und München (ab 1918), bevor er 1927 an die *Charité* in Berlin kam, die er zu einem Zentrum der Chirurgie von internationalem Rang machte. Besonders bekannt wurde er als Begründer der Lungenchirurgie im Druckdifferenzverfahren, in der sogenannten Sauerbruch-Kammer, sowie als Erfinder der Sauerbruch-Prothese, die nach einem plastischen Eingriff am Oberarmstumpf eine Bewegung der Prothesenfinger durch eigene Muskelleistung ermöglicht. Im ersten Nachkriegsmagistrat Berlins, der im Mai 1945 vom sowjetischen Stadtkommandanten eingesetzt wurde, war Sauerbruch Stadtrat für Gesundheitswesen. Auf dem Gelände der Charité erinnert ein von Georg *Kolbe* 1939 gestalteter Bronzekopf an den Mediziner.

LITERATUR: F. Sauerbruch, Das Ende des Chirurgen. 1960. – J. Thorwald, Die Entlassung. 1960.

Johann Gottfried Schadow

Bildhauer, *20. Mai 1764 Berlin, †28. Januar 1850 Berlin.

Der Hauptmeister der deutschen klassizistischen Plastik hielt sich zur Vervollkommnung seiner Ausbildung von 1785 bis 1787 in Rom auf, wo er u. a. Antikenstudien trieb, dem sieben Jahre älteren Antonio Canova begegnete und 1786 einen Bildhauerwettbewerb gewann. Anfang 1788 wurde er Leiter der Hofbildhauerwerkstatt in Berlin, wo er 1815 zum Direktor der Akademie der Künste berufen wurde. Schadow entwarf bereits 1789 sein bekanntestes Hauptwerk, die kupferne Quadriga, die 1793 auf dem *Brandenburger Tor* aufgestellt wurde. Unter seinen Grabmälern, Büsten und Standbildern, in denen er idealisierte Schönheit und realistische Porträtwiedergabe zu verbinden suchte, ragen in Berlin besonders heraus: das Grabmal des Grafen Alexander von der Mark (1788 bis 1791) aus der zerstörten Dorotheenstädtischen Kirche (heute in der Nationalgalerie auf der *Museumsinsel*) und die Marmorgruppe der Prinzessinnen Luise und Friederike (1795 bis 1797, am gleichen Ort). Daneben schuf Schadow u. a. das Lutherdenkmal in Wittenberg (1821) und 14 Büsten in der Walhalla bei Regensburg.

In den letzten knapp dreißig Jahren seines Lebens war Schadow – auch durch ein Augenleiden behindert – vor allem als Verfasser kunsttheoretischer und kunstgeschichtlicher Arbeiten sowie als Graphiker tätig.

Bildhauer war auch Schadows in Rom geborener Sohn Rudolf (*1786, †1822), während sein Sohn Wilhelm (*1788, †1862) als Maler vor allem religiöser Bilder und Direktor der Düsseldorfer Akademie (1826 bis 1859) bekannt wurde. LITERATUR: H. Mackowsky, Johann Gottfried Schadow, Jugend und Aufstieg 1764–1797. 1927. – Ders., Die Bildwerke Gottfried Schadows. 1951.

Hans Scharoun

*Architekt, *20. September 1893 Bremen, †26. November 1972 Berlin.*
Hans Scharoun gilt als einer der bedeutendsten Vertreter der expressionistischen Architektur. Nachdem er zunächst in Ostpreußen tätig gewesen war, lehrte er 1926 bis 1932 an der Kunstakademie in Breslau. 1932 ging er nach Berlin, wo er von 1947 bis 1960 Professor an der Technischen Universität war.

Scharoun baute schon Ende der zwanziger Jahre in Berlin, u. a. Appartmenthäuser am Kaiserdamm in Charlottenburg (1928/29) und am Hohenzollerndamm in Wilmersdorf (1929/30). 1929 bis 1931 leitete er den Bau der Großsiedlung *Siemensstadt,* die er 1955 bis 1960 in östlicher Richtung um die Siedlung Charlottenburg-Nord erweiterte.

Im ersten Berliner Nachkriegsmagistrat, den der sowjetische Stadtkommandant im Mai 1945 einsetzte, war Hans Scharoun 1945/46 Stadtrat für Bau- und Wohnungswesen. Auf seine Planungen gingen die ersten Anfänge des Aufbaus der *Stalinallee,* der heutigen Karl-Marx-Allee, zurück: Laubenganghäuser nahe dem U-Bahnhof Marchlewskistraße, die ab 1949 errichtet wurden.

In Westberlin schuf Scharoun einige der bemerkenswertesten Bauten der Nachkriegszeit, vor allem im *Kulturforum* die *Philharmonie* (1960 bis 1963) und das Gebäude der *Staatsbibliothek Preußischer Kulturbesitz* (1967 bis 1978), ferner das Städtebauinstitut der Technischen Uni-

versität (ab 1959) sowie Verwaltungsgebäude und Wohnhäuser. Auch die Entwürfe für das *Musikinstrumentenmuseum* und den *Kammermusiksaal* im Kulturforum stammen von ihm. Scharoun, der von 1956 bis 1968 Präsident der Akademie der Künste war, baute auch außerhalb Berlins repräsentative Gebäude. Neben Schulen, z. B. in Lünen und Marl, sind die Liederhalle in Stuttgart, das Nationaltheater in Mannheim, das Stadttheater in Wolfsburg und der Entwurf des Schiffahrtsmuseums in Bremerhaven hervorzuheben.
LITERATUR: P. B. Jones, Hans Scharoun. 1979. – P. Pfankuch (Hrsg.), Hans Scharoun. Bauten, Entwürfe, Texte. 1974.

Schaubühne

Die 1962 eröffnete Schaubühne am Halleschen Ufer, die vor allem unter der langjährigen Leitung von Peter Stein (1970 bis 1984) das moderne Schauspiel, die moderne Interpretation klassischer Stücke und szenische Experimente pflegte, wurde am 21. August 1981 an den Lehniner Platz am *Kurfürstendamm* verlegt. Sie bezog das Gebäude des ehemaligen Kinos »Universum«, das zu einem von Erich Mendelsohn 1926 bis 1928 errichteten Komplex gehört, der auch Restaurants, Läden, das ehemalige »Kabarett der Komiker« sowie einige Wohnbauten umfaßte. Früher zeichnete sich der gesamte Gebäudekomplex durch rote Klinkerfassaden aus.
Der im Jahr 1976 begonnene Umbau des vom Abriß bedrohten Kinos ließ von der alten Bausubstanz nicht allzuviel übrig, sondern schuf ein interessantes und modernes Theater, in dem auf zwei Bühnen gleichzeitig gespielt werden kann.

Schauspielhaus

1774 bis 1776 erbaute Georg Christian Unger nach Plänen Johann *Boumanns* in der Mitte des *Gendarmenmarktes* das Französische Komödienhaus. Das seit 1778 nicht mehr bespielte Theatergebäude wurde 1786 dem Theater in der Behrenstraße nach dessen Erhebung zum Deutschen Nationaltheater, später Königlichen Nationaltheater, überlassen. 1796 übernahm August Wilhelm *Iff-*

Schauspielhaus. Perspektivische Ansicht, entworfen von Karl Friedrich Schinkel. Aquatinta-Radierung von Johann Daniel Laurens und Carl Friedrich Thiele, um 1825.

land die Leitung der Bühne. In den Jahren 1800 bis 1802 wurde das Gebäude durch einen Neubau von Carl Gotthard *Langhans* ersetzt, der allerdings bereits 1817 niederbrannte.

Karl Friedrich *Schinkel* errichtete auf den Grundmauern des Langhansschen Nationaltheaters und unter Übernahme der sechs ionischen Säulen des Portikus über einer großzügigen Freitreppe den Neubau in den Jahren 1818 bis 1821. Nach Schinkels Skizzen gestaltete Christian Friedrich Tieck die antikisierenden Reliefs der Giebelfelder und die Musengestalten auf dem Dach, während Christian Daniel *Rauch* den Giebel des Theatersaales schuf. Der zunächst nur verputzte Bau erhielt im Jahr 1881 eine Sandsteinverblendung.

Nach dem Krieg, in dem das Haus ausgebrannt war, lag er lange als notdürftig konservierte Ruine, bis Mitte der siebziger Jahre der Wiederaufbau als Konzerthaus mit zwei Sälen begann, der im Herbst 1984 abgeschlossen wurde.

Schiller-Theater

Das heutige Gebäude des Schiller-Theaters an der Bismarckstraße in *Charlotten-*

burg nahe dem *Ernst-Reuter-Platz* ist der dritte Theaterbau, der an dieser Stelle errichtet wurde. Den ersten schufen Max Littmann und Jacob Heilmann 1905 bis 1907 im Stil eines »Volkstheaters« mit nur einem Oberring anstelle der Ränge. Paul Baumgarten d. Ä. nahm 1937/38 einen repräsentativen Umbau vor und stattete das Gebäude mit zwei Rängen aus. Das Schiller-Theater wurde danach von Heinrich *George* geleitet.

Nach Kriegszerstörungen und Wiederaufbau durch Heinz Völker und Rudolf Grosse – dabei wurden verbliebene Bauteile weitgehend einbezogen – sprach Bundespräsident Theodor Heuss bei der Wiedereröffnung 1951. Boleslaw Barlog war von 1951 bis 1972 Intendant des Theaters.

In der Vorhalle finden sich ein figürliches Stuckrelief von Bernhard Heiliger und Säulen mit Glasmosaiken von August Wagner, an den Treppen zum Hauptfoyer Wandbilder von Hans Kuhn und im Foyer eine 25 m lange und mehr als 5 m hohe Glasschliffwand von Ludwig Peter Kowalski. Das Schiller-Theater, neben dem Schloßpark-Theater in Steglitz eine der Staatlichen Schauspielbühnen Westberlins, kann rund 1100 Zuschauer aufnehmen. 1959 wurde ihm die

Schiller-Theater-Werkstatt, eine Studio-
bühne mit rund 200 Plätzen, angeschlossen.

Karl Friedrich **Schinkel**

*Baumeister und Maler, *13. März 1781
Neuruppin, †9. Oktober 1841 Berlin.*
Der Schüler von David und Friedrich
Gilly, der von 1803 bis 1805 in Italien
malerische Studien trieb und in Paris die
Architektur der Revolutionszeit kennenlernte, entwickelte sich zum führenden
Meister des reifen deutschen Klassizismus.
Bis 1815 war Schinkel vor allem als Maler tätig. Er schuf romantische Stim-
mungslandschaften, monumentale Pan-
oramen und phantasievolle Darstellungen gotischer Architektur (»Dom am
Strom«, 1813). In den Jahren 1816 bis
1832 entwarf er die Bühnenbilder für
mehr als 40 Stücke. Außerdem entwarf
er Möbel; Beispiele finden sich im Schinkel-Pavillon (1824/25) im Park von
Schloß Charlottenburg.
Seit 1810 wirkte Schinkel als Beamter in
der Oberbaudeputation in Berlin. Er
wurde 1825 Geheimer Oberbaurat und
1830 Oberlandesbaudirektor. Sein erster
bedeutender architektonischer Entwurf
war das *Mausoleum* für Königin Luise im
Park von Schloß Charlottenburg (1810).
1817/18 wurde die *Neue Wache* Unter
den Linden errichtet. Es folgten u. a. das
Denkmal für die Befreiungskriege auf
dem *Kreuzberg* (1818 bis 1821), das
Schauspielhaus am *Gendarmenmarkt*
(1818 bis 1821), die *Schloßbrücke* (1819
bis 1824), die Erweiterung von *Schloß
Tegel* für Wilhelm von *Humboldt* (1820
bis 1824), das Alte Museum auf der *Museumsinsel* (1823 bis 1829), die *Friedrich-
Werdersche Kirche* (1824 bis 1830), *Schloß
Glienicke* (1825 bis 1828) und die im
Zweiten Weltkrieg beschädigte, jedoch
nicht zerstörte Bauakademie (1832 bis
1835), die 1961/62 abgerissen wurde.
Hinzu kamen Kirchen (u. a. die vier Kirchen für die nördlichen Vorstädte: Elisa-
bethkirche an der Invalidenstraße, Jo-
hanniskirche in Altmoabit, Nazareth-
und Paulskirche im *Wedding,* alle 1832
bis 1834), Palais sowie Wohn- und Verwaltungsgebäude in nicht geringer Zahl.
In Potsdam sind Schloß Charlottenhof
(1826/27), die Nikolaikirche (1830 bis

1837) sowie Schloß Babelsberg (ab 1834)
zu nennen.
Auf Inspektionsreisen durch Preußen
beschäftigte sich Schinkel mit der Erhaltung historischer Baudenkmäler und
entwickelte die Prinzipien staatlicher
Denkmalpflege.
LITERATUR: E. Forssmann, Karl Friedrich
Schinkel – Bauwerke und Baugedanken.
1981. – P. O. Rave, Karl Friedrich Schinkel. ²1981. – G. F. Waagen, Karl Friedrich Schinkel als Mensch und als Künstler. 1980.

August Wilhelm **Schlegel**

*Dichter, Kritiker und Philologe, *5. Sep-
tember 1767 Hannover, †12. Mai 1845
Bonn.*
August Wilhelm Schlegel war von 1798
bis 1800 Professor in Jena, arbeitete hier
an Friedrich Schillers »Horen« und
»Musenalmanach« mit und gehörte zum
Kreis der Jenaer Frühromantik. Zusammen mit seinem Bruder Friedrich war er
1798 bis 1800 Herausgeber der Zeitschrift »Athenäum«. 1801 bis 1804 arbeitete er als Privatlehrer in Berlin und hielt
Vorlesungen über Literatur und Kunst in
der Singakademie. 1796 hatte er Caroline Böhmer geheiratet, die sich 1803 von
ihm trennte und Friedrich Wilhelm
Schelling heiratete. In Berlin lernte August Wilhelm Schlegel Madame de Staël
kennen. Er wurde 1804 ihr Begleiter auf
ihren zahlreichen Reisen, der Erzieher
ihrer Kinder und ihr literarischer Berater. Nach ihrem Tod 1817 nahm er 1818
einen Lehrstuhl für Kunst und Literaturgeschichte in Bonn an und begründete
hier die Indologie in Deutschland. Er
übersetzte Shakespeare (fortgesetzt von
Ludwig Tieck, dessen Tochter Dorothea
und Wolf Graf von Baudissin), Dante,
Calderón und Petrarca.
LITERATUR: B. v. Brentano, A. W. Schlegel. Geschichte eines romantischen Geistes. ²1949. – A. Grosse-Brockhoff, Das
Konzept des Klassischen bei Friedrich
und August Wilhelm Schlegel. 1981.

Friedrich **Schlegel**

*Dichter, Philosoph und Sprachforscher,
*10. März 1772 Hannover, †12. Januar
1829 Dresden.*

Friedrich Schlegel, der zunächst ab 1790 in Göttingen Jura studiert hatte, wandte sich dann der Literatur zu und ging 1791 nach Leipzig, um Philosophie, Altphilologie und Kunstgeschichte zu studieren. Hier lernte er im gleichen Jahr Novalis kennen. 1796 zog er nach Jena und wurde der Theoretiker der Jenaer Frühromantik. In Berlin war er gern gesehener Gast in den *literarischen Salons und Gesellschaften*. Dort lernte er *Schleiermacher* kennen und wohnte später bei ihm. Im Salon der Henriette *Herz* lernte er Dorothea Veit kennen, die Tochter von Moses *Mendelssohn*, die sich 1798 von ihrem Mann, dem jüdischen Bankier Simon Veit, trennte und 1804 Friedrich Schlegel heiratete. 1798 bis 1800 leitete er zusammen mit seinem Bruder August Wilhelm die Zeitschrift *»Athenäum«*. Mit seinem Romanfragment *»Lucinde«* (1799) sprach er sich für ein freigeistiges Lebensgefühl, den Müßiggang und die freie Liebe aus und machte dadurch von sich reden. Nach 1800 war er in Jena, Paris und Köln. 1808 konvertierte er zum Katholizismus. Anschließend trat er in den Dienst des österreichischen Hofes. 1815 wurde er geadelt.
LITERATUR: E. Behler, Friedrich Schlegel in Selbstzeugnissen und Bilddokumenten. 1966. – K. Peter, Friedrich Schlegel. 1978.

Friedrich Daniel Ernst **Schleiermacher**

Evangelischer Theologe und Philosoph, **21. November 1768 Breslau, †12. Februar 1834 Berlin.*
Schleiermacher, der 1790 das theologische Examen in Berlin abgelegt hatte, trat im September 1796 die Stelle eines Anstaltsgeistlichen an der Berliner *Charité* an. In Berlin begann seine schriftstellerische Tätigkeit. Er fühlte sich den *Berliner Romantikern* verbunden und schloß mit einigen, z. B. den Brüdern *Schlegel*, intensive Freundschaften. Friedrich Schlegel wohnte ab 1797 bei ihm. Am Leben der Berliner *literarischen Salons und Gesellschaften* nahm er regen Anteil. Besonders intensiv war seine Beziehung zu Henriette *Herz*. 1802 wurde er nach Stolp versetzt, weil sein Verhältnis zur Gattin seines Amtsbruders Grunow Anstoß erregt hatte, und 1804 ging er als

Professor nach Halle. 1807 kam er wieder nach Berlin. Hier heiratete er 1809 die Witwe eines Pfarrers, Henriette von Willich. Von 1809 bis 1816 amtierte er als Pfarrer an der Dreifaltigkeitskirche. Als 1810 die Berliner Universität gegründet wurde, gehörte Schleiermacher zu den ersten Professoren. Er wurde erster Dekan der theologischen Fakultät und war 1815/16 Rektor. Seit 1811 war er Mitglied der Akademie der Wissenschaften.
Durch die Romantik geprägt, war Schleiermacher ein bedeutender Vertreter des deutschen Idealismus und stand in Gegnerschaft zur Aufklärung. Er hatte großen Einfluß auf die Theologie des 19. Jahrhunderts. Starke Beachtung fand seine Schrift »Über die Religion. Reden an die Gebildeten unter ihren Verächtern« (1799). Schleiermacher befürwortete wie der König eine Union der reformierten und der lutherischen Kirche, sprach dem König aber das Recht ab, sich in theologische Angelegenheiten der Kirche, z. B. den Agendenstreit, einmischen zu dürfen.
LITERATUR: W. Dilthey, Leben Schleiermachers. 1870, 2 Bände ³1970. – F. W. Kantzenbach, F. D. E. Schleiermacher in Selbstzeugnissen und Bilddokumenten. 1967. – D. Lange (Hrsg.), Friedrich Schleiermacher 1768–1834. 1985. – M. Redeker, Friedrich Schleiermacher. 1968.

Schloß Bellevue

Michael Philipp Daniel Boumann errichtete 1785/86 im *Tiergarten* das Schloß Bellevue als Sommerpalais für Prinz August Ferdinand, den jüngsten Bruder Friedrichs des Großen. In den Bau mit seinen drei Flügeln, das erste klassizistische preußische Schloß, wurde eine ältere Bausubstanz von 1764 einbezogen. Im Jahr 1791 gestaltete Carl Gotthard *Langhans* den ovalen Festsaal. Im Zweiten Weltkrieg wurde das Schloß zerstört. Bis 1959 ist es in der äußeren Form und der Gestaltung des Langhans-Saales stilgetreu wiederaufgebaut worden. Es dient seither als Berliner Amtssitz des Bundespräsidenten. Der Schloßpark wurde schon im 18. Jahrhundert im Stil eines englischen Landschaftsgartens gestaltet. 1826 erbaute *Schinkel* ein Gartenhaus, das 1943 zerstört und bei der Neuanlage des Parks in den Jahren 1951 bis 1953 nicht wiederhergestellt wurde.

Schloßbrücke

Die Brücke über den Kupfergraben am Ende der Straße *Unter den Linden* hieß früher Hundebrücke. Karl Friedrich *Schinkel* entwarf 1819 einen Neubau, der 1821 bis 1824 errichtet wurde. 1853 bis 1857 wurden auf acht Granitpostamenten von Schinkel entworfene und von Friedrich Drake, Albert Wolff, Gustav Blaeser u. a. ausgeführte weiße, marmorne Figurengruppen von Siegesgöttinnen und Kriegern aufgestellt. Sie waren im Zweiten Weltkrieg abgebaut worden und lagerten seither in Westberlin. 1981 wurden sie den Ostberliner Behörden übergeben und bis 1984 im Zuge der Renovierung der Brücke wieder aufgestellt. Die gußeisernen Brüstungsplatten zeigen Delphine, Tritonen und Seepferde. Bis zum Jahr 1900 besaß die Brücke Klappen, die aufgezogen wurden, wenn große Schiffe passierten. Die Schloßbrücke heißt heute Marx-Engels-Brücke.

Schloß Charlottenburg

Aus dem kleinen von Johann Arnold *Nering* 1695 für die Kurfürstin und spätere Königin Sophie Charlotte entworfenen Lustschloß Lietzenburg, benannt nach dem nahe gelegenen Dorf Lietzow, entstand in etwa hundertjähriger Baugeschichte das herausragende historische Bauwerk Westberlins. Gleichzeitig ist Schloß Charlottenburg, wie der Bau seit dem Tod der Königin 1705 heißt, heute mit seiner 505 m langen Front das einzige große erhaltene Hohenzollernschloß Berlins, nachdem das im Zweiten Weltkrieg beschädigte Berliner Schloß und das zerstörte Schloß Monbijou abgerissen wurden.
Nach den Plänen Nerings, der bereits 1695 gestorben war, baute Martin Grünberg bis 1698 den elf Achsen breiten Kernbau und einen Teil des östlichen der beiden Querflügel, die heute den Ehrenhof flankieren. Nach der Krönung des regierenden Kurfürsten zum König

Friedrich I. wurde das Schloß 1702 bis 1713 unter Leitung *Eosanders* wesentlich erweitert. In der Mitte wurde ein dreiachsiger Risalit vorgezogen, der die Basis des fast 50 m hohen Kuppelturms bildet. Der östliche und der neuerrichtete westliche Querflügel wurden mit dem Kernbau verbunden, und im Westen wurde ab 1709 die 143 m lange Orangerie angebaut.
Unter Friedrich Wilhelm I. blieb der Bau unvollendet. Nach der Thronbesteigung Friedrichs II. wurde *Knobelsdorff* 1740 mit dem Bau des Neuen Flügels im Osten als Pendant zur Orangerie beauftragt. In diesem Flügel wurde auch ein Konzertsaal eingerichtet. Schließlich baute Carl Gotthard *Langhans* im Auftrag Friedrich Wilhelms II. 1787 bis 1791 im Westen den Theaterbau an, in dem sich heute das Museum für Vor- und Frühgeschichte befindet. Außerdem entstand unter Langhans' Leitung 1788 das Teehaus Belvedere im Schloßpark.
Der Schloßpark auf der Nordseite wurde in seinem zentralen Teil bereits seit 1697 von Siméon Godeau als französischer Garten angelegt. Unter Friedrich II. wurde er erweitert und mit Figurenschmuck – Büsten römischer Kaiser und ihrer Frauen – versehen, der zum Teil bis heute erhalten geblieben ist. Ende des 18. Jahrhunderts gestaltete August Eyserbeck große Teile des Schloßparks zu einem englischen Garten um. Diese Entwicklung setzte Peter Joseph *Lenné* nach 1820 fort. In der Zeit Friedrich Wilhelms III. wurde nach dem Tod von Königin Luise ab 1810 das *Mausoleum* errichtet. 1824/25 folgte der Schinkel-Pavillon, den sich der König aus Anlaß seiner 1824 geschlossenen morganatischen Ehe mit Auguste Fürstin von Liegnitz erbauen ließ.
Schloß Charlottenburg und die Nebengebäude erlitten im Zweiten Weltkrieg schwere Beschädigungen. Die Restaurierung zog sich über Jahrzehnte hin, ist aber inzwischen weitgehend abgeschlossen. Die Einrichtungsgegenstände stammen nur noch teilweise aus ursprünglich Charlottenburger Beständen; vieles ist aus anderen preußischen Schlössern nach Westberlin gekommen. Unter den Ausstellungsstücken sind Objekte von hohem künstlerischem Rang, u. a. acht Gemälde von Watteau.
Das Belvedere ist heute ein Museum des

Berliner Porzellans, beginnend mit Erzeugnissen der Manufakturen von Wegely (1751 bis 1757) und Gotzkowsky (1761 bis 1763), die der Königlichen Porzellan-Manufaktur vorangingen, bis hin zu KPM-Porzellan aus den dreißiger Jahren des 19. Jahrhunderts. Der Schinkel-Pavillon enthält Gemälde, u.a. von Caspar David Friedrich, Schinkel, Blechen und Krüger, plastische Arbeiten und Möbel aus den ersten vier Jahrzehnten des vorigen Jahrhunderts. Stadthistorisch besonders wichtig ist das sechsteilige »Panorama Berlins vom Dach der Friedrich-Werderschen Kirche« (1834) von Eduard Gaertner. Im Ehrenhof vor dem Schloß Charlottenburg steht seit 1952 das Reiterdenkmal des Großen Kurfürsten von Andreas Schlüter. Das 1697 bis 1699 entworfene, im Jahr 1700 von Johann Jacob Jacobi gegossene und 1703 auf der Langen Brücke aufgestellte Denkmal war 1943 beim Abtransport auf einem Kahn, der im Tegeler Hafen unterging, verlorengegangen und wurde im Jahr 1950 wieder geborgen. Die Statue von König Friedrich I. vor dem Knobelsdorff-Flügel ist eine Kopie, die in Ostberlin nach einem Gipsabguß des Originals, das Andreas Schlüter 1697/98 geschaffen hatte, hergestellt wurde. Das Denkmal war ursprünglich für den Hof des Zeughauses bestimmt, wurde aber dann 1802 vor dem Königsberger Schloß aufgestellt und ist seit 1945 verschollen. Den Eingang zum Ehrenhof flankieren kleine Torhäuschen, die jeweils eine Kopie des Borghesischen Fechters tragen, einer römischen Plastik aus dem 1. vorchristlichen Jahrhundert.
LITERATUR: H. Börsch-Supan, Der Schinkel-Pavillon.²1976. – M. Kühn, Die Bauwerke und Kunstdenkmäler von Berlin. Schloß Charlottenburg. 1970. – M. Kühn u. H. Börsch-Supan, Schloß Charlottenburg (Amtl. Führer). ⁴1976.

Schloß Glienicke

Unmittelbar nördlich der Königstraße, die als Fortsetzung der Potsdamer Chaussee über die in der heutigen Form 1908/09 erbaute und nach Kriegsschäden wiederhergestellte Glienicker Brücke die Havel quert und nach Potsdam führt – einen Vorgängerbau der Brücke gab es seit 1677 –, liegt im äußersten Südwesten von Westberlin Schloß Klein-Glienicke. Es ist aus einem Landhaus entstanden, das seit 1814 dem Staatskanzler Fürst Hardenberg gehörte und 1824 in den Besitz des Prinzen Karl überging. Schinkel erbaute das Schloß in den Jahren 1825 bis 1828. An der Gestaltung der gesamten Anlage mit Kavalierhaus, dem 1865 erhöhten Turm, zahlreichen Nebengebäuden und antiken Statuen waren in der Zeit bis 1850 auch die Architekten Ludwig Persius und Ferdinand von Arnim beteiligt. Den 116 Hektar großen Park gestaltete Peter Joseph Lenné. Das ganze Anwesen war als eine von antiken Trümmern und antikisierenden Bauten durchsetzte Naturlandschaft gedacht, die viel vom Geist der Romantik wiedergibt. Ähnliche Gedanken bestimmten die Anlage von Babelsberg für Friedrich Wilhelm IV.
Südlich der Königstraße liegt das ab 1683 für den Großen Kurfürsten von Charles Philippe Dieussart errichtete Jagdschloß Glienicke, das 1859 ebenfalls von Prinz Karl erworben und danach durch Ferdinand von Arnim im Stil des französischen Barock umgebaut und erweitert wurde.
Die Stadt Berlin kaufte die gesamte Anlage in den Jahren 1934 bis 1939. Der Park wurde als Volkspark der Öffentlichkeit zugänglich gemacht. Schloß Klein-Glienicke diente als Erholungsheim und Hotel und beherbergte zuletzt eine Heimvolkshochschule. Nach jahrelangen Diskussionen beschloß der Senat 1986 die Restaurierung beider Schlösser. Die Heimvolkshochschule zieht in das Jagdschloß um, während Schloß und Park Klein-Glienicke als »Gesamtkunstwerk« einschließlich der als Museum eingerichteten Wohnräume in einen möglichst originalgetreuen Zustand gebracht werden sollen.

Schloß Köpenick

Auf der Schloßinsel von Köpenick, die sich südlich an die zwischen Spree und Dahme gelegene Altstadtinsel anschließt, sind Reste slawischer Burganlagen freigelegt worden, die bis ins frühe Mittelalter zurückreichen und mehrfach zerstört und wiederaufgebaut wurden.

Die älteste Anlage dürfte um 825 entstanden sein. Im Jahr 1245 wurde ein askanischer Vogt auf der Burg erwähnt, die mit der Stadt 1387 vorübergehend in den Besitz Berlins geriet. 1558 begann Caspar Theyß den Bau eines Jagdschlosses für Kurfürst Joachim II., der 1571 hier starb. An die Stelle dieses Schlosses trat, durch Aufschüttungen besser gegen Hochwasser gesichert, ein Neubau, den der Niederländer Rutger van Langerfeldt 1677 bis 1681 für Prinz Friedrich, den späteren Kurfürst Friedrich III. und König Friedrich I., errichtete. Johann Arnold *Nering* erbaute 1684/85 die Schloßkapelle und 1688 den Galerieanbau. Den größten Teil der Insel nimmt der im 19. Jahrhundert als Landschaftsgarten gestaltete und seit 1963 rekonstruierte Schloßpark ein. Die in Ostberlin verbliebenen Bestände des *Kunstgewerbemuseums* sind seit 1963 im Schloß Köpenick untergebracht. Besonders hervorzuheben ist die reiche Sammlung von Möbeln aus der Zeit vom Mittelalter bis zum 19. Jahrhundert, die als einzigartig in Deutschland gilt. Auch Silberarbeiten und Porzellan sind mit wertvollen Beispielen zu sehen. Die ältesten Exponate bildet der Goldschmuck der Kaiserin Gisela aus der Zeit um das Jahr 1000, der 1880 in Mainz gefunden wurde.
LITERATUR: G. Schade, Schloß Köpenick. Ein Streifzug durch die Geschichte der Köpenicker Schloßinsel. 1964.

Schloß Tegel

Als Vorläufer des heutigen Schlosses entstand um 1558 ein Renaissance-Herrenhaus, das Hans Bretschneider, dem Hofsekretär des Kurfürsten Joachim II., gehörte. Vom Großen Kurfürsten wurde es als Jagdschloß genutzt. Nach mehrfachem Besitzerwechsel kam es 1765 durch Heirat an Alexander Georg von Humboldt. Dessen Sohn Wilhelm ließ das Schloß 1820 bis 1824 durch Karl Friedrich *Schinkel* erweitern und in klassizistischem Stil umbauen. Der Park wurde 1777 bis 1789 von Gottlob Johann Christian Kunth angelegt. 1792 entstand die Lindenallee, und zur Zeit des Schinkelschen Umbaus gab Peter Joseph *Lenné* dem Park die Form, die ihn noch heute bestimmt ist.

Die umfangreiche Kunstsammlung, besonders antike Plastiken, die Wilhelm von *Humboldt* – vor allem als Botschafter in Rom – gekauft hatte, wurde großenteils 1945 von sowjetischen Truppen abtransportiert und befindet sich seit den fünfziger Jahren in Ostberlin. Im heute als Museum zugänglichen Teil des Schlosses sind verbliebene Bestände und Mobiliar sowie Gipsabgüsse verlorengegangener Kunstwerke zu sehen. Seit der Bodenreform in der Sowjetischen Besatzungszone 1945 ist Schloß Tegel der letzte märkische Herrensitz, der noch im Besitz von Nachkommen der früheren Eigentümer ist.
LITERATUR: P. O. Rave, Wilhelm von Humboldt und das Schloß zu Tegel. 1956. – J. Seeger, Schloß und Park Tegel. 1968.

Andreas Schlüter

*Bildhauer und Baumeister, *um 1660/62 Hamburg oder Danzig, †1714 St. Petersburg oder Moskau.*
Über Kindheit und Jugend dieses bedeutenden Meisters des norddeutschen Barock ist wenig bekannt. Daß er einen großen Teil dieser Zeit in Danzig verbrachte, gilt als sicher, ebenso ist es wahrscheinlich, daß er während seiner Ausbildung mit der Kunst Italiens, Frankreichs und der Niederlande vertraut wurde. Gesichert sind allerdings erst seine Warschauer Jahre, in denen er 1689 bis 1693 an verschiedenen Palästen arbeitete, und eine Studienreise nach Italien (1695/96). Dazwischen war er 1694 als Hofbildhauer nach Berlin berufen worden. Seit 1698 war er auch als Baumeister tätig.
Schlüters plastisches Hauptwerk ist das 1697 bis 1699 entworfene und im Jahr 1700 von Johann Jacob Jacobi gegossene Reiterstandbild des Großen Kurfürsten, zu dem seit 1709 die von anderen Künstlern geschaffenen Sockelfiguren entstanden. Seit 1703 stand es auf der Langen Brücke mit Blick zum Schloß. Seit 1952 befindet es sich im Ehrenhof von *Schloß Charlottenburg.*
Wichtige Werke sind auch die als Fassadenschmuck des Innenhofs dienenden 22 Masken sterbender Krieger am *Zeughaus* aus dem Jahr 1696, die Kanzel der *Marienkirche* (1703) sowie die Sarko-

phage von Königin Sophie Charlotte (1705) und König Friedrich I. (1713) im *Dom*. Als Architekt lieferte er Entwürfe zu Arbeiten an der Langen Brücke. 1698 übernahm er von Martin Grünberg die Bauleitung des von *Nering* begonnenen Zeughauses. Schlüter war ab November 1699 Schloßbaudirektor. Außerdem leitete er 1703 bis 1706 den Bau des *Marstalls* Unter den Linden.

Schlüters hohes Ansehen – auf seine Anregung wurde 1696 die *Akademie der Künste* gegründet, deren Direktor er auch von 1702 bis 1704 war – litt, als 1706 der zu hoch geplante und ungenügend berechnete Münzturm einstürzte. Er wurde 1707 als Hofbaumeister entlassen. Aus seinen letzten Berliner Jahren ist nur das im Zweiten Weltkrieg zerstörte Haus für Ernst von Kamecke (1711/12) bekannt. 1713 rief Zar Peter der Große den Baumeister an seinen Hof. Andreas Schlüter starb jedoch, bevor er seine dortigen Pläne ausführen konnte. LITERATUR: H. Ladendorf, Der Bildhauer und Baumeister Andreas Schlüter. 1935.

Karl **Schmidt-Rottluff**

Maler und Graphiker, *1. Dezember 1884 Rottluff bei Chemnitz, †10. August 1976 Berlin.
1905 begann Schmidt-Rottluff ein Architekturstudium in Dresden. Im gleichen Jahr war er Mitbegründer der Künstlergruppe »Brücke«. 1911 kam er nach Berlin und wurde hier ansässig. Zahlreiche Sommeraufenthalte in Nidden auf der Kurischen Nehrung, in Dangast in Oldenburg und auf Fehmarn schlugen sich in seinen expressionistischen Werken nieder, ebenso die regelmäßigen Aufenthalte in der Zeit von 1932 bis 1943 am Lebasee in Ostpommern.
1931 wurde Schmidt-Rottluff Mitglied der Akademie der Künste, aus der er 1933 ausgeschlossen wurde. 1937 entfernten die Nationalsozialisten seine Werke als entartete Kunst aus den Museen, und 1941 erteilten sie ihm Malverbot. Nachdem sein Atelier 1943 durch Bomben zerstört worden war, kehrte er nach Rottluff zurück. 1947 erhielt er

eine Professur an der Hochschule für bildende Künste in Berlin. Er stiftete 1965 eine große Anzahl seiner Werke und trug damit zur Entstehung des *Brücke-Museums* bei, das am 15. September 1967 eröffnet wurde. LITERATUR: K. Brix, Karl Schmidt-Rottluff. 1972. – R. Schapire, Karl Schmidt-Rottluffs graphisches Werk. 1924, Nachdruck 1965. – Karl Schmidt-Rottluff, Gemälde, Aquarelle, Zeichnungen. Ausstellungskatalog Essen 1964.

Schöneberg

Auf dem heutigen Schöneberger Gebiet befand sich bereits im 1. bis 3. Jahrhundert eine Siedlung der germanischen Semnonen. Funde aus dem 9. Jahrhundert deuten auf eine slawische Besiedlung hin. An der von Sachsen zum Berliner Spreepaß führenden Handelsstraße entstand dann in den ersten Jahrzehnten des 13. Jahrhunderts das Dorf Schöneberg, das in einer Urkunde vom 3. November 1264, in der Markgraf Otto III. eine Landschenkung im Bereich des Dorfes an das *Benediktinerinnenkloster Sankt Marien* dokumentierte, erstmals erwähnt wurde.
1750/51 gründete Friedrich der Große durch Ansiedlung böhmischer Protestanten nördlich des alten Dorfes die Siedlung Neu-Schöneberg. Im Siebenjährigen Krieg wurde Alt-Schöneberg 1760 von russischen Truppen zerstört. Bis 1767 erfolgte ein planmäßiger Wiederaufbau. 1791 bis 1793 wurde die durch Schöneberg führende Straße Berlin-Potsdam zur Chaussee ausgebaut, 1838 die parallel dazu verlaufende erste *Eisenbahn* Preußens angelegt. Das Wachstum der benachbarten Hauptstadt führte zu einem raschen Anstieg der Einwohnerzahl Schönebergs, dessen Nordteil am 1. Januar 1861 nach Berlin eingemeindet wurde.
Nach der Vereinigung von Alt- und Neu-Schöneberg im Jahr 1874 erfolgte 1898 die Verleihung der Stadtrechte. In der Zwischenzeit war die Bevölkerungszahl weiter angewachsen, von 7500 im Jahr 1875 auf 75000 im Jahr 1898. 1899 wurde Schöneberg Stadtkreis. In seinem nordöstlichen Teil, wo zahlreiche *Mietskasernen* angelegt wurden, verwuchs es eng mit Berlin.

1912 schloß sich Schöneberg dem Zweckverband Groß-Berlin an. Bei der Eingemeindung 1920 bildete es den 11. Berliner Verwaltungsbezirk, dem die Landgemeinde Friedenau angeschlossen wurde. Friedenau, südwestlich von Schöneberg gelegen, war 1871 als Landhauskolonie gegründet und bereits 1874 zur selbständigen Landgemeinde erhoben worden. Seit 1945 gehört Schöneberg zum amerikanischen Sektor. Das *Rathaus Schöneberg*, 1911 bis 1914 errichtet, ist seit der Spaltung der Berliner Stadtverwaltung im Jahr 1948 vorläufiger Sitz des Oberbürgermeisters, des Magistrats und der Stadtverordnetenversammlung bzw. seit 1951 des Regierenden Bürgermeisters, Senats und Abgeordnetenhauses. LITERATUR: H. J. Raabe u. G. Holmsten, Schöneberg. 1984.

Shell-Haus

Am Reichpietschufer, das im Bezirk *Tiergarten* den Landwehrkanal begleitet, steht zwischen Stauffenbergstraße und Hitzigallee das ehemalige Shell-Haus, das seit 1952 von der BEWAG (Berliner Kraft- und Licht-AG) genutzt wird. Emil Fahrenkamp erbaute 1930 bis 1932 das Haus, einen der ersten Stahlskeletthochbauten Berlins. An der Stauffenbergstraße 11 Stockwerke hoch, staffelt sich der Komplex stufenweise auf 6 Stockwerke an der Hitzigallee ab. Die senkrechten Kanten sind einschließlich der Fenster viertelkreisförmig abgerundet. Das Bauwerk ist mit Travertin verkleidet. Es gehört zu den auffallendsten Zeugnissen der Architektur des ersten Drittels des 20. Jahrhunderts.

Siegessäule

Die Siegessäule erinnert an die siegreichen Kriege Preußens bzw. des Deutschen Reiches gegen Dänemark (1864), Österreich (1866) und Frankreich (1870/71). Sie wurde bereits 1865 in Auftrag gegeben, von Johann Heinrich Strack auf dem Königsplatz, dem heutigen Platz der Republik, errichtet und am Sedanstag (2. September) 1873 in Anwesenheit des Kaisers eingeweiht. Die Säule aus Sandstein, in die zahlreiche er-

oberte Kanonenrohre in Ringen eingelassen sind, ruht auf einem Unterbau aus rötlichem Granit. Dieser Unterbau besteht aus einem quadratischen Sockel, der Bronzereliefs mit Kriegsszenen trägt, und einer runden Säulenhalle, in deren Innern ein Mosaik, das Anton von Werner entworfen hat und das 1875 angebracht wurde, die Entwicklung der deutschen Einheit in allegorischen Szenen zeigt. Nach oben beschließen ein Kapitell mit acht Adlern und eine Lorbeergirlande die Säule. Über einer Aussichtsplattform, die man über 285 Stufen ersteigen kann, erhebt sich die vergoldete Kolossalfigur der Siegesgöttin Viktoria des Bildhauers Friedrich Drake. Im Zuge von Speers Planung zur Neugestaltung Berlins wurde die Siegessäule 1938 abgetragen und auf dem Großen Stern, einem runden Platz an der heutigen Straße des 17. Juni, neu aufgestellt. Dabei wurde die Zahl der Ringe aus Kanonenrohren von drei auf vier vermehrt. Die Säule ist heute 69 m hoch. Zu Füßen der Siegessäule stehen auf der Nordseite des Großen Sterns die Denkmäler für Fürst Otto von Bismarck (1897 bis 1901, von Reinhold *Begas*) und Helmuth von Moltke (1904, von Joseph Uphues), die beide bis 1938 ebenfalls auf dem Königsplatz standen, sowie für Albrecht von Roon (1904, von Harro Magnussen), das früher vor dem Generalstabsgebäude auf dem Alsenplatz aufgestellt war. Die ehemalige Siegesallee – 32 marmorne Standbilder der brandenburgisch-preußischen Markgrafen, Kurfürsten und Könige, die nach einer Idee Wilhelms II. unter Leitung von Reinhold *Begas* zwischen 1895 und 1901 von 27 Künstlern geschaffen wurden – führte bis 1938 vom Kemperplatz zum Königsplatz. Auch sie wurde 1938 in die Nähe des Großen Sterns versetzt. Nach Kriegsschäden wurde sie 1947 abgebrochen. Ein Teil der Figuren ist erhalten, u. a. in der *Zitadelle Spandau*.

Werner von **Siemens**

Elektrotechniker und Industrieller, *13. Dezember 1816 Lenthe bei Hannover, †6. Dezember 1892 Berlin.
Der Physiker Werner Siemens, der als Artillerieoffizier Erfahrungen mit der

Telegraphentechnik gesammelt hatte, gründete am 12. Oktober 1847 zusammen mit dem Mechaniker Johann Georg Halske an der Schöneberger Straße mit zehn Arbeitern eine Telegraphenbauanstalt, die Vorläuferin der späteren Siemens & Halske AG, die sich zu einem der bedeutendsten Konzerne der Elektroindustrie entwickelte. Zunächst stellte die Firma Zeiger- und Drucktelegraphen mit Selbstunterbrecher her. Werner Siemens gründete mit seinen Brüdern Wilhelm (* 1823, † 1883) und Carl (* 1829, † 1906) Zweigstellen in St. Petersburg (1853), London (1858), Wien und Paris, baute umfangreiche Telegraphennetze auf (vor allem in Rußland) und verlegte Seekabel.
1866 erfand er die Dynamomaschine und wurde damit zum Begründer der Starkstromtechnik. Auf der Berliner Gewerbeausstellung 1879 präsentierte Siemens die erste elektrische Eisenbahn der Welt. 1880 stellte er den ersten elektrischen Aufzug vor, und 1881 wurde die von ihm entwickelte erste elektrische Straßenbahn in Lichterfelde in Betrieb genommen. Auf seine und Hermann von Helmholtz' Anregung wurde 1887 die Physikalisch-Technische Reichsanstalt, die Vorgängerin der Physikalisch-Technischen Bundesanstalt, gegründet. 1888 wurde Siemens geadelt. Im gleichen Jahr war er Mitbegründer der *Urania*. Ein Bronzestandbild von Werner von Siemens, das Wilhelm Wandschneider geschaffen hatte, wurde 1899 auf dem Gelände der damaligen Technischen Hochschule, der heutigen *Technischen Universität*, aufgestellt.
Werner von Siemens' Sohn Wilhelm (* 1855, † 1919) war seit 1884 Mitinhaber des Unternehmens. Unter seiner Leitung (seit 1890) wuchs es von 3000 auf 65000 Beschäftigte. Es wurde 1897 Aktiengesellschaft. 1903 gründete Wilhelm von Siemens gemeinsam mit Emil *Rathenau* die »Telefunken Gesellschaft für drahtlose Telegraphie«.
LITERATUR: G. Siemens, Geschichte des Hauses Siemens. 3 Bände. 1947–1952.

Siemensstadt

Nachdem sich die 1847 gegründete Firma Siemens 1899 an der Nonnendammallee niedergelassen hatte, entstand hier, zwischen *Charlottenburg* und *Spandau*, eine Wohnsiedlung, die 1913 den Namen Siemensstadt erhielt und nach Spandau eingemeindet wurde. Siemensstadt wurde in den folgenden Jahrzehnten zu einem bedeutenden Industriestandort. Neben den Siemenswerken finden sich hier u.a. Betriebe der Baustoff-, Metall- und Glasindustrie. 1928 bis 1930 wurde hier das Kraftwerk West, heute Kraftwerk Reuter, erbaut. Im Mai und Juni 1945 war es von der sowjetischen Besatzungsmacht vollständig demontiert worden, so daß Westberlin auf Stromlieferungen vom Ostberliner Kraftwerk Klingenberg angewiesen war. Während der Blockade wurde das Kraftwerk West mit Turbinenteilen, die über die Luftbrücke nach Berlin gebracht wurden, wiederaufgebaut.
Die Großsiedlung Siemensstadt, ein Wohnviertel aus überwiegend fünfgeschossigen Miethäusern, entstand in den Jahren 1929 bis 1931 unter der Gesamtverantwortung von Hans *Scharoun* und unter Mitwirkung von Walter Gropius, Hugo Häring, Otto Bartning, Paul Rudolf Henning und Fred Forbat. Sie liegt beiderseits der Grenze zwischen dem Spandauer Ortsteil Siemensstadt und dem Bezirk Charlottenburg und beiderseits der damals neu angelegten S-Bahn-Linie. Scharoun selbst entwarf die beiden winkelförmig angelegten Gebäude am Jungfernheideweg südlich der S-Bahn, die durch charakteristische runde Wandteile an Dachaufbauten und Balkons auffallen. Die Bauten der übrigen Architekten liegen auf Charlottenburger Gebiet beiderseits der Goebelstraße und bis zum Heckerdamm. 1930 und 1934 erweiterte Hans Hertlein die Siedlung nach Westen auf Spandauer Gebiet um Goebelstraße und Schuckertdamm, während eine Erweiterung nach Osten wieder vor allem unter Scharouns Leitung als Charlottenburg-Nord in den Jahren 1955 bis 1960 erfolgte.
Die Großsiedlung Siemensstadt war neben der Zehlendorfer Siedlung Onkel Toms Hütte (1926 bis 1932) und der Hufeisensiedlung (1925 bis 1931) im Neuköllner Ortsteil Britz das bedeutendste Berliner Wohnungsbauprojekt der Zeit nach dem Ersten Weltkrieg. An beiden anderen Siedlungen, an deren Anlage Bruno Taut maßgeblich beteiligt war, bestanden allerdings zu einem

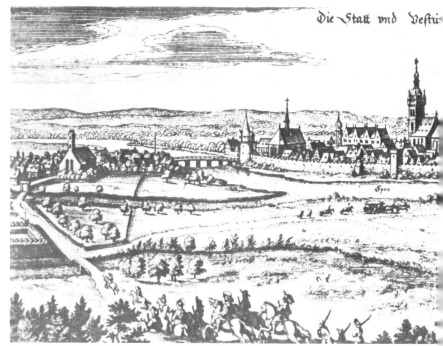

Die Statt vnd Vestu

Spre

Stadt und Festung Spandau Mitte des 17. Jahr-

Großteil aus Einfamilienhäusern, meist in Form von uniformierten Reihenhausanlagen.

Max Slevogt

*Maler und Graphiker, *8. Oktober 1868 Landshut, †20. September 1932 Neukastel, Pfalz.*
Max Slevogt studierte von 1884 bis 1890 in München, ging dann nach Paris und arbeitete dort an der Académie Julian. 1901 kam er nach Berlin, wo er 1917 Professor an der Akademie der Künste wurde. Beeinflußt durch die französischen Impressionisten, fand er zu einer hellfarbigen, heiter gestimmten Malweise, die besonders durch die Wirkung des Lichtes gekennzeichnet wurde. Neben Max *Liebermann* und Lovis *Corinth* war er einer der bedeutendsten Berliner Impressionisten und gehörte der *Berliner Sezession* an.
Max Slevogt arbeitete auch als Bühnenbildner und Illustrator (u. a. »Ilias«, 1907; »Lederstrumpf«, 1909). In der Na-

tionalgalerie auf der *Museumsinsel* hängen seine Bilder »Der Sänger Francisco d'Andrade als Don Giovanni« (1912), »Pfalzlandschaft« (1927), »Hermann Sudermann« (1927) u. a., im *Berlin-Museum* wird ein Selbstbildnis von 1929 gezeigt, in der *Neuen Nationalgalerie* ein Zitronenstilleben aus dem Jahr 1921.
LITERATUR: H.-J. Imiela, Max Slevogt. 1968.

Spandau

Die Anwesenheit des Menschen ist im Gebiet um Spandau durch zahlreiche archäologische Funde aus fast allen vor- und frühgeschichtlichen Epochen bis zurück in die Altsteinzeit belegt. Seit dem 7. Jahrhundert ist eine dichtere Besiedlung durch slawische Stämme nachweisbar. Aus dieser Zeit stammt vermutlich auch eine Siedlung der Heveller auf der Burgwallinsel südlich der heutigen Altstadt von Spandau. Sie wurde im 8. Jahrhundert befestigt, und es entstand eine Burg, die mehrfach zerstört und beim

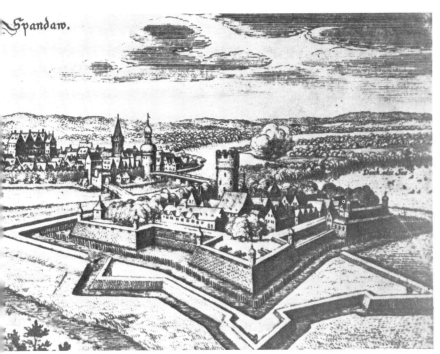

Spandaw.

hunderts. Kupferstich von Caspar Merian.

Wiederaufbau jeweils verstärkt und erweitert wurde. Nach der Eroberung Brandenburgs und des Havellandes durch Albrecht den Bären im Jahr 1157 ließen sich deutsche Kaufleute ab 1170 im Bereich der heutigen Altstadt gegenüber der *Spree*mündung nieder. Im Winkel nördlich der Spreemündung begann an der Stelle der späteren, ab 1560 angelegten *Zitadelle Spandau* der Bau einer askanischen Burg, die 1197 erstmals urkundlich erwähnt wurde. 1232 erhielt Spandau die Brandenburger Stadtrechte. Südlich der Altstadt entstand 1239, eventuell aber auch schon früher, als Gründung der Brandenburgischen Markgrafen das *Benediktinerinnenkloster Sankt Marien*. Die *Nikolaikirche*, die bereits Ende des 12. Jahrhunderts bestanden haben dürfte, wird 1240 als Marktkirche urkundlich erwähnt. Dies deutet auf die wirtschaftliche Funktion Spandaus als Kaufmannsstadt am Übergang einer Fernhandelsstraße über die *Havel* hin.
Die älteste Spandauer Stadtbefestigung

aus der ersten Hälfte des 14. Jahrhunderts wurde 1522 bis 1538 im Westen durch eine Umwallung mit vier Vorwerken und einen zweiten Graben verstärkt. Ein weiterer Ausbau der Befestigungsanlagen erfolgte ab 1638 durch den kurfürstlichen Statthalter Graf Schwarzenberg. Vor den Toren der Stadt entwickelten sich im 18. Jahrhundert im Norden die Neustadt und im Süden die Stresow.
1813 belagerten russische Truppen das französisch besetzte Spandau. Dabei erlitt die Altstadt schwere Schäden, die Vorstädte wurden zerstört. Nach den Befreiungskriegen wurden die Festungsanlagen erweitert und die Vorstädte mit eingeschlossen. Im Umkreis dieser erweiterten Festung wurde die Bebauung durch die sogenannte Rayongesetzgebung eingeschränkt, so daß sich im 19. Jahrhundert neue Wohnviertel nur in größerer Entfernung von der Altstadt bilden konnten. So entstanden Hakenfelde nördlich, Haselhorst und später *Siemensstadt* östlich und Klosterfelde und Wilhelmstadt südlich von Spandau.

Zum wichtigsten Wirtschaftszweig der Festungsstadt hatte sich seit dem 16. Jahrhundert die Rüstungsindustrie entwickelt. Im 19. Jahrhundert siedelten sich in der Umgebung Spandaus aufgrund staatlicher Förderung und verbesserter Verkehrsverhältnisse auch zahlreiche Betriebe anderer Industriezweige an, u. a. der metallverarbeitenden, der Textil- und der Elektroindustrie. 1887 wurde Spandau kreisfreie Stadt. Nach der Aufhebung der Rayonbestimmungen im Jahr 1903 und der anschließenden Beseitigung der Festungsanlagen konnte sich die Stadt ungehindert entwickeln. 1912 schloß sie sich dem Zweckverband Groß-Berlin an. Bei der Eingemeindung 1920 war Spandau als bisher selbständige Stadt namengebend für den 8. Verwaltungsbezirk, zu dem es mit den Landgemeinden Gatow, Kladow, Pichelsdorf, Staaken und Tiefwerder zusammengeschlossen wurde und der den äußersten Westen des Berliner Stadtgebiets bildet.
Tiefwerder ging aus dem Fischer-Kietz hervor, der 1560 dem Bau der Zitadelle weichen mußte und zunächst südlich der Altstadt von Spandau wiederaufgebaut wurde. Für die Erweiterung der Befestigungsanlagen wurde er 1813 erneut verlegt, diesmal an das östliche Havelufer südlich der Altstadt.
Staaken, westlich von Spandau gelegen, wurde 1273 im Zusammenhang mit einer Landschenkung an das Benediktinerinnenkloster Sankt Marien erstmals urkundlich erwähnt. 1914 bis 1917 entstand hier für die Arbeiter der Spandauer Rüstungsindustrie die Gartenstadt Staaken. Pichelsdorf ist ein altes Fischerdorf südöstlich von Staaken, das 1375 im Landbuch Karls IV. erstmals urkundlich erwähnt wurde. Südlich von Pichelsdorf liegen am Westufer der hier seenartig erweiterten Havel Gatow und Kladow, die in Urkunden aus den Jahren 1272 bzw. 1267 als Besitz des Klosters St. Marien ausgewiesen werden.
Seit 1945 gehört der Bezirk Spandau zum britischen Sektor von Berlin. Der Westteil von Staaken wurde nach dem Zweiten Weltkrieg an die Sowjetische Besatzungszone abgetreten, die dafür das Gebiet der Villensiedlung Weinmeisterhöhe, das für Westberlin die Landverbindung nach Gatow und Kladow herstellt, und die Gemarkung

Groß-Glienicke mit den westlichen Teilen des Flughafens Gatow, der britischer Militärflughafen wurde, im Gebietsaustausch an Westberlin gab.
Als umfangreiches Wohnungsbauprojekt entstand ab 1963 im Westen von Spandau die Stadtrandsiedlung *Falkenhagener Feld* mit rund 8000 Wohnungen. Die Spandauer Altstadt, die im Zweiten Weltkrieg erhebliche Schäden erlitt, hebt sich noch heute mit ihrem geschlossenen ovalen Umriß deutlich vom übrigen Stadtgebiet ab. Trotz der Veränderungen beim Wieder- bzw. Neuaufbau hat sie sich den Charakter einer märkischen Kleinstadt erhalten können.
LITERATUR: G. Jahn, Die Bauwerke und Kunstdenkmäler von Berlin. Stadt und Bezirk Spandau. 1971. – W. Ribbe (Hrsg.), Slawenburg, Landesfestung, Industriezentrum. Untersuchungen zur Geschichte von Stadt und Bezirk Spandau. 1983.

Spittelmarkt

Der Spittelmarkt entstand in der ersten Hälfte des 18. Jahrhunderts auf dem Gelände einer ehemaligen Bastion der Festungswerke des 17. Jahrhunderts. Bis 1863 befand sich hier das Gertraudenspital, das dem Platz den Namen gab. Ab 1776 wurden am Spittelmarkt nach Entwürfen von Karl von *Gontard* vor Ladengeschäften die Spittelkolonnaden aufgestellt.
Heute markiert der Spittelmarkt das östliche Ende der Leipziger Straße, wo seit 1969 Hochhäuser mit bis zu 25 Stockwerken und insgesamt rund 2000 Wohnungen errichtet wurden. Die im Krieg beschädigten Spittelkolonnaden wurden etwas weiter westlich am Dönhoffplatz seit 1979 wiederaufgebaut.

Sportpalast

Der Sportpalast an der Potsdamer Straße in *Schöneberg* wurde im Jahr 1910 eröffnet. Bei der Eröffnung dirigierte Richard Strauss, Hofkapellmeister und Generalmusikdirektor, Beethovens Neunte Sinfonie. Das Gebäude, das etwa 9000 Menschen Platz bot, wurde dann aber für Sportveranstaltungen, u. a. für die Sechstagerennen der Radfahrer, für

Revuen und politische Veranstaltungen genutzt. Besondere, wenn auch zweifelhafte Berühmtheit erlangte der Sportpalast als Schauplatz der Rede, in der Joseph Goebbels am 18. Februar 1943 den »totalen Krieg« ausrief. Im November 1973 wurde das Gebäude, das modernen Ansprüchen nicht mehr genügte, abgerissen.

Spree

Der für die *Binnenschiffahrt* bedeutendste Nebenfluß der *Havel* ist mit einer Lauflänge von 382 km länger als die Havel selbst. Er entspringt im Bergland der Oberlausitz und durchfließt Bautzen und in der Niederlausitz zwischen Cottbus und Lübben, in viele Arme verzweigt, die Landschaft des Spreewalds. Sodann macht die Spree einen großen, S-förmigen Bogen, bei dem sie den Schwielochsee quert. Oberhalb von Fürstenwalde ist sie durch den 1891 eröffneten Oder-Spree-Kanal, der für Schiffe bis 750 t Tragfähigkeit geeignet ist, mit der Oder bei Eisenhüttenstadt verbunden. Der weitere Verlauf der Spree ist zunächst mit dem Kanal identisch, der dann unterhalb von Fürstenwalde abzweigt und sich dem Seddinsee bei Schmöckwitz und damit dem Spreezufluß Dahme zuwendet. Die Spree erreicht ihrerseits durch den Dämeritzsee bei Erkner hindurch den *Müggelsee*, in den sie bei Rahnsdorf mündet und den sie in Friedrichshagen wieder verläßt. Bei der *Köpenicker* Altstadt vereinigen sich Spree und Dahme. Von hier aus fließt die Spree in Richtung Nordwesten und trennt zunächst Nieder- und Oberschöneweide, dann *Treptow* und Stralau und erreicht sodann den Osthafen. Zwischen *Kreuzberg* und *Friedrichshain* bildet sie die Sektorengrenze. Im Bezirk *Mitte* markiert sie die alte Grenze zwischen Berlin und Cölln. Dann wendet sie sich überwiegend nach Westen und bildet nördlich des Reichstags erneut einige hundert Meter weit die Sektorengrenze. Anschließend ist die Spree die Südgrenze von Moabit, von dem sie das *Hansaviertel* im nördlichen *Tiergarten* abtrennt, während im Norden von Moabit der Westhafen liegt, der durch den Charlottenburger Verbindungskanal und den Westhafenkanal mit der Spree und durch den Spandauer Schiffahrtskanal/Hohenzollernkanal mit der Havel verbunden ist. Am Westhafen, dem Hauptumschlagplatz Berlins, befindet sich auch der Berliner Großmarkt.
Die Spree selbst fließt am Schloßpark von *Charlottenburg* vorbei und berührt die Industriegebiete von *Siemensstadt* mit dem Kraftwerk Reuter und Haselhorst im Norden und Ruhleben im Süden, bevor sie südlich der *Zitadelle Spandau* und östlich der Spandauer Altstadt in die Havel mündet.

Staatsbibliothek Preußischer Kulturbesitz

Für den Teil der Bestände der ehemaligen *Preußischen Staatsbibliothek*, der während des Krieges nach Westdeutschland ausgelagert war und später von der *Stiftung Preußischer Kulturbesitz* nach Westberlin zurückgebracht wurde, ist in den Jahren 1967 bis 1978 im *Kulturforum* an der Potsdamer Straße im Bezirk *Tiergarten* der Neubau der Staatsbibliothek nach Plänen von Hans *Scharoun* entstanden. Es war das letzte Werk Scharouns. Nach seinem Tod führte Edgar Wisniewski die Arbeiten zu Ende.
Das Gebäude ist deutlich gegliedert. Der fast fensterlose Hauptbaukörper, goldfarben verkleidet, enthält die Magazine. Ihm sind niedrigere Lesesäle und Verwaltungstrakte vorgelagert. Insgesamt hat das Gebäude bei 229 m Länge und 152 m Breite eine Geschoßfläche von über 80 000 m². Es können 8 Millionen Bände aufgenommen werden. Zur Zeit wird diese Kapazität durch die Bestände etwa zur Hälfte genutzt.
In einem nach Südwesten anschließenden Gebäude sind die Ibero-Amerikanische Spezialbibliothek und das Ibero-Amerikanische Institut untergebracht. Zur Staatsbibliothek gehören Sonderabteilungen für Handschriften, Musikalien und Karten sowie Osteuropa-, Orient- und Ostasienabteilungen.

Stadtgebiet

Das Stadtgebiet Berlins hat sich im Laufe seiner Geschichte mehr als vertausendfacht. Die beiden Städte Berlin und Cölln bedeckten nach ihrer Gründung

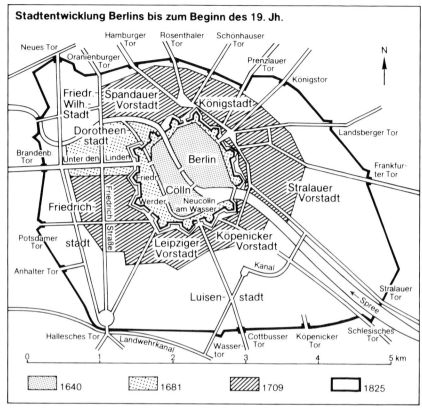

Stadtentwicklung Berlins bis zum Beginn des 19. Jh.

1640	1681	1709	1825

Bis 1640 umfaßte die Doppelstadt die Berliner Altstadt rechts der Spree und die Cöllnische Spreeinsel, eine Fläche von 83 Hektar. Das Stadtgebiet wuchs über 217 Hektar (1681) und 626 Hektar (1709) auf 1400 Hektar (1825).

und bis ins 15. Jahrhundert eine Fläche von rund 73 Hektar, wovon etwa zwei Drittel auf Berlin entfielen, das sich, maximal 1140 m lang und 510 m breit, zwischen der Spree und dem Verlauf der heutigen Dircksenstraße erstreckte, während Cölln, bis 800 m lang und 370 m breit, den südlichen und mittleren Teil der Spreeinsel einnahm. Der Bau des 1451 fertiggestellten ersten Schlosses bewirkte dann einen Zuwachs auf 76 Hektar. Auch die nächste Vergrößerung des Stadtgebietes auf 83 Hektar erfolgte auf der Spreeinsel durch die Anlage des *Lustgartens*.
Das 18. Jahrhundert brachte zwei größere Erweiterungen. Zunächst wuchs das Stadtgebiet im Jahr 1709 durch Eingemeindung von *Friedrichswerder, Doro-*

theen- und *Friedrichstadt* sowie eines näher gelegenen Vorstadtkranzes im Norden, Osten und Süden (Spandauer Vorstadt sowie Teile der Georgen-, Stralauer, Köpenicker und Leipziger Vorstadt) auf 626 Hektar, sodann durch die Anlage der *Akzisemauer* in den Jahren 1734 bis 1737 auf 1330 Hektar.
Das Jahr 1841 brachte umfangreiche Eingemeindungen von Vorstädten jenseits der Akzisemauer, vor allem im Norden (heutiger Bezirk *Prenzlauer Berg*), und eine Ausdehnung auf 3511 Hektar. Dagegen sträubten sich die Stadtverordneten lange gegen die Eingemeindung der dicht besiedelten Industriegebiete im Nordwesten und Südwesten, da sie die damit verbundenen Lasten scheuten, bis schließlich durch Regierungsverordnung

vom 28. Januar 1860 die Eingemeindung von Gesundbrunnen, *Wedding* und Moabit sowie Teilen von *Schöneberg* und *Tempelhof* zum 1. Januar 1861 erfolgte. Damit wuchs das Stadtgebiet auf 5923 Hektar. 1881 kam durch die Eingemeindung von *Tiergarten, Zoologischem Garten* und *Schloß*bezirk *Bellevue* sowie kurz vorher durch das von Lichtenberg erworbene Gelände des Zentralvieh- und Schlachthofs eine Erweiterung auf 6060 Hektar zustande. Nach Abrundungen im Bereich des *Wedding (Rehberge* u.a.) 1915, die das Stadtgebiet auf 6570 Hektar wachsen ließen, erfolgte dann durch Gesetz vom 27. April 1920 die Bildung von Groß-Berlin. Dabei wurde das Stadtgebiet auf 87810 Hektar erweitert. 1928 wurde noch der Gutsbezirk Düppel nach Berlin eingegliedert. Dadurch wuchs die Stadtfläche auf 88347 Hektar. Nach dem Zweiten Weltkrieg kam es an mehreren Stellen zum Gebietsaustausch zwischen Berlin und benachbarten Landkreisen. Dadurch hat Westberlin heute eine Fläche von 48010 Hektar und Ostberlin 40310 Hektar.

Stalinallee

Die ehemalige Große Frankfurter Straße und der innere Teil der Frankfurter Allee hatten am 21. Dezember 1949 den Namen Stalins erhalten. Das Gebiet der Stalinallee war das erste große Wiederaufbauprojekt in Ostberlin nach dem Zweiten Weltkrieg. Ab 1952 wurden hier auch zahlreiche Hilfskräfte des sogenannten Nationalen Aufbauwerks, die in »freiwilliger Selbstverpflichtung« unbezahlte Arbeit leisteten, eingesetzt. Die ersten Bauten, ab 1949 entstandene Laubenganghäuser der Architektin Ludmilla Herzenstein nach einer Planung *Scharouns* an der Südseite beim U-Bahnhof Marchlewskistraße, tragen noch durchaus funktionalistische Züge. Dagegen zeigen sich etwa ab 1951, vor allem bei den unter der Projektleitung von Hermann Henselmann entstandenen Gebäuden – achtstöckiges Punkthochhaus an der Weberwiese, Bauten östlich vom Strausberger Platz –, die vom Stalinismus beeinflußten historisierenden Architekturformen des Sozialistischen Realismus. Ähnliches gilt noch für Henselmanns Kuppelbauten am Frankfurter Tor (1957 bis 1960), die an die Kirchen des *Gendarmenmarktes* anknüpfen sollen. Erst danach wurden rationellere Bauweisen und Stilelemente wirksam, vor allem im inneren, zum Bezirk *Mitte* gehörenden Teil der Stalinallee zwischen *Alexanderplatz* und Strausberger Platz. Hier entstanden zwischen 1959 und 1965 verschiedene scheibenförmige, meist acht- bis zehngeschossige Wohnhäuser, überragt vom 13geschossigen Interhotel Berolina (1961 bis 1963). Unter den Arbeitern, die an den Bauprojekten an der Stalinallee eingesetzt waren, brachen im Juni 1953 die Unruhen aus, die den Volksaufstand vom 17. Juni einleiteten. Am 13. November 1961, wurde acht Jahre nach dem Tod Stalins, sein Name aus dem Ostberliner Stadtplan getilgt. Die Stalinallee erhielt in ihrem östlichen Teil wieder den Namen Frankfurter Allee, der westliche Teil vom Frankfurter Tor bis zum Alexanderplatz wird seither Karl-Marx-Allee genannt.

Steglitz

Steglitz, ein Straßendorf südwestlich von Berlin, wurde 1375 im Landbuch Karls IV. erstmals urkundlich erwähnt. 1524 bis 1703 befand es sich im Besitz der Berliner Patrizierfamilie von Spiel, die um 1550 in Steglitz einen Rittersitz anlegte. 1802 wurde es von Karl Friedrich von Beyme erworben, der sich 1804 ein schloßartiges Gutshaus errichten ließ, das nach seinem späteren Bewohner, dem Generalfeldmarschall von Wrangel, als *Wrangelschlößchen* bezeichnet wird. Auf dem Gelände des Ritterguts, das 1841 von der Tochter Beymes an den preußischen Staat verkauft worden war, entstand nach 1848 die Kolonie Neu-Steglitz, die 1870 mit dem Dorf Steglitz zu einer Gemeinde zusammengeschlossen wurde. Die Einwohnerzahl von Steglitz stieg im letzten Drittel des 19. Jahrhunderts, begünstigt durch den Ausbau der Verkehrswege, stark an – von rund 1900 im Jahr 1871 auf 21200 im Jahr 1900. Bis 1919 erreichte sie fast 83400, so daß Steglitz vor der Eingemeindung 1920 die größte Landgemeinde Preußens war. Als einwohnerstärkster Ortsteil war es na-

mengebend für den 12. Verwaltungsbezirk von Berlin, zu dem es mit den Dörfern Lankwitz und Lichterfelde sowie der Landhauskolonie Südende zusammengeschlossen wurde und der seit 1945 zum amerikanischen Sektor gehört. Die Kolonie Südende war 1872 auf Mariendorfer Gelände angelegt worden und hatte sich durch ihre bauliche Entwicklung mit Steglitz verbunden. Südlich von Steglitz liegt das 1375 im Landbuch Karls IV. erstmals urkundlich erwähnte Angerdorf Lichterfelde. Hier und im südöstlich benachbarten, 1299 erstmals beurkundeten Giesendorf begann der Großkaufmann Carstenn 1868 mit der Anlage von Villenkolonien. 1877 wurden Giesendorf und Lichterfelde zur Gemeinde Groß-Lichterfelde vereinigt. Auch in Lankwitz, das sich südöstlich an Steglitz anschließt und das 1239 erstmals urkundlich erwähnt wurde, entstanden seit den Gründerjahren Villenkolonien. Mit der Verbesserung der Verkehrsverhältnisse gegen Ende des 19. Jahrhunderts setzte hier wie auch in Lichterfelde ein rasches Bevölkerungswachstum ein. Im Zweiten Weltkrieg wurden im Bezirk Steglitz 45% der Wohnungen zerstört. Beim Wiederaufbau konnte zwar der Charakter der Villen- und Landhauskolonien vielfach nicht erhalten werden, doch behielt Steglitz seine Funktion als typisches Wohngebiet. Die Schloßstraße gewann nach 1945 als Geschäftsstraße an Bedeutung. An ihrem südwestlichen Ende, am Hermann-Ehlers-Platz, entstand in den Jahren 1969 bis 1980 der durch Finanzierungsprobleme und politische Auseinandersetzungen bekannt gewordene Steglitzer Kreisel, ein 30geschossiger Gebäudekomplex, der u. a. von der Bezirksverwaltung Steglitz genutzt wird.
LITERATUR: B. Schneider u. G. Holmsten, Steglitz. 1983.

Stiftung Preußischer Kulturbesitz

Am 25. September 1961 hielt der Stiftungsrat der Stiftung Preußischer Kulturbesitz seine konstituierende Sitzung ab. Diese Einrichtung, die auf der Grundlage eines Bundesgesetzes vom 25. Juli 1957 gemeinsam vom Bund und allen Ländern der Bundesrepublik Deutschland getragen wird, hat die Auf-

gabe, Kunstgegenstände und wissenschaftliche Objekte aus dem früheren Besitz des preußischen Staates »bis zu einer Neuregelung nach der Wiedervereinigung ... für das deutsche Volk zu bewahren, zu pflegen und zu ergänzen, unter Beachtung der Tradition den sinnvollen Zusammenhang der Sammlungen zu erhalten und eine Auswertung dieses Kulturbesitzes für die Interessen der Allgemeinheit in Wissenschaft und Bildung und für den Kulturaustausch zwischen den Völkern zu gewährleisten.« Am 29. März 1962 wurde Hans-Georg Wormit als erster Kurator – später Präsident – der Stiftung in sein Amt eingeführt. Da der größte Teil der Bestände vor 1945 im Besitz von Einrichtungen war, die sich im heutigen Ostsektor befanden (v. a. Staatliche Museen auf der *Museumsinsel),* und während des Zweiten Weltkriegs nach Westdeutschland ausgelagert war, erhebt die DDR Eigentumsansprüche. Diese Meinungsverschiedenheit blockierte seit 1975 die Verhandlungen zwischen der DDR und der Bundesrepublik Deutschland über ein Kulturabkommen, bis beide Seiten vereinbarten, sie zunächst »auszuklammern«, so daß das Abkommen 1986 unterzeichnet werden konnte. Zur Stiftung Preußischer Kulturbesitz gehören die 14 Staatlichen Museen (Gemäldegalerie, Nationalgalerie, Skulpturengalerie, Kupferstichkabinett, *Kunstgewerbemuseum, Kunstbibliothek,* Museum für Völkerkunde, Museum für Deutsche Volkskunde, Museum für Vor- und Frühgeschichte, *Antikenmuseum, Ägyptisches Museum,* Museum für Islamische Kunst, Museum für Indische Kunst, Museum für Ostasiatische Kunst), die überwiegend im Komplex der *Museen in Dahlem* untergebracht sind und zusammen jährlich etwa 1,5 bis 2 Millionen Besucher zählen (1985 1,7 Millionen Besucher, außerdem 627000 Besucher von Sonderausstellungen), ferner die *Staatsbibliothek Preußischer Kulturbesitz,* das Ibero-Amerikanische Institut, das *Geheime Staatsarchiv* und das Institut für Musikforschung mit dem *Musikinstrumentenmuseum.* Die Stiftung betreibt darüber hinaus einen pädagogischen Dienst, ein Institut für Museumskunde, eine Gipsformerei, in der Kopien plastischer Kunstwerke hergestellt werden, und das Rathgen-Forschungslabor, zu dessen Aufgaben die Konservierung der Museumsbestände und Echtheitsprüfungen gehören.

Friedrich August **Stüler**

*Baumeister, *28. Januar 1800 Mühlhausen, †18. März 1865 Berlin.*
Friedrich August Stüler wirkte um die Mitte des 19. Jahrhunderts, von *Schinkels* Klassizismus ausgehend und auf Bauformen der Gotik und Renaissance zurückgreifend, als der maßgebliche Architekt Berlins. Auf der *Museumsinsel* errichtete er 1843 bis 1855 das Neue Museum. 1845 bis 1853 baute er die Schloßkapelle mit ihrer das Gesamtbild beherrschenden Kuppel, und nach seinem Entwurf entstand nach seinem Tod die Nationalgalerie (1866 bis 1876). Stüler baute auch mehrere Kirchen, u. a. *Sankt Peter und Paul* im Glienicker Park (1834 bis 1837), die *Matthäuskirche* am Tiergarten (1844 bis 1846), die Jakobikirche in Kreuzberg (1844/45), die Bartholomäuskirche in Friedrichshain (1854 bis 1858) und die Kirche am Stölpchensee (1858/59). 1851 bis 1859 errichtete er die Gardekasernen gegenüber von *Schloß Charlottenburg*, die seit 1967 bzw. 1960 das *Ägyptische* und das *Antikenmuseum* beherbergen. Bedeutende Werke Stülers entstanden auch in anderen Städten, u. a. die Universität Königsberg (1844 bis 1863), das Nationalmuseum in Stockholm (1850 bis 1866), Schloß Schwerin (1851), das im Zweiten Weltkrieg zerstörte Wallraf-Richartz-Museum in Köln (1855 bis 1861), Burg Hohenzollern (1850 bis 1867) und die Akademie der Wissenschaften in Budapest (1862 bis 1867).

»Der **Sturm**«

1910 bis 1932 erschien in Berlin die von Herwarth *Walden* gegründete Zeitschrift »Der Sturm«. Sie erschien anfangs wöchentlich, ab 1916 monatlich. Neben der von Franz Pfemfert herausgegebenen Zeitschrift »Die Aktion« war sie die bedeutendste expressionistische Zeitschrift, in der Literaten und Künstler zu Wort kamen, u. a. Else Lasker-Schüler, Oskar Kokoschka und Kurt Schwitters. Wie die 1910 von Walden eröffnete »Sturm-Galerie« sollte auch die Zeitschrift dazu beitragen, der expressionistischen Kunst Anerkennung zu verschaffen *(Expressionismus in Berlin).* Um Herwarth Walden und den »Sturm« bildete sich der »Sturmkreis«, dem Berliner Literaten und Künstler angehörten, die für die Ideen des Expressionismus eintraten. Seit 1914 gab es auch einen »Sturm-Verlag«, seit 1916 eine »Sturm-Schule für Bühne, Vortragskunst, Dichtung, Musik« und 1917 bis 1921 die »Sturm-Bühne«.
LITERATUR: G. Brühl, Herwarth Walden und der Sturm. 1983. – L. Schreyer, Erinnerungen an Sturm und Bauhaus. 1956. – N. Walden u. L. Schreyer, Der Sturm. 1954.

Hermann **Sudermann**

*Schriftsteller, *30. September 1857 Matzicken bei Heydekrug, Memelland, †21. November 1928 Berlin.*
Sudermann war der Sohn eines Landwirts und Bierbrauers. Er studierte Philosophie und Geschichte in Königsberg und Berlin. Seit 1877 hielt er sich mit Unterbrechungen in Berlin auf. Anfangs bestritt er seinen Lebensunterhalt als Hauslehrer, dann, nach 1880, als Journalist und schließlich als freier Schriftsteller. Er heiratete 1891, lebte danach in Königsberg und Dresden und kam 1895 wieder nach Berlin. Von 1915 bis 1928 wohnte Sudermann in einer Villa in der Bettinastraße im Wilmersdorfer Ortsteil *Grunewald.* Die Sommer pflegte er auf seinem Landsitz Schloß Blankensee bei Trebbin im Kreis Teltow zu verbringen. Sudermann war vor allem als Dramatiker erfolgreich. In naturalistischer Weise behandelte er sozialkritische Themen und prangerte dabei die Sittenlosigkeit der bürgerlichen Gesellschaft an. Wie Gerhart *Hauptmann* wurde er durch Otto Brahm, den Förderer des naturalistischen Dramas zum Durchbruch verhalf, gefördert. Er war neben Hauptmann der an Berliner Theatern meistgespielte Dramatiker. Am 27. November 1889 wurde im Lessing-Theater »Die Ehre« uraufgeführt. In diesem Schauspiel stellt Sudermann das Milieu der Berliner Bourgeoisie und Kleinbürger dar. 1891 wurde die Aufführung seines Dramas »Sodoms Ende«, das ebenfalls in Berlin spielt, verboten. Mit dem Schauspiel »Heimat«

konnte Sudermann 1893 einen besonderen Erfolg verbuchen.
In seinen Romanen und Erzählungen ist Sudermann ein realistischer Darsteller des zeitgenössischen Lebens. Der Roman »Frau Sorge« (1887) handelt vom großstädtischen Leben in Berlin, und die Erzählung »Im Zwielicht« (1887) spielt in den Berliner Salons. Eine tiefe Verbundenheit mit seiner memelländisch-ostpreußischen Heimat zeigt sich in seinen Romanen und Erzählungen, die von dem Leben der Menschen in diesem Raum handeln: »Der Katzensteg« (1890),»Litauische Geschichten« (1917). LITERATUR: K. Busse, Hermann Sudermann. 1927. – T. Duglor (Hrsg.), Hermann Sudermann. Ein Dichter an der Grenzscheide zweier Welten. 1958.

Synagoge in der Oranienburger Straße

In der Oranienburger Straße in Ostberlin steht die Ruine der 1859 bis 1866 von Eduard Knoblauch erbauten Synagoge, deren Saal von Friedrich August *Stüler* gestaltet worden war. Sie war in der Nacht vom 9. zum 10. November 1938, der sogenannten Reichskristallnacht, von den Nationalsozialisten in Brand gesteckt und im Krieg noch weiter beschädigt worden. Das an orientalische und mittelalterliche Formelemente anknüpfende Gebäude soll bis 1988 wiederaufgebaut werden.
In der Nähe liegt der alte Jüdische Friedhof, der 1672 angelegt wurde. 1943 wurde er von den Nationalsozialisten zerstört. Daran erinnert ein Gedächtnismal an der Großen Hamburger Straße. In einer Mauer der heutigen Parkanlage sind einige barocke Grabsteine eingelassen. Für Moses *Mendelssohn* wurde auf dem Rasen ein neuer Gedenkstein errichtet.

Technische Universität

Die Technische Hochschule mit Sitz in *Charlottenburg* wurde 1879 gegründet. Sie entstand durch Zusammenlegung von Bauakademie und Gewerbeakademie. Die Bauakademie war 1799 ins Leben gerufen worden, als auf Betreiben David *Gillys* die 1773 eingerichteten Lehrkurse des Oberbaudepartements

und die architektonische Abteilung der Akademie der Künste vereinigt wurden. Sie erhielt 1835 ein eigenes Gebäude, das Karl Friedrich *Schinkel* seit 1832 am Kupfergraben errichtet hatte. Das im Krieg beschädigte, aber keineswegs zerstörte Ziegelgebäude wurde 1961/62 abgerissen, um Platz für den Neubau des Ministeriums für Auswärtige Angelegenheiten der DDR zu schaffen. Ein Portal aus nachgebildeter Kupfertür und Terrakottarahmen mit Reliefs sowie weitere Terrakottaplatten wurden 1969/70 für die Gaststätte »Schinkel-Klause« an der Rückseite des *Kronprinzenpalais* verwendet.
Im Gebäude der Bauakademie war auch das Königliche Gewerbeinstitut untergebracht. Es war 1827 durch Umbenennung einer technischen Schule entstanden, die ebenso wie der Verein zur Förderung des Gewerbefleißes 1821 auf Initiative von Peter Christian Wilhelm Beuth gegründet worden war. 1866 wurde das Königliche Gewerbeinstitut zur Gewerbeakademie erhoben.
Das Hauptgebäude der Technischen Hochschule an der Charlottenburger Chaussee (heute Straße des 17. Juni) wurde zwischen 1878 und 1884 nach Plänen von Richard Lucae, Friedrich *Hitzig* und Julius Raschdorff errichtet. Dabei wurde an Renaissanceformen angeknüpft. In den folgenden Jahren entstanden im Winkel zwischen Charlottenburger Chaussee und Hardenbergstraße weitere Institutsgebäude, die nach Beschädigungen bzw. Zerstörungen durch den Zweiten Weltkrieg nach 1945 in zum Teil neuen Formen wiederaufgebaut wurden. Außerdem kamen 1959 bis 1970 weitere Institutsgebäude nördlich der Straße des 17. Juni sowie ab 1977 auf dem Stammgelände zwischen Hardenbergstraße und Straße des 17. Juni hinzu.
Seit ihrer Wiedereröffnung im April 1946 heißt die Hochschule Technische Universität. Ihre Studentenzahl hat stark zugenommen. Im Wintersemester 1984/85 hatte sie 25016 Studenten, davon 6585 Frauen (26,3%) und 4334 Ausländer (17,3%). In der Bundesrepublik Deutschland hat nur die Technische Universität Aachen mehr Studenten. LITERATUR: E. Blunck, Die Technische Hochschule zu Berlin 1799–1924. Festschrift. 1925.

Teltowkanal

Der Teltowkanal wurde in den Jahren
1901 bis 1906 angelegt. Der etwa 38 km
lange Wasserweg reicht von der Dahme
bei Grünau zur *Havel* an der Glienicker
Lanke. Ursprünglich stellte er eine Verbindung zwischen Elbe und Oder für
Schiffe bis 750 t unter Umgehung der
Stadtdurchfahrt auf der Spree her. Inzwischen führt er allerdings auf dem
größeren Teil seiner Strecke ebenfalls
durch dicht bebautes Gebiet.
Der Kanal beginnt an der Grünauer
Brücke. Zunächst berührt er die Ostberliner Ortsteile Adlershof, Altglienicke
und Johannisthal im Bezirk *Köpenick.*
Von der Wredebrücke an gehört er zu
Westberlin. Auf dem Nordufer liegt die
Sektorengrenze, auf dem Südufer Ru-
dow. Vom Hafen Britz-Ost an gehören
beide Ufer zu Westberlin. Der Kanal berührt *Tempelhof,* Mariendorf, Lankwitz,
Steglitz und Lichterfelde. Dann bildet er
zwischen dem Westberliner Schönow im
Norden sowie Seehof und Teltow im Süden die Grenze zur DDR, durchzieht die
DDR-Gemeinde Kleinmachnow, quert
die Transitautobahn südlich des DDR-
Kontrollpunkts Drewitz und erreicht bei
Albrechts Teerofen und Kohlhasenbrück nochmals Westberliner Gebiet.
Hier mündet er in den Griebnitzsee.
Über den Griebnitzsee und die Glienik-
ker Lanke die, abgesehen von einigen
kleinen DDR-Gebietsteilen zwischen
den Gewässern und der Königstraße beiderseits des Böttcherberges, die Grenze
markieren, hat er Verbindung zur Havel.

Tempelhof

Im Bereich des Bezirks Tempelhof fanden sich Siedlungsspuren, die bis in die
Bronzezeit zurückreichen. Das Angerdorf Tempelhof entstand am Nordrand
eines Komturhofes, den der Templerorden vermutlich Anfang des 13. Jahrhunderts südlich von Berlin anlegte. Die erste urkundliche Erwähnung stammt aus
dem Jahr 1247. Dem Templerorden wird
auch die Gründung der südlich benachbarten Dörfer Mariendorf und Marienfelde zugeschrieben, deren Existenz
1337 bzw. 1344 erstmals beurkundet
wurde.

Nach der Aufhebung des Templerordens
im Jahr 1312 gingen die drei Dörfer in
den Besitz des Johanniterordens über,
der sie 1435 zusammen mit Rixdorf, dem
späteren Neukölln, an die Städte Berlin
und Cölln verkaufte. Da die Städte jedoch wie schon mehrfach zuvor für ihre
Erwerbung nicht die landesherrliche Zustimmung eingeholt hatten, wurden
Tempelhof, Mariendorf, Marienfelde
und Rixdorf vorübergehend (bis 1442)
vom Landesherrn beschlagnahmt.
Die Ausdehnung Berlins führte 1861 zur
Eingemeindung des Nordteils von Tempelhof.
Aufgrund verbesserter Verkehrsverbindungen setzte im letzten Drittel des 19.
Jahrhunderts eine Industrialisierung ein,
die teilweise auch auf Mariendorf und
Marienfelde übergriff. Zu einem stärke-
ren Bevölkerungswachstum kam es allerdings erst nach 1900. 1910 kaufte die Gemeinde vom preußischen Kriegsministerium den Westteil des Tempelhofer Feldes, das seit 1722 als Exerzierplatz genutzt wurde, so daß hier ab 1920 die
Gartenstadt Neu-Tempelhof entstehen
konnte.
Bei der Eingemeindung 1920 war Tempelhof als einwohnerstärkster Ortsteil
namengebend für den 13. Verwaltungsbezirk, zu dem es mit Mariendorf, Marienfelde und Lichtenrade zusammengeschlossen wurde. Lichtenrade, das
südöstlich an Marienfelde anschließt,
geht im Gegensatz zu den anderen drei
Ortsteilen des Bezirks vermutlich auf
flämische Siedler zurück, die sich hier
Anfang des 13. Jahrhunderts niederließen.
Das Angerdorf wurde 1375 im Landbuch Karls IV. erstmals erwähnt.
Der Bezirk Tempelhof gehört seit 1945
zum amerikanischen Sektor. Der *Flughafen Tempelhof,* der 1923 auf dem Ostteil
des Tempelhofer Feldes eröffnet worden
war, spielte während der Blockade für
die Versorgung Berlins durch die Luftbrücke eine entscheidende Rolle. In Marienfelde wurde 1953, als die Flücht-
lingswelle aus der DDR und Ostberlin
ihren Höhepunkt erreichte, das größte
Notaufnahmelager Westberlins eröffnet.
Es konnte maximal 1300 Personen aufnehmen.
LITERATUR: F. Ruibar, Zur Geschichte
der Ritterordenskomturei Tempelhof
und ihrer Dörfer. 1984.

Teufelsberg

Am Nordrand des *Grunewalds*, auf dem Gelände der früheren Wehrtechnischen Fakultät der Technischen Hochschule, wurde nach dem Zweiten Weltkrieg aus Trümmerschutt der 115 m hohe Teufelsberg aufgeschüttet. Der künstliche Berg aus 25 Millionen m³ Schutt ist Mittelpunkt eines Freizeit- und Erholungsgeländes, das neben einem Kletterfelsen vor allem Anlagen für den Wintersport aufweist. Es gibt einen Skihang mit Sessellift, eine kleine Skisprungschanze und eine Rodelbahn.

Theater des Westens

Bernhard Sehring erbaute 1895/96 das Theater des Westens. Das Gebäude an der Kantstraße in *Charlottenburg*, das etwa 1500 Besuchern Platz bietet, ist eine etwas merkwürdige architektonische Mischung von klassizistischen, Jugendstil- und Empireelementen.
Das Theater des Westens pflegte stets vor allem die Operette bzw. seit den sechziger Jahren das Musical. Es ist das größte Privattheater Berlins. Nach dem Zweiten Weltkrieg beherbergte es bis zur Wiederherstellung der *Deutschen Oper Berlin* im Jahr 1961 die Städtische Oper.

Ludwig Tieck

*Schriftsteller, *31. Mai 1773 Berlin, †28. April 1853 Berlin.*
Ludwig Tieck, der Sohn eines Seilers, besuchte ab 1782 zusammen mit Wilhelm Heinrich *Wackenroder* das Friedrich-Werdersche Gymnasium. 1792 begann er sein Studium an der Universität Halle, setzte es später in Göttingen fort und studierte seit 1793 in Erlangen. Hier traf er seinen Freund Wackenroder wieder, mit dem er auf ausgedehnten Wanderungen die fränkische Landschaft entdeckte und die mittelalterlichen Städte, ihre Kunst und Kultur kennenlernte. Diese Erlebnisse beeinflußten seine romantische Lebensauffassung. 1796 bis 1799 hielt sich Tieck in Berlin auf und ging dann nach Jena, wo er sich dem Kreis der »Jenaer Romantik« anschloß. 1801 bis 1803 lebte er in Dresden. Nach längeren Aufenthalten auf Gut Ziebingen bei

Frankfurt an der Oder und vielen Reisen durch Europa kam er 1819 wieder nach Dresden und war von 1825 bis 1830 Dramaturg am Hoftheater. 1842 wurde er Hofrat in Berlin.
Mit Wilhelm Heinrich Wackenroder verband Ludwig Tieck eine feste Freundschaft. In seinem 1798 erschienenen Künstlerroman »Franz Sternbalds Wanderungen« setzte er seinem früh verstorbenen Freund ein Denkmal. Tieck schrieb Märchen, Novellen und Romane und war bedeutend als Übersetzer (u. a. Schlegel-Tiecksche Shakespeare-Übersetzung, unter Mitarbeit seiner Tochter Dorothea Tieck und des Grafen Wolf von Baudissin).
Tiecks Bruder, der Bildhauer Christian Friedrich Tieck (*1776, †1851), war unter anderem an der Gestaltung des plastischen Schmucks für das *Schauspielhaus* und für das Alte Museum auf der *Museumsinsel* beteiligt. Darüber hinaus schuf er vor allem Marmorbüsten berühmter Zeitgenossen.
LITERATUR: J. P. Kern, Ludwig Tieck – Dichter einer Krise. 1977. – W. Segebrecht (Hrsg.), Ludwig Tieck. 1976. – M. Thalmann, Ludwig Tieck, der romantische Weltmann aus Berlin. 1955.

Tiergarten

Kurfürstliches Jagdgebiet war der Tiergarten wahrscheinlich schon im 1. Drittel des 16. Jahrhunderts, der Regierungszeit Joachims I. Das Waldgebiet, in dem es wohl bereits im 16. Jahrhundert ein Wildgehege gab, reichte von den Toren Berlins bis zum Dorf Lietzow (später *Charlottenburg*) im Westen, es griff nach Norden über die Spree hinaus und grenzte im Süden an die Dörfer *Wilmersdorf* und *Schöneberg*. Friedrich Wilhelm, der Große Kurfürst, ließ 1657 bis 1659 ein 3 × 1 km großes Areal umzäunen und mit jagdbarem Wild besetzen.
In der Regierungszeit Friedrichs III. begann die Umgestaltung des Tiergartens zu einem Park, und in Verlängerung der Straße *Unter den Linden* wurde eine Allee angelegt, die zum Neubau des Schlosses Lietzenburg, dem späteren *Schloß Charlottenburg*, führte. Friedrich Wilhelm I. veranlaßte umfangreiche Rodungen im östlichen Tiergarten, teils zur Erweiterung der *Dorotheenstadt*, teils zur

Palast der Republik und Dom.

Marienkirche.

Rotes Rathaus mit
Fernsehturm
und Marienkirche (links).

Kaiser-Wilhelm-
Gedächtniskirche
(rechts).
Schloß Charlottenburg
(unten).

Blick von der Siegessäule nach Ostberlin.

Avus-Nordende und Internationales Congress Centrum.

Anlage eines Exerzierplatzes im Gebiet vor dem *Brandenburger Tor* im Bereich des heutigen Platzes der Republik. Friedrich der Große befahl die Umwandlung im französischen Stil durch *Knobelsdorff* ab 1745. Ein großer Teil des Tiergartens behielt aber noch den Charakter eines Naturparks. In dieser Zeit wurde der Park für die Bevölkerung geöffnet. Am Spreeufer entstanden erste Restaurationsbetriebe. Sie nannten sich »In den Zelten« und waren aus Zweigen errichtete Lauben, in denen Erfrischungen angeboten wurden. Gegen Ende des 18. Jahrhunderts wurden diese Sommerwirtschaften in festen Gebäuden untergebracht. Als Gast- und Vergnügungsstätten mit Konzertsälen entwickelten sie sich zu einem beliebten Ausflugsziel, das allerdings im Zweiten Weltkrieg zerstört wurde. Im Gebiet südlich des Kleinen Sterns begann unter Friedrich Wilhelm II. die Gestaltung des Parks im Sinne eines englischen Landschaftsgartens. 1792 wurde die Rousseau-Insel angelegt, 1810 die Luisen-Insel. Schließlich erfolgte die durchgreifende Parkgestaltung 1833 bis 1839 durch Peter Joseph *Lenné*. Er veränderte Wegenetz und Wasserläufe, schuf den Neuen See und errichtete 1838 die nach dem Zweiten Weltkrieg wiederhergestellte Löwenbrücke, deren Tragseile von vier gußeisernen Löwen mit den Zähnen gehalten werden. Ebenfalls nach Plänen von Lenné entstand 1841 bis 1844 der *Zoologische Garten*. Kriegsschäden und Rodungen der Nachkriegszeit ließen den Tiergarten veröden. Die Neubepflanzung ab 1949 unter Leitung von Wilhelm Alverdes folgte weithin Lennés Konzeption eines Landschaftsgartens, teilweise aber auch neueren Bedürfnissen, indem Spielplätze und Liegewiesen angelegt wurden. Der Tiergarten ist seit dem 18. Jahrhundert ein Tätigkeitsfeld für Bildhauer gewesen. Anfangs herrschten mythologische Darstellungen vor – erhalten sind u. a. ein Herkules, eine Flora und eine römische Göttin –, seit Mitte des 19. Jahrhunderts überwogen dann patriotische Motive. Die auffälligsten Schöpfungen dieser Art waren *Siegessäule* und Siegesallee. Daneben entstand eine Vielzahl von Einzeldarstellungen, von denen heute noch ein ansehnlicher Teil vorhanden ist. Neben den Denkmälern für Bismarck, Moltke und Roon nördlich der Siegessäule am Großen Stern seien erwähnt: Goethe (1873 bis 1880, von Fritz Schaper), *Lessing* (1887 bis 1890, von Otto Lessing), Haydn-Mozart-Beethoven (1898 bis 1904, von Rudolph Siemering), Wagner (1901 bis 1903, von Gustav Eberlein), Friedrich Wilhelm III. (1841 bis 1849, von Friedrich Drake), Königin Luise (1877 bis 1880, von Erdmann Encke), Lortzing (1906, von Gustav Eberlein), *Fontane* (1908, von Max Klein). Eine Besonderheit aus neuerer Zeit ist das 1946 im Verlauf der früheren Siegesallee aufgestellte Sowjetische Ehrenmal aus Marmor der Reichskanzlei, das die Bronzestatue eines Sowjetsoldaten trägt, der von zwei Panzern flankiert wird. LITERATUR: W. G. Oschilewski, Der Tiergarten in Berlin. 1960.

Tiergarten (Bezirk)

Bei der Eingemeindung 1920 wurde aus dem westlichen Teil des zu diesem Zeitpunkt bereits bestehenden Stadtgebietes der 2. Verwaltungsbezirk von Berlin gebildet, der nach dem in seinem Zentrum gelegenen Tiergarten benannt wurde und seit 1945 zum britischen Sektor gehört. Im Bereich des heutigen Bezirks ließen sich ab 1718 nördlich des Tiergartens *Hugenotten* nieder und gründeten die Kolonie Terre des Moabites (Moabiterland). Nach anfänglichen Versuchen mit der Seidenraupenzucht betrieben die Siedler in erster Linie Gemüsebau. Im 19. Jahrhundert entwickelte sich Moabit zu einem Arbeiterviertel, in dem sich zahlreiche Industriebetriebe ansiedelten. Zu ihnen gehörten auch die Borsigwerke, die 1896 nach Tegel verlegt wurden. Die Bebauung der südlich des Tiergartens gelegenen Gebiete begann Ende des 18. Jahrhunderts. Zum Teil wurden sie bereits 1841 eingemeindet, teilweise erst 1861 zusammen mit Moabit. Die Eingemeindung des Tiergartens erfolgte 1881. Der südliche Teil des Bezirks Tiergarten, der sich im Laufe des 19. Jahrhunderts zum Diplomatenviertel entwickelt hatte, und das am Nordwestrand des Tiergartens gelegene *Hansaviertel* wurden im Zweiten Weltkrieg fast völlig zerstört. Das Hansaviertel wurde ab 1955 im Rahmen der *Internationalen Bauausstellung (Interbau) 1957* wiederaufgebaut. Am Südostrand des Tiergartens entsteht seit Anfang der sechziger Jahre das *Kulturforum* am Kemperplatz. LITERATUR: H. P. Schmitz, Chronik des Bezirks Tiergarten von Berlin. 1961. – I. Wirth, Die Bauwerke und Kunstdenkmäler von Berlin. Bezirk Tiergarten. 1955.

Tierpark Friedrichsfelde

In Friedrichsfelde, das bis 1699 Rosenfelde hieß, ließ sich Benjamin Raule, der Marinedirektor der Kurfürsten Friedrich Wilhelm und Friedrich III., im Jahr 1695 ein kleines Lustschloß errichten, das von Friedrich III. eingezogen wurde, als Raule 1696 in Ungnade fiel. König Friedrich Wilhelm I. schenkte es 1717 dem Markgrafen Albrecht Friedrich von Brandenburg-Schwedt, der es 1719 von Martin Böhme vergrößern ließ. Das Schlößchen ging durch verschiedene Hände. 1821 verwandelte *Lenné* den Schloßpark in einen Landschaftsgarten. Davon ist heute nicht mehr viel erhalten, nachdem der Park seit 1954 zum Ostberliner Tierpark umgestaltet und als solcher 1955 eröffnet wurde. Das Schloß wurde 1966 bis 1981 innen und außen völlig renoviert und wird seither für Konzerte genutzt.

In dem 160 Hektar großen Tierpark, der zum Teil im Rahmen des sogenannten Nationalen Aufbauwerks, d. h. in unbezahlter Arbeit, entstand, gibt es etwa 50 Tierhäuser und Gewässer mit 2,6 Hektar Fläche. Insgesamt werden über 5000 Tiere aus rund 1000 Arten gehalten. Besonders bemerkenswert ist das 1956 bis 1963 errichtete Alfred-Brehm-Haus mit Raubtieren und Reptilien, aber auch – inmitten tropischer Vegetation – etwa 100 freifliegende Vogelarten. Vor dem Gebäude stehen zwei monumentale Löwengruppen, die ursprünglich zum Kaiser-Wilhelm-I.-Denkmal von Reinhold *Begas* beim Schloß gehörten.

Treptow

Die Fischerei »Trepkow« in der Cöllnischen Heide südöstlich von Berlin wurde 1568 erstmals erwähnt. 1775 begann unter Friedrich dem Großen die Besiedlung des aus ihr hervorgegangenen Vorwerks. Im 18. Jahrhundert entwickelte sich Treptow zu einem bevorzugten Ausflugsziel der Berliner. 1876 wurde es mit 305 Einwohnern zur Gemeinde erhoben. Der Treptower Park entstand 1876 bis 1882.

In den letzten Jahrzehnten des 19. Jahrhunderts kam es zur Ansiedlung zahlreicher Industriebetriebe. Ab 1889 entwickelte sich südöstlich von Treptow die Siedlung Baumschulenweg. Die Bevölkerungszahl stieg nach 1900 stark an, so daß Treptow bei der Eingemeindung 1920 als einwohnerstärkster Ortsteil namengebend für den 15. Verwaltungsbezirk von Berlin war, zu dem es mit den Gemeinden Adlershof, Altglienicke, Johannisthal, Niederschöneweide und Oberschöneweide zusammengeschlossen wurde. Oberschöneweide wurde 1938 im Tausch gegen Bohnsdorf, ein Bauerndorf am Südrand des Berliner Stadtgebiets, das 1375 im Landbuch Karls IV. erstmals urkundlich erwähnt wurde, an *Köpenick* abgegeben. Der Bezirk Treptow gehört seit 1945 zum sowjetischen Sektor von Berlin. Niederschöneweide entstand im 18. Jahrhundert in der Nähe eines Teerofens südöstlich von Treptow. Südlich schließen Adlershof und Johannisthal an, die beide unter Friedrich dem Großen 1753 durch Ansiedlung von Kolonisten gegründet wurden. Altglienicke, das wie Bohnsdorf 1375 im Landbuch Karls IV. erstmals urkundlich erwähnt wurde, liegt südlich von Adlershof. Hier entstand 1911 bis 1920 unter Leitung von Bruno Taut die Siedlung Falkenberg.

Treptower Park

Der Treptower Park wurde 1876 bis 1882 von dem Berliner Gartenbaudirektor und Lenné-Schüler Gustav Meyer als Landschaftsgarten angelegt. Er bildet zusammen mit dem östlich anschließenden Kulturpark Plänterwald ein von der *Spree* gesäumtes Naherholungsgebiet von 230 Hektar Fläche. Im Park liegt die aus Anlaß der 1896 abgehaltenen Berliner Gewerbeausstellung gegründete Archenhold-Sternwarte mit einem Fernrohr mit 21 m Brennweite aus dem Jahr

1909 und neueren astronomischen Einrichtungen.
1946 bis 1949 wurde im Treptower Park von sowjetischen Künstlern das Ehrenmal zur Erinnerung an 5000 bei der Eroberung Berlins gefallene sowjetische Soldaten geschaffen. Auf der Zugangsallee steht die aus einem Granitblock von 50 t gehauene Sitzfigur der »Trauernden Mutter Heimat«. Anschließend symbolisieren monumentale rote Granitwände, vor denen bronzene Soldaten knien, gesenkte Fahnen. Dahinter befindet sich die Begräbnisstätte der Gefallenen, fünf eingefaßte Rasenflächen mit gegossenen Lorbeerkränzen auf Steinsockeln. 16 Sarkophage symbolisieren die damals 16 Sowjetrepubliken. Rechts und links davon wird in jeweils 14 Reliefs auf Marmorblöcken die Kriegsgeschichte von 1941 bis 1945 dargestellt. Den Abschluß bildet ein Hügel, auf dem sich ein Mausoleum erhebt, das die 13 m hohe Bronzefigur eines Soldaten trägt. Der Soldat hält ein Kind auf dem linken Arm und in der Rechten ein Schwert, das ein Hakenkreuz zerschlagen hat. Im Kuppelsaal des Mausoleums zeigt ein Mosaik Vertreter der Sowjetrepubliken, die die Toten betrauern. Das Sowjetische Ehrenmal im Treptower Park ist das auffallendste Zeugnis stalinistischer Kunst in Ostberlin.

Kurt Tucholsky

Schriftsteller und Journalist, Pseudonyme Kaspar Hauser, Peter Panter, Theobald Tiger, Ignaz Wrobel, *9. Januar 1890 Berlin, †21. Dezember 1935 Hindås bei Göteborg.
Tucholsky, der Sohn eines wohlhabenden jüdischen Kaufmanns, besuchte ab 1899 das Französische Gymnasium in Berlin, wechselte 1903 auf das Königliche Wilhelms-Gymnasium, bestand 1908 die Reifeprüfung und studierte anschließend in Jena Jura. 1913 erschien sein erster Beitrag in der Theaterzeitschrift »Die Schaubühne«. Von 1915 bis 1918 war Tucholsky Soldat. 1919 wurde er Redakteur des »Ulk«, der satirischen Wochenbeilage des »Berliner Tageblatts«. Er war ab 1921 freier Schriftsteller, trat aber 1923 als Volontär in das Bankhaus Hugo Simon ein. 1924 gab er diese Arbeit wieder auf, ging als Korrespondent für die »Weltbühne« und die »Vossische Zeitung« nach Paris und kam nur noch besuchsweise nach Berlin. 1926 war er für 10 Monate Herausgeber der »Weltbühne«. 1929 zog Tucholsky von Frankreich nach Schweden. 1933 wurde er von den Nationalsozialisten aus Deutschland ausgebürgert, und seine Bücher wurden verboten und verbrannt. 1935 beging er im Exil Selbstmord. Sein Grab befindet sich auf dem Friedhof Mariefred bei Schloß Gripsholm.
Mit seiner satirischen Gesellschaftskritik in Gedichten und polemischen Artikeln kämpfte Tucholsky gegen Nationalismus, Militarismus und Spießertum. Zu seinen Werken gehören auch Reiseberichte und heitere Erzählungen. Oft schrieb er in Berliner Mundart. Die Eigenschaften des Berliners sah er sehr kritisch und schonungslos.
Tucholsky schrieb u. a. »Rheinsberg, ein Bilderbuch für Verliebte« (1912), »Fromme Gesänge« (1919), »Träumereien an preußischen Kaminen« (1920), »Ein Pyrenäenbuch« (1927), »Deutschland, Deutschland über alles« (1929), »Schloß Gripsholm« (1931), »Lerne lachen ohne zu weinen« (1931).
LITERATUR: H. Arnold (Hrsg.), Kurt Tucholsky. ²1976. – H. Prescher, Kurt Tucholsky. 1959. – K. P. Schulz, Kurt Tucholsky in Selbstzeugnissen und Bilddokumenten. 1959. – G. Zwerenz, Kurt Tucholsky. 1979.

Türken

Der Bau der Mauer im Jahr 1961 verursachte das Versiegen des Flüchtlingsstroms aus Ostberlin und der DDR und trennte etwa 63000 sogenannte Grenzgänger von ihren Arbeitsplätzen in Westberlin. Diese beiden Tatsachen bewirkten einen Arbeitskräftemangel, der nicht in vollem Umfang durch Werbemaßnahmen in der Bundesrepublik Deutschland ausgeglichen werden konnte und zu einem raschen Wachstum der Ausländerzahl führte. Dabei war vor allem der zunehmende Anteil der Türken auffallend. Ihre Zahl stieg von 1961 bis 1981 auf mehr als das 250fache, während die Gesamtzahl der Ausländer 1981 knapp das Elffache des Wertes von 1961 erreichte. Tabelle 1 zeigt die Anzahl der Ausländer und der Türken in ausgewählten Jahren, außerdem (A) den Anteil der Ausländer an der Einwohnerzahl Westberlins und (B) den Anteil der Türken an der Zahl der Ausländer (jeweils in Prozent).

Tabelle 1

Jahr	Ausländer	Türken	(A)	(B)
1961	22 557	441	1,0	2,0
1966	46 119	5 698	2,1	12,4
1969	91 339	24 554	4,3	26,9
1972	138 559	54 421	6,7	39,3
1975	185 559	85 452	9,3	46,1
1978	198 272	90 666	10,4	45,7
1981	245 954	118 354	13,0	48,1
1984	240 741	109 630	13,0	45,5

Die Zahl der Ausländer und vor allem der Türken ist in den letzten Jahren etwas rückläufig. Die Höchstzahl der Ausländer wurde 1982 mit 248 121 erreicht, die der Türken 1983 mit 119 159. Die Verteilung der Türken auf die zwölf Stadtbezirke ist sehr unterschiedlich. Eine besondere Konzentration zeigen die kernstädtischen Bezirke *Kreuzberg*, *Wedding* und *Tiergarten* und die benachbarten Gebiete in *Neukölln* und *Schöneberg*. In diesen fünf Bezirken wohnen mehr als drei Viertel der Türken Westberlins. Tabelle 2 zeigt die türkische Bevölkerung der Stadtbezirke im Jahr 1981 und in der rechten Spalte den jeweiligen Bevölkerungsanteil der Türken in Prozent.

Tabelle 2

Bezirk	Türken	%
Tiergarten	7 883	10,7
Wedding	20 219	15,0
Kreuzberg	26 784	20,5
Charlottenburg	7 599	5,0
Spandau	7 803	4,0
Wilmersdorf	2 320	1,8
Zehlendorf	844	1,0
Schöneberg	13 658	9,6
Steglitz	2 603	1,5
Tempelhof	3 262	2,0
Neukölln	20 461	7,3
Reinickendorf	4 918	2,1

Auch innerhalb der einzelnen Stadtbezirke ist die Verteilung sehr ungleichmäßig. So gibt es in *Kreuzberg*, dem Bezirk mit dem höchsten Türkenanteil (20,5%), vor allem im Kottbusser-Tor-Viertel zwischen Oranienplatz und Lausitzer Platz Häuserblöcke, in denen die Türken 50 bis über 60% der Bewohner stellen, und einzelne Häuser, die nur von Türken bewohnt werden. Dementsprechend gibt es dort auch zahlreiche türkische Einzelhandelsgeschäfte, Handwerksbetriebe, Gaststätten, aber auch soziale Einrichtungen wie Moscheen und Sportklubs.

Unter den Linden

Seit 1573 bestand ein kurfürstlicher Reitweg vom Schloß zum *Tiergarten*. 1647 ließ Kurfürst Friedrich Wilhelm eine sechsreihige Linden- und Nußbaumallee anpflanzen. Aus dem 60 m breiten Straßenzug entwickelte sich die Straße Unter den Linden. Ab 1673 entstand nördlich der Linden die *Dorotheenstadt*, ab 1688 südlich davon die *Friedrichstadt*. Die Allee, die ursprünglich bis zur heutigen Schadowstraße reichte, wurde nach der Anlage des Quarrés, des späteren Pariser Platzes, 1736 um etwa 200 m bis dorthin verlängert. 1740 bestimmte Friedrich II. den Anfang der Linden mit der Anlage des *Forum Fridericianum*, heute in Ostberlin als »Lindenforum« bezeichnet, zum kulturellen Zentrum Berlins. Unter seiner Herrschaft wurde die Wohnbebauung entlang der Straße – Adelspalais und Bürgerhäuser – weitgehend erneuert, vor allem in der Fassadengestaltung. Ab 1788 entstand mit *Langhans' Brandenburger Tor* der architektonische Abschluß der Straße im Westen. Im September 1826 wurden Unter den Linden die ersten Gaslaternen Berlins in Betrieb genommen. Die Straße ist vom Pariser Platz bis zur *Schloßbrücke* (früher Hundebrücke, heute Marx-Engels-Brücke) etwa 1400 m lang. Ihr Charakter hatte sich durch den wachsenden Verkehr und die zunehmende Geschäftstätigkeit im 19. und beginnenden 20. Jahrhundert erheblich verändert. Die Zerstörungen des Zweiten Weltkriegs und die anschließende politische Entwicklung brachten nochmals tiefe Einschnitte. Während in der östlichen Hälfte der Linden die repräsentativen Gebäude wiederhergestellt wurden, prägt eine modernere Bebauung den Westteil. Im Ostteil überwiegen kulturelle Funktionen, im Westen diplomatische Vertretungen und Ministerien, die es vor 1945 an dieser Stelle kaum gab. Dafür ist die Zahl der

Ausschnitt der Merian-Darstellung von Berlin mit dem Schloßkomplex (A Vorderes Schloß, E Schloßkirche, H Domkirche), davor die Hundebrücke, die spätere Schloßbrücke, eine Zugbrücke, über die der Weg zu der gerade erst im Jahr 1647 angelegten Allee zum Tiergarten führt, der späteren Straße Unter den Linden.

Geschäfte stark zurückgegangen. Das hängt sicher auch damit zusammen, daß die Linden heute keine zentrale Verkehrsader mehr sind, sondern – wie sie berechtigterweise genannt wurden – eine »repräsentative Sackgasse«. Der repräsentative Charakter der östlichen Linden ist allerdings sehr eindrucksvoll mit *Prinz-Heinrich-Palais (Humboldt-Universität), Neuer Wache* und *Zeughaus* auf der Nordseite sowie ehemaliger Königlicher Bibliothek, *Deutscher Staatsoper, Sankt-Hedwigs-Kathedrale, Prinzessinnenpalais* (Operncafé) und *Kronprinzenpalais* (Berlin-Palais) auf der Südseite. Die sich in diesem architektonischen Ensemble ausdrückende Aneignung der preußisch-deutschen Geschichte wurde unterstrichen durch die Wiederaufstellung des Reiterstandbilds Friedrichs des Großen (1980) und des Denkmals des Freiherrn vom Stein (1981). Das 14 m hohe Reiterstandbild des Preußenkönigs, das Christian Daniel *Rauch* 1839 bis 1851 geschaffen hatte, war 1950 von seinem Platz zwischen dem Westflügel der Universität und dem 1834 bis 1837 von Carl Ferdinand Langhans erbauten Palais Kaiser Wilhelm I., dem heutigen Alten Palais, entfernt und 1963 im Park von Sanssouci in Potsdam aufgestellt worden.
Das Denkmal für den Freiherrn vom Stein schuf der Rauch-Schüler Herrmann Schievelbein in den Jahren 1860 bis 1864. Es stand von 1875 bis 1969 am

Dönhoffplatz an der Leipziger Straße und war im Zweiten Weltkrieg stark beschädigt worden. Jetzt steht es zwischen Schloßbrücke und Kronprinzenpalais vor der den Linden zugewandten Schmalseite des Ministeriums für Auswärtige Angelegenheiten der DDR. LITERATUR: F. Mielke, J. v. Simson, Das Berliner Denkmal für Friedrich II., den Großen. 1975.

Urania

Die »Deutsche Kulturgemeinschaft Urania e. V.«, die auf eine Idee Alexander von *Humboldts* zurückgeht, wurde 1888 u. a. von Werner von *Siemens* und den Astronomen Wilhelm Foerster und Max Wilhelm Meyer gegründet. Die Gesellschaft hatte ihren Sitz früher in der Taubenstraße im heutigen Ostberlin. Nach dem Zweiten Weltkrieg wurde sie 1954 in Westberlin neu gegründet und bezog 1963 ihr heutiges Domizil mit Vortrags- und Ausstellungsräumen in der Schöneberger Kleiststraße nahe dem U-Bahnhof Wittenbergplatz. Ihr Ziel ist die Verbreitung wissenschaftlicher, insbesondere naturwissenschaftlicher, und technischer Kenntnisse in populärer Form. Dem dient vor allem eine umfangreiche Vortragtätigkeit.

Karl August **Varnhagen von Ense**

Schriftsteller und Diplomat, *21. Februar 1785 Düsseldorf, †10. Oktober 1858 Berlin.
Der Arztsohn Varnhagen hatte zunächst ein Medizinstudium begonnen, folgte dann aber seinen literarischen Neigungen. 1804 bis 1806 gab er zusammen mit Adelbert von *Chamisso* einen Musenalmanach heraus. Er nahm als Offizier an den Befreiungskriegen teil und wurde später Diplomat in preußischen Diensten. Beim Wiener Kongreß 1814/15 gehörte er zur Begleitung des Staatskanzlers Karl August von Hardenberg, ebenso 1815 in Paris. 1815 bis 1819 war er preußischer Vertreter am badischen Hof in Karlsruhe. Wegen liberaler Gesinnung wurde er 1819 abberufen und zog nach Berlin. Hier hatte er 1808 im Salon der Henriette *Herz* Rahel Levin kennengelernt und 1814 geheiratet.

Auch sie führte einen *literarischen Salon*, in dem sie bedeutende Persönlichkeiten um sich versammelte, was den Interessen ihres Gatten sehr entgegenkam. Nach ihrem Tod führte Karl August Varnhagen ihren Salon weiter. Seine vielfältigen Beziehungen und Erfahrungen schlagen sich in seinen zeitgeschichtlich interessanten Werken nieder (»Biographische Denkmale«, 1824 bis 1830; »Denkwürdigkeiten und vermischte Schriften«, 1837 bis 1846; »Tagebücher«, 1861 bis 1870), die allerdings subjektiv gefärbt sind. Hauptsächlich widmete er sich der Geschichtsschreibung und der Literaturkritik, schrieb aber auch Lyrik und Erzählwerke. Er gehörte zur *Berliner Romantik* und förderte das »Junge Deutschland«. LITERATUR: C. Misch, Varnhagen in Beruf und Politik. 1925. – F. Römer, Varnhagen als Romantiker. 1934.

Rahel **Varnhagen von Ense**

*26. Mai 1771 Berlin, †7. März 1833 Berlin.
Schon die junge Rahel Levin, Tochter eines jüdischen Kaufmanns, hatte im letzten Jahrzehnt des 18. Jahrhunderts einen literarischen Salon geführt. 1814 trat sie am Tag ihrer Hochzeit mit Karl August *Varnhagen von Ense* zum Christentum über. In den folgenden Jahren gewann ihr Salon, geprägt durch ihre geistreiche Persönlichkeit, an Beliebtheit, Ansehen und Einfluß. Er gilt als der berühmteste *literarische Salon* Berlins. Hier trafen sich Künstler, Gelehrte, Literaten und Politiker. Zu ihren Gästen gehörten u. a. *Chamisso*, Fichte, *Hegel*, Jean Paul, Fürst *Pückler*, Achim und Bettina von *Arnim*, Julius Eduard Hitzig, die Mendelssohns, Prinz Louis Ferdinand von Preußen, die Brüder *Humboldt*, *Schlegel* und *Tieck* sowie *Schleiermacher*, Friedrich de la Motte-Fouqué, *Kleist* und Heine, der sich stark zu ihr hingezogen fühlte und sie überschwenglich verehrte. Ihre Aufzeichnungen und Briefe sind kulturhistorisch aufschlußreich und lassen erkennen, daß sie für das Recht der Frau auf Entfaltung ihrer Persönlichkeit eintrat (»Rahel. Ein Buch des Andenkens für ihre Freunde«, 1833; »Galerie von Bildnissen aus Rahels Umgang und Briefwechsel«, 1836, beide von ihrem

Mann herausgegeben). Rahel Varnhagen von Ense war eine große Verehrerin Goethes.
LITERATUR: F. Kemp (Hrsg.), Rahel Varnhagen im Umgang mit ihren Freunden, Briefe 1793–1833. 1967. – Ders. (Hrsg.), Rahel Varnhagen und ihre Zeit. Briefe 1800–1833. 1968. – H. Scurla, Begegnungen mit Rahel. Der Salon der Rahel Levin. ⁶1975. – R. Varnhagen, Briefe und Aufzeichnungen. 1985

Verkehrs- und Baumuseum

Der ehemalige Hamburger Bahnhof an der Invalidenstraße, erbaut 1845 bis 1847 von Friedrich Neuhaus, ist der älteste noch existierende Fernbahnhof Berlins. Er bediente die *Eisenbahn*verbindung nach Hamburg, bis er 1884 wegen seiner zu geringen Größe vom leistungsfähigeren Lehrter Bahnhof abgelöst wurde. Bis 1906 war er Dienst- und Wohngebäude, danach nahm er das Verkehrs- und Baumuseum auf. Hinter der erhaltenen Fassade wurde die ehemalige Bahnhofshalle zum Innenhof umgestaltet, um den 1911 bis 1916 Seitenflügel errichtet worden sind, die 1935 aufgestockt wurden. Seit 1945 stand das im Krieg beschädigte Museum unter Verwaltung der Ostberliner Reichsbahn und war unzugänglich. Es wurde 1984 vom Westberliner Senat übernommen, der es restauriert und zum Stadtjubiläum am 1. Mai 1987 mit der Ausstellung »Die Reise nach Berlin« wiedereröffnet.

Villa Borsig

Auf der Halbinsel Reiherwerder im Norden des Tegeler Sees erbauten Alfred Salinger und Eugen Schmohl 1911 bis 1913 gegenüber dem Betriebsgelände der Borsigwerke die Villa Borsig. Sie verwendeten für das schloßartige Landhaus Barockformen, wobei sie an Potsdamer Vorbilder anknüpften, z.B. bei dem an Sanssouci erinnernden gerundeten Vorbau mit der seitlichen Säulenhalle.
Heute wird die Villa Borsig von der Deutschen Stiftung für internationale Entwicklung genutzt. Die 1959 unter dem Namen Deutsche Stiftung für Entwicklungsländer gegründete Organisation veranstaltet hier seit Juni 1960 mit

Unterstützung des Senats Aus- und Fortbildungsseminare für Führungskräfte aus Entwicklungsländern.

Rudolf **Virchow**

Mediziner und Politiker, *13. Oktober 1821 Schivelbein, Pommern, †5. September 1902 Berlin.*
Der Begründer der Zellularpathologie kam 1856 als Professor nach Berlin, nachdem er schon ab 1849 eine Professur in Würzburg innegehabt hatte. In der Berliner Stadtverordnetenversammlung, der er seit 1859 angehörte, setzte er sich für den Bau einer Kanalisation ein, der 1873 begonnen wurde. Auf sein Betreiben wurde 1881 in *Lichtenberg* der Berliner Zentralvieh- und Schlachthof eröffnet. Gleichzeitig wurde die amtliche Fleischuntersuchung eingeführt, um die gehäuft auftretende Trichinose unter Kontrolle zu bekommen. Außer auf seinem engeren Fachgebiet war Virchow auch als Mitbegründer der modernen Anthropologie und Vorgeschichtsforschung aktiv.
Politisch war Virchow einer der profiliertesten Gegner Bismarcks. Er war 1861 Mitbegründer der Deutschen Fortschrittspartei, die noch im gleichen Jahr die Mehrheit im preußischen Abgeordnetenhaus erreichte. Virchow gehörte dem preußischen Abgeordnetenhaus von 1861 bis zu seinem Tod und dem Reichstag von 1880 bis 1893 an. Seit 1884 vertrat er die Freisinnige Partei.
Auf dem Gelände der *Charité* steht eine Büste Virchows von B. Achnow (1902). In der Nähe findet sich auf dem Karlsplatz ein Denkmal von Fritz Klimsch (1906 bis 1910). Auf dem Steinsockel mit einem Marmorrelief Virchows symbolisiert eine figürliche Darstellung aus grobem Kalkstein das Ringen mit der Krankheit.
LITERATUR: A. Bauer, Rudolf Virchow. 1982. – G. Hiltner, Rudolf Virchow. 1970.

Wilhelm Heinrich **Wackenroder**

Schriftsteller, *13. Juli 1773 Berlin, †13. Februar 1798 Berlin.*
Wackenroder besuchte zusammen mit Ludwig *Tieck* das Friedrich-Werdersche

Gymnasium. Er studierte seit 1793 in Erlangen und später in Göttingen Jura und kehrte danach als Kammergerichtsreferendar nach Berlin zurück. Mit Ludwig Tieck verband ihn bis zu seinem frühen Tode eine enge Freundschaft und Zusammenarbeit. Sie wanderten zusammen durch die fränkische Landschaft und erlebten stark gefühlsbetont die Natur und die von mittelalterlicher Kunst und Kultur geprägten Städte. Beide brachten die Erfahrungen, die sie in dieser Zeit machten, in die romantische Bewegung ein. Durch die Brüder *Schlegel* hatte Wackenroder Kontakt zur Jenaer Romantik. 1797 brachte der Verleger Unger sein erstes Werk heraus, die »Herzensergießungen eines kunstliebenden Klosterbruders«. Darin machte Wackenroder das Lebensgefühl und die Kunstauffassung der Romantiker deutlich, ebenso in »Phantasien über die Kunst für Freunde der Kunst« (1799). Dieses Werk, das unter Mitarbeit von Ludwig Tieck entstanden war, gab Tieck posthum heraus.
LITERATUR: R. Kahnt, Die Bedeutung der bildenden Kunst und der Musik bei Wilhelm Heinrich Wackenroder. 1969. – H. Lipuner, Wackenroder, Tieck und die bildende Kunst. 1965.

Herwarth **Walden**

Eigentlich Georg Lewin; Kunsthändler, Verleger und Schriftsteller, *16. September 1878 Berlin, †31. Oktober 1941 Saratow (UdSSR).
1910 gründete Herwarth Walden die Zeitschrift »Der Sturm«. Sie sollte der modernen expressionistischen Malerei und Literatur zum Durchbruch verhelfen *(Expressionismus in Berlin)*. Ebenfalls 1910 eröffnete Walden die »Sturm-Galerie«. Hier stellte er Werke von Angehörigen der Künstlervereinigungen »Brücke« und »Blauer Reiter« aus, aber er zeigte auch die verschiedenen internationalen Strömungen der modernen Kunst, besonders die italienischen Futuristen. 1913 stellte er auf dem »Ersten Deutschen Herbstsalon« 85 Künstler aus 12 Ländern vor.
Walden war von 1901 bis 1911 mit der expressionistischen Schriftstellerin Else Lasker-Schüler verheiratet. Er war ein Wegbereiter der modernen Kunst und

schrieb »Die neue Malerei« (1920) und »Einblick in Kunst. Expressionismus, Futurismus, Kubismus« (1917). 1931 emigrierte er in die Sowjetunion, dort wurde er 1941 verhaftet und fand im Gefängnis von Saratow den Tod.
LITERATUR: G. Brühl, Herwarth Walden und der Sturm. 1983. – N. Walden u. L. Schreyer, Der Sturm. 1954.

Wandervogel

Seit der Mitte der neunziger Jahre des 19. Jahrhunderts hatte sich am Steglitzer Gymnasium, zunächst unter Führung von Hermann Hoffmann, eine Schülergruppe gebildet, aus der der »Wandervogel-Ausschuß für Schülerfahrten« hervorging, der am 4. November 1901 im Ratskeller des Steglitzer Rathauses unter Beteiligung von Karl Fischer und Hans Breuer gegründet wurde. Von dieser Gruppe ging die Jugendbewegung aus, die sich im deutschsprachigen Raum ausbreitete. Ziel der Bewegung war die Entwicklung eines den Bedürfnissen der Jugendlichen entsprechenden eigenen Lebensstils. Losgelöst von der Elterngeneration, sollte eine eigenverantwortliche Lebensgestaltung in der Gemeinschaft von jungen Menschen stattfinden. Ausgehend von kulturkritischen Gedanken, wollte man der städtischen Zivilisation ein naturverbundenes Leben entgegensetzen. Wanderfahrten und Zeltlager sollten dazu beitragen, ebenso die Pflege von Volkstanz und Volkslied. Hans Breuer gab 1908 das Fahrtenliederbuch »Der Zupfgeigenhansl« heraus, die Liedersammlung der Jugendbewegung. 1904 kam es zu Meinungsverschiedenheiten über den Führungsstil Karl Fischers und zur Abspaltung des »Wandervogel e. V. zu Steglitz bei Berlin«. Karl Fischer leitete den »Alt-Wandervogel«, der sich über ganz Deutschland ausbreitete, bis zur seiner Absetzung 1906. In der Folgezeit, bis zur Auflösung durch die Nationalsozialisten 1933, kam es zu zahlreichen neuen Gruppenbildungen und wechselnden Zusammenschlüssen. Seit 1946 fanden einzelne Neugründungen statt.
LITERATUR: H. Blüher, Wandervogel, 3 Bände. ⁵1976. – W. Gerber, Zur Entstehungsgeschichte des deutschen Wandervogel-Bewegung. 1967.

Wannsee

Der Ortsteil Wannsee im Bezirk *Zehlendorf* bildet den äußersten Südwesten Berlins. Die älteste Siedlung ist das Dorf Stolpe am Nordufer des Stölpchensees, ursprünglich eine slawische Fischersiedlung, die schon im 13. Jahrhundert nachgewiesen ist. 1858/59 erbaute Friedrich August *Stüler* die bemerkenswerte neue Dorfkirche. Kurz darauf, 1863, gründete der Bankier Conrad westlich von Großem und Kleinem Wannsee eine Villenkolonie, die den Namen Alsen erhielt und sich ebenso wie eine weitere Villensiedlung östlich des Wannsees bald zu einem bevorzugten Wohngebiet Berlins entwickelte. 1898 wurden die beiden Villenkolonien mit Stolpe zum Amtsbezirk Wannsee zusammengeschlossen. Zum heutigen Ortsteil Wannsee gehören auch die *Pfaueninsel* und Klein-Glienicke (*Schloß Glienicke*) sowie die Siedlung Kohlhasenbrück an der Mündung des *Teltowkanals* in den Griebnitzsee, benannt nach Hans Kohlhase, der in dieser Gegend kurz vor seiner Verhaftung 1539 einen Silbertransport überfallen hatte und dessen Lebensschicksal Heinrich von *Kleist* als Vorlage für seine Novelle »Michael Kohlhaas« diente.

Das dem Ortsteil den Namen gebende Gewässer, der Große Wannsee, hat eine Fläche von 2,7 km² und ist eine in der Eiszeit geformte 9 m tiefe Bucht der Havel. Nach Südwesten schließt sich in einer Schmelzwasserrinne die Gewässerkette Kleiner Wannsee – Pohlesee – Stölpchensee – Prinz-Friedrich-Leopold-Kanal – Griebnitzsee an. Am Kleinen Wannsee beging Heinrich von Kleist am 21. November 1811 mit seiner Geliebten Henriette Vogel Selbstmord.

Der Große Wannsee ist neben dem *Grunewald* das beliebteste Naherholungsgebiet der Westberliner. Sein 1907 eröffnetes Strandbad ist Berlins größtes Freibad. Daneben dient er Seglern, Surfern und Ruderern als Revier, während der umgebende Wald die Spaziergänger anlockt.

Wedding

Bei der Eingemeindung 1920 wurde aus dem nordwestlichen Teil des zu diesem Zeitpunkt bereits bestehenden Stadtgebietes der 3. Verwaltungsbezirk von Berlin gebildet, der den Namen Wedding erhielt und seit 1945 zum französischen Sektor gehört.

Das Dorf Wedding, vermutlich Anfang des 13. Jahrhunderts an der Panke gegründet, war schon wenige Jahrzehnte später, bei seiner ersten urkundlichen Erwähnung im Jahr 1251, eingegangen. Der Name erhielt sich jedoch für die Umgebung des Dorfes und einen hier gelegenen Gutshof, dessen Ländereien 1817 von Berlin erworben und ab 1827 bebaut wurden.

Nordöstlich des Gutes wurde 1752 bis 1760 eine eisenhaltige Quelle, die König Friedrich I. 1701 entdeckt haben soll, vom Hofapotheker Doktor Wilhelm Behm zu einer Kur- und Badeanlage, dem Friedrichs-Gesundbrunnen, ausgebaut. Ende des 18. Jahrhunderts ließen sich Kolonisten in der Umgebung der Anlage nieder, die 1809 in Luisenbad umbenannt wurde. Der Name Gesundbrunnen ging auf das Wohnviertel über, das sich ab Mitte des 19. Jahrhunderts aus den Kolonien entwickelte.

Nördlich von Berlin war ab 1752 durch Ansiedlung sächsischer Maurer und Zimmerleute die Kolonie Neu-Vogtland entstanden, die 1841 eingemeindet wurde. Ihr Nordteil lag im Bereich des heutigen Bezirks Wedding, dessen übrige Gebiete 1861 bzw. 1915 zu Berlin kamen.

Durch Industrialisierung und dichte Bebauung mit *Mietskasernen* bekam der gesamte Stadtteil im 19. Jahrhundert den Charakter eines typischen Arbeiterviertels. Zur Verbesserung der Wohnverhältnisse trug nach 1920 die Anlage moderner Siedlungen bei, an deren Bau u. a. Ludwig Mies van der Rohe sowie Max und Bruno Taut beteiligt waren. Diese Entwicklung wurde nach 1945 durch die Errichtung mehrerer neuer Wohnsiedlungen fortgesetzt.

LITERATUR: B. Stephan, 700 Jahre Wedding, Geschichte eines Berliner Bezirks. 1951.

Weißensee

Weißensee, wohl um 1220 nordöstlich von Berlin gegründet, wurde 1313 erstmals urkundlich erwähnt. Nach 1872 entstand südwestlich des Dorfkerns die

Siedlung Neu-Weißensee, die 1880 bis 1905 vorübergehend selbständige Gemeinde war und deren Bevölkerung, begünstigt durch den Ausbau der Verkehrsverbindungen mit dem nahe gelegenen Berlin, rasch anwuchs. Bei der Eingemeindung 1920 war Weißensee als einwohnerstärkster Ortsteil namengebend für den 18. Verwaltungsbezirk von Berlin, zu dem es mit Malchow, Wartenberg, Falkenberg und Hohenschönhausen zusammengeschlossen wurde und der seit 1945 zum sowjetischen Sektor gehört. An das nordöstlich von Weißensee gelegene Malchow (Ersterwähnung 1344) schließt nach Osten hin Wartenberg (Ersterwähnung 1375) an. Südöstlich davon liegt das 1370 erstmals beurkundete Falkenberg. Das Dorf Hohenschönhausen südöstlich von Weißensee erscheint erstmals 1375 im Landbuch Karls IV. Mit der Kolonie Neu-Hohenschönhausen, die in der 2. Hälfte des 19. Jahrhunderts entstanden war, wurde es 1911 zusammengeschlossen. Nördlich von Hohenschönhausen wurde 1984 mit der Errichtung eines Neubaugebiets mit 35 000 Wohnungen begonnen, das 1985 als Bezirk Hohenschönhausen von Weißensee abgetrennt wurde und bis 1990 fertig werden soll.

»Die Weltbühne«

Die Wochenzeitschrift, die 1905 von Siegfried Jacobsohn als Theaterzeitschrift unter dem Namen »Die Schaubühne« gegründet worden war, erhielt 1918 den Namen »Die Weltbühne« und wurde zu einem kulturpolitischen Kampfblatt der linken Intelektuellen und zu einer der umstrittensten Zeitungen der Weimarer Republik. 1926 starb Jacobsohn, und Kurt *Tucholsky* übernahm für 10 Monate die Leitung, die dann 1927 an Carl von Ossietzky überging. Am 28. Februar 1933 wurde Ossietzky von den Nationalsozialisten verhaftet, am 7. März 1933 die »Weltbühne« eingestellt. Nach 1933 erschien sie als »Neue Weltbühne« in Prag, Zürich und Paris. 1946 wurde sie in Ostberlin von Maud von Ossietzky neu gegründet. LITERATUR: A. Enseling, Die Weltbühne. 1962.

Wilmersdorf

Das um 1200 entstandene Angerdorf südwestlich von Berlin befand sich bei seiner ersten urkundlichen Erwähnung im Jahr 1293 in der Hand der Markgrafen von Brandenburg. Vom 13. bis zum 17. Jahrhundert gehörten Teile des Dorfes der Familie von Wilmestorff, die unter anderem auch in Schmargendorf und später in Dahlem, das heute zum Bezirk *Zehlendorf* gehört, Besitzungen erwarb. Bis ins letzte Drittel des 19. Jahrhunderts kam Wilmersdorf nicht über die Größe eines mittleren Dorfes hinaus. Die Entwicklung zur Stadt setzte erst im letzten Drittel des 19. Jahrhunderts ein, vollzog sich aber um so schneller. Von rund 3600 Einwohnern im Jahr 1885 stieg die Bevölkerungszahl auf fast 110000 im Jahr 1910. 1912 schloß sich Wilmersdorf – es hatte 1906 die Stadtrechte erhalten – dem Zweckverband Groß-Berlin an. Bei der Eingemeindung 1920 war es als bisherige Stadt namengebend für den 9. Verwaltungsbezirk von Berlin, zu dem es mit den Landgemeinden Grunewald und Schmargendorf zusammengeschlossen wurde. Seit 1945 gehört der Bezirk Wilmersdorf zum britischen Sektor. Schmargendorf, südwestlich von Wilmersdorf gelegen, wurde in einer nicht exakt datierten Stiftsmatrikel des Stifts Coswig aus der zweiten Hälfte des 13. Jahrhunderts erstmals urkundlich erwähnt. 1375 bis 1610 wurde es nach und nach von der Familie von Wilmestorff erworben, in deren Besitz es sich bis 1799 befand. Den Westen des Bezirks Wilmersdorf bildet der Nordteil des *Grunewalds* mit der gleichnamigen Villenkolonie, die mit Bismarcks Unterstützung von der Kurfürstendamm AG ab 1889 am südwestlichen Ende des *Kurfürstendamms* angelegt wurde und die sich zu einem bevorzugten Wohngebiet entwickelte, in dem sich zahlreiche Künstler, Wissenschaftler und Industrielle niederließen. LITERATUR: B. Schneider u. G. Holmsten, Wilmersdorf. 1980.

Wrangelschlößchen

Der Kabinettsrat und spätere Großkanzler Karl Friedrich von Beyme, der im Jahr 1802 das Rittergut *Steglitz* gekauft hatte, ließ sich ab 1804 ein schloßartiges Gutshaus in frühklassizistischem Stil von Heinrich *Gentz* bauen, der Pläne von Friedrich Gilly benutzte. An die Rückfront des Schlößchens, das nach *Schloß Tegel* als das künstlerisch bedeutendste Herrenhaus Berlins gilt, schließt sich ein Park an. 1841 wurde das Rittergut an den preußischen Staat verkauft. Nach 1853 bewohnte der Heerführer Friedrich Graf von Wrangel – seit 1856 Generalfeldmarschall – als Mieter das seither nach ihm benannte Gebäude.

Zehlendorf

Wohl Anfang des 13. Jahrhunderts gegründet, wurde Zehlendorf 1242 erstmals urkundlich erwähnt, als es von den brandenburgischen Markgrafen an das Zisterzienserkloster Lehnin verkauft wurde. Nach der Erhebung Potsdams zur Residenz im Jahre 1617 bekam es zunehmende Bedeutung als Rastort an der Straße Berlin–Potsdam. Der Ausbau dieser Straße zur Chaussee in den Jahren 1791 bis 1793 und die Anlage der parallel dazu verlaufenden *Eisenbahn* 1838 begünstigten seine Entwicklung. 1894 wurde das südlich benachbarte Dorf Schönow, Ende des 12., Anfang des 13. Jahrhunderts entstanden und 1299 erstmals urkundlich erwähnt, mit Zehlendorf vereinigt. Die Einwohnerzahl Zehlendorfs stieg bis 1900 auf 7000 und nahm weiter zu. So entstanden nach 1900 die Kolonien Zehlendorf-West und Zehlendorf-Grunewald.
Bei der Eingemeindung 1920 war Zehlendorf als einwohnerstärkster Ortsteil namengebend für den 10. Verwaltungsbezirk von Berlin, zu dem es mit Dahlem, Nikolassee und *Wannsee* zusammengeschlossen wurde und der seit 1945 zum amerikanischen Sektor gehört.
Dahlem, das sich nordöstlich an Zehlendorf anschließt, wurde in einer nicht exakt datierten Stiftsmatrikel des Stifts Coswig aus der zweiten Hälfte des 13. Jahrhunderts erstmals urkundlich erwähnt. 1450 wurde es als Rittergut genannt. Das bis heute erhaltene *Gutshaus Dahlem* entstand 1679/80. 1841 ging das Gut in den Besitz der preußischen Staates über. Ab 1901 wurde die Domäne für den Aufbau eines Villenortes erschlossen.

Der Ortsteil Nikolassee geht auf die unter Friedrich dem Großen ab 1775 südwestlich von Zehlendorf entstandene Kolonie Neu-Zehlendorf zurück, dessen Bauerngut 1865 als Rittergut Düppel aus der Gemeinde Zehlendorf ausschied. Auf einem zum Gut gehörenden Gebiet westlich von Zehlendorf wurden ab 1894 bzw. 1901 die Villenkolonien Schlachtensee und Nikolassee angelegt. Die beiden Villenkolonien bildeten 1920 den Ortsteil Nikolassee, dem erst 1928 der übrige Gutsbezirk Düppel angeschlossen wurde.
Im Südosten des Ortsteils Nikolassee entstand ab 1971 das Museumsdorf Düppel, die Rekonstruktion eines mittelalterlichen Dorfes vom Anfang des 13. Jahrhunderts.
Westlich an Nikolassee schließt sich *Wannsee* an. Es entstand 1898, als die seit 1863 am Großen und Kleinen Wannsee angelegten Villenkolonien und das alte, 1299 erstmals urkundlich erwähnten Dorf Stolpe zum Amtsbezirk Wannsee zusammengeschlossen wurden.
Auch nach der Eingemeindung entwickelte sich der Bezirk Zehlendorf als typisches Wohngebiet weiter.
In den zwanziger und dreißiger Jahren entstanden zahlreiche Wohnsiedlungen, so wurde z. B. nördlich des Zehlendorfer Ortskerns in den Jahren 1926 bis 1932 unter Mitwirkung von Bruno Taut und Hugo Häring die Siedlung Onkel Toms Hütte angelegt.
Seit 1920 gehört auch Steinstücken, das außerhalb des geschlossenen Stadtgebiets südwestlich von Wannsee liegt, zum Bezirk Zehlendorf. Im Oktober 1951 besetzte vorübergehend die Volkspolizei der DDR die 12 Hektar große Exklave.
Im Dezember 1971 wurde im Rahmen von Vereinbarungen zwischen dem Berliner Senat und der Regierung der DDR über Fragen des Gebietsaustausches die Anlage einer von der DDR nicht kontrollierten Zufahrtsstraße nach Steinstücken ermöglicht, die am 30. August 1972 eröffnet wurde.
LITERATUR: M. Engel, Geschichte Dahlems. 1984. – A. v. Müller u. A. Orgel-Köhne, Museumsdorf Düppel. Ein mittelalterliches Dorf in Berlin. 1980. – B. Schneider u. E. Schwerk, Zehlendorf. 1983. – K. Trumpa, Zehlendorf – gestern und heute. 1983.

Carl Friedrich Zelter

*Komponist, *11. Dezember 1758 Berlin, †15. Mai 1832 Berlin.*
Zelter war der Sohn eines Maurers und zunächst selber 1783 Maurermeister geworden. Als solcher baute er nach 1787 das *Nicolai-Haus* um. Zelter trat 1791 in die von Karl Friedrich Fasch im gleichen Jahr gegründete Berliner Singakademie ein und übernahm 1800 die Leitung. Das Musikleben erhielt durch ihn als Musikpädagogen und Organisator starke Impulse. Er gründete 1809 die erste »Liedertafel« in Berlin und 1822 das Institut für Kirchenmusik. Zelter setzte sich für die Einführung des Musikunterrichts in den Schulen ein. 1809 wurde er Musikprofessor an der Akademie der Künste und 1829 Musikdirektor des von ihm an der Universität eingerichteten Seminars. Den Werken Bachs ließ er besondere Aufmerksamkeit zukommen. Einige von Zelters Liedkompositionen erreichten große Popularität (»Es war ein König in Thule«).
Zelter verband eine enge Freundschaft mit Goethe, mit dem er seit 1796 korrespondierte. Durch diesen Briefwechsel ließ sich Goethe auch über Berliner Ereignisse unterrichten. Goethe war von Zelters Vertonungen seiner Gedichte und Balladen sehr beeindruckt. Vor allem aber war Zelter der musikalische Berater Goethes, der über lange Zeit an einer Tonlehre arbeitete.
Zelter beteiligte sich gern an den Treffen in den Berliner *literarischen Salons*, besonders an denen im Salon der Henriette *Herz*, liebte es aber auch selber, die geistige Elite seiner Zeit um sich zu versammeln. Sein Grab befindet sich auf dem Friedhof der Sophienkirche, an deren Bau er als Maurergeselle beteiligt war.
LITERATUR: G. R. Kruse, Zelter. ²1931. – H. Kuhlo, Geschichte der Zelterschen Liedertafel. 1909. – C. Schroeder, Carl Friedrich Zelter und die Akademie. 1959.

Zeughaus

Das Zeughaus am Beginn der Straße *Unter den Linden* war als Waffenarsenal und Aufbewahrungsort für Kriegstrophäen gedacht. Johann Arnold *Nering* entwarf das Gebäude und begann den Bau im Jahr seines Todes 1695. Die Bauarbeiten wurden 1695 bis 1698 von Martin Grünberg und 1698/99 von Andreas *Schlüter* fortgesetzt und 1706 von Jean de Bodt abgeschlossen. Das zweistöckige, quadratische Barockbauwerk aus verputzten Ziegeln, dessen vier 90 m lange Flügel um einen Innenhof gelagert sind, weist u. a. auf dem Dach, in den Giebelreliefs und an den Seiten des Hauptportals einen reichen figürlichen Schmuck aus Sandstein auf, der vor allem von den Bildhauern Guillaume Hulot und Georg Friedrich Weihenmeyer stammt. Künstlerisch am bedeutendsten sind die 22 Masken sterbender Krieger über den Erdgeschoßfenstern des Innenhofs, die Andreas Schlüter bereits 1696 schuf.
In den Jahren 1877 bis 1880 wurde das Innere des Zeughauses von Georg Heinrich Friedrich *Hitzig* umgestaltet. Es diente nun als Museum des brandenburgisch-preußischen Militärwesens. Das 1944/45 schwer beschädigte Gebäude wurde zwischen 1948 und 1965 wiederaufgebaut. Es beherbergt heute das 1952 gegründete Museum für Deutsche Geschichte, das zentrale Geschichtsmuseum der DDR, das die deutsche Geschichte, insbesondere des 19. und 20. Jahrhunderts, aus marxistischer Sicht darstellt. Dabei stehen die Entwicklung der kommunistischen Organisationen und der Arbeiterbewegung sowie als fortschrittlich interpretierte Ereignisse im Vordergrund.

Heinrich Zille

*Zeichner, Graphiker und Fotograf, *10. Januar 1858 Radeburg, Sachsen, †9. August 1929 Berlin.*
Zille kam 1872 nach Berlin. 1873 begann er bei dem populären Maler und Graphiker Theodor Hosemann eine Lehre und wurde Lithograph. Seit 1900 zeichnete er für Tageszeitungen und Zeitschriften, u. a. für »Lustige Blätter«, »Jugend« und »Simplicissimus«. In einer Reihe von Mappenwerken schilderte er volksnah das »Milljöh« der Berliner Arbeiterviertel. Zille benutzte die Karikatur, um Mißstände deutlich zu machen. Als humorvoller Darsteller des Berliner Volkslebens genoß er große Popularität. Zille war Mitglied der Akademie der Künste. Im *Märkischen Museum* sind zwei Räume

*Heinrich Zille, Berliner Sprachstudien. Aquarell, um 1915. Dazu der Text von Zille:
Er: »Schon widder Kohl mit ohne Fleesch? Ick eßte doch jestern erst . . .« Sie: »Es
heeßt nich: Ick eßte? Man sacht: Ick aß!« Er: »Uff dir mahch ja det stimm. Ick brauch
mir nich Aas nennen!«*

dem Werk Zilles gewidmet, ebenso ist im
Berlin-Museum eine ständige Zille-Aus-
stellung zu sehen.
LITERATUR: L. Fischer, Heinrich Zille in
Selbstzeugnissen und Bilddokumenten.
1979. – O. Nagel, Heinrich Zille. 1955. –
H. Reinoß (Hrsg.), Das neue Zille-Buch.
1976.

Zitadelle Spandau

Auf dem Gebiet der Spandauer Zitadelle
im Winkel nördlich der *Spree*mündung
in die *Havel* wurde die erste deutsche
Burg, wohl an der Stelle einer älteren
Slawensiedlung, um 1170 von Albrecht
dem Bären oder seinem Sohn Otto erbaut. Sie wurde 1197 erstmals urkundlich erwähnt. Im Spätmittelalter ging die

militärische Bedeutung zurück. Kurfürst
Joachim I. errichtete an der Stelle der
Burg ein Schloß als Witwensitz für Kurfürstin Elisabeth. Auf dieses Schloß,
möglicherweise aber bereits ebenso wie
der Juliusturm auf die askanische Burg-
anlage des 12. Jahrhunderts, geht der Palas zurück, in dem sich heute das stadtgeschichtliche Archiv befindet.
Im Jahr 1560 begann der Bau der Zitadelle, der etwa dreißig Jahre in Anspruch
nahm. Festungsbaumeister waren Christian Römer, seit 1562 Francesco Chiara-
mella Gandino, ein Venezianer, von dem
die wichtigsten Pläne stammen, sowie ab
1578 Rochus (Rocco) Guerini Graf zu
Lynar. Die Zitadelle gehört zu den best-
erhaltenen, im Prinzip wenig verände-
ten Beispielen italienischer Festungsbau-
kunst. Ihr Grundriß bildet ein auf drei

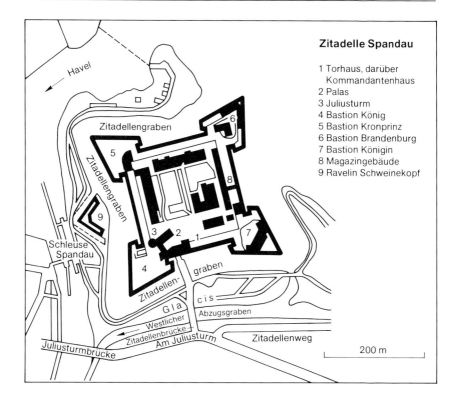

Zitadelle Spandau

1 Torhaus, darüber
  Kommandantenhaus
2 Palas
3 Juliusturm
4 Bastion König
5 Bastion Kronprinz
6 Bastion Brandenburg
7 Bastion Königin
8 Magazingebäude
9 Ravelin Schweinekopf

200 m

Seiten von Gräben geschütztes, nach Nordosten zur seenartig erweiterten Havel offenes Quadrat. Zwischen den Zitadellengräben und der Havel im Norden und Westen sowie dem künstlichen Westlichen Abzugsgraben im Süden erstrecken sich – noch heute baumbestandene – Landflächen als zusätzlicher Schutz. Hinzu kommt im Westen das Ravelin (Schanze) Schweinekopf. Die vier vorspringenden Bastionen tragen seit 1701 die Namen König (Südwesten), Kronprinz (Nordwesten), Brandenburg (Nordosten) und Königin (Südosten). Der Zugang erfolgt über eine Brücke von Süden durch das Kommandantenhaus, in dem das stadtgeschichtliche Museum untergebracht ist. Im Bereich der Zitadelle finden sich mehrere Statuen und Büsten, die von der ehemaligen Siegesallee stammen.
Für die Mauern des Palas sind Bruchstücke jüdischer Grabsteine aus dem 13. und 14. Jahrhundert als Baumaterial verwendet worden, was möglicherweise mit der Vertreibung der Juden aus der Mark Brandenburg im Jahr 1510 und dem wenig später erfolgten Schloßbau Joachims I. zusammenhängt.
Im 36 m hohen Juliusturm war 1873 bis 1919 der Reichskriegsschatz in Höhe von 120 Millionen Mark in Gold auf Veranlassung Bismarcks eingelagert worden. Der Name des Turms wird auf Herzog Julius von Braunschweig-Wolfenbüttel, den Schwiegersohn Joachims II., zurückgeführt. Eine andere Deutung meint, es sei ein verballhornter »Judenturm«, da Markgraf Ludwig der Römer Mitte des 14. Jahrhunderts einem Juden das Amt des Turmverwalters übertragen habe.

Zoologischer Garten

Auf Anregung des Zoologen Martin Heinrich Lichtenstein, Professor an der Berliner Universität, wurde der Zoologische Garten 1841 gegründet. Friedrich Wilhelm IV. stellte dafür die 1742 angelegte Fasanerie im Südwesten des Tiergartens und seine Tierbestände auf der *Pfaueninsel* zur Verfügung. Das Gelände gestaltete Peter Joseph *Lenné*. Am 1. August 1844 wurde der Zoologische Garten als erster Zoo Deutschlands eröffnet. Die Verwaltung übernahm eine Kommission, der u.a. Lichtenstein, Lenné und Alexander von *Humboldt* angehörten. Erst 1869 wurde ein hauptberuflicher Direktor des Zoos eingesetzt. Im gleichen Jahr gründete Alfred Brehm *Unter den Linden* das erste Berliner Aquarium. 1888 wurde Ludwig Heck (* 1860, † 1951) Zoodirektor. Er vergrößerte den Artenbestand erheblich und machte den Zoo in den 44 Jahren seiner Leitung zu einem der bedeutendsten der Erde. 1932

folgte ihm sein Sohn Lutz (* 1892, † 1983), der den Zoo bis 1945 leitete. Indessen war 1913 das Aquarium auf Initiative von Oskar Heinroth (* 1871, † 1945) dem Zoo angeschlossen worden. Heinroth übernahm die Leitung des Aquariums. Der Zoo, dessen Bestand 1939 über 4000 Tiere aus 1400 Arten betrug, erlitt im Krieg schwere Schäden. Nach dem Wiederaufbau hat er heute etwa 10500 Tiere aus über 1600 Arten. Er ist damit der tier- und artenreichste Zoo Europas. 1984 bis 1987 erfolgt eine Erweiterung des Zoogeländes auf der Nordostseite des *Landwehrkanals*.
LITERATUR: H.-G. Klös, Von der Menagerie zum Tierparadies. 1968.

ZUSAMMENFASSENDE LITERATUR

- M. Arendt, E. Faden u. O. F. Gandert, Geschichte der Stadt Berlin. Festschrift zur 700-Jahr-Feier der Reichshauptstadt. 1937.
- Baedekers Allianz-Taschenbuch-Reiseführer Berlin. [4]1985.
- E. u. H. Börsch-Supan, G. Kühne, H. Reelfs, Berlin – Kunstdenkmäler und Museen. Reclams Kunstführer Deutschland, Bd. 7. [3]1980.
- G. Dehio (Hrsg.), Die Bezirke Berlin/DDR und Potsdam. Handbuch der deutschen Kunstdenkmäler. 1983.
- R. Dietrich (Hrsg.), Berlin – Zehn Kapitel seiner Geschichte. [2]1981.
- O. F. Gandert u.a., Heimatchronik Berlin. 1962.
- G. Heinrich (Hrsg.), Berlin und Brandenburg. Handbuch der historischen Stätten Deutschlands, Bd. 10. [2]1985.
- H. Herzfeld, Berlin in der Weltpolitik. 1973
- H. Herzfeld u. G. Heinrich (Hrsg.), Berlin und die Provinz Brandenburg im 19. und 20. Jahrhundert. 1968.
- G. Holmsten, Die Berlin-Chronik. 1984.
- Im Überblick – Berlin. Herausgegeben vom Informationszentrum Berlin. [2]1985.
- H. Kotschenreuther, Kleine Geschichte Berlins. [3]1976.
- M. Krammer, Berlin im Wandel der Jahrhunderte. Eine Kulturgeschichte der deutschen Hauptstadt. [3]1965.
- W. Krumholz, Berlin-ABC. [2]1969.
- M. Osborn, Berlins Aufstieg zur Weltstadt. 1929.
- Polyglott Reiseführer Berlin. [15]1985.
- H. Pretzsch, Kleines Berlin Lexikon. [7]1985.
- W. Schneider, Berlin. Eine Kulturgeschichte in Bildern und Dokumenten. 1983.
- J. Schulz u. W. Gräbner, Architekturführer DDR – Berlin. [3]1981.
- W. Vogel, Führer durch die Geschichte Berlins. [3]1985.
- W. Volk, Historische Straßen und Plätze heute. Berlin, Hauptstadt der DDR. [5]1977.
- K. Voß, Reiseführer für Literaturfreunde – Berlin. Vom Alex bis zum Kudamm. 1980.

Essay

WOLFGANG WIPPERMANN

700 und 50 Jahre Berlin

Zur Geschichte einer deutschen Metropole

Viele Darstellungen der Geschichte Berlins beginnen mit Lobpreisungen der Stadt und ihrer Bewohner. Ich möchte diesem Brauch folgen. Allerdings möchte ich keine der gängigen Lobpreisungen Berlins durch berühmte und weniger berühmte Persönlichkeiten zitieren. Ich zitiere aus einem Artikel, der im April 1941 in der illegal im Warschauer Ghetto publizierten Zeitschrift»Neged Hazarem« (= Gegen den Strom) der linkszionistischen Organisation Haschomer Hazair erschienen ist. Es heißt hier: »Berlin. Nicht das offizielle, das Berlin der Uniformen und Paraden, sondern das Berlin des Untergrundes, das düstere, unversöhnliche, unnachgiebige. Wo bist Du? – Berlin des Untergrundes? Dein trauriges Antlitz wurde verdeckt mit Tausenden von Fahnen und Plakaten. Und dennoch weiß ich, daß es Dich gibt. Ich weiß, daß Du wartest. Du weißt nichts von mir, so wie ich nichts von Dir weiß. Aber wenn der Tag kommt – dein Tag –, wirst auch Du hervortreten, werden Deine Straßen voller lachender Menschen sein, und ich – ein gequälter Sohn einer gequälten Nation – werde mein Recht zum Leben haben.«
In einer Zeit, als im Zuge der in Berlin beschlossenen und von Berlin aus durchgeführten »Endlösung der Judenfrage« täglich Tausende von Menschen im Warschauer Ghetto an Hunger und Seuchen umkamen, richtet der – unbekannte – Verfasser seine ganze Hoffnung auf – Berlin. Dieser ebenso verzweifelte wie vergebliche Ruf nach dem »Berlin des Untergrundes« liest sich wie eine kaum überbietbare Lobpreisung Berlins. Dies ist ein extremes, aber keineswegs singuläres Beispiel für die gerade im Osten, in den Ghettos in Rußland und Polen, seit dem ausgehenden 18. Jahrhundert anzutreffende Hochschätzung Berlins als Ort der religiösen und politischen Freiheit, der sozialen Aufstiegsmöglichkeit und als das kulturelle Zentrum Preußens, Deutschlands, ja Europas. In Berlin selbst hat man dies bis heute kaum erkannt und noch weniger anerkannt.
Doch angesichts dieses überaus positiven Berlin-Bildes dürfen natürlich die vielen negativen Stimmen und Beurteilungen Berlins nicht vergessen werden, die man vor allem in Süddeutschland und Westeuropa antreffen konnte und immer noch antreffen kann. Welches Bild ist »richtig«, das positive oder negative? War Berlin wirklich und, wenn ja, aus welchen Gründen die deutsche Metropole schlechthin? Die Beantwortung dieser Fragen, d. h. die Darlegung der Faktoren, die Berlin im Positiven wie Negativen zur deutschen Metropole gemacht haben, ist ein Ziel dieses Essays. Das zweite liegt in der Antwort auf die Frage, ob der Autor der oben zitierten Zeilen recht hat, wenn er meint, daß das »eigentliche«, das, wie er sagt, »unversöhnliche, unnachgiebige« Berlin nur von den – national-

sozialistischen – »Fahnen und Plakaten« »verdeckt« sei. Anders ausgedrückt:
Stellt der Beginn der nationalsozialistischen Herrschaft wirklich einen »epocha-
len« Einschnitt in der Geschichte Berlins dar? Kurz – ist die Überschrift: »700
und 50 Jahre Berlin« berechtigt?
Vor fünfzig Jahren, anläßlich des 700jährigen Stadtjubiläums, ist dies offensichtlich so empfunden und so gesagt worden. In der zur Jubelfeier 1937 vom »Berliner Lokal-Anzeiger« herausgegebenen Festschrift »So wuchs Berlin. Die Geschichte der Reichshauptstadt in zwölf bunten Kartenbildern« heißt es über die
damals letzten Jahre der Geschichte Berlins:
»So erlebt Berlin 1914 den Krieg, so Kriegsende und Umsturz mit ihren furcht-
baren Auswirkungen. Ein Stadtschicksal steht auf dem Spiel, als sich die Dinge
in der führungslosen Systemzeit immer verhängnisvoller zuspitzen. Da überträgt
Hindenburg am 30. Januar 1933 Adolf Hitler die Kanzlerschaft, und mit starker
Hand reißt dieser auch Berlin von dem Abgrund zurück, an dem es schon sturz-
bereit stand.«
Die nationalsozialistische »Machtergreifung« wird hier nicht nur als epochaler
Einschnitt, sondern geradezu eschatologisch als Beginn eines neuen, eines glor-
reichen Zeitalters dargestellt. Ganz anders hat 23 Jahre später – 1960 – der Historiker Hans Herzfeld geurteilt:
»Die 12 Jahre des Nationalsozialismus sind für Berlin nicht nur eine Episode,
sondern auch eine Unterbrechung seiner echten Geschichte gewesen, deren tie-
feren Triebkräften es in diesen Jahren durch Zwang entfremdet wurde.«
Wer hat recht? Stellen die 12 Jahre Nationalsozialismus wirklich nur eine »Episode«, ja, nur eine »Unterbrechung« der »eigentlichen« Geschichte Berlins dar,
oder markiert der 30. Januar 1933 wirklich den Einschnitt in der Geschichte Berlins schlechthin, weil mit und durch die nationalsozialistische »Machtergreifung« Berlin erst zerstört und dann geteilt wurde?
Die folgenden Ausführungen sollen und werden zeigen, daß es vor fünfzig Jahren tatsächlich einen derartigen fundamentalen Einschnitt in der Geschichte Berlins gegeben hat, allerdings in einem ganz anderen Sinne, als man es damals erwartet und erhofft hat. Doch zunächst sind der Aufstieg Berlins zur deutschen
Metropole zu schildern und die Faktoren zu benennen, die diesen Aufstieg bewirkt haben. Sie waren durchaus ambivalent und verliehen Berlin einen janusköpfigen Charakter.

700 Jahre Berlin
Der Aufstieg einer deutschen Metropole

Der Aufstieg Berlins ist weitgehend, seine politische Geschichte nahezu vollständig durch seine Funktion als Residenz und Hauptstadt geprägt und bestimmt worden. Dieser Aufstieg war nicht selbstverständlich. Berlin war Residenz der Kurfürsten eines Territoriums, das nach der Stadt Brandenburg benannt wurde. Berlin war Hauptstadt eines Königreiches, dessen Name von dem
heidnischen Volk der Prußen stammt und das keineswegs in Berlin, sondern im
fernen Königsberg ausgerufen wurde. Berlin war Hauptstadt eines Deutschen
Reiches, das niemals eine Hauptstadt besessen hatte. Aus historischen Gründen
hätte »eigentlich« Wien diese Rolle und Funktion übernehmen müssen. Wäre es
nach dem Willen des 1848 zum ersten Mal durch ein Parlament vertretenen deut-

schen Volkes gegangen, so wäre wahrscheinlich Frankfurt am Main die Hauptstadt eines geeinten und zugleich demokratischen Deutschlands geworden. Berlin war schließlich Hauptstadt einer Republik, die in die Geschichte aus keinesfalls nur zufälligen Gründen als Weimarer Republik eingegangen ist.
Berlin hat also bei seinem Aufstieg zur Hauptstadt Brandenburgs, Preußens und Deutschlands andere Städte überflügelt und verdrängt. Diese Entwicklung, die viele Nicht-Berliner aus unterschiedlichen Gründen bedauert, die weitaus meisten Berliner dagegen gefeiert haben, war weder selbstverständlich noch für Berlin selbst ausschließlich vorteilhaft. Schon der Aufstieg Berlins zur Hauptstadt des, wie es Madame de Staël nannte, janusköpfigen Preußens brachte Vor- und Nachteile, wies Licht und Schatten auf, verlieh der Stadt selbst einen janusköpfigen Charakter. Berlin war weder in historischer Sicht noch aufgrund seiner geographischen Lage dazu prädestiniert, Hauptstadt Brandenburgs zu werden. Das ältere Brandenburg nannte sich noch im 18. Jahrhundert »Chur- und Hauptstadt«. Das benachbarte und ebenfalls ältere Spandau wäre als politischer Mittelpunkt weit mehr als Berlin/Cölln in Frage gekommen, denn diese Funktion hatte es schon in slawischer Zeit und unter der Herrschaft der Askanier ausgeübt. Karl IV., der die Mark Brandenburg von 1373 bis 1378 regierte, hatte noch Tangermünde zur Residenz seines Herrschaftsbereichs bestimmt, der – dem Lauf der Elbe folgend – von Böhmen bis zur Küste reichen sollte. Die verkehrsgeographisch günstige Lage von Berlin/Cölln – den Übergang von dem Teltow nach dem Barnim über die Spree-Niederung – wies auch Köpenick auf.
Doch – und dies ist entscheidend – die Doppelstadt Berlin/Cölln hatte bereits im ausgehenden 13. und im 14. Jahrhundert Köpenick, Spandau und selbst Brandenburg in wirtschaftlicher Hinsicht überflügelt. Im Landbuch von 1375 werden Berlin/Cölln als die Städte genannt, die den höchsten Steuerbetrag der Mark Brandenburg zu entrichten hatten. Bemerkenswert ist, daß der wirtschaftliche Aufschwung Berlin/Cöllns in eine Zeit fällt, in der nach dem Aussterben der Askanier im Jahre 1319 die Mark Brandenburg zum Streitobjekt verschiedener Dynastien wurde, was gleichzeitig dazu führte, daß das Land von den Streifzügen und Fehden des märkischen Adels schwer in Mitleidenschaft gezogen wurde. Die Städte, die das bevorzugte Objekt der Raublust der märkischen (Raub-)Ritter waren, schlossen sich zur Abwehr in Städtebünden zusammen, wobei der Doppelstadt Berlin/Cölln auch in politischer Hinsicht eine führende Rolle zufiel.
Daher wandte sich der mit der Mark Brandenburg belehnte Nürnberger Burggraf Friedrich VI. aus dem Geschlecht der Hohenzollern zunächst und vor allem an Berlin/Cölln, als er mit dem Raubritterunwesen der Bredows und Quitzows ein für allemal aufräumen wollte. Berlin/Cölln versagte die erbetene Hilfe nicht. Die Bürger ließen sogar die Glocken ihrer Kirchen zu Geschützen umgießen, mit denen die Burgen und damit auch die Machtpositionen des Adels gebrochen wurden. Dies ist ihnen von den Hohenzollern nicht gedankt worden. Friedrich II., der für seinen Bruder die Regentschaft in der Mark ausübte, begann sehr bald, ebenso systematisch wie schließlich erfolgreich, nun die Macht der Städte, allen voran Berlin/Cölln, die sich 1432 erneut zu einer Kommune zusammengeschlossen hatten, zu brechen. 1440 setzte er durch, daß die Städte ihm zuerst huldigten, bevor er dann ihre Privilegien bestätigte. Dies war eine sehr bedeutungsvolle Umkehrung des bisherigen Brauchs. Kurz darauf nutzte er in sehr geschickter Weise die Streitigkeiten zwischen dem von den Patriziern beherrschten

Rat und der übrigen Bevölkerung – der »Gewerke und Gemeine« – für seine
Ziele aus. 1443 begann er mit dem Bau eines Schlosses, das auf einem Teil der zu
diesem Zweck niedergelegten Stadtmauer von Cölln errichtet wurde und schon
deshalb die Funktion einer Zwingburg haben mußte und auch haben sollte.
Die Bürger von Berlin/Cölln, die angesichts dieser Bedrohung ihrer aller Freiheit die bisherigen internen Gegensätze beilegten, haben dies klar erkannt. 1447
erhoben sie sich gegen ihren Landesherren und zerstörten das im Bau begriffene
Schloß. Doch da die erwartete und erflehte Hilfe von seiten der Hanse ausblieb,
mußten die Bürger schließlich parieren. Der in die Geschichte als »Berliner Unwille« eingegangene Aufstand scheiterte auf der ganzen Linie. Die Burg, die bereits in einer Chronik des 16. Jahrhunderts als »frenum antiquae libertatis«, als
»Zaum der alten Freiheit« bezeichnet wurde, ist fertiggestellt worden. Der totale
Sieg Friedrichs II., der in älteren Darstellungen häufig mit dem Beinamen »Ei-
senzahn« bezeichnet wird, ist in einer anderen Chronik folgendermaßen kom-
mentiert worden:
»So hat er (Friedrich II.) beide Parteien, den Rat und auch die Bürgerschaft, be-
zwungen, nun sind sie beide eigen, da sie vorher frei waren.«
Dem ist nicht viel hinzuzufügen. Berlin hatte seine Freiheit verloren – und hat sie
auch nicht wieder zurückerhalten, denn schon der zweite Nachfolger Friedrichs
II., Johann Cicero, Kurfürst seit 1486, machte Berlin zu seiner festen und ständigen Residenz. Dies hat die weitere Entwicklung Berlins bestimmt.
In Berlin residierte von nun an neben dem kurfürstlichen Hof auch die Verwaltung, die immer bedeutender und umfangreicher wurde. Schon zur Zeit des Kurfürsten Joachim I., der von 1499 bis 1535 regierte, bestanden Hof und Verwaltung aus insgesamt 400 Personen. Diese Zahl vergrößerte sich in der Folgezeit.
Dafür sorgten neu geschaffene Ämter und Behörden, so das von Kurfürst Joachim II. (1535-1571) geschaffene Kammergericht und der Hofrat, die vom Großen Kurfürsten (1640-1688) gegründete Geheime Hofkammer und das General-
kriegskommissariat und schließlich das von König Friedrich Wilhelm I. ins Leben gerufene Generaldirektorium. Die Neugründung und der Ausbau dieser
Ämter, Behörden und Institutionen wurden einmal wegen der Vergrößerung des
Territoriums Brandenburgs und dann Preußens notwendig. Noch wichtiger war
aber das Bestreben der Herrscher, einen modernen absolutistischen Staat aufzubauen, was eben nur mit und durch neue staatliche Behörden möglich war.
Seit 1539, seit der Einführung der Reformation in Brandenburg, war Berlin außerdem Sitz des neugeschaffenen Konsistoriums. Auch diese Institution gewann
in der Folgezeit neue Kompetenzen und dehnte sich folgerichtig ebenfalls weiter
aus. Seit 1657 war Berlin schließlich noch Garnisonstadt. Zunächst waren es
»nur« 2000, 1710 aber schon 5000 und 1750 gar 20000 Soldaten, die in Berlin
stationiert waren. Sie waren zunächst bei den Bürgern Berlins einquartiert.
Berlins Funktion als Residenz- und Garnisonstadt sowie als Sitz des Konsistoriums war schon zu Beginn des 18. Jahrhunderts so fest gefügt und unbestritten,
daß ganz offensichtlich niemand auf die Idee gekommen ist, Hof und Residenz
des neuen Königreichs Preußen nach Königsberg zu verlegen, wo sich der Kurfürst Friedrich III. zum König Friedrich I. in Preußen krönte. Diesem König, der
sowohl von seinen Nachfolgern – Friedrich Wilhelm I. und Friedrich II. – wie
von der späteren Geschichtsschreibung überwiegend negativ beurteilt worden
ist, kommt das Verdienst zu, aus Berlin auch äußerlich, das heißt in seiner bauli-
chen Gestalt, eine wirkliche Residenzstadt gemacht zu haben. Darauf wird noch

näher einzugehen sein. In der rückschauenden Perspektive scheint es fast so, als ob Berlins Rolle und Funktion als Hauptstadt Preußens und dann auch Deutschlands schon 1701 mehr oder minder endgültig beschlossen und festgeschrieben worden sei. Doch dieser Eindruck trügt. Sicher, Berlin war spätestens seit der Königsberger Krönung die unbestrittene Hauptstadt Preußens. Friedrich Wilhelm I. und Friedrich der Große haben sich zwar überwiegend in Potsdam aufgehalten, dennoch haben sie nie daran gedacht, ihre Potsdamer Residenz, die gerade Friedrich der Große weit mehr als Berlin schätzte, in eine Hauptstadt umzuwandeln. Doch daß Berlin 1867 zur Hauptstadt des Norddeutschen Bundes und 1871 auch des Deutschen Reiches wurde, war nicht zwangsläufig.

Daß das ältere und, wenn man will, »würdigere« Wien verdrängt wurde, lag einmal an dem Erfolg der preußischen Waffen bei Königgrätz, zum anderen an der Entscheidung der deutschen Liberalen für ein »kleindeutsches« Reich ohne Österreich. Diese Entscheidung ist im Grunde schon 1848/49 in der Frankfurter Paulskirche gefallen. Allerdings war mit dem Votum gegen die »großdeutsche« Lösung der deutschen Frage keine Entscheidung für Berlin verbunden. Frankfurt am Main war schließlich der von allen respektierte Sitz des ersten deutschen Parlaments und war daher »an sich« dazu prädestiniert, auch Hauptstadt eines geeinten und demokratischen Deutschlands zu werden. Doch erst 1947/48 hat man ernsthaft wieder daran gedacht, Frankfurt zwar nicht zur Hauptstadt, wohl aber zum Parlaments- und Regierungssitz eines provisorischen deutschen Staates zu erklären. 1871 im Spiegelsaal des Schlosses von Versailles war allen klar, daß nur Berlin als Hauptstadt des deutschen Kaiserreiches in Frage kam. Genauso war es 1919 in der sich konstituierenden deutschen Nationalversammlung in Weimar. Diese Stadt war wegen der Unruhen in Berlin als bloßes »Ausweichquartier« gewählt worden. Wie selbstverständlich wurde Berlin, die Hauptstadt Preußens und des deutschen Kaiserreiches, auch zur Hauptstadt der ersten deutschen Republik, die auch in Berlin ausgerufen worden war.

Der Aufstieg Berlins zur Hauptstadt Brandenburgs, Preußens und schließlich Deutschlands ist von Nicht-Berlinern immer wieder kritisiert und bedauert worden. Doch auch für die Berliner war diese Entwicklung keineswegs nur vorteilhaft. Schon die Verlagerung des kurfürstlichen Hofes nach Berlin brachte für die Stadt Probleme. Waren doch die Beamten des Hofes und natürlich die Adligen, die nach Berlin zogen, um dem Hofe nahe zu sein, nicht der städtischen Jurisdiktion unterstellt. Sie konnten nicht für die Erfüllung der bürgerlichen Pflichten im Wachdienst und im Feuerschutz herangezogen werden. Ähnliches galt für die Mitglieder des Konsistoriums und für die Soldaten. Gerade die Anwesenheit und Einquartierung der Soldaten stellten eine schwere Belastung dar. Immerhin waren, um nur eine Zahl zu nennen, 1764 von den knapp 120000 Einwohnern Berlins 20000 Soldaten. Gegenüber dem Militär hatte die Stadt Berlin keinerlei Befehlsgewalt. Im Gegenteil – das Militär bestimmte mehr und mehr auch die Angelegenheiten der kommunalen Selbstverwaltung. Dies war auch deshalb möglich, weil die kommunale Selbstverwaltung Berlins von den Kurfürsten und Königen nahezu völlig entmachtet und ausgeschaltet worden war. Diese Entwicklung begann unmittelbar nach der Niederschlagung des Aufstandes der Berliner Bürger gegen ihren Landesherrn im Jahr 1448. 1514 mußten die Bürger Berlins und Cöllns auf Befehl des Kurfürsten Joachim I. das beiden Städten gemeinsame Rathaus auf der Langen Brücke abreißen. 1538 schied Berlin/Cölln endgültig aus dem Städtebund der Hanse aus. Gleichzeitig wurden die

Kompetenzen der Mitglieder des Rates der Stadt, die nur mit Zustimmung des
Kurfürsten gewählt und entlassen werden durften, immer weiter eingeschränkt.
Sowohl das neugeschaffene Kammergericht als auch das Konsistorium führten
Amtshandlungen und Prozesse durch, die bisher in die Zuständigkeit des Magi-
strats gefallen waren. Dem Rat wurde selbst das Recht genommen, kommunale
Steuern zu erheben und einzuziehen. Endgültig war dies mit der Einführung der
Akziseordnung im Jahr 1641 der Fall. Diese neue Verbrauchssteuer wurde an
den Stadttoren von landesherrlichen Behörden eingezogen. Ihrem Vorgesetzten,
dem »Commissarius loci«, unterstand damit faktisch die gesamte städtische
Steuerverwaltung. Zaghafte und erfolglose Proteste des Rates der Stadt gegen
diese Entwicklung wurden vom Kurfürsten mit der folgenden unmißverständli-
chen Bemerkung zurückgewiesen: »Wir wollen monarchicum statum erhalten
wissen und können daher democraticum gar nicht dulden.«
Die Beseitigung der »demokratischen« durch eine monarchische Stadtverfassung fand in dem »Rathäuslichen Reglement« Friedrichs des Großen von 1747
ihren Höhe- und Endpunkt. Es gab zwar noch einen Magistrat, doch die eigentliche Gewalt lag in den Händen des – königlichen – Polizeidirektors. Er war der
Stadtpräsident. Die Stadtverordneten wurden nicht von der Bürgerschaft, sondern vom Magistrat gewählt. Sie hatten keinerlei Kontrollrechte mehr. Im
Grunde war dies auch gar nicht mehr notwendig, denn die wichtigsten städtischen Angelegenheiten und Aufgaben wurden ohnehin nicht mehr vom Magistrat, sondern vom Standortkommandanten (Gouverneur) bestimmt und ausgeführt. Er achtete zugleich darauf, daß, wie sich Graf v. d. Schulenburg in dem
berühmten Aufruf vom 17. Oktober 1806 ausdrückte, die »Einwohner« (nicht:
Bürger) Berlins »Ruhe« als ihre »erste Bürgerpflicht« ansahen. Diese eindeutig
monarchische Stadtverfassung ist dann von der französischen Fremdherrschaft
beseitigt worden. An die Stelle des alten Magistrats trat ein »Conseil municipal«.
Diese französischen Reformen konnten und wollten dann auch die preußischen
Reformer nicht beseitigen. Nun wurden wieder Stadtverordnete – insgesamt 102
– gewählt. Wahlberechtigt waren aber ganze 6,9% der Gesamtbevölkerung. Die
durch das Zensuswahlrecht ausgeschlossenen Bewohner Berlins galten offiziell
noch nicht einmal als »Bürger«, sondern wurden als »Schutzverwandte« bezeichnet. Die Stadtverordneten schließlich hatten nur das Recht, Kandidaten (insgesamt 3) für die Posten des Oberbürgermeisters und Bürgermeisters und der
Stadträte zu nominieren. Die Entscheidung und Ernennung lagen beim Innenministerium bzw. beim König selbst. Mit der Polizei und der Gerichtsbarkeit
blieben ohnehin die wichtigsten kommunalen Verwaltungszweige fest in den
Händen des preußischen Staates, der darüber hinaus noch bestrebt war, auch andere wichtige kommunale Kompetenzen an sich zu ziehen.
So wurden, um zwei besonders markante Beispiele zu nennen, über die Köpfe
der Mitglieder des Magistrats hinweg englische Privatfirmen mit der Gas- und
Wasserversorgung Berlins beauftragt, die dann natürlich ihr Monopol nutzten,
um möglichst große Gewinne auf Kosten der Stadt und ihrer Bürger zu erzielen.
Kaum glaubhaft, aber wahr ist, daß die Straßen fiskalisches Eigentum des Staates blieben. Dieser Zustand, der endgültig erst 1876 beseitigt wurde, führte dazu,
daß sich die Straßen Berlins lange Zeit in einem erbarmungswürdigen und immer
wieder heftig kritisierten Zustand befanden. Die Gehwege bzw., wie sie bezeich-
nenderweise hießen, »Bürgersteige« standen dagegen unter der Obhut der Anwohner und Hausbesitzer. Nachdem die Weinhandlung Lutter & Wegner auf

die Idee gekommen war, »ihren« Bürgersteig mit Granitplatten zu pflastern, wurde dies auf Anordnung Friedrich Wilhelms III. allgemein verbindlich – ein schönes Beispiel für die Machtlosigkeit der Berliner Kommunalpolitiker. Die Revolution von 1848 hat keine Veränderung der allenfalls halb- oder pseudodemokratischen Stadtverfassung erbracht. Im Gegenteil: durch die preußische Gemeindeordnung von 1850 wurden einmal die Rechte und Kompetenzen des Oberbürgermeisters gegenüber den Stadträten und Stadtverordneten vergrößert und erweitert. Stellung und Macht des Berliner Polizeipräsidenten blieben dagegen »natürlich« unangetastet. Gleichzeitig wurde durch die Einführung des Dreiklassenwahlrechts der Anteil der wahlberechtigten Berliner Bürger noch einmal verringert. Wahlberechtigt waren jetzt von den insgesamt über 400 000 Einwohnern Berlins nur 21 000. Daher war es kein Wunder, daß das Interesse an den Sitzungen des Stadtparlaments, das jetzt auch öffentlich tagte, sehr gering war. Ein Indiz dafür ist die äußerst geringe Wahlbeteiligung. Sie lag 1854 bei 31%. Ein weiteres Zeichen ist die Tatsache, daß es mit Ausnahme von Rudolf Virchow, Paul Singer und Karl Liebknecht keinem Berliner Kommunalpolitiker gelang, über Berlin hinaus Einfluß und politische Bedeutung zu erlangen. Dies trifft auch auf die Berliner Oberbürgermeister zu. Selbst die bekanntesten unter ihnen, wie Seydel, Hobrecht, v. Forckenbeck, Wermuth und Böß, haben im nationalen Rahmen nicht annähernd den Bekanntheitsgrad erreicht, den etwa Konrad Adenauer als Oberbürgermeister von Köln in der Zeit der Weimarer Republik besaß. Die – allerdings negative – Ausnahme stellt der Oberbürgermeister Böß dar, der in den Korruptionsskandal Sklarek verwickelt war und deshalb zurücktreten mußte. Aus heutiger Sicht (!) war der Anlaß übrigens lächerlich geringfügig: Die Gebrüder Sklarek hatten der Frau des Oberbürgermeisters Böß eine Pelzjacke zu einem guten, d. h. sehr niedrigen Preis verkauft.

Wenn es vor Ernst Reuter kaum einem Politiker der Metropole Berlins gelungen ist, politische Bedeutung im überregionalen und nationalen Bereich zu erlangen, so lag dies vornehmlich an der ständigen und rigiden Kontrolle der Berliner Kommunalpolitik durch staatliche Institutionen und Personen. Ein besonders wichtiges Beispiel dafür war das Bestreben des preußischen Staates, den Zusammenschluß der verschiedenen Vororte und Vorstädte zu Groß-Berlin zu verhindern, der aus wirtschaftlichen, verkehrstechnischen und natürlich kommunalpolitischen Gründen schon zur Zeit des Kaiserreiches geboten gewesen wäre. Maßgebend dafür war die Befürchtung der Regierung, daß, wie sich der preußische Innenminister Dallwitz ausdrückte, das so vergrößerte Berlin »seine Umgebung in die überwältigende sozialdemokratische Mehrheit« hineinziehen werde. Tatsächlich hatte die Sozialdemokratie bei den nach dem allgemeinen (Männer-) Wahlrecht durchgeführten Reichstagswahlen gerade in Berlin große Stimmengewinne erzielen können. Um das, wie Dallwitz richtig feststellte, »unruhige Berlin« gewissermaßen »in Schach zu halten«, hat dieser konservative preußische Politiker 1911 vorgeschlagen, die gesamten noch überwiegend agrarisch geprägten Kreise Barnim und Teltow mit Berlin zu vereinigen.

So groß ist das 1920 geschaffene Groß-Berlin dann doch nicht geworden. Immerhin umfaßte es acht bis dahin selbständige Städte, nämlich Berlin, Charlottenburg, Wilmersdorf, Schöneberg, Neukölln, Lichtenberg, Spandau und Köpenick, sowie 59 Landgemeinden und 27 Gutsbezirke. Berlin war damit flächenmäßig die größte Stadt der Welt. Im Hinblick auf seine Einwohnerzahl von 4 Millionen stand es jedoch nach New York und London auf Rang 3. Die Gründung von Groß-Berlin war das Werk und Verdienst der Sozialdemokratie. Der preußische Ministerpräsident Paul Hirsch und der Weimarer »Verfassungsvater« Hugo Preuß sind hier an erster Stelle zu nennen. Für die Schaffung der neuen Einheitsgemeinde Groß-Berlin sprachen zwar, wie gesagt, zahlreiche und rein pragmatische Gründe – erst jetzt konnte man Stadt- und Verkehrsplanung im großen Stil betreiben und die Versorgung der Bewohner des Großraums Berlin mit Wasser, Elektrizität, Gas u. a. vereinheitlichen und verbessern –, dennoch stieß die Gründung von Groß-Berlin auf die entschiedene Kritik, ja den Widerstand der bürgerlichen Parteien. Äußerer und zugleich rein parteipolitisch bedingter Anlaß war, daß die Parteien der Arbeiterbewegung zunächst über eine Zweidrittelmehrheit in der neuen Stadtverordnetenversammlung verfügten (USPD 86 und MSPD 39 Mandate). Doch schon 1921 kam es zu einer bürgerlichen Mehrheit im Stadtparlament. 1929/30 wendete sich das Blatt zwar wieder zugunsten der SPD und KPD, doch diese Parteien waren weder willens noch in der Lage, ihre gerade in Berlin besonders heftig ausgetragenen Streitigkeiten zu überwinden und eine gemeinsame Kommunalpolitik zu betreiben. Das »rote Berlin« war mehr Mythos als politische Realität.

Gleichwohl ist gerade in der Weimarer Zeit in der Berliner Kommunalpolitik viel geleistet worden. Es kam vor allem auf bezirklicher Ebene zu richtungweisenden Reformen und Verbesserungen im Schul-, Bildungs-, Sozial- und Medizinalwesen. Als ein Beispiel sei hier nur der Schulreformer Fritz Karsen erwähnt. Doch die Weltwirtschaftskrise, die gerade in Berlin besonders verheerende Auswirkungen hatte, vereitelte den Erfolg dieser Reformen. Hinzu kam die Intransigenz der bürgerlichen Parteien sowie der KPD, die die fast ausschließlich von Sozialdemokraten getragenen und durchgeführten Reformen als »sozialfaschistische« Ablenkungs- und Schwindelmanöver zu attackieren liebte. Aus diesen wirtschaftlichen und politischen Motiven konnten die Kommunalpolitiker des neuen Groß-Berlins nicht alle Probleme ausräumen und alle Chancen nutzen, die durch die Gründung der neuen Einheitsgemeinde entstanden waren.

Insgesamt ist festzustellen, daß die politische Geschichte Berlins als Hauptstadt Brandenburgs, Preußens und Deutschlands eher dunkle als helle Farben aufweist. Doch dies stellt nur die eine Seite dar. Die Hauptstadtfunktion hat Berlin auch lichte, ja strahlende Züge beschert. Gemeint ist die städtebauliche Entwicklung Berlins. Die Residenz der Preußenkönige wurde, wie selbst der so scharfe und zugleich hellsichtige Kritiker Max Osborn eingeräumt hat, zu einer »schönen Stadt«. Wolf Jobst Siedler hat in seinen geradezu wehmütig kritischen »Notizen zur Baugeschichte Berlins« sogar gemeint, daß Berlin zu Beginn des 19. Jahrhunderts auf dem Wege war, »Europas schönste Stadt zu werden«. Allerdings schränkt Siedler diese Lobpreisung sofort wieder mit der Bemerkung ein, daß dies nur in einer »flüchtigen Stunde« der Fall gewesen sei, daß Berlin selbst dies »zunichte gemacht« habe. Also auch in städtebaulich-architektonischer Hinsicht Licht und Schatten. Wie kam es dazu?

Die städtebauliche Entwicklung

Bei allem Respekt für die Leistungen der Baumeister Caspar Theyß (Stadtschloß) und Rochus Guerini Graf zu Lynar (Jagdschloß Grunewald) muß festgestellt werden, daß die Residenz der brandenburgischen Kurfürsten in

kaum einer Hinsicht mit Residenzstädten wie Dresden oder München verglichen werden konnte. Nach den Verwüstungen und Verheerungen des Dreißigjährigen Krieges hatte Berlin einen geradezu dörflichen Charakter. Dies änderte sich infolge der Bevölkerungspolitik des Großen Kurfürsten, auf die noch näher einzugehen ist. Gleichzeitig wurde Berlin zur Festungsstadt ausgebaut. Den Rang und Glanz einer wirklichen Residenzstadt begann Berlin erst in der Regierungszeit König Friedrichs I. zu gewinnen. Dieser Beginn ist untrennbar mit dem Namen Andreas Schlüter verbunden. In Stichworten seien hier nur der Ausbau des Stadtschlosses und die Errichtung des Zeughauses erwähnt. Die ebenfalls von Schlüter geschaffenen Masken der sterbenden Krieger am Zeughaus gehören unzweifelhaft zu den Meisterwerken der europäischen Kunst. Der Beitrag Friedrich Wilhelms I. zum Ausbau Berlins ist relativ bescheiden. Sicher – er ließ einige der das Stadtbild Berlins später prägenden Plätze anlegen, um sie allerdings als Exerzierplätze zu nutzen. In seiner Regierungszeit wurden zwar verschiedene Bürgerhäuser und Palais errichtet, doch geschah dies meist nicht freiwillig, sondern unter Druck dieses sprichwörtlich sparsamen und autokratischen Herrschers. Da Friedrich Wilhelm I. die vom Großen Kurfürsten angelegten Befestigungswerke niederlegen ließ, konnten Berlin, Cölln sowie die neugegründeten Vororte – Dorotheen- sowie Friedrichstadt und Friedrichswerder – städtebaulich zusammenwachsen. Gleichzeitig ließ der König jedoch um die so vergrößerte Stadt eine Mauer errichten, die keine militärische, sondern eine polizeiliche Funktion hatte. Sie sollte die Einnahme von Zöllen erleichtern und die Desertion von Soldaten aus der Garnisonstadt Berlin verhindern – ein bezeichnendes Novum in der städtebaulichen Geschichte.
Gemessen an seinen ursprünglichen Plänen, die er schon als Kronprinz entworfen hatte, war der Einfluß Friedrichs des Großen auf die städtebauliche Entwicklung Berlins nicht so groß, wie häufig angenommen wird. Längst nicht alles, was er geplant hat, ist verwirklicht worden. Dennoch entstand im Herzen der preußischen Hauptstadt mit Oper, Bibliothek (Kommode), St.-Hedwig-Kathedrale und Palais des Prinzen Heinrich (später Universität) ein ebenso eindrucksvolles wie repräsentatives Zentrum.
Glanz und Höhepunkt der städtebaulichen Entwicklung Berlins fielen in die Zeit der Nachfolger Friedrichs des Großen, Friedrich Wilhelm II. und Friedrich Wilhelm III. Auch dies waren Herrscher, denen wie Friedrich I. in politischer Hinsicht von Zeitgenossen wie Historikern keine historische Größe zugesprochen wurde und wird. Dennoch hatten sie das Glück oder das Geschick, mit Langhans, Schadow, Gilly, Rauch und vor allem Schinkel Baumeister und Bildhauer zu finden, deren Qualität, ja, was zumindest auf Schinkel zutrifft, Genialität unbestritten ist. Sie schufen das, was später als »preußischer Stil« bezeichnet, verherrlicht und ideologisiert worden ist. Tatsächlich hat der, wie man sagen könnte, »Berliner Stil« der preußischen Hauptstadt ihren eigenen und unverwechselbaren Charakter verliehen. Dieser »Berliner Stil« – man denke nur an das Alte Museum und die Neue Wache – war weder protzig noch Symbol und Ausdrucksform nationalistischer Ideologien und Ambitionen auf einen »Platz an der Sonne«. Wenn Schinkel, der ja nicht nur Architekt, sondern auch ein Städtebauer großen Stils war, alle seine Pläne hätte verwirklichen können, dann wäre Berlin vielleicht wirklich zur »schönsten Stadt« Europas geworden. Friedrich Wilhelm III. hat dies mit dem viel zitierten Ausspruch »Man muß ihm (Schinkel) einen Zaum anlegen« verhindert. Was nach Schinkel kam, war zunächst das

Werk seiner Schüler und Epigonen wie Stüler, Strack, Hitzig u. a. und schließlich der zu eindrucksvolle, ja erdrückende Pomp der wilhelminischen Ära. Noch schlimmer und für das Gesicht der preußischen Metropole verheerender war, daß diese Protzbauten (Dom, Reichstag u. a.) nicht nur neben, sondern teilweise an der Stelle der Bauten des eigentlichen »Berliner Stils« errichtet wurden. So fielen, um nur zwei Beispiele zu nennen, Schinkels Dom und das Palais Raczynski der Spitzhacke zum Opfer, damit an diesen Stellen der Raschdorffsche Dom und Wallots Reichstagsgebäude gebaut werden konnten. Derartige, wie sie bewußt genannt wurden, »Prachtgebäude« verdrängten die wirklich beeindruckenden Bauten des »Berliner Stils« und zeugen von der »Geschichtsvergessenheit« (Wolf Siedler) der wilhelminischen Epoche. Max Osborn hat dies 1906 mit den folgenden, überaus scharfen Worten kritisiert: »Wir, wir selbst sind die Zerstörer Berlins. Mit einem Eifer und einer Rastlosigkeit, als gelte es, eine große und gute Tat zu tun, sind wir dabei, die Reste der schönen Stadt zu vernichten ... Sie (Berlin) war überhaupt eine Stadt, während sie heute mehr und mehr den Charakter einer Häuseransammlung ohne besondere Merkmale annimmt ... Immer wird alles häßlicher und zeitloser statt schöner.«

Mit der Bemerkung über die »häßliche Häuseransammlung« kritisierte Osborn zugleich die Wandlung Berlins zur Industriestadt. Auch diese Entwicklung war weder zwangsläufig noch schicksalshaft. Man wußte oder hätte es nach Besichtigung der englischen Industriestädte wissen können, daß mit und durch die Industrialisierung soziale und damit untrennbar verbundene städtebauliche Probleme entstehen würden. Doch die frühzeitigen Mahnungen von Kritikern des sozialen Elends – allen voran Bettina von Arnim – und von Architekten, die auf die Notwendigkeit hinwiesen, menschenwürdige Arbeiterwohnungen zu errichten, verhallten ungehört. Noch verhängnisvoller, und zwar sowohl für die städtebauliche Entwicklung als auch für das Leben vieler Berliner war, daß die hier allein zuständige staatliche Obrigkeit das Problem der Grundstücksspekulation nicht rechtzeitig erkannt und gelöst hat. Mit dem notwendig werdenden Ausbau Berlins wurden Privatfirmen und Privatpersonen beauftragt, deren Hauptziel »natürlich« die Profitmaximierung war. Da die Bebauungsdichte der einzelnen Grundstücke nicht vorgeschrieben, sondern in das Belieben der privaten Bauherren gestellt war, kam es zu der gerade für Berlin typischen Aufreihung von Vorder- und mehreren Hinterhäusern. Dies war bereits im Bebauungsplan von 1858 vorgesehen und festgeschrieben. Auch in der Folgezeit entwarfen die staatlichen Stadt-»Planer« mit dem Zirkel Raster auf Raster in Berlin sowie in den Vororten, in denen die enge Hinterhausbebauung fortgesetzt wurde. Der Abstand der Hinterhäuser wurde nicht aufgrund gesundheitspolizeilicher Richtlinien, sondern einzig und allein auf Drängen der Feuerwehr festgelegt, die einen gewissen Wendekreis für ihre von Pferden gezogenen Löschwagen beanspruchte. Die Haupt- und Garnisonstadt Berlin wurde zur Stadt der Mietskasernen mit überbelegten, häufig feuchten »Wohnungen« und sonnenlosen Hinterhöfen, in denen die Menschen leben mußten, denen Berlin es vor allem zu verdanken hatte, daß es zu der deutschen Industriemetropole und damit zur deutschen Metropole schlechthin wurde. Walther Rathenau hat dies so ausgedrückt: »Was uns den Namen gibt, ist die Fabrikstadt, die im Westen niemand kennt und die vielleicht die größte der Welt ist. Nach Norden, Süden und Osten streckt die Arbeiterstadt ihre schwarzen Polypenarme, sie umklammert den schwächlichen Westen mit Eisensehnen.«

Berlins Weg zur industriellen Metropole

Entgegen landläufigen Verherrlichungen und Verdammungen des freien Unternehmertums ist festzustellen, daß Entstehung und Entwicklung der Berliner Wirtschaft ohne die direkte und indirekte Unterstützung des Staates nicht vorstellbar sind. Berlins Stellung und Funktion als Residenzstadt haben ganz wesentlich Entstehung und Entwicklung Berlins als Industriestadt geprägt und bedingt. Es waren die Bedürfnisse des Hofes und des Militärs, die im 18. Jahrhundert zur Gründung von Manufakturbetrieben führten. Privatunternehmer wie Andreas Kraut oder Ernst Gotzkowsky spielten dabei nur vorübergehend eine Rolle. Ihre Betriebe – das sog. Lagerhaus, in dem Uniformstoffe hergestellt wurden, sowie die Seiden- und Porzellanmanufakturen – gingen schließlich ähnlich wie andere Manufakturen ganz in staatliche Regie über. Anders war es zwar bei den Manufakturen und Fabriken für Maschinenbau und Textilwaren, die in den ersten Jahrzehnten des 19. Jahrhunderts gegründet wurden, doch auch sie profitierten in indirekter und selbst direkter Weise von der staatlichen Wirtschaftspolitik. Selbst ein so ausgesprochener »self-made-man« wie August Borsig, der 1837 mit nur 8000 Talern Eigenkapital seine »Eisengießerei und Maschinenbauanstalt« gründete, hätte zweifellos nicht in so kurzer Zeit soviel Erfolg gehabt, wenn er mit seinem Hauptprodukt – Lokomotiven – nicht in den wiederum staatlich kontrollierten Eisenbahngesellschaften einen festen Abnehmer gefunden hätte.

Doch durch den Hinweis auf die dann eher indirekt erfolgte Unterstützung des Staates werden die Leistungen der Berliner Unternehmer, Handwerker und Arbeiter nicht geschmälert. Im rapiden Tempo wurde Berlin seit den 1840er Jahren, unterbrochen nur durch die Rezessionsphase nach dem sog. Gründerkrach von 1873, zu der deutschen Industriemetropole schlechthin. Zunächst war es neben der Textil- vor allem die Maschinenbauindustrie, die das Gesicht und das Tempo der Entwicklung der Berliner Wirtschaft prägte. Ein nicht unbedingt als Berlin-Liebhaber bekannter Beobachter, nämlich Karl Marx, hat schon 1859 mit unverhohlener Bewunderung festgestellt:
»Wer Berlin vor zehn Jahren gesehen hat, würde es heute nicht wiedererkennen. Aus einem steifen Paradeplatz hat es sich in das geschäftige Zentrum des deutschen Maschinenbaues verwandelt.«
Rückgrat des weiteren Aufschwunges der Berliner Wirtschaft in den letzten Jahrzehnten des 19. Jahrhunderts waren dann die damals neuen und zukunftsweisenden Betriebe der Chemie- und vor allem der Elektroindustrie. Werner von Siemens, der 1866 das sog. »dynamo-elektrische Prinzip« erfand, und Emil Rathenau, der 1883 die Deutsche Edison-Gesellschaft gründete, aus der unter ihm und unter seinem Sohn Walther Rathenau die Allgemeine Elektricitäts-Gesellschaft (AEG) wurde, seien hier als die bekanntesten Beispiele genannt. In der Zeit der Weimarer Republik war fast die Hälfte der gesamten deutschen Elektroindustrie in Berlin ansässig, wurden 74% aller deutschen elektrotechnischen Geräte und, was alle Verfasser von Berlin-Geschichten für erwähnenswert halten, 90% aller deutschen Glühlampen in Berlin hergestellt. Nicht nur erwähnenswert, sondern ebenfalls von zentraler Bedeutung für Berlin und für das deutsche Wirtschaftsleben insgesamt waren die – meist mittelständischen – Betriebe für Bekleidung und die Druckindustrie, deren Zentrum sich ebenfalls in Berlin befand. Daß diese Erfolgsbilanz in dem sozialen und Wohnungselend auch eine Kehr-

seite hatte, ist schon betont worden. Dennoch erschöpft sich die Geschichte des
Aufstiegs Berlins zu der deutschen Industriemetropole nicht in der Aufzählung
der wirtschaftlichen Erfolge und der Anklage des damit untrennbar verbundenen sozialen Elends. Hinzu kommt, was in diesem Zusammenhang vielfach
übersehen wird, daß Berlin gerade als Industriemetropole zum Schauplatz und
die Berliner zu Akteuren von Ereignissen wurden, denen eine national-, vielleicht sogar weltpolitische Bedeutung zugesprochen werden muß.
Gemeint ist einmal die Revolution von 1848, die in Berlin wirklich einen revolutionären und gewaltsamen Charakter hatte. Sicher – diese Revolution ist auch in
den Augen der Historiker der DDR »nur« eine »bürgerlich-demokratische« Revolution, dennoch waren ihre Träger gerade in Berlin Handwerker und Arbeiter.
Dies wird durch die folgenden, zwar nicht repräsentativen, aber dennoch aussa-
gekräftigen Zahlen unterstrichen. Von 257 der insgesamt 270 Opfer der März-
kämpfe des Jahres 1848, der sog. »Märzgefallenen«, weiß man Namen und Beruf: 115 waren Gesellen, 52 Arbeiter und 23 Knechte und Hausdiener.
Berlin wurde ferner als Industriemetropole und nicht wegen seiner Stellung und
Funktion als Hauptstadt schon im Kaiserreich zur Hochburg der Sozialdemokratie. Auch diese Entwicklung gehört in den Bereich der überregionalen, nationalen Geschichte. Auf die Berliner Kommunalpolitik hat sich dies wegen des un-
demokratischen Wahlrechts zwar kaum ausgewirkt. Berlin als Hochburg der seit
1917 gespaltenen deutschen Arbeiterbewegung mußte dann aber 1918/19 zum
Brennpunkt der Revolution werden. Diese Revolution brach bekanntlich in Wil-
helmshaven und Kiel aus, die Hauptereignisse fanden jedoch in Berlin statt, und
zwar keineswegs nur deshalb, weil sich in Berlin der Sitz der alten und dann der
neuen Regierung befand.
Berlins Aufstieg zur deutschen Metropole war also keineswegs nur durch seine
Funktion und Stellung als Hauptstadt Preußens und dann Deutschlands bedingt.
Vielleicht ebenso wichtig war in dieser Hinsicht Berlins Bedeutung als Industriemetropole. Hinzu kommt schließlich Berlins Aufstieg zur geistig-wissenschaftlichen Metropole Deutschlands. Dies klingt anmaßend und ist auch in vielen Berlin-Geschichten in einem gewissen anmaßenden Ton geschildert und behauptet
worden. Dennoch hat selbst ein so kritischer, ja vielfach spöttischer Beobachter
wie Heinrich Heine 1828 geschrieben:
»Berlin ist gar keine Stadt, sondern Berlin gibt bloß den Ort dazu her, wo sich
eine Menge Menschen, und zwar darunter viele Menschen von Geist, versammeln, denen der Ort ganz gleichgültig ist; diese bilden das geistige Berlin.«

Berlins Weg zur geistig-wissenschaftlichen Metropole

Heines Bemerkung aus dem Jahre 1828 hat einen ebenso treffenden wie allge-
meingültigen Charakter. Tatsächlich wurde Berlin keineswegs ausschließlich
deshalb zu einer geistigen und wissenschaftlichen Metropole Deutschlands, weil
es preußische und dann deutsche Hauptstadt war. Es wurde zu einer geistigen
Metropole, weil sich hier eben »Menschen von Geist« versammelten. Dies
konnte von der jeweiligen Staatsleitung in nur sehr geringem Maße gefördert
werden und wurde es auch nicht, hätte aber wohl verhindert werden können. Mit
andern Worten: Wichtiger als die Gründung der Akademie der Künste im Jahre
1696 und der 1700 ins Leben gerufenen »Sozietät der Wissenschaften«, aus der

1711 die Akademie der Wissenschaften wurde, war, daß Gottfried Wilhelm Leibniz erster Präsident der »Sozietät« war. Bezeichnend für den absoluten Verfall beider Institutionen war, daß Friedrich Wilhelm I. den von ihm als Hofnarren gebrauchten und mißbrauchten Professor Gundling zum Präsidenten der Akademie der Wissenschaften machte. Schon deshalb wird man auch gut daran tun, den Beginn des Aufstiegs Berlins zu einer geistig-wissenschaftlichen Metropole nicht allzu früh zu veranschlagen. Ein wichtiges Datum ist jedoch 1743. In diesem Jahr kam der damals 14 Jahre alte Sohn des Toraschreibers Mendel aus Dessau nach Berlin. Er soll am Rosenthaler Tor auf die Frage, was er in der Stadt wolle, geantwortet haben: »Lernen.« Wenn diese Geschichte nicht wahr ist, so ist sie zumindest gut erfunden. Moses Mendelssohn hat wirklich »gelernt«, und zwar, angefangen von der deutschen Hochsprache, nahezu alles und dies autodidaktisch, und er hat zusammen, ja in enger Zusammenarbeit mit Friedrich Nicolai und Gotthold Ephraim Lessing das geprägt, was mit Recht als »Berliner Aufklärung« bezeichnet worden ist. Dennoch darf die Bedeutung dieser Berliner Aufklärung auch nicht überschätzt werden. Lessing hat 1769 in einem Brief an Nicolai eindrucksvoll anklagend den Charakter und die Grenzen dieser Berliner Aufklärung bzw. »Freiheit« beschrieben:
»Sagen Sie mir von Ihrer Berlinischen Freiheit zu denken und zu schreiben ja nichts. Sie reduziert sich einzig und allein auf die Freiheit, gegen die Religion so viel Sottisen zu Markte zu bringen als man will ... lassen Sie einen in Berlin auftreten, der für die Rechte des Untertanen, der gegen Aussaugung und Despotismus seine Stimme erheben wollte, wie es jetzt in Frankreich und Dänemark geschieht, und Sie werden bald die Erfahrung haben, welches Land bis auf den heutigen Tag das sklavischste Land von Europa ist.«
Dies war zugleich eine deutliche Kritik an dem »vierten Berliner Aufklärer«, aus dessen umfangreichen Œuvre der »Anti-Machiavell« herausragt, der die Folter abschaffte und »jeden nach seiner façon selig« werden lassen wollte – Friedrich dem Großen. Friedrich II. war zweifellos ein Aufklärer. Dennoch hat er nicht nur vehement die politischen Konsequenzen und Forderungen der Aufklärer abgewehrt und statt dessen das Erbkönigtum verteidigt, sondern vor allem die Bedeutung der Berliner Aufklärung maßlos unterschätzt. Dies zeigt sich an seiner Mißachtung der deutschen Sprache im Bereich der Literatur, Wissenschaft und Philosophie einerseits, seiner Weigerung andererseits, den Berliner Aufklärer und Philosophen überhaupt nur zu empfangen – Moses Mendelssohn.
In der Zeit der französischen Fremdherrschaft wurde Berlin dann zum Zentrum des geistig-politischen Widerstandes. Seine Ideologen und Protagonisten waren zwar wie Fichte, Arndt und Jahn Preußen (und Berliner), sie wandten sich aber mit ihren Aufrufen, Widerstand gegen Napoleon und die Franzosen zu leisten, an die gesamte »deutsche Nation«. Der ideologisch in Berlin vorbereitete und auch von Berlin ausgehende Befreiungskrieg gegen die Franzosen wurde zum Katalysator und Symbol des deutschen Nationalgefühls. Die preußischen Reformer haben dies mehr oder minder bewußt in Kauf genommen, ja angestrebt, die preußischen Politiker der Reaktionszeit haben dagegen versucht, den damals noch »revolutionären« und mit liberalen Vorstellungen verbundenen deutschen Nationalgedanken zu unterdrücken. Diese Bemühungen konnten nur vorübergehend Erfolg haben. Die Verdrängung und Überwindung des preußischen durch den deutschen Patriotismus waren unaufhaltsam.
Aus der rückschauenden Perspektive, die durch die Erfahrung von zwei von

Deutschland begonnenen Weltkriegen und vor allem des Nationalsozialismus geprägt ist, kann und darf man diese Entwicklung wohl nicht mehr als positiv ansehen. Sie trug zudem von Anfang an einen ambivalenten Charakter. Die schon bei Fichte, Arndt und Jahn anzutreffenden extrem nationalen, franzosen- und judenfeindlichen Akzente schlugen sehr bald, und zwar bei Treitschke, Stoecker, de Lagarde und vielen anderen Ideologen, in ebenso pathetische wie aggressive nationalistische, antisemitische und allgemein fremdenfeindliche Töne um. Dieser Weg der »deutschen Ideologie« vom »Weltbürgertum« über den »Nationalstaat« in die »deutsche Katastrophe« war wiederum eng mit Berlin verbunden, denn die genannten und viele andere Ideologen des »deutschen Sonderweges« lebten, schrieben und redeten aus keineswegs zufälligen Gründen in Berlin, das im Positiven wie im Negativen zur geistig-politischen Metropole Deutschlands wurde.

Berlin war jedoch auch, und zwar für fast 50 Jahre von etwa 1780 bis 1830, eine, vielleicht *die* geistig-kulturelle Metropole Deutschlands. Dies klingt mehr als anmaßend, wird aber selbst von Kritikern Berlins, und von ihnen gibt es viele, eingeräumt, ja teilweise geradezu enthusiastisch beschrieben. In diesen Jahrzehnten »versammelten« sich, um noch einmal Heines Bemerkung aufzugreifen, in Berlin tatsächlich »viele Menschen von Geist«. Dieses »geistige Berlin« wurde, um nur einige Namen zu nennen, gebildet und repräsentiert von Wilhelm und Alexander v. Humboldt, Friedrich und August Wilhelm Schlegel, Fichte und Hegel, Friedrich Daniel Schleiermacher, Friedrich v. Gentz, Heinrich v. Kleist, Fürst Pückler, Adelbert v. Chamisso, Jean Paul, Achim und Bettina v. Arnim, Henriette Herz geb. de Lemos, Rahel Varnhagen geb. Levin u. a. Sie lebten nicht nur nebeneinander in Berlin, sondern kannten und trafen sich in den Salons der Dorothea von Kurland, der Henriette Herz und vor allem der Rahel Varnhagen. Zu diesem wirklich kommunizierenden »geistigen Berlin« wurden wie selbstverständlich Politiker wie Künstler, Dichter wie Wissenschaftler, Christen wie Juden, Männer wie Frauen zugelassen und gezählt. So etwas hat es in keiner anderen deutschen Metropole und auch in Berlin nie wieder gegeben. Die ebenfalls mit gewissem Recht gepriesenen »Goldenen zwanziger Jahre« hatten einen anderen Charakter. Doch bevor auf diese Zeit einzugehen ist, in der Berlin auf dem Wege war, zu *der* kulturellen Metropole Europas, ja der Welt zu werden, muß noch der Aufstieg Berlins zur wissenschaftlichen Metropole erwähnt werden.

Hier ist natürlich zunächst und vor allem die 1810 gegründete Berliner Universität zu nennen. Mit ihren 88 Professoren, 37 Privatdozenten und über 2000 Studenten im Jahre 1830 war sie größer als die meisten zeitgenössischen Landesuniversitäten. Auch von ihrem geistigen Anspruch her wollte die Berliner Universität weit mehr sein als eine Landesuniversität und war es auch. Landesuniversität war und blieb zunächst die Universität in Frankfurt an der Oder. Die Berliner Universität prägte und repräsentierte zugleich von ihrer Gründung an das geistig-wissenschaftliche Leben in ganz Deutschland. Der junge Friedrich Engels hat dies 1842, als er in Berlin seine Militärzeit absolvierte und zugleich die Universität besuchte, folgendermaßen ausgedrückt: »Es ist der Ruhm der Berliner Universität, daß keine so sehr wie sie in der Gedankenbewegung der Zeit steht und sich so sehr zur Arena der geistigen Kämpfe gemacht hat.«

Engels hat hier vermutlich vor allem an Hegel und die Hegelianer gedacht. Doch nicht nur die philosophische, auch die naturwissenschaftliche Fakultät erwarb sich, angefangen mit Alexander v. Humboldt, Anerkennung und Bewunderung

in ganz Deutschland. Ohne auch hier alle berühmten Namen nennen zu können, sei schließlich auf die medizinische Fakultät hingewiesen, deren Geschichte mit der 1726 von Friedrich Wilhelm I. als Krankenhaus und medizinische Lehrstätte gegründeten Charité immer eng verbunden war. Dennoch war um die Jahrhundertwende, als die Berliner Universität rund 400 Lehrkräfte und 12 000 Studenten zählte, nicht zu übersehen, daß gerade diese Universität an zwangsläufige und selbstverschuldete Grenzen gestoßen war. Verdeutlichen kann man diese Entwicklung an den folgenden Zitaten. In der berühmten Denkschrift Wilhelm von Humboldts aus dem Jahre 1810 hieß es: »Nur die Wissenschaft, die aus dem Innern stammt und ins Innere gepflanzt werden kann, bildet auch den Charakter um; und dem Staat ist es ebensowenig als der Menschheit um Wissen und Reden, sondern um Charakter und Handeln zu tun.«
Im Jahr 1893 hielt Rudolf Virchow eine Universitätsrede über das Thema: »Die Gründung der Berliner Universität und der Übergang aus dem philosophischen in das naturwissenschaftliche Zeitalter.« In der Rektoratsrede des Historikers Max Lenz aus dem Jahre 1911 liest man: »Fester als je erscheint uns unter dem Schirm der Macht unsere Burg der Freiheit.« Beide Aussprüche dokumentieren die Abkehr vom Humboldtschen Ideal der einheitlichen und an humanitären und eben nicht staatlichen oder gar machtstaatlichen Vorstellungen orientierten Wissenschaft. Doch die damit verbundenen negativen Aspekte waren nicht jedem erkennbar. Sie wurden zudem von den strahlenden Erfolgen gerade der Naturwissenschaften in Berlin überdeckt.
Hier sind nicht nur die zahlreichen naturwissenschaftlichen Gesellschaften sowie die 1879 gegründete Technische Hochschule Charlottenburg, sondern vor allem die 1910 ins Leben gerufene »Kaiser-Wilhelm-Gesellschaft zur Förderung der Wissenschaft« zu erwähnen. Wilhelm II. hat die Gründung dieser damals beispiellosen und sehr bald auch beispiellos erfolgreichen Institution anläßlich der Feiern zum 100. Gründungstag der Universität mit den Worten bekanntgegeben, daß es sein Wunsch sei, unter seinem »Protektorat und Namen eine Gesellschaft zu begründen, die sich die Errichtung und Erhaltung von Forschungsinstituten zur Aufgabe stellt«. Eigentlicher Planer und Initiator der Kaiser-Wilhelm-Institute, die dann in Dahlem errichtet wurden, war der Ministerialbeamte Friedrich Althoff, der von 1882 bis zu seiner Pensionierung im Jahr 1907 einen großen Einfluß auf das gesamte Universitätswesen in Preußen ausgeübt hat. Ihm soll, wie Friedrich Schmidt-Ott 1909 in einem Gutachten über die Pläne des inzwischen verstorbenen Althoff schrieb, »die Begründung einer in ihrem Charakter durch hervorragende Wissenschaftsstätten bestimmten vornehmen Kolonie, eines deutschen Oxford, wie er es wohl nannte, vor Augen« geschwebt haben. Tatsächlich haben die Kaiser-Wilhelm-Institute für Chemie, physikalische und Elektrochemie, Physik, Biologie, experimentelle Therapie, Metallforschung, Faserstoffchemie, Silikatforschung u. a. eine wissenschaftliche Bedeutung erlangt, die bisher nur von einigen amerikanischen Hochschulen und Forschungsstätten erreicht und übertroffen worden ist. Die Liste der mit dem Nobelpreis ausgezeichneten Mitglieder der Kaiser-Wilhelm-Institute ist lang und enthält verschiedene sehr bedeutende Namen. Doch es gibt auch hier eine Kehrseite. Dies gilt einmal für die von Anfang an beabsichtigte Indienststellung der hier betriebenen Wissenschaft für die Bedürfnisse des Staates und der Industrie, die beide gemeinsam zur Finanzierung dieser neuartigen Forschungsinstitutionen beitrugen. Was mit der von Althoff geforderten und dann auch geförderten »deut-

schen Kolonialpolitik des Geistes« gemeint sein konnte und wohl auch gemeint
war, zeigte sich bereits während des Ersten Weltkrieges. Viele Angehörige der
Dahlemer Forschungsinstitute, allen voran der Leiter des KWI für physikalische
Chemie und Elektrochemie, Fritz Haber, stellten ihre Kenntnisse und wissenschaftlichen Fähigkeiten voll und ganz in den Dienst der deutschen Kriegsma-
schinerie. Fritz Haber, der in Dahlem Gaskampfversuche im großen Stil betrieb
und auswertete, war über diese Entwicklung noch stolz, was er mit der folgenden
geradezu entlarvenden Bemerkung begründete:
»Im Hause des Deutschen Reiches lebten der General, der Gelehrte und der
Techniker unter demselben Dache. Sie grüßten sich auf der Treppe. Einen befruchtenden Ideenaustausch aber haben sie vor dem Kriege (gemeint ist der ›Erste‹ Weltkrieg) nicht gehabt.«
Der sich seiner Bedeutung für den Kriegseinsatz sehr bewußte Haber wurde
zum Hauptmann ernannt. Bemerkenswert, wenn man bedenkt, welche Schwierigkeiten Offiziere zu überwinden hatten, die wie Haber jüdischer Herkunft waren. Bemerkenswert aber auch, wenn man bedenkt, daß der »kriegstechnologi-
sche Nutzen« des Hauptmanns und Forschers Haber sicherlich genauso »hoch«
war wie der eines Generals.
Auf die gerade in Berlin-Dahlem so besonders deutlich erkennbare Ambivalenz
und Janusköpfigkeit der modernen Wissenschaft ganz allgemein wird noch einzugehen sein. Abschließend soll wenigstens noch auf die Zeit hingewiesen werden, in der Berlin der, wie sich Eckehard Catholy ausgedrückt hat, »theatralische
Mittelpunkt der Welt« war, die sog. »Goldenen zwanziger Jahre«. Eckehard Catholy meint natürlich, daß Berlin in dieser Zeit, als hier Max Reinhardt und Erwin Piscator, um wenigstens zwei Namen zu nennen, wirkten, eine »Theater-
Hauptstadt« war.
Gleichwohl ist sein Begriff »theatralischer Mittelpunkt der Welt« sehr aussage-
kräftig und sehr gut geeignet, das auszudrücken, was Berlins keineswegs nur
»goldenen« Glanz dieser wenigen Jahre ausgemacht hat. Im Berlin der 20er Jahre
findet man ja nicht nur alle oder zumindest nahezu alle Strömungen der damaligen (Hoch-)Kunst und Kultur, sondern gerade das, was von den Verfassern der
Ost-Berliner Berlin-Geschichte naserümpfend als »den Verfallserscheinungen
der bürgerlichen Gesellschaft« unterworfener »reiner Amüsierbetrieb« abgekan-
zelt wird. Doch vielleicht war es gerade dieser »Amüsierbetrieb« in den zahlreichen Kinos, Jazzkellern, Bars u. a., der die von kaum jemand bestrittene Faszination der Metropole Berlin ausgemacht hat. Dennoch gab es »Verfallserscheinungen«. Sie sind aber nicht sosehr in der von den Autoren des genannten Werkes
mit Mißachtung gestraften Subkultur der Jugendcliquen und des homosexuellen
»El-Dorado«-Milieus zu suchen, sondern in der Krise der jungen deutschen Demokratie, der zu schwachen und dann nicht mehr vorhandenen politischen Kultur Deutschlands insgesamt.
All dies – »hohe« und triviale Kunst vorzüglicher Qualität, Abstoßendes und An-
ziehendes, Kurioses und Groteskes, Komisches und Schreckliches – fand man im
Berlin der 20er Jahre, wurde hier in einer wirklich »theatralischen« Weise zur
Schau gestellt, umjubelt und geschmäht. Die »theatralische« Wirkung des Berlins der »Goldenen zwanziger Jahre« wurde durch die unverkennbare Nähe zum
Abgrund, zum Sturz in die braune Barbarei nicht vermindert, sondern sogar gesteigert. Kurz – Berlin war wirklich »theatralischer« Mittelpunkt und Spiegelbild
einer Epoche.

Berlins Weg zur »Melting-Pot-Metropole«

In Berlin gibt es viele Denkmäler und Namen von Straßen, Plätzen, Schulen und Gebäuden, die an diejenigen Bürger erinnern, die dazu beitrugen, daß Berlin zu einer politischen, wirtschaftlichen und geistig-kulturellen Metropole Deutschlands wurde. An die Berliner, denen es vor allem zu verdanken ist, daß Berlin wirklich »groß« und anziehend wurde, erinnern dagegen Begriffe wie Kiez, Mischpoke, Bulette, (Böhmisch-)Rixdorf und das Berliner Telephonbuch, denn dort findet man zum Beispiel unter dem Buchstaben K Namen wie Kabierski, Kabitzky, Kablowski, Kacprzycki, Kaczanowski, Kaczenski, Kaczerowski, Kaczinski, Kaczkowski, Kaczmarczyk, 2 Spalten Kaczmareks usw. Diese Spuren und, wenn man will, »Denk-Mäler« erinnern daran, daß die Vorfahren der Berliner nur zu einem geringen Teil aus der Umgebung Berlins und der Mark Brandenburg, sondern oft von weit her stammten, teilweise aus Gegenden, die entweder nur vorübergehend oder gar niemals zu Deutschland gehört haben. Die Vorfahren vieler Berliner waren »Ausländer«, sahen sich selbst nicht als Deutsche oder wurden von den Deutschen nicht als solche angesehen. Kurz – Berlin wurde durch die Ein- und Zuwanderung von »Ausländern« und religiösen und ethnischen Minderheiten zu der »Melting-Pot-Metropole«, zum »Schmelztiegel« Deutschlands, ja Europas.

Dies ist beileibe keine Entdeckung. Viele Berliner wußten und wissen dies. Viele waren und sind ausgesprochen stolz darauf, Nicht-Brandenburger, Nicht-Preußen und Nicht-Deutsche unter ihren Vorfahren zu haben. Der aus einer Hugenottenfamilie stammende Theodor Fontane sei hier nur als Beispiel genannt. In vielen Beschreibungen Berlins und der Berliner sind Funktion und Charakter Berlins als »Schmelztiegel« bemerkt und gewürdigt worden. So heißt es in der »Naturgeschichte des Berliners« von Gustav Langenscheidt (1878): »Es gibt schwerlich eine zweite Stadt, deren Bevölkerung von Haus aus einen so gemischten Ursprung hat. Der Berliner ist, was seine Abstammung betrifft, eigentlich nirgendwo unterzubringen und kann als deutschsprechendes internationales Neutrum betrachtet werden. Hätten wir einen Vollblut-Berliner, der, seit siebenhundert Jahren direkt von den ersten holländischen Kolonisten abstammend, in seinen Ahnen die verschiedenen eingewanderten Nationalitäten in richtiger, dem Verhältnis entsprechender Mischung aufweisen könnte, so würde nach der statistischen Überlieferung in seinen Adern pulsieren: Germanisches Blut (darunter viel süddeutsches) 37 Prozent, romanisches Blut (Wallonen, Waldenser) 39 Prozent, slawisches (Wenden, Böhmen) 24 Prozent.« Langenscheidts »statistische Überlieferung« ist natürlich reine Spekulation. Seine Bemerkungen über die »Blut-Mischungen« der »Vollblut-Berliner« sind durch die ebenso grausamen wie grotesken nationalsozialistischen »Blut«-Gesetze völlig diskreditiert, was ihm natürlich nicht anzulasten ist. Dennoch hat seine Aussage einen richtigen Kern. Zu den ersten Bewohnern Berlins zählten wirklich neben flämischen Siedlern aus dem heutigen Belgien und Holland auch »Wenden«, d. h. Slawen. Im Unterschied zu Spandau gibt es jedoch für Berlin/Cölln nur wenige schriftliche Hinweise auf die Anwesenheit von Slawen. Von geradezu zentraler Bedeutung für den geschilderten Aufstieg Berlins zu einer industriellen und geistig-kulturellen Metropole Deutschlands war das »romanische Blut«. Hier sind jedoch nicht an erster Stelle die wallonischen Arbeiter zu nennen, die im 18. Jahrhundert nach Berlin kamen, sondern natürlich die franzö-

sischen Glaubensflüchtlinge, die 1685 vom Großen Kurfürsten wirklich mit offenen Armen aufgenommen wurden. Versicherte der Große Kurfürst ihnen doch
im Potsdamer Edikt vom 29. Oktober 1685:
».. . mittels dieses von Uns eigenhändig unterschriebenen Edicts . . . eine sichere
und freye retraite in all unsere Lande und Provincien in Gnaden zu offerieren,
und ihnen daneben Kund zu thun, was für Gerechtigkeiten, Freyheiten und
Praerogativen Wir ihnen zu concediren gnädigst gesonnen seyen . . .«
Zu diesen »Freyheiten« und Vorrechten der Hugenotten zählten neben dem
Recht der freien Religionsausübung, was im Jahrhundert der Religionskämpfe ja
keineswegs selbstverständlich war, Steuerbefreiungen und die kostenlose Übergabe von Grundstücken und Häusern, die von den Hugenotten instand gesetzt
werden sollten, wozu der brandenburgische Staat noch die Baumaterialien zur
Verfügung stellte. Diese Privilegierung und finanzielle Unterstützung der Hugenotten hat sich für den brandenburgischen und preußischen Staat und vor allem
für Berlin mehr als ausgezahlt. Die insgesamt ca. 20 000 Franzosen, die nach Berlin und Brandenburg kamen, gehörten zwar nicht zu den wohlhabenderen –
diese gingen vor allem nach Holland und England –, es waren jedoch überwiegend Spezialisten und gesuchte Fachkräfte, die gerade in Berlin Manufakturen
gründeten, in denen Tücher, Tapeten, Gobelins und vor allem Seide hergestellt
wurden. Von unschätzbarer Bedeutung war aber der Einfluß der Hugenotten
auf das kulturelle Leben in Berlin, wobei die Beeinflussung und Bereicherung
der Berliner Küche (ein allerdings nicht sehr aussagekräftiges Zeugnis ist die erwähnte Bulette) ebenfalls unbedingt zu erwähnen sind.
Einen nicht ganz so großen, aber durchaus wichtigen Einfluß auf die Entwicklung des Berliner Wirtschaftslebens haben die Böhmen gehabt, die ihre Heimat
wegen ihres protestantischen Glaubens verlassen mußten und sich seit 1732 in
Berlin und dessen Umgebung niederlassen durften. Während der historische
Ortsname (Böhmisch-)Rixdorf noch heute an ihre Anwesenheit erinnert, wurde
das ebenfalls von böhmischen Webern gegründete Nowawes während des Ersten Weltkrieges in Babelsberg umbenannt.
Zu den, wie Langenscheidt sich ausdrückte, Trägern »slawischen Blutes« sind
ferner viele Berliner zu zählen, die einen polnischen Namen tragen. Allerdings
ist eindringlich darauf hinzuweisen, daß dies über ihre nationale Abstammung
häufig nicht viel aussagt. Unter denjenigen Menschen, die im 19. Jahrhundert
aus Schlesien, Pommern und Ostpreußen sowie aus dem preußischen und russischen Teil des ehemaligen Königreichs Polen nach Berlin kamen, befanden sich
neben Polen auch Deutsche und Personen, die sich keiner dieser Nationen zu-
rechneten, sondern sich statt dessen primär und ausschließlich als Schlesier,
Pommern und (Ost- und West-)Preußen fühlten. Sie wurden zwar nicht mit so
offenen Armen empfangen wie die Hugenotten, aber sie wurden gebraucht.
Es scheint nicht ganz zufällig zu sein, daß in dem Ausspruch Langenscheidts die
Einwanderungsgruppe vergessen wird, die vielleicht den wichtigsten Einfluß auf
den Aufstieg Berlins zur industriellen und vor allem zur geistig-kulturellen Metropole Deutschlands ausgeübt hat – die Juden. Mit ca. 170 000 Mitgliedern war
die Berliner jüdische Gemeinde zur Zeit der Weimarer Republik zwar die mit
Abstand größte ganz Deutschlands, dennoch stellten die Juden nur knapp 5%
der Berliner Gesamtbevölkerung. Die Aussagekraft dieser Zahlen ist aus mehreren Gründen sehr begrenzt. Einmal deshalb, weil der qualitative Einfluß einer
Bevölkerungsgruppe auf die Wirtschaft und Kultur einer Stadt nicht quantitativ

gemessen werden kann und darf. Hier wären die Namen von einzelnen Persönlichkeiten zu nennen, und einige sind auch bereits genannt worden. Dennoch – und dies stellt den zweiten Einwand dar –, viele dieser bedeutenden Einzelpersönlichkeiten jüdischer Herkunft haben sich primär als Deutsche, allenfalls als »deutsche Staatsbürger jüdischen Glaubens« empfunden. Walther Rathenau sei hier als ein Beispiel genannt. Schließlich ist darauf hinzuweisen, daß der jüdische Einfluß auf das wirtschaftliche und kulturelle Leben der Stadt kaum gewünscht und noch weniger anerkannt worden ist.

Dies war von Anfang an so. Die ersten Juden, die nach den Pogromen des Mittelalters und nach der endgültigen Vertreibung aus Berlin und der Mark Brandenburg im Jahre 1572 seit 1671 wieder nach Berlin kommen durften, wurden völlig anders als die Hugenotten keineswegs privilegiert. Im Gegenteil. Das »Edikt wegen aufgenommener 50 Familien Schutz-Juden« vom 21. Mai 1671 enthält weit mehr Verbote als Rechte. Den aus Wien vertriebenen Juden wurde nur die Ausübung einiger weniger Handelsberufe gestattet, wofür sie verschiedene Sondersteuern zahlen mußten. Das von Friedrich dem Großen 1750 erlassene »Revidierte General-Privilegium und Reglement vor die Judenschaft im Königreich Preußen« enthielt sogar noch mehr Verbote als das Edikt des Großen Kurfürsten. Darunter befand sich die Bestimmung, daß die »Schutzjuden« maximal 2 Kinder, wie es wörtlich hieß, »ansetzen« durften. Waren es dennoch mehr Kinder geworden, als die preußische Obrigkeit erlaubte, dann mußten die Eltern entweder noch mehr Sondersteuern zahlen oder sich von ihren »überschüssigen« Kindern trennen. Diese nicht den Geist der friderizianischen Aufklärung, sondern den des Mittelalters repräsentierenden, diskriminierenden Bestimmungen für die in Berlin ansässigen Juden wurden im Laufe der Zeit nach und nach aufgehoben, während gleichzeitig die Zuzugssperren für neu in die Stadt kommende Juden gelockert wurden. Dies geschah durch das sog. Emanzipationsgesetz von 1812 weitgehend, endgültig jedoch erst 1869. Dennoch stießen die formal völlig gleichberechtigten Juden auch nach 1869 auf zahlreiche inoffizielle und selbst offizielle Hemmnisse. Dies hat die Judenfeinde, die sich seit den 70er Jahren des 19. Jahrhunderts Antisemiten nannten, nicht daran gehindert, lautstark Maßnahmen zu fordern, durch die der angeblich vorherrschende jüdische Einfluß im wirtschaftlichen, kulturellen und selbst politischen Bereich zurückgedrängt und die weitere Einwanderung von Juden aus dem Osten verhindert werden sollten. Tatsächlich sind bereits in den Jahren 1885 bis 1887 ca. 35 000 Juden und Polen, die nicht im Besitz der deutschen Staatsbürgerschaft waren, aus Preußen ausgewiesen worden.

Damit war die gerade in Berlin besonders vehement und gehässig geführte Kampagne gegen die »Ostjuden« (und gegen die polnischen Einwanderer) nicht zu Ende. Die überwiegend nicht-assimilierten, armen »Ostjuden«, die in Berlin vornehmlich in ghettoartigen Verhältnissen im sog. Scheunenviertel lebten und auch äußerlich meist aufgrund ihrer Kleidung, Haar- und Barttracht sowie ihrer jiddischen Sprache und ihres Akzents als Juden erkennbar waren, wurden zum bevorzugten Haßobjekt der Antisemiten. Daran hat sich auch in der Zeit der Weimarer Republik nicht viel geändert. Auch die Behörden des neuen, des demokratischen Preußens fühlten sich genötigt, den Wünschen der Antisemiten entgegenzukommen. Am 1. November 1919 ordnete der preußische Innenminister Wolfgang Heine (SPD) an, daß zumindest die »Ostjuden auszuweisen« seien, »welche von einem deutschen Gericht wegen Verbrechens oder Vergehens

erheblicherer Art rechtskräftig verurteilt sind oder in deren Person nachweislich
Tatsachen vorliegen, die eine Gefährdung der öffentlichen Ruhe, Ordnung und
Sicherheit befürchten lassen«. Am 1. Juni 1920 erweiterte Heines Nachfolger als
Innenminister, der Sozialdemokrat Carl Severing, den Kreis der Auszuweisen-
den auf diejenigen, die keiner »nutzbringenden Beschäftigung« nachgingen. Am
23. Januar 1921 kündigte der preußische Innenminister Dominicus (DDP) an,
daß man nun mit der Internierung von unerwünschten Ausländern (vor allem
»Ostjuden«) in, wie es wörtlich hieß, »Konzentrationslagern« beginnen werde.
Gegen die Einlieferung von »Ostjuden« in die – offiziell so genannten – Konzentrationslager Cottbus und Stargard in Pommern protestierte das in Berlin ansässige »Jüdische Arbeiterfürsorgeamt« mit der folgenden bemerkenswerten Begründung:
»Das Konzentrationslager, das, gerichtet gegen kriminelle und verdächtige Elemente, zweckmäßig erscheint und gegen kopflosen Zuzug (von ›Ostjuden‹) als
Präventivmaßnahme geeignet ist, dürfte dann lediglich einen geringen Teil der
Flüchtlinge aufnehmen.«
Die »Konzentrationslager« Cottbus und Stargard, in denen die ausschließlich jüdischen Insassen vom Wachpersonal schlecht verpflegt, geschlagen und als »Sau-
jud« u. a. beschimpft wurden, sind 1923 wieder geschlossen worden.
Die Geschichte der »Ostjuden« in Berlin, die nur 15% der etwa 170000 Personen
umfassenden jüdischen Gemeinde stellten, ist keine bloße Episode. Sie zeigt einmal, daß sich Berlin von dem abwandte und das zunichte machte, dem es seinen
Aufstieg vor allem zu verdanken hat: seiner Aufnahmebereitschaft und Toleranz
gegenüber Zuwanderern. Sie zeigt aber auch, daß sich das Unheil, das zur Zerstörung Berlins führen sollte, frühzeitig angekündigt hat.

50 Jahre Berlin
Die Zerstörung einer deutschen Metropole

Lange vor der »Machtergreifung« erklärte der Berliner Gauleiter der NSDAP,
Joseph Goebbels: »Die Entscheidung in diesem Kampf wird nicht irgendwo im
Reich fallen, weder in München noch in Mitteldeutschland oder im Ruhrgebiet,
sondern einzig und allein in Berlin!«
Goebbels und die NSDAP haben diesen »Kampf« gewonnen. Dem widerspricht
nicht, was in seltener Einmütigkeit von »bürgerlichen« und marxistischen Berlin-
Historikern immer wieder betont wird, daß die Nationalsozialisten in Berlin niemals die Mehrheit gewannen, ja, daß ihr Stimmenanteil immer unter dem
Reichsdurchschnitt lag. Selbst bei den Reichstagswahlen vom 5. März 1933, die
man wegen des nationalsozialistischen Terrors im Wahlkampf kaum noch als
frei bezeichnen kann, gewann die NSDAP in Berlin »nur« 34,6% der abgegebenen Stimmen. Im Reichsdurchschnitt waren es 43,9%. Auch mit den Stimmen ihres konservativen Bündnispartners DNVP (bzw.: Kampffront Schwarz-Weiß-
Rot), in Berlin 11%, hat die NSDAP in Berlin nicht die 50%-Marke erreicht.
Dennoch vermitteln diese Zahlen aus zwei Gründen ein falsches Bild des Erfolges und der Macht der Berliner NSDAP. Einmal deshalb, weil es (ähnlich wie im
gesamten Reich) in Berlin keine Mehrheit gegen die NSDAP gab. Die demokratischen Parteien hatten nämlich zusammen weniger Stimmen errungen als die
NSDAP. Die SPD hatten 21,7%, das Zentrum 5 und die beiden liberalen Par-

teien (DVP und DDP bzw. Deutsche Staatspartei) nur 2,7% gewählt. Schon bei den vorangegangenen Wahlen hatten die vereinten demokratischen Kräfte über nicht mehr als 40% verfügt. Doch – und dies ist entscheidend – sie waren weder in Berlin noch im Reich vereint und bereit, gemeinsam die nationalsozialistische »Machtergreifung« zu verhindern.

Ähnliches galt für ein Zusammengehen von SPD und KPD. Beide Parteien haben zwar bei Reichstagswahlen in Berlin immer die absolute Mehrheit errungen und verfügten selbst noch bei der Reichstagswahl vom 5. März 1933 über 46,2% der abgegebenen Stimmen (KPD 24,5 und SPD 21,7%), doch dies waren bloße rechnerische Mehrheiten, die nur auf dem Papier bestanden. In der historischen Realität waren beide Arbeiterparteien weder willens noch in der Lage, ihre fundamentalen Gegensätze beizulegen, um gemeinsam gegen den Nationalsozialismus zu kämpfen. Die Kluft, ja die Feindschaft zwischen SPD und KPD war gerade in Berlin besonders tief und unversöhnlich. Sozialdemokraten warfen »Kozis« (Kommunisten) vor, Arm in Arm mit den Nazis die von der Sozialdemokratie errichtete und verteidigte parlamentarische Demokratie bekämpfen und zerstören zu wollen. Kommunisten dagegen diffamierten die Sozialdemokraten als »Sozialfaschisten«, die genauso, ja noch schlimmer und gefährlicher als die »Nationalfaschisten« (Nationalsozialisten) seien.

Diese wechselseitige Beschimpfung war in Berlin besonders heftig, weil in dieser Stadt auch die Ereignisse stattfanden, durch die sowohl Sozialdemokraten als auch Kommunisten in ihrem abgrundtiefen Mißtrauen, ja Haß gegenüber der jeweiligen »Bruderpartei« bestärkt wurden. Gemeint sind der sog. »Blutmai« des Jahres 1929 einerseits, der Streik bei den Berliner Verkehrsbetrieben vom November 1932 andererseits. Am 1. Mai 1929 waren nicht genehmigte Demonstrationen von – überwiegend kommunistischen – Arbeitern von der Berliner Polizei mit Waffengewalt zerstreut und verhindert worden. Barrikadenkämpfe im Wedding und in Neukölln, die insgesamt 30 Tote und Hunderte von Verletzten auf beiden Seiten forderten, waren die Folge dieser polizeilichen Maßnahmen, die der Berliner Polizeipräsident Zörgiebel (SPD) zu verantworten hatte. Sein Name wurde in der kommunistischen Publizistik zum Synonym für »Sozialfaschist«. Im November 1932 dagegen hielt es die kommunistische RGO (Rote oder Revolutionäre Gewerkschaftsopposition) für legitim und geboten, ausgerechnet mit der NSBO (Nationalsozialistische Betriebszellenorganisation) gegen den Willen des sozialdemokratisch geprägten ADGB (Allgemeiner Deutscher Gewerkschaftsbund) bei der BVG einen wilden Streik durchzuführen, nachdem bei einer Urabstimmung die satzungsmäßige notwendige Mehrheit nicht erreicht worden war.

In ihrer einstigen Hochburg Berlin waren also Spaltung und damit Schwäche der deutschen Arbeiterbewegung besonders tiefgehend und besonders deutlich zu erkennen. Die Nationalsozialisten haben nichts unversucht gelassen, diese Spaltung zu vertiefen und gleichzeitig für ihre Zwecke auszunutzen. Dazu hat vor allem die von Goebbels in Berlin entwickelte Taktik beigetragen, Kommunisten anzugreifen und überhaupt in gewaltsame Auseinandersetzungen zu verwickeln, was dann zum Einschreiten der Polizei führte, die sich naturgemäß gegen prügelnde Nationalsozialisten wie Kommunisten wandte. Die Kommunisten fühlten sich dann – teilweise zu Recht – von der Polizei schlecht oder schlechter als die Nationalsozialisten behandelt. Sie konnten und wollten darin einen weiteren Beweis ihrer These von der »Faschisierung« des Staatsapparates im allgemeinen,

der »sozialfaschistisch« geführten Berliner Polizei im besonderen sehen und verstärkten ihre »antifaschistischen« Abwehrbemühungen. Eine weitere Eskalation der Gewalt auf Berlins Straßen war die Folge.
Die Nationalsozialisten wiederum nahmen dies zum Anlaß, um lautstark nach dem »starken Mann« zu rufen, der endlich »Ordnung« schaffen sollte, die sie natürlich selber gestört hatten. Viele verschreckte und verängstigte Bürger, die die »rote Gefahr« fast genauso fürchteten wie »Unordnung« und Gewalt auf den Straßen, fielen auf diesen von Goebbels sehr geschickt organisierten Propagandatrick herein. Andere, und zwar in wachsender Zahl auch Arbeiter, fühlten sich dagegen von der Gewaltausübung der Berliner Nationalsozialisten direkt angezogen. Durch provozierende Vorstöße in das »feindliche« Territorium der Arbeiterbezirke, durch die Inbesitznahme und Umfunktionierung von traditionellen Arbeiterkneipen und Versammlungssälen in Stützpunkte und »Sturmlokale« der SA, durch dieses pueril wirkende, aber gleichwohl blutig-ernstgemeinte und tatsächlich in Prügeleien, Saal- und Straßenschlachten ausartende »Kriegsspielen« gelang es den Nationalsozialisten, die ohnehin gespaltene Berliner Arbeiterbewegung und Arbeiterkultur schon vor dem 30. Januar 1933 zu schwächen. Endgültig zerstört wurde die Hochburg der Arbeiterbewegung Berlin in erstaunlich kurzer Zeit und mit erschreckend großer Brutalität. Dieser Vernichtungsfeldzug wird in einer offiziösen Darstellung des nationalsozialistischen »Kampfes um Berlin« aus dem Jahre 1937 folgendermaßen beschrieben:
»Die Ausrottung des Marxismus in der Hauptstadt in jeglicher Gestalt und Form wurde nun die Aufgabe, die die SA in Zusammenarbeit mit den staatlichen Behörden zu lösen hatte. Der Kampf gegen die letzten roten Terrorversuche, die Durchsuchungsaktionen, die Aushebung der Terrornester, die Aufstöberung der illegalen Organisationen, die Beschlagnahmungen von Waffen und Propagandamaterial dauerten bis in den Sommer 1933 an und waren blutig und schwer.«
Sieht man einmal davon ab, daß dieser nationalsozialistische Autor Angreifer und Angegriffene vertauscht, wenn er seine Gegner und nicht seine Parteigenossen als Terroristen bezeichnet, so ist dies eine zutreffende Schilderung dessen, was sich nach dem 30. Januar 1933 in Berlin abspielte. Sicher – Terror haben die Nationalsozialisten auch in anderen Städten und Regionen Deutschlands ausgeübt, doch in Berlin waren Quantität und Brutalität dieses Terrors besonders ausgeprägt und schrecklich. Die vom neuen preußischen Innenminister Göring am 22. Februar 1933 zu »Hilfspolizisten« ernannten SA- und SS-Banden durchkämmten in den Arbeiterbezirken systematisch Straße für Straße, Haus für Haus auf der Suche nach »Propagandamaterial« und nach Mitgliedern der sich sehr bald bildenden kommunistischen und sozialdemokratischen »illegalen« bzw. für illegal erklärten »Organisationen«. Unterstützt wurden sie dabei von den sehr bald »gleichgeschalteten« oder sich selbst gleichschaltenden Behörden, insbesondere der Polizei
Einen ersten Höhepunkt erreichte diese Terrorwelle nach dem Brand des Reichstagsgebäudes in der Nacht vom 27. auf den 28. Februar 1933. Nach vorbereiteten Listen wurden Hunderte von Funktionären der KPD und zahlreiche Sozialdemokraten und Gewerkschafter verhaftet und in Gefängnisse, die sehr bald überfüllt waren, sowie in die »Sturmlokale« und Kasernen der SA und SS geschleppt, wo sie geprügelt, gefoltert und häufig ermordet wurden. In Berlin gab es mehr als 50 dieser Folterhöhlen und sog. wilden Konzentrationslager, die keiner staatlichen Kontrolle, sondern einzig und allein der SA und SS unterstanden.

Die bekanntesten und zugleich berüchtigsten dieser »wilden« Konzentrationslager waren das Columbiahaus am Columbiadamm im Bezirk Tempelhof, die Kasernen in der General-Pape-Straße (heute ebenfalls zum Bezirk Tempelhof gehörig), ein Gebäude in der Hedemannstraße 31 im Bezirk Kreuzberg, der Wasserturm an der heutigen Knaackstraße im Bezirk Prenzlauer Berg und das ehemalige sozialdemokratische Volkshaus in der (heutigen) Loschmidtstraße im Bezirk Charlottenburg. Entgegen den späteren Aussagen vieler Zeitgenossen, die von diesen »Konzertlagern«, wie sie vielfach genannt wurden, »nicht gewußt« haben wollen, haben die Nationalsozialisten damals ihre Existenz keineswegs verschwiegen. Im Gegenteil: dieses Wissen und die Furcht vor den Konzentrationslagern und Folterhöhlen der SA und SS sollten ja gerade Angst und lähmendes Entsetzen hervorrufen.

Einen nirgendwo in Deutschland übertroffenen Höhepunkt erreichte der Terror der Berliner SA im Juni 1933, als in Köpenick über 500 Kommunisten, Gewerkschafter und Sozialdemokraten (unter ihnen befand sich der Reichstagsabgeordnete Johannes Stelling) aus ihren Wohnungen gezerrt, in die zu Folterhöhlen umgewandelten »Sturmlokale« der SA geschleppt und sadistischen Folterungen unterworfen wurden. Diese in die Geschichte Berlins und Deutschlands als »Köpenicker Blutwoche« eingegangene Aktion forderte 91 Menschenleben. Die teilweise völlig verstümmelten Leichen der Opfer des SA-Terrors wurden in Säcke eingenäht und in die durch Köpenick fließende Dahme geworfen.

Die Nationalsozialisten haben die einstige Hochburg der Arbeiterbewegung und Arbeiterkultur aber nicht nur durch den Einsatz des brutalsten Terrors, sondern auch durch sehr raffinierte und leider sehr wirkungsvolle Propagandamethoden zerstört. Auch dies war vor allem das Werk des Gauleiters von Berlin und Reichspropagandaministers Joseph Goebbels. Einen ersten unverkennbaren Erfolg erzielte er am 1. Mai 1933, als sich schätzungsweise anderthalb Millionen Berliner auf dem Tempelhofer Feld versammelten, um den »Kampftag« der Arbeiterbewegung im Zeichen des Hakenkreuzes zu begehen. Historikern der DDR ist es zwar gelungen, die Existenz einiger »Demonstrationen« von »klassenbewußten« Arbeitern nachzuweisen, doch gerade diese Ereignisse zeugen von der völligen Hilflosigkeit der einstmals so mächtigen Berliner Arbeiterbewegung. So sollen einige Kommunisten vor der sowjetischen Botschaft Unter den Linden eine »Spaziergängerdemonstration« durchgeführt haben, wobei einige – wohl sehr verstohlen – die dort wehende rote Fahne »gegrüßt« haben. Einige Sozialdemokraten aus dem Wedding sollen dagegen am 1. Mai 1933 ostentativ in den Zoo gegangen sein, um sich, wie sie berichteten, dort die »braunen Affen« anzusehen.

So lustig gerade die letzte Geschichte klingt, so sehr ist leider nicht zu übersehen, daß der von Goebbels mit terroristischen und propagandistischen Methoden geführte Kampf um die Hochburg der deutschen Arbeiterbewegung, Berlin, erfolgreich war. Goebbels scheint darüber selbst erstaunt gewesen zu sein. Nach einem Besuch im Wedding im Jahre 1943, der gerade von schweren Bombenangriffen heimgesucht war, notierte er in sein Tagebuch: »Ich werde nur geduzt und mit dem Vornamen gerufen... Das ist einmal der röteste Wedding gewesen.« Und: »Ich kann es kaum glauben, daß diese Stadt im November 1918 eine Revolution gemacht hat.«
Goebbels ist sicherlich ein mehr als verdächtiger Zeuge. Sicher ist auch, daß es in Berlin in der gesamten Zeit des Dritten Reiches einen recht intensiven Arbeiter-

widerstand gegeben hat, dessen Geschichte, Erfolge – und Mißerfolge – hier
nicht beschrieben werden können. Dennoch hat es in Berlin (wie in Deutschland
überhaupt) niemals einen Volkswiderstand gegeben, der mit dem in Polen, Nor-
wegen, Frankreich und Italien nach 1943 verglichen werden könnte.

Die Zerstörung der geistig-wissenschaftlichen Metropole

Von vielleicht noch größerer und folgenreicherer Bedeutung als die Zerstörung
der einstigen Hochburg der deutschen Arbeiterbewegung war die Zerstörung
Berlins als der geistigen Metropole Deutschlands. Diese Entwicklung begann
unmittelbar nach dem 30. Januar 1933. Sie manifestiert sich in der »freiwilligen«
und erzwungenen Emigration von Dichtern, Künstlern, Musikern und Wissen-
schaftlern, die aus politischen oder »rassischen« Gründen von einem Tag auf
den anderen verachtet, verfolgt und als »entartet« verfemt wurden. Symbol und
erstes Fanal dieses nationalsozialistischen Zerstörungsfeldzuges gegen die geistig-wissenschaftliche Metropole Berlin war die Verbrennung der »undeut-
schen« Büchern auf dem Platz neben der Oper am 10. Mai 1933. Doch dies war
nur der Anfang. Heines schon damals im Ausland und in oppositionellen Kreisen
vielzitiertes Wort: »Dies war ein Vorspiel nur, dort, wo man Bücher verbrennt,
verbrennt man auch am Ende Menschen« – sollte sich ebenso grausam wie fol-
genreich bewahrheiten.
Quantitativ exakt lassen sich jedoch die Folgen für das Berliner Kulturleben
nicht messen. Weiß man doch nicht, was die Dichter, Künstler, Maler, Regis-
seure, Wissenschaftler u. a., die aus politischen und vor allen Dingen »rassischen« Gründen Berlin haben verlassen müssen, geschaffen hätten. Hinzu
kommt, daß jede Über- wie Unterschätzung gerade des jüdischen Einflusses auf
das Berliner Kulturleben sehr leicht einen sowohl anti- wie philosemitischen Akzent erhalten kann. Peter Gay hat in seinem scharfsinnig-brillanten Essay über
»Der berlinisch-jüdische Geist, Zweifel an einer Legende« darauf ebenso ein-
drücklich wie berechtigt hingewiesen, denn:
»Ebensowenig wie es eine jüdische Art gab, Kleider und Pelze zuzuschneiden,
gab es eine jüdische Art, Bildnisse zu malen, Beethoven zu spielen, Ibsen zu in-
szenieren oder bei den Olympischen Spielen zu fechten.«
Dennoch hat die Vertreibung (und Ermordung) sowohl der Juden, die sich primär als Juden, wie der, die sich primär als Deutsche fühlten, und von Christen
und Atheisten, die von den Nationalsozialisten als »nichtarisch« eingestuft worden waren, ganz entscheidend dazu beigetragen, daß Berlin Ruf und Stellung als
geistig-wissenschaftliche Metropole verloren hat. Doch dies haben damals (und
teilweise heute noch) viele Berliner nicht zugeben und sehen wollen. Schließlich
gab es in Berlin bis weit in die Kriegszeit hinein ein kulturelles Leben. Erst im
August 1944 hat Goebbels es in seiner Eigenschaft als »Reichsbevollmächtigter
für den totalen Kriegseinsatz« mit der folgenden Begründung weitgehend eingeschränkt: »Was den Stil des öffentlichen Lebens betrifft, so ist er nunmehr
grundsätzlich den Erfordernissen des totalen Krieges anzupassen. Alle öffentlichen Veranstaltungen nicht kriegsgemäßen Charakters, wie Empfänge, Amtsein-
führungen, Fest- und Theaterwochen, Musiktage, Ausstellungseröffnungen und
Gedenkfeierlichkeiten, die nicht der unmittelbaren Förderung unserer gemeinsamen Kriegsanstrengung dienen, haben zu unterbleiben.«

Erst jetzt wurden in Berlin alle Theater, Varietés, Kabaretts und Schauspielschulen geschlossen. Fast bis zu diesem Zeitpunkt gab es in Berlin noch ein kulturelles Leben, das nicht nur Höhepunkte aufwies – es sei hier nur an die »Fälle« Gründgens und Furtwängler erinnert –, sondern das auch noch erstaunlich vielfältig war. So sollen in Berlin noch nach dem Ausbruch des Krieges die neuesten amerikanischen Filme gezeigt, soll in einigen Bars und Lokalen die an sich verfemte Jazz-Musik gespielt worden sein. Dennoch war das Berlin nach dem 30. Januar 1933 natürlich in keiner Weise mit dem Berlin der zwanziger Jahre zu vergleichen. Es entsprach einem ebenso borniertem wie unrealistischen Wunschdenken, wenn es im »Grieben Reiseführer« von 1939 heißt: »Berlin 1939 ist die werdende Weltstadt der Zukunft.«

Berlin als Terrorzentrale

Berlin wurde statt dessen zu einer Zentrale des Terrors, die in ganz Deutschland, in Europa, ja in der ganzen Welt bekannt, gefürchtet und gehaßt war. Die schon immer für Berlin keineswegs ausschließlich positive Hauptstadtfunktion verschaffte der Stadt einen Ruf, unter dem sie noch heute zu leiden hat. Die Namen von Berliner Straßen und Stadtteilen waren und sind bis heute für viele Menschen innerhalb und vor allem außerhalb Deutschlands Synonyme des barbarischsten Terrors. So ruft zum Beispiel der Stadtteil, in dem ich wohne, Wannsee, in Israel, Osteuropa und Amerika die Assoziation an die Konferenz hervor, auf der am 20. Januar 1942, und zwar in einer Villa Am Großen Wannsee 56-58, die bürokratische Durchführung der »Endlösung der Judenfrage« besprochen und beschlossen wurde. Die Prinz-Albrecht-Straße und das Prinz-Albrecht-Palais in der Wilhelmstraße 102 waren und sind vielen Menschen als Zentralen des bürokratischen Terrors bekannt, der nicht nur Deutschland, sondern fast ganz Europa bedrohte und erfaßte. Tatsächlich haben die Nationalsozialisten aus offensichtlich keineswegs zufälligen Gründen hier, zwischen der Prinz-Albrecht-Straße und dem unteren Teil der Wilhelmstraße, die von ihnen neugeschaffenen Institutionen des Terrors konzentriert. In seinem schon 1942 in der Emigration geschriebenen Buch über den nationalsozialistischen »Doppelstaat« hat der Politikwissenschaftler Ernst Fraenkel diese Institutionen des Terrors zu dem sog. »Maßnahmestaat« gerechnet, der den traditionellen »Normenstaat«, den Staat der Ministerien und staatlichen Behörden, zugleich ergänzte und konterkarierte. Fraenkels bis heute maßgebende Deutung des Dritten Reiches wird an diesem Gebiet (bzw. durch einen Blick auf den Stadtplan) verdeutlicht und bestätigt zugleich. Der obere Teil der Wilhelmstraße (und ihrer Nebenstraßen) blieb mit der Reichskanzlei und den Ministerien weiterhin Sitz des »Normenstaates«. Im unteren Teil der Wilhelm- und vor allem in der angrenzenden Prinz-Albrecht-Straße wurden dagegen die überall gefürchteten Institutionen des Terrors untergebracht. Diese Entwicklung begann im April 1933, als die Abteilung IA des Berliner Polizeipräsidiums vom Alexanderplatz in das Gebäude der Kunstgewerbeschule in der Prinz-Albrecht-Straße 8 umzog. Aus dieser Abteilung IA entwickelte sich die Gestapo, die zunächst – bis Anfang 1934 – nur für Preußen, dann für ganz Deutschland und schließlich auch für die von deutschen Truppen besetzten europäischen Länder »zuständig« war. In dem angrenzenden ehemaligen Hotel »Prinz Albrecht« in der Prinz-Albrecht-Straße 9 residierte seit 1934 die »Reichsführung der SS«. Ebenfalls 1934 wurde vier Häuser weiter im Prinz-Albrecht-Palais in der Wilhelmstraße 102 der »Sicherheitsdienst« der NSDAP untergebracht. In der Wilhelmstraße 106 befand sich seit dem 31. März 1933 die SA-Obergruppenführung Berlin-Brandenburg. In der Zimmerstraße 88 (Verlängerung der Prinz-Albrecht-Straße) war die Redaktion des Hetzorgans der SS, »Das schwarze Korps«. Das ehemalige preußische Abgeordnetenhaus in der Prinz-Albrecht-Straße 5 schließlich war seit seiner Gründung im Juli 1934 bis zum Mai 1935 Sitz des berüchtigten »Volksgerichtshofes«.

In diesen Gebäuden wurden Akten und Karteikarten über Personen angelegt, die aus politischen oder »rassischen« Gründen als »Volksfeinde« angesehen wurden. Hier wurde direkt und indirekt ihre Verfolgung geplant und beschlossen. Hier wurden sie als »Volksfeinde« verurteilt und – im Gestapo-Gebäude in der Prinz-Albrecht-Straße 8 – auch gefoltert. Die Intensivierung der Verfolgungsmaßnahmen gegen diese »Volksfeinde« und »Volksschädlinge« führte dazu, daß die Bürokraten des Terrors immer zahlreicher wurden und immer mehr Raum benötigten. Zunächst wurden daher weitere Gebäude in der Prinz-Albrecht- und in der Wilhelmstraße erworben, enteignet und für diese Zwecke genutzt. Im Zuge und als Folge des sich wie ein Polyp ausdehnenden und ausgreifenden nationalsozialistischen »Maßnahmestaates« wurden dann in der gesamten Stadt Abteilungen und neue Institutionen des Terrors errichtet.

Die Abteilung IV B 4 des SD unter Leitung Adolf Eichmanns wurde in die Kurfürstenstraße 116 verlegt, der Volksgerichtshof in das ehemalige Wilhelmgymnasium in der Bellevuestraße 15. Der Sitz der Gestapo-Leitstelle Berlin befand sich in der Burgstraße und Dircksenstraße. Verschiedene »Hauptämter« des 1939 geschaffenen bzw. neu organisierten »Reichssicherheitshauptamtes« konnten ebenfalls nicht mehr in oder in der Nähe der Zentrale an der Prinz-Albrecht-/ Wilhelmstraße untergebracht werden. So residierte das u. a. für die Sklavenarbeit in den Konzentrationslagern zuständige »Hauptamt für Verwaltung und Wirtschaft« in der Straße Unter den Eichen 126-135. In der gleichen Straße wurde 1936 in der Dahlemer Abteilung des Reichsgesundheitsamtes eine »Rassenhygienische und Bevölkerungsbiologische Forschungsstelle« errichtet, die von einem Mann namens Dr. Dr. Robert Ritter geleitet wurde.

Ritter und seine Mitarbeiter haben hier die »Endlösung der Zigeunerfrage« vorbereitet, ja sogar mit durchgeführt, indem sie nahezu alle deutschen Sinti und Roma nach »rassekundlichen« Gesichtspunkten untersucht, kartiert und schließlich selektiert haben. Ein weiteres Zentrum der wahrhaft mörderischen »Rassenforschung« befand sich ebenfalls in Dahlem, in der Ihnestraße 24–26: das Kaiser-Wilhelm-Institut für Anthropologie, menschliche Erblehre und Eugenik. Josef Mengele war ein Mitarbeiter dieses Instituts. Er »forschte« in Auschwitz, sandte allerdings seine Ergebnisse in regelmäßigen Abständen an seine Kollegen und an seinen Chef Prof. Dr. Otmar v. Verschuer im Dahlemer Institut. Dabei handelte es sich um Leichenteile von Juden und Zigeunern, die von Mengele persönlich selektiert, getötet und seziert worden waren.

Man könnte (und müßte eigentlich) noch weitere Stätten des nationalsozialistischen Terrors nennen, die in Berlin im Zuge der Umwandlung des nationalsozialistischen »Doppelstaates« in den ebenso totalen wie terroristischen »Behemoth«, wie Franz Neumann das Dritte Reich charakterisiert hat, errichtet wurden. Dies wäre auch deshalb notwendig, weil nach 1945 die Behörden in beiden

Teilen Berlins in erstaunlicher Einmütigkeit und Konsequenz diese Stätten des Terrors verdrängt haben, und zwar nicht nur im Bewußtsein, sondern auch physisch, durch Abreißen, Planieren, Überdecken durch Schutt und Neubauten. Doch so läßt sich Vergangenheit nicht »bewältigen«. Diesen Spuren der Geschichte Berlins muß man nachgehen, nachdenklich nachgehen, damit gerade diese Geschichte zu einer »begriffenen Geschichte« wird. Dies ist gerade in Berlin besonders wichtig, denn Berlin leidet, ob man dies nun wahrhaben will oder nicht, unter der Last – nicht der Verantwortung –, Hauptstadt des verbrecherischsten Regimes zumindest der deutschen Geschichte gewesen zu sein.

Die politische und städtebauliche Zerstörung

Die Nationalsozialisten haben zudem die Metropole Berlin in politischer und städtebaulicher Hinsicht zerstört. Mit der politischen Zerstörung ist die völlige Beseitigung der kommunalen Selbstverwaltung Berlins gemeint. Sie war auch im Vergleich zu anderen Städten im Dritten Reich besonders rigoros und total. Nachdem die Nationalsozialisten die Stadtverordnetenwahl vom 12. März 1933 gewonnen hatten, wurde ihr Fraktionschef in der Stadtverordnetenversammlung am 14. März 1933 zum »Staatskommissar für die Hauptstadt Berlin« ernannt. Dabei handelt es sich um einen im Machtgefüge des Dritten Reiches zweit-, ja drittrangigen Mann namens Julius Lippert. Lippert gelang es zwar, seine Befugnisse auf Kosten des Oberbürgermeisters Sahm auszudehnen und nach dessen Rücktritt selbst am 1. Januar 1937 Oberbürgermeister und Stadtpräsident zu werden, doch wirkliche Macht hatte er damit nicht errungen. Die Stadtverordnetenversammlung, die zuletzt am 12. November 1933 getagt hatte, wurde zwar völlig beseitigt, und aus den Bezirksverwaltungen wurden bloße Abteilungen der Zentralverwaltung, dennoch konnte sich Lippert in keiner Weise gegen seine innerparteilichen Konkurrenten durchsetzen. Dies waren neben dem Berliner Polizeipräsidenten vor allem der Gauleiter Goebbels, der schließlich am 5. August 1944 aufgrund der »Verordnung über die Verfassung und Verwaltung der Reichshauptstadt« »Regierungspräsident von Berlin« wurde, was auch die Befugnisse des Polizeipräsidenten einschloß. Auch den Kompetenz- und Konkurrenzkampf mit Albert Speer, der 1937 von Hitler zum »Generalbauinspektor für die Reichshauptstadt Berlin« ernannt wurde, hat Lippert auf der ganzen Linie verloren.

Untrennbar mit dem Namen Speer (und natürlich mit dem »verhinderten Künstler« und Architekten Hitler) ist die städtebauliche Zerstörung Berlins verbunden. Sie begann nämlich keineswegs mit der vom »größten Feldherrn aller Zeiten« Hitler zu verantwortenden Bombardierung Berlins. Hitler hat aus seiner Mißachtung der städtebaulichen Gestalt der Hauptstadt Preußens und Deutschlands und aus seiner Absicht, diese Hauptstadt zu zerstören, kein Hehl gemacht. Hat Hitler doch seinem Adlatus Speer den Auftrag erteilt,
». . . in das Chaos der Berliner Bauentwicklung jene große Linie zu bringen, die dem Geist der nationalsozialistischen Bewegung und dem Wesen der deutschen Reichshauptstadt gerecht wird.«
Dem »Geist der nationalsozialistischen Bewegung« entsprachen dagegen die errichteten und vor allem die geplanten monumentalen, im wörtlichen Sinne des Wortes gewaltigen Bauten. Zu den fertiggestellten, teilweise noch heute zu »be-

wundernden« Gebäuden gehören u. a. das Reichsluftfahrtministerium an der
Wilhelmstraße/Prinz-Albrecht-Straße (heute: »Haus der Ministerien der
DDR«) und das Verwaltungsgebäude der »Deutschen Arbeitsfront« am Fehrbel-
liner Platz (heute: Rathaus Wilmersdorf).

Dem »Geist der nationalsozialisti-
schen Bewegung« sollten vor allem die weitgehend fertiggestellte »Wehrtechni-
sche Fakultät« (heute unter den Schuttmassen des neuen »Teufelsberges« im
Grunewald) und die monumentalen Bauten entsprechen, die im Schnittpunkt der
geplanten Ost-West- und Nord-Süd-Achsen errichtet werden sollten. Gemeint
sind die »Große Halle des Volkes« und der ebenfalls riesige, 170 Meter breite
und 117 Meter hohe »Triumphbogen«. Ein wesentlicher Teil der Bauarbeiten,
nämlich die Anfertigung von Ziegeln und die Behauung von Granitblöcken,
sollte – und dies geschah schon teilweise – von Sklavenarbeitern aus bzw. in dem
nahegelegenen Konzentrationslager Sachsenhausen erledigt werden.

Als offensichtlich nicht mit dem »Geist der nationalsozialistischen Bewegung«
übereinstimmend empfunden wurden dagegen verschiedene Häuser in der Altstadt, die, wie man schon damals sagte, »saniert« wurden, sowie die Linden in
der gleichnamigen Straße, die anläßlich der Olympischen Spiele gefällt und
durch neue ersetzt wurden. Doch auch diese neuen Linden sollten dann zusammen mit verschiedenen »störenden« Wohnhäusern am Pariser Platz und im
Spreebogen am Reichstagsgebäude wieder entfernt werden. Da ihm der Abriß
dieser Häuser nicht schnell genug ging, schlug Speer Sprengungen vor. Diese
»Arbeit« wurde, was man in Speers Stab geradezu zynisch »anerkannte«, durch
die alliierten Bomber weitgehend abgenommen. Ohne die Schrecken und Folgen
der Bombenangriffe in irgendeiner Weise verharmlosen zu wollen, ist der Mei-
nung von Hans J. Reichhardt zuzustimmen, wenn er sagt, »daß die geplanten
Bauten des Nationalsozialismus der Stadt und ihrer Identität schmerzlichere
Zerstörungen zugefügt hätten als der Bombenhagel des Krieges«.

Die ersten Bombenangriffe hat Berlin schon 1940 erlebt. Sie forderten bis Ende
dieses Jahres 200 Tote. Von Flächenbombardements und den durch sie ausge-
lösten »Feuerstürmen« blieb Berlin jedoch im Unterschied zu anderen deutschen
Städten zunächst weitgehend verschont. Die in Berlin besonders massierte Luft-
abwehr und, wie es in einem Bericht des englischen Bomberkommandos hieß,
der »weitläufige« Charakter der Stadt haben derartige – aus der Sicht der Alliierten – »Erfolge« zunächst verhindert. Im November 1943 jedoch begann dann die
»Battle of Berlin«, in die seit dem März 1944 auch die amerikanischen Bomber
eingriffen, die Berlin im Unterschied zu den Briten tagsüber bombardierten. Mit
wenigen Unterbrechungen zur Zeit der Vorbereitung der Invasion wurden die
verheerenden Flächenbombardements bis zum 21. April, kurz bevor Berlin von
sowjetischen Truppen eingeschlossen wurde, fortgesetzt. Der Bombenkrieg
forderte nach glaubwürdigen Schätzungen 50000 Menschenleben. 500000 von
1,6 Millionen Wohnungen wurden total zerstört, weitere 100000 schwer beschädigt.

Andere deutsche Großstädte wiesen einen ähnlichen, ja teilweise noch höheren
Zerstörungsgrad auf, um diesen fast schon unmenschlich klingenden Ausdruck
zu gebrauchen, Berlin und die Berliner wurden jedoch nicht nur vom Bombenkrieg, sondern darüber hinaus vom »Kampf um Berlin« heimgesucht, den die
Nationalsozialisten zum »Endkampf« erklärt und zu verantworten haben. Deutlich wird dies an den beiden folgenden Zitaten, die vielleicht aussagekräftiger
sind als detaillierte Beschreibungen der Not und des Elends der Bevölkerung.

Am 9. März 1945 – die sowjetischen Truppen hatten bereits die letzten wirklichen Verteidigungslinien an der Oder durchbrochen – erklärte der für den »Verteidigungsbereich Berlin« zuständige Generalleutnant Reymann:
»Mit den zur unmittelbaren Verteidigung der Reichshauptstadt zur Verfügung stehenden Kräften wird der Kampf um Berlin nicht in offener Feldschlacht ausgetragen, sondern im wesentlichen als Straßen- und Häuserkampf. Er muß mit Fanatismus, Phantasie, mit allen Mitteln der Täuschung, der List und Hinterlist, mit vorbereiteten und aus der Not des Augenblicks geborenen Aushilfen aller Art auf, über und unter der Erde geführt werden. Hierbei kommt es darauf an, die Vorteile des eigenen Landes und die voraussichtliche Scheu der meisten Russen vor dem ihnen fremden Häusermeer restlos auszunutzen.«
Es ist schwer zu entscheiden, was schlimmer ist: der Versuch, die militärische Hilflosigkeit durch völlig irreale markige Parolen zu überdecken, oder die schon wahnwitzig wirkende ideologische Verbohrtheit, die sich in der Vermutung manifestiert, die »kulturlosen« Russen würden sich im Berliner »Häusermeer« nicht zurechtfinden. Dem Altmeister der nationalsozialistischen Propaganda, Joseph Goebbels, blieb es jedoch vorbehalten, diese ebenso hohlen wie wahnwitzigen Propagandafloskeln noch in den Schatten zu stellen. Goebbels hat tatsächlich den »Kampf um Berlin« des Jahres 1945 mit dem seiner SA-Banden aus den 20er und 30er Jahren verglichen und gemeint, auch diesmal werde man unter seiner Führung mit den »Bolschewisten« schon fertig werden. In seiner Eigenschaft als »Verteidigungskommissar für Berlin« wandte sich Goebbels noch am 23. April 1945 mit folgenden Worten an die Berliner:
»Euer Gauleiter ist bei euch. Er erklärt, daß er mit seinen Mitarbeitern selbstverständlich in eurer Mitte bleiben wird, auch seine Frau und seine Kinder sind hier. Er, der mit 200 Mann einst diese Stadt erobert hat, wird nun die Verteidigung der Reichshauptstadt mit allen Mitteln aktivieren. Der Kampf um Berlin muß für Deutschland das Fanal zum entschlossenen Einsatz der Nation werden.«
Acht Tage später, am 1. Mai 1945, waren Goebbels, seine Frau und seine Kinder tot, gestorben durch Gift. Einen Tag später, am 2. Mai, kapitulierte Berlin. Leiden und Sterben der Bevölkerung waren aber noch nicht zu Ende.

»Befreiung« und Vierteilung

Am 11. Mai 1945 fand in der kleinen Synagoge am Eingang des jüdischen Friedhofes in Berlin-Weißensee der erste jüdische Gottesdienst statt. Rabbiner Martin Riesenburger leitete ihn. Er schrieb dazu in seinen erschütternden Erinnerungen »Das Licht verlöschte nicht«:
»Ich hielt die erste Predigt an dem Vorabend dieses Sabbats, aber ich konnte nicht viel sprechen, da nur ein Weinen und Schluchzen den Raum erfüllte. Jetzt aber trat im Bewußtsein von uns allen die Klarheit zutage, wie groß die Zahl der fehlenden Menschen war. Es begann ein Fragen und Suchen, ein Vermuten und Raten, wir werden aber wohl nie mehr auf diese Fragen eine Antwort erhalten.«
Von der zu Beginn des Dritten Reiches etwa 160 000 Mitglieder zählenden jüdischen Gemeinde Berlin sind etwa 55 000 ermordet worden. Schätzungsweise 1400 haben die NS-Zeit im Untergrund überlebt. Einige wenige andere haben in Berlin leben dürfen, weil ihre Arbeitskraft noch gebraucht wurde oder weil sie in einer, wie es in der grausamen Sprache der Nationalsozialisten hieß, »privilegier-

ten Mischehe« mit einem »arischen« Ehepartner lebten. Diese Berliner fühlten
sich wirklich befreit. Dies galt sicherlich auch für viele andere, die verfolgt worden waren oder die das nationalsozialistische Regime bekämpft hatten. Doch
galt dies auch für die Mehrheit der Berliner und vor allen Dingen der Berlinerinnen? In historischer Sicht zweifellos. Der 2. Mai, der Tag der Kapitulation in
Berlin, und der 8. Mai, der Tag der bedingungslosen Kapitulation der gesamten
deutschen Wehrmacht, waren Tage der »Befreiung«. Doch was aus historischer
Sicht richtig und berechtigt ist, das muß von den Menschen, die Geschichte erlebt und vor allen Dingen erlitten haben, keineswegs so empfunden werden.
So war es auch in Berlin vor und nach dem 2. Mai 1945. Die sowjetischen Soldaten sind von den meisten Berlinern und vor allem Berlinerinnen kaum als »Befreier« begrüßt worden und konnten es nicht werden. Sicher gab es dokumentierte und photographierte Beispiele geradezu rührender Fürsorge von sowjetischen Soldaten für die Zivilbevölkerung. Doch dies waren, insgesamt gesehen,
Einzelfälle. Zügellose Plünderungen und massenhafte Vergewaltigungen prägten das wirkliche Geschehen im »befreiten« Berlin. Es gibt keinen größeren Gegensatz zum Begriff Befreiung als Vergewaltigung im wörtlichen, brutalen
Sinne. Sofern man diese für die betroffenen Frauen und Mädchen geradezu
traumatischen Ereignisse nicht wie im Osten einfach abstreitet, sind sie entweder
verdrängt oder mit dem Hinweis auf den Niedergang der Disziplin in der sowjetischen Armee erklärt worden. Dies ist keine hinreichende Erklärung und schon
gar keine Rechtfertigung. Selbst aus dem »Sondertagesbefehl« Stalins vom 2.
Mai anläßlich der Kapitulation Berlins wird deutlich, mit welchem Haß und mit
welcher Verbitterung die sowjetischen »Befreier« nach Berlin kamen. Stalin erklärte, daß die sowjetischen Truppen ».. . nach hartnäckigen Straßenkämpfen
die Zerschmetterung der deutschen Heeresgruppe in Berlin vollendet und Berlin,
die Hauptstadt Deutschlands, das Zentrum des deutschen Imperialismus und
den Herd der deutschen Aggression, vollständig besetzt« hätten. So reden keine
»Befreier«, so reden Sieger, und so verhielten sich auch die Sieger im »Zentrum
des deutschen Imperialismus«. Die Bewohner dieses »Herdes der deutschen Aggression«, der »Hauptstadt Deutschlands«, bekamen den Haß derjenigen besonders zu spüren, die unendlich unter der in Berlin beschlossenen und von Berlin
ausgegangenen »Aggression« Hitler-Deutschlands gelitten hatten.
Stalins »Sondertagesbefehl« ist aber auch aus einem anderen Grunde bemerkenswert. Zeigt er doch, daß die Sieger wie selbstverständlich davon ausgingen,
daß Berlin nicht nur »Hauptstadt Deutschlands« war, sondern auch »Hauptstadt« dessen bleiben sollte, was von diesem Deutschland nach dem von den Nationalsozialisten begonnenen »totalen Krieg« übriggeblieben war. Berlin wurde,
wie es in den Abkommen der Alliierten vom 12. September und 14. November
1944 und 5. Juni 1945 hieß, Sitz des Kontrollrates aller drei bzw., nach der »Aufnahme« Frankreichs, vier Alliierten. Dessen Aufgabe sollte es sein, von Berlin
aus »die deutschen Zentralverwaltungen zu kontrollieren«. Eine ebenfalls von
allen vier Alliierten geschaffene »Kommandantura« sollte dagegen gemeinsam
die »Verwaltung von Groß-Berlin« »lenken«. Doch gleichzeitig war beschlossen
worden, nicht nur Deutschland in Besatzungszonen, sondern auch Berlin in vier
Sektoren einzuteilen.
Für Berlin und Deutschland konnte gerade die zweite Vereinbarung schwerwie-
gende Folgen haben. Sie konnte bedeuten, daß Deutschland trotz aller Bekun-
dungen der Alliierten über die fortdauernde staatliche Einheit in Besatzungszo-

nen zerfiel. Geschah dies, so war Berlin als Hauptstadt Deutschlands gewissermaßen überflüssig. Die Einteilung Berlins in vier Sektoren dagegen konnte für
die Stadt die »Vierteilung« bedeuten. Ob dies eintrat, hing davon ab, ob die alliierten Institutionen – Kontrollrat und Kommandantura – ihre Aufgabe, die
»deutschen Zentralverwaltungen« und die »Verwaltung von Groß-Berlin« gemeinsam zu »lenken«, erfüllen konnten und wollten. Das Schicksal Berlins als einer deutschen Metropole lag also in den Händen der Alliierten.

Neuer Mythos und endgültige Spaltung

Nach den Schrecken der Vergangenheit – von der »Battle of Berlin« über den
»Endkampf« bis zur »Befreiung« – schien die politische Zukunft der Berliner
alles andere als rosig zu sein. Noch schlimmer war die Gegenwart! Die Berliner
hungerten und froren. Erhielt man doch auf der besten, nur wenigen vorbehalte-
nen Lebensmittelkarte I pro Tag 600 g Brot und 100 g Fleisch. Auf der Karte V
waren es 300 g Brot und 7 g Fleisch. Der Schwarzmarkt konnte hier nur wenig
und nur für wenige, die über Geld und vor allen Dingen »Sachwerte« verfügten,
Abhilfe schaffen. Noch schlimmer war die Versorgung mit Brennstoffen. Strom
gab es nur an wenigen Stunden des Tages. Folgerichtig wurde nicht mehr von
Sperrstunden, sondern von »Lichtstunden« gesprochen. Zu Beginn des Winters
1948/49, des Blockadewinters, konnten jedem Berliner Haushalt nur 12½ kg
Kohle und 3 Kästen Holz zugeteilt werden. Dies reichte noch nicht einmal für
den Bedarf der Kochherde. Doch zum allerdings relativen Glück der Berliner
war der Blockadewinter nicht so streng wie der des Jahres 1946/47, in dem 1450
Einwohner Berlins erfroren und verhungerten.
Angesichts derartiger Verhältnisse hätte man meinen können, daß die Berliner in
völlige Passivität und Apathie verfallen wären oder daß es, womit die Alliierten
schon im Winter 1945/46 gerechnet hatten, zu Hungerrevolten und Unruhen gekommen wäre. Doch keins von beiden geschah. Die 2,3 Millionen Berliner, von
denen ⅔ Frauen waren, die 1945 in der Trümmerwüste Berlin lebten bzw. vege-
tierten, waren geradezu von einem vehementen Aktivismus erfüllt. So wurde auf
Befehl und auch mit Unterstützung der Sieger, zunächst waren es nur die Sowjets, das öffentliche Leben in einer kaum glaublichen Geschwindigkeit wieder
in Gang gebracht. Schon am 13. Mai 1945 fuhren die ersten Busse wieder, einen
Tag später die erste U-Bahn. Am 22. Mai gab es wieder Post im innerstädtischen
Verkehr. Die von vielen erwarteten Seuchen brachen in der verwüsteten Stadt,
wo überall Leichen und Kadaver lagen, nicht aus. Geradezu grotesk mutet es an,
daß schon am 13. Mai das erste Konzert gegeben wurde. Am 27. Mai konnten
die Berliner die erste Theatervorstellung besuchen. Das Renaissance-Theater
spielte den »Raub der Sabinerinnen«. Am 4. September 1945 wurde die Oper »Fi-
delio« aufgeführt. Am 12. November begann an der Universität für über 4000
Studenten das Wintersemester usw.
Zu diesem Zeitpunkt gab es nicht nur Radio und Zeitungen in Berlin, sondern
auch Parteien. Aufgrund des berühmten Befehls Nr. 2 der Sowjetischen Militär-
administratur (SMAD) vom 10. Juni 1945 waren nämlich in der sowjetischen
Zone und in Berlin wieder »antifaschistische« Parteien und Gewerkschaften zugelassen. Wenn die Sowjets bei diesem einseitigen Befehl – in den Westzonen erfolgte die Neugründung von Parteien später – erwartet haben sollten, daß die

KPD mit ihrer indirekten und sehr direkten Unterstützung zumindest in Berlin
zur stärksten politischen Kraft werden sollte, so wurden sie enttäuscht. Der
SPD, die vor der nationalsozialistischen »Machtergreifung« von der KPD überflügelt worden war, gelang es sehr bald, weit mehr Mitglieder zu gewinnen als
die KPD. Dabei hatte sich gerade die SPD im Unterschied zur KPD für radikale
sozialistische Reformen eingesetzt. Im Aufruf des Zentralausschusses der SPD
vom 15. Juni 1945 war sogar die »Verstaatlichung der Banken, Versicherungsun-
ternehmungen und der Bodenschätze«, die »Verstaatlichung der Bergwerke und
der Energiewirtschaft« verlangt worden. Gleichzeitig forderte die SPD die KPD
mit folgenden Worten zur Zusammenarbeit auf: »Demokratie in Staat und Gemeinde, Sozialismus in Wirtschaft und Gesellschaft! Wir sind bereit und entschlossen, hierbei mit allen gleichgesinnten Menschen und Parteien zusammen-
zuarbeiten. Wir begrüßen daher auf das wärmste den Aufruf des Zentralkomitees der Kommunistischen Partei Deutschlands vom 11. Juni 1945 . . .«
In diesem Aufruf des Zentralkomitees der KPD war von einer Einheitspartei der
Arbeiterklasse jedoch nicht die Rede gewesen. Erst Ende 1945 und zu Beginn des
Jahres 1946 begannen die Kommunisten mit ihrer immer intensiver und drängen-
der werdenden Einheitskampagne. Doch am 31. März 1946, drei Wochen vor
dem Vereinigungsparteitag zur SED, erzwangen die Berliner Sozialdemokraten
eine Urabstimmung unter ihren Mitgliedern. Sie konnte aber nur in den Westsektoren durchgeführt werden. 82 Prozent der Sozialdemokraten sprachen sich
gegen die sofortige Vereinigung aus, 62 Prozent bejahten die gleichzeitig ge-
stellte Frage nach einer grundsätzlichen Zusammenarbeit mit der KPD.
Der wenigstens in den Westsektoren Berlins erfolgreiche Widerstand der Sozialdemokraten gegen die, wie man durchaus mit Recht sagt, »Zwangsvereinigung«
mit der KPD zur SED ist ein Ereignis, dessen Bedeutung viel größer ist, als es
vielen Zeitgenossen vielleicht bewußt war. Es bedeutete zunächst einmal, daß die
politische Initiative endgültig auf die SPD und die anderen demokratischen Parteien – CDU und LDPD – überging. Die von den Sowjets so favorisierte und un-
terstützte SED verlor den Kampf an den Wahlurnen klar und eindeutig. Bei den
Stadtverordneten-Wahlen vom 20. Oktober 1946 erreichte die SED nur 19,8%
der abgegebenen Stimmen, während die SPD mit 48,7% stärkste und die CDU
mit 22,2% zweitstärkste Partei wurden. Von jetzt ab konnten die unterlegenen
Kommunisten nur noch mit massiver Unterstützung der Sowjets und durch den
Einsatz ungesetzlicher Methoden und Mittel in Berlin Politik machen. Die
Amtsübernahme des Sozialdemokraten Ernst Reuter als gewählter Oberbürger-
meister konnte im Juni 1947 nur durch das sowjetische Veto in der Alliierten
Kommandantura verhindert werden. Ein Jahr später, im Juni 1948, wurden die
Sitzungen der von den demokratischen Parteien beherrschten Stadtverordneten-
versammlung im Rathaus durch Angehörige der SED so massiv gestört, daß der
Stadtverordnetenvorsteher Otto Suhr (SPD) nach neuen Störungen weitere
Sitzungen ab September 1948 im britischen Sektor durchführte.
Diese ereignisreiche Berliner Kommunalpolitik begann mit dem Widerstand gegen die »Zwangsvereinigung«. Darin liegt die zweite Bedeutung der Abstimmung vom 31. März 1946. Sie leitete eine Phase so reger politischer Tätigkeit der
Berliner ein, wie sie die Stadt allenfalls 1918 oder 1848 erlebt hatte. Tatsächlich
ist im Jubiläumsjahr 1948 gerade an die Märzrevolution von 1848 erinnert worden. Die Berliner bekannten sich zu ihrer häufig überdeckten und vergessenen
demokratischen Tradition. Berlin war in diesen Jahren ein Zentrum der Weltpo-

litik, die allerdings kaum von den Berlinern – und den Deutschen überhaupt –
bestimmt und gemacht wurde.
Darin liegt die, wenn man will, Tragik der Berliner Ereignisse. Bei aller Anerkennung für das demokratische Engagement der Berliner, das die Alliierten kaum
für möglich gehalten und wohl auch zunächst kaum gewollt hatten, darf nicht
vergessen werden, daß dieses so intensive und opferreiche demokratische Engagement letztlich zur Spaltung der Stadt und zum Verlust der Hauptstadtfunktion beitrug. Dies ist von den Berliner Politikern – und Berlin hatte gerade in dieser Zeit zum ersten Mal mit Ernst Reuter, Otto Suhr, Walther Schreiber, Louise
Schroeder u. a. wirklich hervorragende, die Berliner geradezu mitreißende Politiker – weder gewollt noch angestrebt worden. Für Ernst Reuter war Berlin die
»wirkliche Hauptstadt« Deutschlands und sollte es sein. Otto Suhr erklärte mit
einem ebenso erstaunlichen wie bewundernswerten Selbstbewußtsein, daß er
kein »Büttel irgendeiner Macht« sein wollte. Dennoch verlor Berlin seine Hauptstadtfunktion und dennoch wurden die Berliner Politiker zwar nicht zu »Büt-
teln«, wohl aber zu Teilnehmern und Leidtragenden des Kampfes der Welt-
mächte Sowjetunion und USA. Die ehemalige deutsche Metropole Berlin wurde
zum Schauplatz des Kalten Krieges, der zur Spaltung Berlins führte, aber nicht
zum »heißen« Krieg eskalierte.
Die Geschichte der endgültigen Spaltung Berlins kann schnell erzählt werden:
Am 20. März 1948 verließ Marschall Sokolowskij den Alliierten Kontrollrat, der
damit handlungsunfähig wurde. Im April 1948 kam es zu Behinderungen des
Berlin-Verkehrs. Am 19. Juni 1948 erklärte Sokolowskij, daß die einen Tag zuvor in den Westzonen angekündigte Westmark in der sowjetischen Zone und in
ganz Berlin ungültig sei. Die Westalliierten untersagten dagegen den alleinigen
Gebrauch der am 23. Juni 1948 in der SBZ eingeführten neuen Währung. Statt
dessen wurde die Westmark (DM) am 25. Juni 1948 gültiges Zahlungsmittel in
den Westsektoren der Stadt. In der Nacht zuvor, am 23./24. Juni, begann die
Blockade. Am 26. Juli 1948 wurde der Berliner Polizeipräsident Markgraf (SED)
vom Magistrat für abgesetzt erklärt. Markgraf weigerte sich, sein Amt an seinen
Nachfolger und bisherigen Stellvertreter Stumm zu übergeben. Es kam zur Spaltung und zum Neuaufbau der Polizei in beiden Teilen Berlins. Nach der schon
erwähnten Verlagerung der Stadtverordnetenversammlung in den Westteil bildete die verbliebene SED-Fraktion im Osten einen »provisorischen demokratischen Magistrat«. Der bisherige – demokratische – Magistrat verlagerte am 1.
Dezember 1948 alle Dienststellen in den Westteil. Einen Tag später, am 2. Dezember 1948, wurde der Oberbürgermeister des Ostsektors, Ebert, vom sowjetischen Stadtkommandanten als »einziges rechtmäßiges Stadtverwaltungsorgan«
anerkannt. Berlin hatte damit zwei Oberbürgermeister, zwei Stadtverordneten-
versammlungen, zwei Magistrate und seit Ende November auch zwei Feuerweh-
ren. Kurz – es gab zwei Berlins. Allerdings sprachen beide Seiten noch nicht von
den Bindestrich-Berlins.
Bei dieser Erzählung der Spaltung Berlins vergißt man aber das vielleicht Wichtigste: den Enthusiasmus und die Opferbereitschaft der Bewohner der Westsektoren während der Blockade. Sie manifestierten sich nicht nur in Massenkundgebungen – am 9. September 1948 versammelten sich 300000 Berliner auf dem
Platz der Republik, um Ernst Reuters mitreißende Rede zu hören –, sondern
auch darin, daß, wie selbst DDR-Autoren zugeben, Ende 1948 nur 100000 (andere Angaben liegen noch darunter) ihre Lebensmittelkarten im sowjetischen

Sektor anmeldeten. Über 80% der Bewohner der Westsektoren waren eher bereit, zu hungern und zu frieren als sich zu unterwerfen. Berlin, die ehemalige Hauptstadt des »Großdeutschen Reiches«, war zum Mythos geworden. Auf Berlin schauten tatsächlich die »Völker der Welt« mit Bewunderung. 17 Millionen Amerikaner sammelten Geld für die »Freiheitsglocke«. Sie trägt (in englischer Sprache) die Inschrift:
»Möge diese Welt mit Gottes Hilfe eine Wiedergeburt der Freiheit erleben.«
Dies wurde weder in Amerika noch im geteilten Berlin als pathetisch oder gar als anstößig empfunden. Die Berliner, insbesondere die Berliner »Trümmerfrauen«, wurden bewundert, Berlin war zum Mythos der »freien Welt« geworden, war aber zerstört und geteilt und keine deutsche Metropole mehr.

Berlin bleibt doch Berlin?
Ausblick

Am 18. Juli 1948 schrieb Gottfried Benn über Berlin:
»... Aber es ist die Stadt, deren Glanz ich liebte, deren Elend ich jetzt heimlich ertrage, in der ich das zweite, das dritte und nun das vierte Reich erlebe und aus der mich nichts zur Emigration bewegen wird. Ja, jetzt könnte man ihr sogar eine Zukunft voraussagen: In die Nüchternheit treten Spannungen, in ihre Klarheit Gangunterschiede und Interferenzen, etwas Doppeldeutiges setzt ein, eine Ambivalenz, aus der Zentauren oder Amphibien geboren werden.«
Benns sehr nachdenkliches und nachdenklich machendes Wort hat sich nur unvollkommen bewahrheitet. Berlin überwand zwar das »Elend« der Nachkriegszeit, erlebte aber nicht die »Zukunft«, an die Benn vermutlich gedacht hat. Berlin erlebte zunächst einmal Krisen.
Die erste Phase dieser Berlin-Krisen stand im Zeichen des ziemlich unverhohlen zum Ausdruck gebrachten Bestrebens der Sowjets und der DDR, auch den Westteil der Stadt zu vereinnahmen. Berlin, ganz Berlin sollte, wie sich ein Abgeordneter der Volkskammer am 7. Oktober 1949 ausdrückte, zur »einheitlichen Hauptstadt eines einheitlichen Deutschlands« werden. Diese Zuversicht gründete sich einmal auf die geographische Lage des westlichen Teils Berlins, zum anderen auf die Erwartung, die Westalliierten könnten und würden den Erfolg der Blockade nicht wiederholen.
Die DDR hat jedoch sehr bald ihren gesamtdeutschen Anstrich und Anspruch aufgeben müssen. Entscheidend dafür war ihre innere Schwäche, die sich vor allem am 17. Juni 1953 manifestierte. Dieses Ereignis wird man zwar kaum als einen »Volksaufstand für die nationale Einheit Deutschlands« interpretieren dürfen, es war aber auch weit mehr als nur ein sich eskalierender Streik. Von einer, wie die DDR bis heute behauptet, von westlichen Geheimdiensten angezettelten »konterrevolutionären« Aktion kann in keiner Weise gesprochen werden. Schauplatz und Zentrum der Unruhen war Berlin, und zwar ganz Berlin. Beeindruckendes Zeichen und Symbol war der Marsch der 12 000 Arbeiter aus Hennigsdorf, die mit dem Ruf: »Berliner, reiht euch ein, wir wollen keine Sklaven sein!« 27 Kilometer durch den französischen Sektor ins Zentrum marschierten. Erinnerungen an 1918 und 1848 wurden wach, doch auch diesmal brachten die Demonstrationen der Berliner nicht den erwünschten Erfolg.

Nach dem 17. Juni 1953 veränderte sich die Taktik der Sowjets. Jetzt stand das Streben im Vordergrund, den westlichen Teil Berlins zu isolieren, ja aus diesem »West-Berlin« eine selbständige politische Einheit, eine, wie Chruschtschow am 27. November 1958 ultimativ forderte, entmilitarisierte freie Stadt zu machen. Die Westalliierten verhinderten entschlossen und geschlossen den Erfolg dieses Ultimatums. Präsident Kennedy verkündete statt dessen am 25. Juli 1961 die drei »essentials« der westlichen Politik, nämlich 1. den Anspruch auf die Anwesenheit der Alliierten in Berlin, 2. das Recht auf freien Zugang zu den Westsektoren und 3. die ungehinderte politische Selbstbestimmung der Bevölkerung von West-Berlin. Ost-Berlin wurde vom amerikanischen Präsidenten dagegen nicht erwähnt. Daher sah der Westen dem Bau der Mauer mehr oder minder tatenlos zu. Nachdem schon seit 1952 die Fernsprechverbindungen zwischen beiden Teilen der Stadt gekappt und 199 von 272 Verbindungsstraßen gesperrt worden waren, war Berlin (West) nun völlig eingeschlossen. Besuchsmöglichkeiten bestanden bis Weihnachten 1963, als das erste befristete »Passierscheinabkommen« ausgehandelt wurde, überhaupt nicht.

Nach dem Mauerbau entzündeten sich die weiteren Berlin-Krisen an den Versuchen der DDR und der Sowjetunion, den freien Zugang nach Berlin (West) zu erschweren und zu behindern und die sog. Bundespräsenz in Berlin (West) weitgehend einzuschränken. Obwohl es schon vor und nach dem 13. August 1961 zu verschiedenen Schikanen und Behinderungen im Berlin-Verkehr gekommen war, wurden alle Versuche, den freien Zugang nach Berlin (West) gänzlich oder weitgehend zu verhindern, von den Westmächten energisch abgewehrt. Etwas anders und zugleich problematischer war die Frage der sog. Bundespräsenz in Berlin (West) und der Bindungen der Stadt an die Bundesrepublik.

Die Westsektoren Berlins waren bereits 1949 in den Marshallplan einbezogen worden. Die Westalliierten verhinderten dagegen im gleichen Jahr, daß Berlin (West) als 12. Bundesland voll in die Bundesrepublik integriert wurde. Andererseits gestatteten sie ausdrücklich, daß die Stadt vom Bundestag 1950 zum »Notstandsgebiet« erklärt und vom Bund alimentiert wurde. Dies führte geradezu automatisch zur Einbeziehung von Berlin (West) in das Wirtschafts-, Zoll- und Rechtssystem der Bundesrepublik. Völkerrechtlich wurde dies durch die Einbeziehung von Berlin (West) in den Geltungsbereich der Verträge zur Errichtung von EWG und EURATOM im Jahre 1957 bekräftigt und sanktioniert. Eine ähnliche Klausel war jedoch nicht beim Abschluß der Pariser Verträge von 1954 ausgehandelt worden. Folglich galt (und gilt) die Wehrgesetzgebung der Bundesrepublik nicht in Berlin (West). (West-)Alliierte Vorbehaltsrechte blieben bestehen, was sich außer in diesem Beharren auf der Entmilitarisierung Berlins u. a. darin zeigte, daß das KPD-Verbot in Berlin (West) nicht rechtskräftig wurde. Von den Westalliierten und übrigens zunächst auch von der Sowjetunion und der DDR nicht beanstandet wurden die Verlegung von Bundesbehörden nach Berlin (West) und die Durchführung von Plenarsitzungen des Bundestages und der Bundesversammlung.

Während der vorerst letzten Berlin-Krise im Frühjahr 1968 standen die Bundespräsenz und die Bindungen Berlins an den Bund im Mittelpunkt der sowjetischen Kritik. Doch auch diese Berlin-Krise verlief gewissermaßen »im Sande«. Die Sowjets waren mit dem »Prager Frühling« beschäftigt. Die Berliner dagegen interessierten sich mehr für die gleichzeitige sog. »Studentenrevolte«. Im Februar 1968 protestierten Tausende von Berlinern nicht gegen die sowjetischen

Pressionsversuche, sondern gegen die Studenten, die ihrerseits gegen den akademischen »Muff« und den Vietnamkrieg der Amerikaner protestierten. Das Viermächte-Abkommen vom 3. September 1971 hat schließlich die Zeit der Berlin-Krisen beendet.

Dieses Abkommen ist inzwischen in die Diplomatiegeschichte als beispiellos schlecht, in die politische und Alltagsgeschichte der Berliner dagegen als beispiellos gut eingegangen. Warum? Im Berlin-Abkommen sind mit der Formulierung »unbeschadet ihrer (der Vertragschließenden) Rechtspositionen« die wichtigsten Streitfragen ausgeklammert worden. Der dennoch gefundene Kompromiß ist mehr als brüchig, weil schon der Vertragstext unterschiedlich formuliert ist. Gemeint ist vor allem der Begriff »Bindungen« Berlins an die Bundesrepublik in den »westlichen« Texten, während im russischen Text das entsprechende Wort für »Verbindungen« steht. Die Rechtsstellung von Berlin (West), das gleichzeitig ausdrücklich als »kein konstitutiver Teil der Bundesrepublik« bezeichnet wird, ist also keineswegs hinreichend, weil widersprüchlich beschrieben worden. Dennoch hat sich dieser so widersprüchlich, ja, fast möchte man sagen, »schludrig« formulierte Vertrag in der politischen Praxis und im Alltag der Bewohner von Berlin (West) bewährt. Es gibt zwar immer noch Streitpunkte und einzelne Konflikte, aber der Zugang nach Berlin (West) verläuft gut und ungestört, wenn man von den zeit- und nervenraubenden Wartereien und Prozeduren absieht.

Die Zeit der Berlin-Krisen ist vorbei. Doch was ist aus Berlin geworden und – vor allen Dingen – was soll aus Berlin werden. Es gibt zwei Berlins, von denen keins von beiden als »Metropole« zu bezeichnen ist. Daran haben die beiderseitigen Heroisierungs- und Ideologisierungsversuche nichts geändert. Gemeint sind einmal die westlichen Bestrebungen, Berlin (West) zur »Frontstadt« und zum »Schaufenster der freien Welt« hochzustilisieren. So verständlich dies in der Zeit des Kalten Krieges und der Berlin-Krisen auch angemutet hat, so sehr ist darauf hinzuweisen, daß dies eben nur in der Zeit des Kalten Krieges noch einsehbar war, zugleich jedoch mit dem allerdings nie offen ausgesprochenen Verzicht verbunden war und sein mußte, (gesamt-)deutsche Metropole zu sein oder wieder zu werden. Teilweise geradezu lächerlich sind die östlichen Versuche, Berlin (Ost) als »Hauptstadt« zu feiern und gleichzeitig das »selbständige Gebilde« Berlin (West) im wörtlichen Sinne als weißen Fleck zu behandeln. (In Stadtplänen von Berlin [Ost] erscheint der Westteil der Stadt tatsächlich als ein weißer Fleck.)

Sicher – beide Teile Berlins sind noch Industriezentren (der westliche allerdings immer weniger); in beiden Teilen gibt es ein kulturelles Leben, das den Vergleich mit dem anderen Großstädten in Deutschland-Ost und Deutschland-West nicht zu scheuen braucht. Doch die beiden Berlins ergeben zusammen keine und schon gar keine deutsche Metropole. Dies war und ist vielleicht unvermeidbar. Vermeidbar wäre jedoch die Form des Wiederaufbaus in beiden Teilen Berlins gewesen, wobei man in geradezu fanatischer Entschlossenheit die Spuren dessen verwischt und zerstört hat, was Berlins Bedeutung und Funktion als einer deutschen Metropole einst ausgemacht hat. Gemeint sind hier nicht nur die östlichen und westlichen Stadtplaner, die ohne Rücksicht auf historisch Gewordenes beide Teile der Stadt mit großspurigen Straßen und beispiellos häßlichen Trabantensiedlungen »verschönt« haben. Gemeint sind vor allem die geschichtsvergessenen »Stadtsanierer« in beiden Teilen der Stadt, die mit erstaunlicher Konsequenz Bauten zerstört haben, die eine große historische und architektonische Bedeutung hatten. Zu nennen ist hier zunächst und vor allem die Sprengung und restlose Planierung des Stadtschlosses im Ostteil der Stadt im Jahre 1950. Zweifellos ein Akt der Kulturbarbarei, der dann mit der Errichtung des »Palastes der Republik« gewissermaßen noch einmal wiederholt wurde. Westliche Kritiker übersahen jedoch, daß man gleichzeitig im Westteil nicht nur die Stadt »mordete« (W. Siedler), indem man Stuck und Putten von Bürgerhäusern entfernte, sondern vor allem indem man systematisch die Spuren der Stätten des NS-Terrors beseitigte. So wurde, um nur ein Beispiel zu nennen, das Gelände an der Prinz-Albrecht-Straße 8, wo sich die Gestapozentrale befand, einer Erdverwertungsfirma zur Verfügung gestellt. Bis vor kurzem schoben hier Bulldozer Erd- und Schuttmassen hin und her, fast ein Symbol für das, was man »Vergangenheitsbewältigung« zu nennen sich angewöhnt hat. Auf dem benachbarten Grundstück des ehemaligen, ebenfalls restlos abgerissenen Prinz-Albrecht-Palais, in dem der SD untergebracht war, befand sich ebenfalls bis vor wenigen Wochen ein sog. Autodrom. Hier konnte man ohne Führerschein Auto fahren. Eine Reklametafel am Eingang warb für den Besuch eines Transvestitenlokals namens »Dream Boys Lachbühne«. Ebenfalls nicht zum Lachen ist, daß, um ein weiteres Beispiel zu nennen, die nicht völlig zerstörte Synagoge in der Levetzowstraße in den 50er Jahren völlig abgerissen wurde, um hier einen sog. »Bolzplatz« für Kinder zu errichten.

Man könnte noch weitere Beispiele nennen: die unzerstörte Wannsee-Villa ist noch immer keine Gedenkstätte an die Wannsee-Konferenz, sondern ein Schullandheim – erst im September 1986 kündigte der Regierende Bürgermeister Diepgen die Errichtung einer Gedenk- und Begegnungsstätte an; der Magistrat von Berlin (Ost) plant immer noch, eine Schnellstraße quer über den Jüdischen Friedhof in Weißensee zu bauen – diese Beispiele unterstreichen und dokumentieren die in beiden Teilen der Stadt immer wieder anzutreffende Geschichtsvergessenheit. Doch dies ist gerade in Berlin weder wünschenswert noch möglich. Beide Teile Berlins sind, was man natürlich anerkennen muß, inzwischen »auferstanden aus Ruinen«, aber Berlin ist vor allem der Vergangenheit verpflichtet und muß es bleiben. Die Geschichte Berlins war über weite Strecken die Geschichte einer deutschen Metropole, Berlin war im Guten wie im Bösen Schauplatz der deutschen Geschichte. Das Land und die Stadt sind geteilt, aber diese Geschichte ist unteilbar. Alle Deutschen, alte wie junge, Bürger der DDR wie der Bundesrepublik, Bewohner des östlichen wie des westlichen Teils von Berlin, sind in diese Geschichte hineingeboren. Gerade in Berlin muß man sich daran erinnern, Berlin-Geschichte muß zu einer begriffenen Geschichte werden.

Sach- und Namenregister

kursive Ziffern verweisen auf Abbildungen, **halbfette** auf Stichwörter im Lexikon.

ABBILDUNGSNACHWEIS

FARBE: Andreas Reisen, Berlin (1); Berlin Museum, Berlin (2) – Bartsch (1); Bildarchiv Preußischer Kulturbesitz, Berlin (11); Bildarchiv Jürgens, Köln (2); Jürgen Liepe, Berlin (3); Bildagentur Mauritius, Mittenwald (1); Staatl. Museen zu Berlin-Ost (1); Staatl. Schlösser und Gärten, Berlin (2); ZEFA, Düsseldorf - ADN (1) – Damm (1); SCHWARZWEISS: Archiv für Kunst und Geschichte, Berlin (3); Bertelsmann LEXIKOTHEK Verlag GmbH, Gütersloh (1); Bildarchiv Preußischer Kulturbesitz, Berlin (9); Fackelträger-Verlag GmbH, Hannover (1); Märkisches Museum, Berlin (3); Ullstein GmbH Bilderdienst, Berlin (3).

Inhalt